Kim Harrison

Heksen en duivelsgebroed

LUITINGH FANTASY

Oorspronkelijke titel: *Every Which Way But Dead*
Vertaling: Annemarie Lodewijk
Omslagontwerp: Mariska Cock
Omslagillustratie: Rien van der Kraan

ISBN 978 90 245 2816 5
NUR 334

www.boekenwereld.com
www.dromen-demonen.nl

Voor de man die mij mijn eerste paar handboeien gaf.
Fijn dat je er bent.

Ik haalde een keer diep adem om rustig te worden en trok de manchetten van mijn handschoenen omhoog om het stukje blote huid bij mijn pols te bedekken. Met vingers die, ondanks de fleece handschoenen, gevoelloos waren van de kou, schoof ik mijn op een na grootste toverketel naast een kleine, afgebrokkelde grafsteen, terwijl ik mijn best deed om geen overdrachtsstoffen te morsen. Het was steenkoud en mijn adem dampte in het schijnsel van de goedkope witte kaars die ik vorige week in de uitverkoop had gekocht.

Met een paar druppels kaarsvet zette ik de kaars vast op de grafsteen. Mijn maag kromp ineen toen ik aan de horizon de nevelsluier zag, die nauwelijks waarneembaar was door de lichtjes van de stad om me heen. Straks zou de maan opkomen, die nog maar net vol was geweest en nu weer aan het afnemen was. Niet bepaald een goed moment om demonen op te roepen, maar als ik het niet deed zou hij toch wel komen. Ik ontmoette Algaliarept liever onder mijn eigen voorwaarden – vóór middernacht.

Ik keek over mijn schouder naar de helder verlichte kerk achter mij waar Ivy en ik woonden. Ivy was boodschappen gaan doen en wist niet eens dat ik het op een akkoordje had gegooid met een demon, laat staan dat het moment was aangebroken hem voor zijn diensten te betalen. Ik kon dit natuurlijk ook binnen doen, waar het warm was, in mijn mooie keuken, van alle mogelijke bezweringsspullen en moderne gemakken voorzien, maar demonen oproepen op een kerkhof klopte gewoon op de een of andere perverse manier veel beter, zelfs met al die sneeuw en kou.

Bovendien wilde ik hem hier ontmoeten om te voorkomen dat Ivy morgenochtend het bloed van het plafond moest poetsen.

Of het demonenbloed zou zijn of dat van mezelf, was een vraag die ik hopelijk niet behoefde te beantwoorden. Ik was niet van plan me te laten meesleuren in het hiernamaals om Algaliarepts familiaar te worden. Dat kon ik niet. Ik had hem ooit verwond en toen had hij gebloed. Als hij bloedde kon hij dus doodgaan. *God, help me hierdoorheen te komen. Help me een manier te vinden om hier iets goed te doen.*

De stof van mijn jas maakte een schurend geluid toen ik mijn armen om mezelf heen sloeg en mijn laars gebruikte om een beetje onhandig een cirkel van zo'n vijftien centimeter knisperende sneeuw van de kleirode betonnen plaat te schrapen, waarin een grote cirkel was geëtst. De kamergrote stenen plaat was een tastbare plek waar Gods genade ophield en de chaos het overnam. Vóór ons hadden geestelijken het neergelegd op een ooit gewijde plek, hetzij om ervoor te zorgen dat er niemand anders meer te ruste zou worden gelegd, hetzij om de gedetailleerde, half knielende, dodelijk vermoeide engel die in het midden stond stevig te verankeren. De naam op de enorme grafsteen was weggebeiteld, zodat alleen de data er nog maar stonden. Hier lag iemand die in 1852 op vierentwintigjarige leeftijd was overleden. Ik hoopte maar dat het geen voorteken was.

Iemand in beton gieten om te voorkomen dat hij of zij er weer uit zou komen werkte soms wel – en soms niet – maar in elk geval was de grond niet langer gewijd. En aangezien de stenen plaat omringd werd door grond die dat nog wel was, was het een goede plek om een demon op te roepen. In het ergste geval kon ik altijd nog op gewijde grond springen, waar ik veilig zou zijn tot de zon opkwam en Algaliarept weer werd teruggetrokken in het hiernamaals.

Met trillende vingers haalde ik uit mijn zak een witzijden zakje zout, dat ik uit mijn vijfentwintigponds zak had geschraapt. Het was een flinke hoeveelheid, maar ik wilde een stevige cirkel en een deel van het zout zou met de sneeuw versmelten en verdund raken. Ik keek naar de hemel om in te schatten waar het noorden was en vond een inkeping op de cirkel, precies op de plek waar ik dacht dat het moest zijn. Dat iemand vóór mij deze cirkel al eens had gebruikt om demonen op te roepen, boezemde me bepaald geen vertrouwen in. Het was niet illegaal of immoreel om demonen op te roepen, maar wel ontzettend, ontzettend stom.

Langzaam en met de wijzers van de klok mee, liep ik vanuit het noorden in een cirkel rond, met mijn voeten een pad vormend langs de buitenkant van het zoutspoor dat ik neerlegde, rondom de enorme stenen engel en het grootste deel van de vervloekte grond. De cirkel werd ruim vierenhalve meter in doorsnee, een behoorlijk groot oppervlak, waarvoor je meestal minstens drie heksen nodig had om hem te vormen en vast te houden, maar ik was goed genoeg om zoveel leylijnkracht in mijn eentje te sturen. Nu ik erover nadacht, was dat misschien wel de reden waarom de demon mij zo graag als zijn nieuwste familiaar wilde inlijven.

Vanavond zou ik erachter komen of mijn zorgvuldig opgestelde mondelinge contract van drie maanden geleden me niet alleen in leven, maar ook aan de goede kant van de leylijnen zou houden. Ik had ermee ingestemd vrijwillig Algaliarepts familiaar te worden, op voorwaarde dat hij tegen Piscary zou getuigen, maar dat ik wel mijn ziel zou behouden.

Het proces was vanavond officieel twee uur na zonsondergang afgesloten, zodat mijn afspraak met de demon nu van kracht zou worden. Dat de ondode vampier die het grootste deel van Cincinnati's onderwereld controleerde tot vijf eeuwen was veroordeeld voor de moorden op de beste leylijnheksen van de stad, leek nu nauwelijks meer van belang. Vooral omdat ik vermoedde dat zijn advocaten er wel voor zouden zorgen dat hij er met één schamele eeuw vanaf zou komen.

De vraag die op dit moment iedereen, aan beide kanten van de wet, bezighield, was of Kisten, zijn voormalige intimus, in staat zou zijn het hele zaakje bij elkaar te houden tot de ondode vampier vrijkwam, want Ivy ging dat niet doen, intimus of geen intimus. Als ik erin slaagde deze nacht te overleven in het bezit van mijn ziel, zou ik me wat minder zorgen om mezelf gaan maken en wat meer om mijn huisgenote, maar eerst moest ik mijn zaakjes met de demon afhandelen.

Terwijl mijn schouders zo gespannen waren dat het pijn deed, haalde ik de groene kaarsen uit mijn jaszak en plaatste ze op de cirkel om de punten van een pentagram te vertegenwoordigen dat ik niet ging tekenen. Ik stak ze aan met de witte kaars die ik gebruikte voor de overdrachtsmedia. De vlammetjes flakkerden en ik bleef even kijken om zeker te weten dat ze niet uitgingen, waarna ik de witte kaars weer op de kapotte grafzerk buiten de cirkel zette.

Het gedempte geluid van een auto trok mijn aandacht naar de hoge muren die het kerkhof van onze buren scheidden. Mezelf schrap zettend om de nabijgelegen leylijn aan te boren, trok ik mijn gebreide muts over mijn oren, stampte de sneeuw van de zoom van mijn spijkerbroek en controleerde nog één keer of ik alles had. Maar er was niets meer om nog langer mee te talmen.

Ik haalde een keer diep adem en bracht mijn wil naar de kleine leylijn die over het kerkhof liep. Ik ademde sissend in door mijn neus, verstijfde en viel bijna om toen mijn balans verschoof. De leylijn leek iets van het winterse weer te hebben meegekregen en sneed door me heen met een ongebruikelijke kou. Ik stak mijn gehandschoende hand uit om me in evenwicht te houden tegen de door kaarsen verlichte grafsteen en intussen voelde ik hoe de binnenkomende energie aanzwol.

Zodra de krachten een balans hadden gevonden, zou de overtollige inkomende kracht terugvloeien naar de lijn. Intussen moest ik het met mijn kiezen op elkaar zien uit te zingen, terwijl hevige tintelingen diep doordrongen in de theoretische lichaamsdelen in mijn geest die een afspiegeling waren van mijn echte vingers en tenen. Elke keer was het erger. Elke keer ging het sneller. Elke keer was het meer een gevecht.

Hoewel het een eeuwigheid leek te duren, had de kracht in een onderdeel van een seconde een evenwicht gevonden. Mijn handen begonnen te zweten en ik werd bevangen door een ongemakkelijk gevoel van gelijktijdige kou en warmte, alsof ik koorts had. Ik trok mijn handschoenen uit en propte ze diep in mijn zak. De bedels aan mijn armband rinkelden helder in de winterstille lucht. Zij zouden me niet kunnen helpen. Zelfs het kruisje niet.

Ik wilde mijn cirkel snel afhebben. Op de een of andere manier wist Algaliarept het altijd meteen als ik een lijn aanboorde, en ik moest hem oproepen voordat hij uit eigen beweging kwam en mij beroofde van het kleine beetje macht waarop ik aanspraak kon maken als degene die hem had opgeroepen. De koperen toverketel met de overdrachtsstoffen voelde koud aan toen ik hem oppakte en iets deed wat geen enkele heks ooit deed zonder het met de dood te moeten bekopen; ik stapte naar voren en ging in dezelfde cirkel staan waarin ik Algaliarept ging oproepen.

Ik stond voor het manshoge, in beton gegoten monument en ademde uit. Het stenen beeld was bedekt met een zwarte laag bacteriën en stedelijke vervuiling, zodat het er echt uitzag als een gevallen engel. Dat de figuur zich huilend over een zwaard boog dat hij horizontaal in zijn handen hield, als een soort offerande, maakte het des te huiveringwekkender. Op de plek waar de vleugels zich om het lichaam vouwden zat een vogelnestje en het gezicht leek niet te kloppen. Verder waren de armen veel te lang voor een mens of een Inderlander. Zelfs Jenks liet zijn kinderen niet bij dit beeld spelen.

'Laat me alsjeblieft gelijk hebben,' fluisterde ik tegen het standbeeld, terwijl ik in gedachten de witte ring van zout van deze werkelijkheid naar die van het hiernamaals overbracht. Ik wankelde toen het grootste deel van de energie die zich in mijn binnenste had verzameld naar buiten werd getrokken om de overgang tot stand te brengen. De stoffen in de ketel klotsten en aangezien ik nog steeds mijn eigen evenwicht niet had gevonden, zette ik hem in de sneeuw om te voorkomen dat het over de rand zou gaan. Mijn ogen gingen naar de groene kaarsen. Ze waren griezelig transparant geworden, omdat ze met het zout naar het hiernamaals waren overgebracht. De vlammen bestonden echter in beide werelden en verlichtten de nacht met hun gloed.

De kracht van de lijn begon weer aan te zwellen, een gevoel dat net zo onaangenaam was als die eerste snelle instroom bij het aanboren van een lijn, maar het lint van zout was vervangen door een even grote hoeveelheid hiernamaalsrealiteit die zich, hoog boven mijn hoofd, in een koepel aaneensloot. Niets substantiëlers dan lucht kon nu de verschuivende ringen van realiteit nog passeren, en aangezien ik de cirkel had geplaatst, was ik de enige die hem kon verbreken – als ik hem tenminste goed had gemaakt.

'Algaliarept, ik roep je op,' fluisterde ik met bonkend hart. De meeste mensen gebruikten alle mogelijke hulpmiddelen om een demon op te roepen en in bedwang te houden, maar omdat ik al afspraken met hem had gemaakt, hoefde ik alleen nog maar zijn naam uit te spreken en zijn aanwezigheid te wensen om hem over de streep te trekken. Bofte ik even.

Mijn maag kromp ineen toen een klein stukje sneeuw tussen de strijdende engel en mij opeens begon te smelten. De sneeuw stoomde en de wolk van roodachtige damp bolde op rond de omtrekken van een lichaam dat nog geen vorm had aangenomen. Ik wachtte met toenemende spanning af. Algaliarept varieerde nogal met zijn uiterlijk en doorzocht zonder dat ik het zelf in de gaten had mijn geest, op zoek naar datgene waar ik het bangst voor was. Zo had hij een keer de gedaante van Ivy aangenomen. En van Kisten – tot ik me in een lift een keer op een dwaas moment van door een vampier opgewekte hartstocht bijna aan hem had vergrepen. Het valt niet mee om nog bang te zijn voor iemand nadat je met hem hebt getongd. Nick, mijn vriendje, kreeg altijd een kwijlende hond zo groot als een pony te zien.

Ditmaal echter, had de nevel beslist een menselijke vorm, en ik vermoedde dat hij zich zou manifesteren als Piscary – de vampier die ik zojuist achter de tralies had gewerkt – of misschien als zijn meer opvallende uitvoering van een jonge Engelse gentleman in een groen fluwelen pandjesjas.

'Voor die twee ben je niet bang meer,' klonk een stem door de mist en ik keek op.

Het was mijn eigen stem. 'Ah, shit,' schold ik, terwijl ik mijn toverketel oppakte en achteruitdeinsde tot ik bijna mijn cirkel verbrak. Hij kwam als mij en daar had ik toch wel zo de pest aan. 'Ik ben niet bang voor mezelf!' riep ik, nog voordat hij vaste vorm had aangenomen.

'O, jawel.'

Hij had de goede klank te pakken, maar de intonatie en het accent klopten niet. Ik keek als aan de grond genageld toe hoe Algaliarept mijn omtrekken aannam, zijn handen suggestief over zijn lichaam liet glijden, zijn borst plat strijkend tot mijn armzalige excuus van vrouwelijkheid en mij heupen gaf die waarschijnlijk voluptueuzer waren dan ik eigenlijk verdiende. Hij kleedde zich in een zwartleren broek, een rood haltertopje en zwarte sandalen met hoge hakken, die er belachelijk uitzagen zo midden op een besneeuwd kerkhof.

Met halfgesloten oogleden en iets geopende lippen, schudde hij mijn kroezende, schouderlange rode krullen uit de nevel van het hiernamaals. Hij gaf me meer sproeten dan ik eigenlijk had en in werkelijkheid waren mijn ogen niet de rode bollen die hij liet zien toen hij ze opendeed, maar groen. Bovendien waren mijn pupillen niet gespleten als die van een geit.

'De ogen kloppen niet,' zei ik en zette mijn toverketel aan de rand van de cirkel op de grond. Ik kon het niet uitstaan dat ik mijn stem hoorde trillen.

Met één heup naar voren, stak de demon een in een sierlijk sandaaltje gestoken voet naar voren en knipte met zijn vingers. Er verscheen een zwarte zonnebril in zijn hand en hij zette hem op om de onnatuurlijke ogen te verbergen. 'Nu kloppen ze wel,' zei hij en ik rilde ervan hoe goed hij mijn stem nadeed.

'Je lijkt helemaal niet op mij,' zei ik. Ik had me niet gerealiseerd dat ik zo was afgevallen en besloot ter plekke dat ik best weer aan de milkshakes en de patat kon.

Algaliarept glimlachte. 'Misschien lijkt het beter als ik mijn haar opsteek?' spotte hij guitig terwijl hij de weerspannige bos haar bijeen nam en boven op mijn, eh, zijn hoofd hield. Op zijn lippen bijtend om ze roder te maken, kreunde en kronkelde hij alsof zijn handen boven zijn hoofd waren vastgebonden en hij erg genoot van dat soort spelletjes. Vervolgens leunde hij tegen het zwaard dat de engel vasthield en poseerde als een hoertje.

Ik dook nog wat dieper weg in mijn jas met nepbontkraag. In de verte hoorde ik het geluid van een passerende auto. 'Kunnen we een beetje opschieten? Ik krijg koude voeten.'

Hij hief zijn hoofd op en glimlachte. 'Wat bén je toch een spelbreekster, Rachel Mariana Morgan,' zei hij met mijn stem, maar nu in zijn gebruikelijke snobistische Britse accent. 'Maar wel érg sportief. Het feit dat je je niet zomaar door mij mee laat slepen naar het hiernamaals toont érg veel geestkracht. Ik ga er ontzettend van genieten om jou te breken.'

Ik schrok me een ongeluk toen er opeens een waas van hiernamaalsenergie over hem heen viel. Hij veranderde weer van vorm, maar mijn schouders ontspanden toen hij weer tevoorschijn kwam als zijn gebruikelijke visioen van kant en groen fluweel. Daar verschenen het lange, donkere haar en de ronde, donkere bril. Gevolgd door een bleke huid en een gezicht met krachtige trekken, al even elegant als het slanke figuur en het smalle middel. Hooggehakte laarzen en een prachtig gemaakte jas completeerden het geheel en maakten van de demon een charismatische jonge zakenman uit de achttiende eeuw, rijk en geboren voor succes.

Mijn gedachten gingen even terug naar de weerzinwekkende plaats delict waar ik afgelopen najaar ongewild sporen had achtergelaten tijdens mijn pogingen Trent Kalamack als schuldige aan te wijzen voor de moorden op Cincinnati's beste leylijnheksen. Algaliarept had hen in opdracht van Piscary afgeslacht. Ze waren allemaal een afschuwelijke dood gestorven, omdat hij dat zo leuk vond. Al was een sadist, hoe goed hij er ook uitzag.

'Ja, laten we nu eens voortmaken,' zei hij, terwijl hij een blikje zwart poeder pakte dat naar Hellevuur rook, en er een snuifje van nam. Hij wreef over zijn neus en maakte met zijn laars een schoppende beweging naar mijn cirkel, zodat ik ineen kromp. 'Mooie, strakke cirkel. Maar het is wel koud. Ceri houdt meer van warm.'

Ceri? vroeg ik me af, terwijl alle sneeuw binnen de cirkel in een wolk van condens wegsmolt. Er steeg een geur op van nat plaveisel, die echter onmiddellijk verdween toen het cement zachtrood opdroogde.

'Ceri,' zei Algaliarept, met een stem waarvan ik schrok: zacht en tegelijkertijd vleiend en bevelend. 'Kom.'

Ik keek met grote ogen toe hoe er opeens, ogenschijnlijk vanuit het niets, een vrouw achter Algaliarept vandaan kwam. Ze was dun, met een bleek, hartvormig gezichtje en te geprononceerde jukbeenderen. Ze was een stuk kleiner dan ik en had iets kleins en bijna kinderlijks. Haar hoofd was gebogen en haar lichte, doorschijnende, steile haar hing tot halverwege haar rug. Ze was gekleed in een prachtige japon die tot op haar blote voeten viel. De japon was beeldschoon – weelderige zijde in warme tinten paars, groen en goud – en hij zat haar welgevormde figuurtje als gegoten. Hoewel ze klein was, was ze goed geproportioneerd, zij het ietwat aan de tengere kant.

'Ceri,' zei Algaliarept, terwijl hij met zijn in een witte handschoen gestoken hand haar gezichtje optilde. Haar ogen waren groen, groot en leeg. 'Wat had ik nu gezegd over blote voeten?'

Er gleed een blik van ergernis over haar gezicht, heel ver weg in de half verdoofde toestand waarin zij zich bevond. Mijn blik gleed omlaag toen een bijpassend paar geborduurde slippertjes zich om haar voeten vormden.

'Dat is al veel beter.' Algaliarept keerde zich van haar af en ik werd getroffen door het beeld van het perfecte paartje dat zij in hun prachtige kleren vormden. Zij zag er beeldschoon uit, maar haar geest was net zo leeg als zij mooi was, krankzinnig van de primitieve magie die zij onder dwang van de demon vast moest houden. Door de leylijnkracht door haar geest te laten filteren, bleef hij zelf buiten schot. Een afschuwelijk gevoel maakte zich van mij meester.

'Dood haar niet,' fluisterde ik met droge mond. 'Je bent klaar met haar. Laat haar leven.'

Algaliarept trok zijn donkere bril omlaag om mij met zijn rode oogbollen aan te kijken. 'Vind je haar leuk?' vroeg hij. 'Ze is wel mooi, hè? Meer dan duizend jaar oud en nog geen dag ouder geworden sinds de dag dat ik haar haar ziel heb afgenomen. Eerlijk gezegd is zij de reden waarom ik meestal op feestjes werd uitgenodigd. Ze doet zonder morren alles wat ik zeg. Hoewel het natuurlijk de eerste honderd jaar één groot tranendal was. Op zich wel grappig, maar op den duur gaat het vervelen. Jij geeft je niet zomaar gewonnen, is het wel?'

Mijn kaken verkrampten. 'Geef haar haar ziel terug, nu je op haar bent uitgekeken.'

Algaliarept begon te lachen. 'O, wat ben je toch een schatje!' zei hij, in zijn handen klappend. 'Maar die krijgt ze toch wel terug. Die heb ik zo bezoedeld, die is reddeloos verloren. En ik vermoord haar voordat ze de kans krijgt vergeving te vragen aan haar god.' Zijn volle lippen openden zich in een valse grijns. 'Weet je, het is toch allemaal één grote leugen.'

Ik kreeg het koud toen de vrouw in een poeltje paars, groen en goud aan zijn voeten ineen zeeg, gebroken. Ik zou nog liever sterven voordat ik me door hem liet meesleuren naar het hiernamaals om... om zo te worden. 'Rotzak,' fluisterde ik.

Algaliarept gebaarde alsof hij zeggen wilde: 'Wát nou?' Hij wendde zich tot Ceri, zocht haar kleine handje in de massa zijden stof en hielp haar overeind. Ze was weer blootsvoets. 'Ceri,' vleide de demon, en keek toen naar mij. 'Ik had haar veertig jaar geleden al moeten inruilen, maar de Ommekeer maakte alles zo ingewikkeld. Ze hoort niet eens meer iets als je niet eerst haar naam zegt.' Hij richtte zich weer tot de vrouw. 'Ceri, wees eens lief en haal de overdrachtsstoffen die je met zonsondergang hebt gemaakt.'

Mijn maag verkrampte. 'Ik heb zelf iets gemaakt,' zei ik en Ceri knipperde met haar ogen, het eerste teken van begrip dat ik bij haar waarnam. Met grote, ernstige ogen keek ze me aan alsof ze me voor het allereerst zag. Haar blik gleed naar de toverketel aan mijn voeten en de bleekgroene kaarsen om ons heen. Met paniek in haar blik stond ze voor het engelmonument. Ik denk dat ze zich opeens realiseerde wat er gebeurde.

'Fantastisch,' zei Algaliarept. 'Je doet nu al je best om je nuttig te maken, maar ik wil toch liever dat van Ceri.' Hij keek naar Ceri, die haar mond opendeed zodat je haar kleine, witte tanden zag. 'Ja, liefje, tijd voor jou om met pensioen te gaan. Breng me mijn ketel en de overdrachtsstoffen.'

Gespannen en behoedzaam maakte Ceri een beweging en meteen verscheen er een klein maatje ketel, van koper dat dikker was dan mijn pols, tussen ons in. Hij was gevuld met een amberkleurige vloeistof, een soort gelei met stukjes wilde geranium erin.

Ik rook de geur van ozon en het begon warmer te worden, zodat ik mijn jas openritste. Algaliarept neuriede en was kennelijk in een uitstekende bui. Hij wenkte mij naderbij en ik deed een stapje naar voren, even aan het zilveren mes voelend dat ik in mijn mouw had verstopt. Mijn hart begon sneller te kloppen en ik vroeg me af of mijn contract voldoende was om mijn leven te redden. Aan een mes zou ik niet zoveel hebben.

De demon grijnsde zijn platte, gelijkmatige tanden bloot en gaf Ceri een teken. 'Mijn spiegel,' zei hij en de tengere vrouw bukte zich om een waarzegspiegel te pakken die er een ogenblik eerder nog niet was geweest. Ze hield hem als een tafeltje voor Algaliarept.

Ik slikte bij de herinnering aan het smerige gevoel dat ik had gekregen toen ik afgelopen najaar mijn aura van me had afgestroopt en in mijn waarzegspiegel had laten vallen. De demon trok een voor een zijn handschoenen uit en legde zijn rode handen met dikke knokkels boven op het glas, de lange vingers wijd gespreid. Hij huiverde en sloot zijn ogen terwijl zijn aura van zijn handen viel en als inkt in een draaikolk in de weerspiegeling viel. 'In het medium, Ceri, liefje. Vlug een beetje.'

Ze hijgde bijna toen ze de spiegel met Algaliarepts aura naar de ketel droeg. Het was niet het gewicht van het glas; het was het gewicht van wat er gebeurde. Ik stel me voor dat zij de nacht opnieuw beleefde waarin zij had gestaan waar ik nu stond en naar haar voorgangster had gekeken zoals ik nu naar haar keek. Ze moet hebben geweten wat er ging gebeuren, maar ze was vanbinnen zo dood dat ze alleen nog maar kon doen wat van haar werd verwacht. Door haar duidelijk waarneembare, machteloze paniek, wist ik dat zij nog iets in zich had wat de moeite van het redden waard was.

'Laat haar vrij,' zei ik, mijn lelijke jas om me heen trekkend terwijl ik van Ceri naar de ketel keek en toen naar Algaliarept. 'Laat haar eerst vrij.'

'Waarom?' Hij keek verveeld naar zijn nagels en trok toen zijn handschoenen weer aan.

'Ik vermoord je voordat ik me door jou mee laat sleuren naar het hiernamaals en ik wil dat je haar eerst vrijlaat.'

Hier moest Algaliarept lang en hard om lachen. De demon zette een hand tegen de engel en sloeg bijna dubbel van het lachen. Op dat moment voelde ik een gedempt gebonk door mijn voeten trillen en barstte de stenen sokkel open met het geluid van een geweerschot. Ceri stond met open mond naar mij te kijken. Het leek alsof er van alles in haar omging, lang onderdrukte gedachten en herinneringen.

'Je gaat dus echt de strijd aan,' zei Algaliarept vergenoegd. 'Fantastisch. Daar had ik al zó op gehoopt.' Zijn blik ontmoette de mijne en hij grijnsde spottend en raakte even de rand van zijn bril aan. *'Adsimulo calefacio.'*

Het mes in mijn mouw vatte vlam. Met een gil schudde ik het uit mijn jas. Het raakte de rand van mijn koepel en gleed omlaag. De demon keek me aan. 'Rachel Mariana Morgan. Stel mijn geduld niet langer op de proef. Kom hier en spreek die verdomde bezwering uit.'

Ik had geen keus. Als ik het niet deed, zou hij zeggen dat ik mijn afspraken niet nakwam, mijn ziel in onderpand nemen en me meeslepen naar het hiernamaals. Mijn enige kans was de overeenkomst geheel uit te spelen. Ik keek naar Ceri en wenste dat ze een eindje bij Algaliarept vandaan ging staan, maar zij liet haar vingers over de data in de gebarsten grafsteen glijden. Ze leek nog bleker dan eerst.

'Weet je de vervloeking nog?' vroeg Algaliarept toen ik bij de kniehoge ketel kwam staan.

Ik wierp een snelle blik in de ketel en was niet verbaasd dat de aura van de demon zwart was. Ik knikte en voelde me een beetje licht in mijn hoofd worden toen ik terugdacht aan het moment dat ik Nick per ongeluk tot mijn familiaar had gemaakt. Was dat echt nog maar drie maanden geleden? 'Ik kan hem in het Engels opzeggen,' fluisterde ik. *Nick. O, god. Ik had geen afscheid van hem genomen.* Hij was de laatste tijd zo afstandelijk dat ik nog niet de moed had gevonden het hem te vertellen. Ik had het niemand verteld.

'Dat is prima.' Zijn bril verdween en hij keek me aan met die vervloekte geitenogen van hem. Mijn hart ging als een bezetene tekeer, maar ik had deze keus nu eenmaal gemaakt. Het was een kwestie van leven of dood.

Algaliarepts stem kwam zwaar en galmend, resonerend tot in het diepst van mijn ziel, van zijn lippen. Hij sprak Latijn en de woorden klonken bekend, en toch ook weer niet, als in een droom. *'Pars tibi, totum mihi. Vinctus vinculis, prece factis.'*

'Een deel naar jou,' echode ik in het Engels, de woorden uit mijn herinnering puttend, 'maar alles naar mij. Gebonden door banden, die door afsmeking zijn ontstaan.'

De glimlach van de demon verbreedde zich en zijn zelfvertrouwen bezorgde mij kippenvel. *'Luna servata, lux sanata. Chaos statutum, pejus minutum.'*

Ik slikte moeizaam. 'Maan gespaard, schitterend licht bedaard,' fluisterde ik. 'Chaos bevolen, vloek verloochend.'

Algaliarepts knokkels werden wit toen hij de ketel vaster omklemde. *'Mentem tegens, malum ferens. Semper servus dum duret mundus,'* zei hij en ik hoorde Ceri snikken, een zacht, katachtig geluid, dat ze snel onderdrukte. 'Ga door,' zei Algaliarept en de opwinding maakte zijn contouren wazig. 'Zeg het en steek je handen erin.'

Ik aarzelde en keek naar Ceri's ineengezakte gestalte voor de grafsteen, haar japon een kleine poel van kleur. 'Ontsla mij eerst van een van de dingen die ik je schuldig ben.'

'Je bent een drammerig kreng, Rachel Mariana Morgan.'

'Doe wat ik zeg!' gebood ik. 'Je hebt zelf gezegd dat je het zou doen. Je hebt beloofd dat je een van de merktekenen weg zou nemen.'

Hij leunde zo ver over de ketel dat ik mijn eigen gezicht, met grote angstogen, in zijn bril weerspiegeld zag. 'Het maakt geen enkel verschil. Maak die vervloeking af, dan hebben we dat maar gehad.'

'Wil je nu beweren dat je je niet aan onze afspraak gaat houden?' vroeg ik geërgerd en hij begon te lachen.

'Nee. Helemaal niet en als je hoopte dat onze overeenkomst daarop zou stuklopen, dan heb je het heel erg mis. Ik zal een van mijn merktekenen wegnemen, maar je bent me nog steeds een gunst schuldig.' Hij likte langs zijn lippen. 'En als mijn familiaar ben je – van mij.'

Een misselijkmakende mengeling van angst en opluchting deed me beven als een rietje en ik hield mijn adem in om niet over mijn nek te gaan. Maar ik moest mijn deel van de afspraak volledig nakomen voordat ik kon zien of ik het bij het rechte eind had en tussen de mazen van het demonennet kon doorglippen.

'Bedekker van geest,' zei ik bevend, 'drager van pijn. Slaaf tot 's werelds eind.'

Algaliarept maakte een tevreden geluidje. Ik klemde mijn kiezen op elkaar en stak mijn handen in de ketel. De kou sneed erdoorheen en maakte ze gevoelloos. Ik trok mijn handen er weer uit. Vol afgrijzen stond ik ernaar te kijken, maar kon niets vreemds bespeuren aan mijn roodgelakte nagels.

En toen drong Algaliarepts aura dieper in mij door en raakte mijn chi.

Mijn ogen leken uit te puilen van pijn. Ik haalde diep adem om het uit te gillen, maar er kwam geen geluid. Heel even ving ik een glimp op van Ceri, die met haar ogen stijf dichtgeknepen verzonken was in herinneringen. Aan de andere kant van de ketel stond Algaliarept te grijnzen. Kokhalzend probeerde ik adem te halen, terwijl de lucht in dikke olie leek te veranderen. Ik viel op handen en knieën en bezeerde ze aan het harde beton. Terwijl mijn gezicht verborgen werd door mijn haar, deed ik mijn best om niet te kokhalzen. Ik kreeg geen lucht! Ik kon niet nadenken!

De aura van de demon was als een natte deken, druipend van het zuur, die me smoorde. Hij bedekte me, vanbinnen en vanbuiten, en mijn kracht werd erdoor ingekapseld. Hij kneep mijn wilskracht uit totdat er niets van over was. Ik hoorde mijn hart kloppen, en nog een keer. Trillend haalde ik adem en slikte de scherpe smaak van braaksel weg. Ik ging dit overleven. Zijn aura alleen kon mij niet doden. Ik kon dit best. Ik kon het.

Bevend keek ik op, terwijl de schok afnam tot iets waar ik mee om kon gaan. De ketel was verdwenen en Ceri zat bijna helemaal weggekropen achter de grote grafsteen naast Algaliarept. Ik haalde adem, maar slaagde er niet in de lucht door de aura van de demon heen te proeven. Ik bewoog me, maar voelde niet het ruwe beton dat tegen mijn vingers schuurde. Alles was gevoelloos. Alles was gedempt, alsof ik gewikkeld was in watten.

Alles behalve de kracht van de nabij gelegen leylijn. Ik voelde hem zo'n dertig meter bij me vandaan gonzen als een hoogspanningskabel. Hijgend en wankelend kwam ik overeind en bemerkte tot mijn schrik dat ik hem kon zien. Ik zag alles alsof ik mijn tweede gezicht gebruikte – wat niet het geval was. Mijn maag draaide zich om toen ik zag dat mijn cirkel, ooit gekleurd met een vrolijke tint goud van mijn aura, nu bedekt was met een laag zwart.

Ik wendde me tot de demon, zag de dikke, zwarte aura die hem omringde en wist dat een groot deel daarvan nu ook aan de mijne kleefde. Toen keek ik naar Ceri, maar ik was nauwelijks in staat haar gelaatstrekken te onderscheiden, zo sterk was Algaliarepts aura op haar. Zij bezat zelf geen aura die het tegen die van de demon kon opnemen, want zij was haar ziel aan hem verloren. En dat was nu net waar mijn hele gedachtegang op was gebaseerd.

Als ik mijn ziel behield, had ik nog steeds mijn aura, ook al werd die half gesmoord onder die van Algaliarept. En bij mijn ziel hoorde mijn vrije wil. In tegenstelling tot Ceri, kon ik nee zeggen. Langzaam begon ik me te herinneren hoe ik dat moest doen.

'Laat haar vrij,' bracht ik schor uit. 'Ik heb je vervloekte aura aangenomen. Laat haar nu vrij.'

'O, waarom ook niet?' grinnikte de demon, zich in zijn gehandschoende handen wrijvend. 'Haar doden lijkt me een geweldige manier om jouw leerlingschap mee te beginnen. Ceri?'

De tengere vrouw krabbelde overeind en ik zag de paniek op haar hartvormige gezicht.

'Ceridwen Merriam Dulciate,' zei Algaliarept. 'Voordat ik je dood geef ik je je ziel terug. Dat heb je te danken aan Rachel.'

Ik schrok. Rachel? Voorheen was ik altijd Rachel Mariana Morgan geweest. Als familiaar had ik kennelijk geen recht meer op mijn volledige naam. Dat zat me niet lekker.

Ceri maakte een zacht geluidje en wankelde. Met mijn nieuwe blik zag ik hoe Algaliarepts ketenen van haar af vielen. Ze werd nu nog slechts omringd door een heel dun laagje van het zuiverste blauw – haar teruggekeerde ziel die haar meteen in bescherming begon te nemen – en verdween toen onder duizend jaar duisternis die de demon haar ziel had opgelegd in de tijd dat hij hem in zijn bezit had gehad. Haar mond bewoog, maar ze kon niet spreken. Haar ogen werden glazig en ze begon te hyperventileren. Toen ze viel sprong ik naar voren om haar op te vangen. Moeizaam sleepte ik haar terug naar mijn kant van de cirkel.

Algaliarept stak zijn armen naar haar uit. De adrenaline stroomde door mijn lichaam. Ik liet Ceri los. Ik richtte me op en onttrok kracht aan de lijn. 'Rhombus!' riep ik, de toverspreuk die ik al drie maanden had lopen oefenen om een cirkel te vormen zonder hem eerst te trekken.

Met een kracht waar ik steil van achteroversloeg, explodeerde mijn nieuwe cirkel, zodat Ceri en ik ons nu in een tweede, kleinere cirkel binnen in de eerste bevonden. Voor mijn cirkel had ik geen fysiek voorwerp gehad om me op te concentreren, en de overtollige energie vloeide alle kanten uit, in plaats van terug naar de leylijn waar hij thuishoorde. De demon was vloekend achteruit geworpen tegen de binnenkant van mijn oorspronkelijke cirkel, die nog steeds standhield. Met een kort tinkelend geluid dat door mij heen trilde, brak mijn eerste cirkel en viel Algaliarept op de grond.

Ik zette mijn handen op mijn knieën om uit te hijgen. Algaliarept keek me aan vanaf het beton en ik zag een valse grijns op zijn gezicht verschijnen. 'Wij delen samen een aura, liefje,' zei hij. 'Jouw cirkel kan mij niet langer tegenhouden.' Zijn grijns werd breder. 'Verrassing,' zong hij luchtig, terwijl hij opstond en uitgebreid de tijd nam om zorgvuldig het stof van zijn fluwelen jas te vegen.

O, god. Als mijn eerste cirkel het niet hield, zou mijn tweede het ook niet houden. Ik was al bang geweest dat dit zou gebeuren. 'Ceri?' fluisterde ik. 'Sta op. We moeten hier weg.'

Algaliarepts ogen volgden mij naar de gewijde grond die ons omringde. Mijn spieren spanden zich.

De demon nam een sprong. Gillend trok ik Ceri en mezelf naar achteren. Ik merkte bijna niets van de golf van hiernamaals die in mij vloeide bij het doorbreken van de cirkel. Ik kreeg geen lucht meer toen ik achterover tegen de grond sloeg, met Ceri boven op me. Nog steeds zonder adem te halen, zette ik mijn hielen in de sneeuw en zette me af om nog verder weg te komen. Het goudkleurige kant waarmee Ceri's baljapon was afgezet voelde ruw aan onder mijn vingers en ik trok haar naar me toe tot ik zeker wist dat we ons allebei op gewijde grond bevonden.

'Loop allemaal naar de hel!' riep Algaliarept woedend vanaf de rand van de betonnen plaat.

Ik stond beverig op. Ik kreeg weer lucht en staarde naar de gefrustreerde demon.

'Ceri!' schreeuwde de demon, en een geur van gebrande amber steeg op toen hij zijn voet over de onzichtbare grens zette en meteen weer wegtrok. 'Duw haar naar mij toe! En anders maak ik je ziel zo ontzettend zwart dat die dierbare god van je je er niet in laat, hoe hard je hem er ook om smeekt!'

Ceri kroop kreunend in elkaar en klemde zich vast aan mijn been, haar gezicht verbergend, terwijl ze probeerde een duizendjarige gewoonte te overwinnen. Mijn gezicht verstrakte van woede. *Dit had ik kunnen zijn. Dit kon ik nog steeds worden.* 'Ik zal ervoor zorgen dat hij je geen pijn meer kan doen,' zei ik, een hand op haar schouder leggend. 'Ik zal alles doen wat in mijn macht ligt om ervoor te zorgen dat hij je niets meer kan doen.'

Ik voelde haar handen beven en vond dat ze eruitzag als een mishandeld kind.

'Je bent mijn familiaar!' schreeuwde de demon, rijkelijk met speeksel sproeiend. 'Rachel, kom hier!'

Ik schudde mijn hoofd, kouder dan de sneeuw zelf. 'Nee,' zei ik eenvoudig. 'Ik ga niet mee naar het hiernamaals. Je kunt me niet dwingen.'

Algaliarept stikte bijna van ongeloof. 'Je gaat wel!' bulderde hij en Ceri greep mijn been nog steviger beet. 'Je bent van mij! Je bent verdomme mijn familiaar! Ik heb je mijn aura gegeven. Jouw wil is van mij!'

'Helemaal niet,' zei ik, inwendig bevend. *Het werkte. God zij geprezen, het werkte echt.* Mijn ogen voelden warm aan en ik besefte dat ik bijna stond te huilen van opluchting. Hij kon me niet meenemen. Ik mocht dan zijn familiaar zijn, maar mijn ziel had hij niet. Ik kon nee zeggen.

'Je bent mijn familiaar!' ziedde hij en Ceri en ik gilden het allebei uit toen hij probeerde gewijde grond te bereiken en zich weer snel terugtrok.

'Ik ben je familiaar!' riep ik angstig terug. 'En ik zeg nee! Ik heb gezegd dat ik je familiaar zou zijn en dat ben ik ook, maar ik ga niet met je mee naar het hiernamaals en je kunt me ook niet dwingen!'

Algaliarepts geitenogen vernauwden zich. Hij stapte achteruit en ik verstijfde toen ik zijn woede zag verkillen. 'Je hebt beloofd mijn familiaar te zijn,' zei hij zacht en de rook kringelde omhoog van zijn glanzende laarzen die vlak langs de cirkel van vervloekte grond liepen. 'Kom hier, anders moet ik onze overeenkomst als vervallen beschouwen en zal je ziel automatisch van mij worden.'

Nu zat ik in de tang. Ik had geweten dat het zover zou komen. 'Ik zit helemaal onder die stinkende aura van je,' zei ik, terwijl ik Ceri voelde beven. 'Ik ben je familiaar. Als jij vindt dat ik contractbreuk heb gepleegd, dan haal je er voor de zon opgaat maar iemand bij die een oordeel kan vellen over wat hier is gebeurd. En haal een van die verrekte demonentekens van me af!' gebood ik, mijn pols naar hem uitstekend.

Mijn arm trilde en Algaliarept maakte een akelig geluid, diep in zijn keel. De lange uitademing deed mijn ingewanden beven en Ceri waagde het een blik op de demon te werpen. 'Ik kan je niet als familiaar gebruiken als je aan de verkeerde kant van de lijnen staat,' zei hij, duidelijk hardop nadenkend. 'De banden zijn niet sterk genoeg – '

'Dat is niet mijn probleem,' viel ik hem, bibberend op mijn benen, in de rede.

'Nee,' beaamde Algaliarept. Hij verstrengelde zijn in witte handschoenen gestoken vingers achter zijn rug en liet zijn blik naar Ceri glijden. De intense woede in zijn ogen joeg me de stuipen op het lijf. 'Maar ik maak het tot jouw probleem. Jij hebt mijn familiaar gestolen, zodat ik nu niets meer heb. Je hebt me weten over te halen je te belonen voor een dienst. Als ik je niet mee kan slepen, dan zoek ik wel een manier om je via de lijnen te gebruiken. En ik zal je nooit laten sterven. Vraag maar aan haar. Vraag haar maar naar haar eeuwigdurende hel. Ik wacht op je, Rachel. En ik ben geen geduldige demon. Je kunt je niet voor eeuwig op gewijde grond blijven verstoppen.'

'Ga weg,' zei ik met trillende stem. 'Ik heb je hiernaartoe gehaald. Nu zeg ik je dat je weg moet gaan. Haal een van die demonentekens van me af en ga weg. Nu.' Ik had hem opgeroepen en dus was hij ontvankelijk voor de regels die daarbij golden – ook al was ik zijn familiaar.

Hij ademde langzaam uit en even had ik het idee dat de aarde bewoog. Toen werden zijn ogen zwart. Zwart. Zwart, zwart en toen nog zwarter. *O, shit.*

'Ik vind heus wel een manier om via de lijnen een band met je te smeden die sterk genoeg is,' zei hij op zangerige toon. 'En dan trek ik je er dwars doorheen, met ziel en al. Geniet nog maar even van je tijd aan die kant van de lijnen.'

'Ik ben al eerder een bijna dode heks geweest,' zei ik. 'En mijn naam is Rachel Mariana Morgan. Gebruik die naam. En neem een van die tekens weg, anders ben je straks nog alles kwijt.'

Het gaat me lukken. Ik ben een demon te slim af geweest. Het was een duizelingwekkende gedachte, maar ik was zo bang dat het niet veel betekende.

Algaliarept wierp me een ijzige blik toe. Zijn blik ging naar Ceri en toen verdween hij.

Ik gaf een gil toen mijn pols begon te gloeien, maar ik verwelkomde de pijn. Ineengekrompen klemde ik mijn hand om mijn door de demon getekende pols. Het deed pijn – het leek wel of hellehonden erop aan het kauwen waren – maar toen mijn troebele blik weer helder werd, werd het cirkelvormige litteken nog maar door één lijn doorkruist, in plaats van door twee.

De laatste pijn weghijgend, zakte ik volledig in elkaar. Ik tilde mijn hoofd op en haalde een keer diep adem, in een poging mijn maag uit de knoop te krijgen. Hij had niets aan mij zolang we aan verschillende kanten van de leylijnen bleven. Ik was nog steeds mezelf, ook al was ik bedekt met Algaliarepts aura. Mijn tweede gezicht trok langzaam weg en de rode streep van de leylijn verdween. Algaliarepts aura werd al gemakkelijker te dragen en ik voelde er bijna niets meer van nu de demon zelf was verdwenen.

Ceri liet me los. Dit herinnerde me aan haar aanwezigheid en ik bukte me om haar overeind te helpen. Ze keek verbaasd naar mijn hand en legde een smal, bleek handje in de mijne. Nog steeds aan mijn voeten, kuste ze de rug van mijn hand in een formeel gebaar van dankbaarheid.

'Nee, niet doen,' zei ik, mijn hand omdraaiend om de hare vast te pakken en haar overeind en uit de sneeuw te trekken.

Ceri's ogen vulden zich met tranen en ze huilde stilletjes om haar vrijheid, als een goed geklede, mishandelde vrouw, beeldschoon in haar betraande, zwijgende vreugde. Ik sloeg een arm om haar heen en probeerde haar te troosten. Ceri begon alleen maar harder te huilen.

Alles achterlatend zoals het was – de kaarsen gingen vanzelf wel uit – strompelde ik terug naar de kerk. Mijn blik was strak op de sneeuw gevestigd en toen ik zag hoe Ceri en ik twee voetsporen achterlieten over het ene wat de andere kant op leidde, vroeg ik me af wat ik in vredesnaam met haar moest beginnen.

We waren al halverwege de kerk toen ik me opeens realiseerde dat Ceri op blote voeten door de sneeuw liep. 'Ceri,' zei ik verschrikt. 'Waar zijn je schoenen?'

De huilende vrouw hikte luidruchtig. Ze veegde haar ogen af en keek omlaag. Een rood waas van hiernamaals kolkte om haar tenen en meteen verscheen er een paar verbrande geborduurde slippertjes aan haar voetjes. Er gleed een verbaasde blik over haar verfijnde trekken, duidelijk zichtbaar in het licht van de veranda.

'Ze zijn verbrand,' zei ik toen zij ze van haar voeten schudde. Er kleefden kleine stukjes verkoolde stof aan haar huid. Het leken net zwarte zweren. 'Misschien heeft Grote Al een woedeaanval en verbrandt hij je spullen.'

Ceri knikte zwijgend en haar blauw wordende lippen krulden zich in een heel klein lachje bij het horen van de spottende bijnaam die ik gebruikte om de echte naam van de demon niet te hoeven noemen in het bijzijn van mensen die hem nog niet kenden.

Ik trok haar weer met me mee. 'Nou, ik heb binnen wel een paar pantoffels die je kunt gebruiken. En wat dacht je van een bakje koffie? Ik ben stijf bevroren.' *Koffie? We zijn zojuist aan een demon ontsnapt en ik bied haar koffie aan?*

Zonder iets te zeggen keek ze naar de houten veranda die naar het woongedeelte aan de achterkant van de kerk leidde. Haar blik ging naar het heiligdom erachter en naar de klokkentoren. 'Priester?' fluisterde zij, en haar stem deed denken aan de besneeuwde tuin, kristalhelder en zuiver.

'Nee,' zei ik, terwijl ik probeerde niet uit te glijden op de treden. 'Ik woon hier alleen maar. Het is geen echte kerk meer.' Ceri knipperde met haar ogen en ik voegde eraan toe: 'Het is een beetje moeilijk uit te leggen. Kom binnen.'

Ik deed de achterdeur open en omdat Ceri haar hoofd liet zakken en niet wilde doorlopen, ging ik maar als eerste naar binnen. De warmte van de woonkamer was een verademing voor mijn koude wangen. Ceri bleef als verstijfd in de deuropening staan toen een handjevol elfenmeisjes gillend opvloog van de schoorsteenmantel boven de lege open haard, op de vlucht voor de kou. Twee elfenjongens in de tienerleeftijd wierpen Ceri een veelbetekenende blik toe alvorens in een wat rustiger tempo te volgen.

'Elfen,' zei ik, me herinnerend dat zij meer dan duizend jaar oud was. Als ze geen Inderlander was, zou zij ze nog nooit hebben gezien en geloven dat ze in sprookjes thuishoorden. 'Weet je wat dat zijn?' vroeg ik, de sneeuw van mijn laarzen stampend.

Ze knikte, trok de deur achter zich dicht en ik voelde me meteen een stuk beter. De aanpassing aan het moderne leven zou veel soepeler verlopen als ze behalve aan tv's en mobiele telefoons niet eerst hoefde te wennen aan het feit dat heksen, Weren en vampiers echt bestonden. Toen ik echter zag met hoe weinig belangstelling ze haar blik over Ivy's peperdure elektronische apparatuur liet glijden, wilde ik wedden dat het leven aan de andere kant van de leylijnen technologisch gezien even geavanceerd was als hier.

'Jenks!' riep ik naar de voorkant van de kerk, waar hij en zijn gezin gedurende de koudste maanden van het jaar woonden. 'Kun je even komen?'

Een zacht gegons van libellenvleugels ruiste door de warme lucht. 'Hé, Rache,' zei de kleine elf toen hij aan kwam zweven. 'Wat hoor ik mijn kinderen nu allemaal weer vertellen over een engel?' Hij kwam met een schok zwevend tot stilstand en keek met grote ogen achter mij.

Engel? dacht ik, toen ik me naar Ceri omdraaide om haar voor te stellen. 'O, god, nee,' zei ik, haar weer overeind trekkend. Ze was bezig de sneeuw op te rapen die ik van mijn laarzen had gestampt en hield het in haar hand. De aanblik van haar kleine figuurtje, gekleed in die fabelachtige japon, dat mijn rommel zat op te ruimen werd me even te veel. 'Ceri, alsjeblieft,' zei ik, terwijl ik de sneeuw van haar afpakte en op het kleed gooide. 'Niet doen.'

Even gleed er een blik van ergernis om zichzelf over het kleine gezichtje van de vrouw. Ze zuchtte en keek berouwvol. Ik denk dat ze niet eens in de gaten had wat ze deed voordat ik haar tegenhield.

Ik wendde me weer tot Jenks en zag dat zijn vleugels een lichtrode kleur kregen omdat zijn bloedsomloop versnelde. 'Wat gaan we nou krijgen?' mompelde hij, terwijl zijn blik naar haar voetjes gleed. Van verbazing begon hij elfenstof te strooien, dat een schitterende zonnestraal vormde op het grijze vloerkleed. Hij was gekleed in zijn informele tuinierskleding van nauwsluitende groene zijde en zag eruit als een miniatuur Peter Pan, maar dan zonder de hoed.

'Jenks,' zei ik, terwijl ik een hand op Ceri's schouder legde en haar naar voren trok. 'Dit is Ceri. Zij komt een tijdje bij ons logeren. Ceri, dit is Jenks, mijn partner.'

Jenks schoot opgewonden naar voren, en weer terug. Met een stomverbaasde blik keek Ceri van mij naar hem. 'Partner?' zei ze, en keek naar mijn linkerhand.

Opeens begreep ik wat ze dacht en ik kreeg het er helemaal warm van. 'Mijn zakelijke partner,' zei ik, beseffend dat zij dacht dat wij getrouwd waren. *Hoe kon je in vredesnaam met een elf trouwen? En waarom zou je het in vredesnaam willen?* 'Wij werken samen als agenten.' Ik gooide mijn rode wollen muts naar de haard, waar hij kon drogen op de stenen, en woelde met mijn handen mijn haar los. Mijn jas had ik buiten laten liggen, maar ik ging nu niet meer naar buiten om hem te halen.

Zij beet in verwarring op haar lip. De warmte in de kamer had haar lippen roodgekleurd en ook op haar wangen begon langzaam maar zeker wat kleur te komen.

Met een droog geritsel kwam Jenks zo dicht bij me zweven dat mijn krullen bewogen in het briesje van zijn vleugels. 'Niet al te slim, lijkt me,' zei hij, en toen ik hem weg wilde wuiven, zette hij zijn handen op zijn heupen. Boven Ceri zwevend, zei hij luid en langzaam, alsof ze gehoorgestoord was: 'Wij – zijn – de – goeien. Wij – vechten – tegen – de – kwaaien.'

'Strijders,' zei Ceri, zonder hem aan te kijken, terwijl ze intussen Ivy's leren gordijnen, stijlvolle suède stoelen en bank in zich opnam. De kamer was uitermate comfortabel en alles kwam uit Ivy's portemonnee, niet uit de mijne.

Jenks lachte, een geluid als windklokjes. 'Strijders,' zei hij lachend. 'Ja, Wij zijn strijders. Ik ben zo weer terug. Die moet ik even aan Matalina gaan vertellen.'

Hij schoot op ooghoogte de kamer uit en mijn schouders ontspanden zich. 'Sorry,' zei ik. 'Ik heb Jenks gevraagd hier voor de wintermaanden zijn intrek te nemen, nadat hij me had verteld dat hij bijna elk voorjaar twee kinderen verliest aan winterziekte. Ivy en ik worden er stapelgek van, maar ik heb liever vier maanden lang geen privacy dan dat Jenks zijn voorjaar met piepkleine doodskistjes moet beginnen.'

Ceri knikte. 'Ivy,' zei ze zacht. 'Is zij je partner?'

'Ja. Net als Jenks,' zei ik luchtig, hopend dat ze het nu echt begreep. Haar ogen namen alles in zich op en ik liep langzaam naar de gang. 'Eh, Ceri?' zei ik, aarzelend, tot ze mij begon te volgen. 'Of heb je liever dat ik je Ceridwen noem?'

Ze keek de donkere gang in, naar het schemerig verlichte sanctuarium en volgde met haar blik de geluiden van de elfenkinderen. Ze werden geacht voor in de kerk te blijven, maar ze kwamen werkelijk overal en wij waren al gewend geraakt aan hun gegil en gelach. 'Zeg maar Ceri.'

Haar persoonlijkheid denderde sneller in haar terug dan ik voor mogelijk had gehouden. In luttele seconden ging ze al van stilzwijgen naar korte zinnetjes. Haar manier van praten was een eigenaardige mix van moderne en oude-wereldcharme, waarschijnlijk omdat ze zo lang bij demonen had geleefd. In de deuropening naar mijn keuken bleef ze staan en nam met grote ogen alles in zich op. Ik geloof niet dat het een cultuurschok was. De meeste mensen vertoonden soortgelijke reacties bij het zien van mijn keuken.

Hij was reusachtig, met zowel een gas- als een elektrisch fornuis, zodat ik op het ene kon koken en op het andere mijn bezweringen kon brouwen. De koelkast was van roestvrij staal en groot genoeg om een koe in te stoppen. Er was een schuifraam dat uitzicht bood over de besneeuwde tuin en het kerkhof, en mijn goudvis, Mr. Fish, zwom vrolijk rond in een cognacglas op de vensterbank. Tl-lampen verlichtten glanzend chroom en een enorm werkblad dat niet zou misstaan voor de camera's van een kookprogramma.

Een groot deel van de ruimte werd in beslag genomen door een centraal kookeiland, waar een rek boven hing met mijn toverbenodigdheden en drogende kruiden die Jenks en zijn gezin hadden verzameld. Ivy's enorme antieke tafel nam de rest van de ruimte in beslag. De helft van de tafel was met grote zorgvuldigheid ingericht als haar kantoorruimte, met haar computer – sneller en doeltreffender dan een industriële verpakking laxeermiddelen – op kleur gecodeerde dossiers, kaarten en de markers die zij gebruikte om haar opdrachten te organiseren. De andere helft van de tafel was van mij en leeg. Ik wou dat ik kon zeggen dat ik zo netjes was, maar wanneer ik een opdracht had, dan voerde ik hem uit. Ik analyseerde hem niet dood.

'Ga zitten,' zei ik luchtig. 'Heb je trek in een kopje koffie?' *Koffie?* dacht ik, terwijl ik naar het koffiezetapparaat liep en de oude prut weggooide. Wat moest ik met haar beginnen? Ze was geen weggelopen poesje. Ze had hulp nodig. Professionele hulp.

Ceri keek me aan en ik zag weer die lege blik op haar gezicht verschijnen. 'Ik...' stamelde ze. Ze zag er bang en klein uit in haar beeldschone japon. Ik keek naar mijn spijkerbroek en rode trui. Ik had nog steeds mijn sneeuwlaarzen aan en voelde me een echte sloddervos.

'Hier,' zei ik, een stoel voor haar pakkend. 'Ik zet wel een kopje thee.' *Drie stappen vooruit, één achteruit,* dacht ik, toen zij de stoel die ik haar aanbood negeerde en in plaats daarvan plaatsnam op de stoel voor Ivy's computer. Thee leek me wel passend voor iemand die duizend jaar oud was. *Hadden ze eigenlijk al koffie in de middeleeuwen?*

Ik staarde naar mijn keukenkastjes en probeerde me te herinneren of we een theepot hadden, toen Jenks en een stuk of vijftien van zijn kinderen luid door elkaar pratend binnen kwamen gerold. Hun stemmen klonken zo hoog en snel dat het pijn deed aan mijn hoofd. 'Jenks,' zei ik op smekende toon, met een blik op Ceri. Ze had al genoeg te verwerken. 'Alsjeblieft?'

'Ze doen heus niks,' protesteerde hij nijdig. 'Bovendien wil ik dat ze haar even goed kunnen ruiken. Ik kan zelf niet ruiken wat ze is, daarvoor stinkt ze te veel naar verbrande amber. Wie is ze trouwens en wat deed ze op haar blote voeten in onze tuin?'

'Eh,' zei ik, opeens op mijn hoede. Elfen hadden voortreffelijke neuzen en konden door middel van iemands geur exact vaststellen tot welke soort hij behoorde. Ik had zo'n donkerbruin vermoeden dat ik wel wist wat Ceri was en ik wilde écht niet dat Jenks daar ook achter zou komen.

Ceri hield haar hand omhoog als een soort landingsplatform en glimlachte engelachtig naar de twee elfenmeisjes die er onmiddellijk op landden, hun groene en roze zijden jurkjes wapperend in het briesje dat werd teweeggebracht door hun libellenvleugeltjes. Ze babbelden er lustig op los, zoals elfenmeisjes dat nu eenmaal doen, ogenschijnlijk volkomen hersenloos, maar zich in werkelijkheid bewust van alles om zich heen, tot het muisje achter de koelkast aan toe. Kennelijk had Ceri al eerder elfen gezien. Als ze duizend jaar oud was, maakte dat haar dus tot een Inderlander. De Ommekeer, toen wij allemaal uit onze schuilplaatsen tevoorschijn waren gekomen om openlijk tussen de mensen te gaan wonen, had nog maar veertig jaar geleden plaatsgevonden.

'Hé!' riep Jenks, toen hij zag hoe zijn kinderen bezit van haar hadden genomen, en zij fladderden op en vlogen in een kaleidoscoop van kleur en geluid de keuken uit. Hij nam onmiddellijk hun plaats in en wenkte zijn oudste zoon, Jax, om op de computermonitor voor haar te komen zitten.

'Jij ruikt naar Trent Kalamack,' zei hij plompverloren. 'Wat ben jij?'

Ik werd overspoeld door een golf van angst en keerde hen mijn rug toe. *Verdomme, ik had gelijk. Ze was een kobold.* Als Jenks dat wist, zou hij het, zodra de temperatuur boven het vriespunt kwam en hij de kerk kon verlaten, door heel Cincinnati gaan lopen verkondigen. Trent wilde niet dat bekend werd dat de kobolden de Ommekeer hadden overleefd, en zou in staat zijn de hele buurt te vergiftigen om Jenks zijn mond te laten houden.

Ik draaide me om en zwaaide wanhopig met mijn vingers naar Ceri, waarbij ik net deed alsof ik mijn lippen dichtritste. Omdat ik ook wel besefte dat zij geen flauw idee zou hebben wat dat betekende, legde ik een vinger op mijn lippen. De vrouw keek me vragend aan en keek toen naar Jenks. 'Ceri,' zei ze, volkomen serieus.

'Ja, ja,' zei Jenks ongeduldig, met zijn handen op zijn heupen. 'Dat weet ik nu wel. Jij Ceri, ik Jenks. Maar wat ben je? Ben je een heks? Rachel is een heks.'

Ceri keek van hem naar mij en weer terug. 'Ik ben Ceri.'

Jenks' vleugels begonnen druk te fladderen en de glans veranderde van blauw in rood. 'Ja,' herhaalde hij. 'Maar welke soort? Kijk, ik ben een elf en Rachel is een heks. En jij bent...'

'Ceri,' hield ze vol.

'Eh, Jenks?' zei ik terwijl de ogen van de vrouw zich vernauwden. Zolang de familie Kalamack bestond, waren de elfen er nooit in geslaagd erachter te komen wat ze nu precies waren. Die ontdekking zou Jenks meer aanzien binnen de elfenwereld bezorgen dan wanneer hij in zijn eentje een hele feeënclan zou uitroeien. Toen hij opfladderde en voor haar ging zweven, zag ik dat zijn geduld bijna op was.

'Verdomme!' vloekte Jenks, kwaad. 'Wat ben je nou verdorie, mens?'

'Jenks!' riep ik verschrikt uit toen ik zag hoe Ceri haar hand uitstak en hem greep. Jax, zijn zoon, gaf een gil en schoot in een wolk van elfenstof naar het plafond. Jenks' oudste dochter, Jih, gluurde met roze vleugeltjes om een hoekje vanaf het plafond in de gang.

'Hé! Lamelos!' riep Jenks uit. Zijn vleugels klapperden wild heen en weer, maar hij slaagde er niet in om weg te komen. Ceri hield zijn broekspijp tussen haar duim en wijsvinger. Als ze voldoende controle had om zo precies te zijn, waren haar reflexen nog beter dan die van Ivy.

'Ik ben Ceri,' zei ze, en klemde haar dunne lipjes stijf op elkaar. Jenks zat in de val. 'En zelfs de demon die mij gevangen hield had voldoende respect om niet tegen me te schelden, kleine strijder.'

'Ja, mevrouw,' zei Jenks gedwee. 'Mag ik nu weg?'

Ze trok één blonde wenkbrauw op – een kunst die ik ook graag zou beheersen – en keek toen naar mij om te zien wat ik ervan vond. Ik knikte nadrukkelijk, nog steeds een beetje van mijn stuk over hoe snel het was gegaan. Zonder een glimlachje liet Ceri hem los.

'Kennelijk ben je toch niet zo traag als ik dacht,' zei Jenks nors.

De geïrriteerde elf voerde de geur van in de winkel gekochte tuinaarde met zich mee toen hij op mijn schouder kwam zitten, en ik fronste mijn voorhoofd toen ik haar de rug toekeerde om onder het aanrecht naar een theepot te zoeken. Ik hoorde het zachte, vertrouwde geklik van pennen en herkende het geluid als dat van Ceri die Ivy's bureau opruimde. Eeuwen slavernij staken opnieuw de kop op. Juist door die mengeling van passieve dienstbaarheid en felle trots wist ik niet hoe ik met deze vrouw moest omgaan.

'Wie is ze?' fluisterde Jenks in mijn oor.

Ik bukte me om in het keukenkastje te kijken en haalde er een koperen theepot uit tevoorschijn die zo dof was van de aanslag dat hij bijna donkerbruin was. 'Zij was Grote Als familiaar.'

'Grote Al!' piepte de elf, opstijgend om even later op de kraan te landen. 'Was dat waar je buiten mee in de weer was? Bij Tinkerbels slipje, Rache, je wordt al net zo erg als Nick! Je weet toch hoe gevaarlijk dat is!'

Nu kon ik het hem wel vertellen. Nu het voorbij was. Me ervan bewust dat Ceri achter ons mee zat te luisteren, liet ik water in de theepot lopen en draaide hem rond om hem schoon te maken. 'Grote Al heeft er niet vanuit de goedheid van zijn hart mee ingestemd om tegen Piscary te getuigen. Ik moest hem er wel voor betalen.'

Met een droog geritsel van vleugels kwam Jenks voor mij zweven. Ik zag achtereenvolgens verbijstering, schrik en woede over zijn gezicht glijden. 'Wat heb je hem beloofd?' vroeg hij op kille toon.

'Hij is een beest, dat weet je,' zei ik. 'En het is al gebeurd.' Ik kon hem niet aankijken. 'Ik heb toegezegd zijn familiaar te zijn op voorwaarde dat ik mijn ziel kon behouden.'

'Rachel!' Een wolk elfenstof verlichtte de gootsteen. 'Wanneer? Wanneer komt hij je halen? We moeten een manier zien te vinden om hier onderuit te komen. We moeten iets verzinnen!' Een helder spoor achterlatend vloog hij naar mijn toverboeken onder het kookeiland en weer terug. 'Staat er niks in die boeken van je? Bel Nick! Hij weet wel raad!'

Zijn opwinding beviel me niets en ik veegde het water van de bodem van de theepot. De hakken van mijn laarzen maakten een dof bonkend geluid toen ik over de linoleumvloer naar de andere kant van de keuken liep. Ik stak het gas aan en mijn gezicht werd warm van schaamte. 'Het is al te laat,' zei ik nogmaals. 'Ik ben nu zijn familiaar. Maar de band is niet sterk genoeg, en zolang ik aan deze kant van de leylijnen blijf heeft hij niets aan me. Ik moet alleen zien te voorkomen dat hij me meesleurt naar het hiernamaals, dan is er niets aan de hand.' Toen ik me omdraaide, zag ik Ceri voor Ivy's computer zitten en met een blik vol stille bewondering naar mij kijken. 'Ik kan nee zeggen. Het is gebeurd.'

Sputterend kwam Jenks voor mij tot stilstand. 'Gebeurd?' zei hij, zo dichtbij dat ik hem niet scherp kon zien. 'Rachel, waarom? Piscary achter de tralies krijgen is dat niet waard!'

'Ik had geen keus!' Boos sloeg ik mijn armen over elkaar en leunde tegen het aanrecht. 'Piscary probeerde me te vermoorden en als ik dat overleefde moest ik hem achter de tralies zien te krijgen. Ik kon het me niet veroorloven dat hij op vrije voeten zou blijven en opnieuw achter me aan zou komen. Het is gebeurd. Dat demonenbeest heeft toch niets aan me. Ik heb het een loer gedraaid.'

'Hem,' zei Ceri zachtjes en Jenks draaide zich bliksemsnel om. Ze was zo stil dat ik al bijna was vergeten dat ze er zat. 'Al is mannelijk. Vrouwelijke demonen laten zichzelf niet over de lijnen halen. Daar kun je het aan zien. Meestal.'

Ik knipperde met mijn ogen. 'Dus Al is een man?'

Ze haalde in een heel modern gebaar haar schouders op.

Ik draaide me weer om naar Jenks en schrok toen hij met rode vleugels vlak voor mijn neus zweefde. 'Wat ben jij een stommeling,' zei hij, zijn kleine, gladde trekken vertrokken van woede. 'Je had het ons moeten vertellen. Stel je voor dat hij je te pakken had gekregen? Wat hadden Ivy en ik dan moeten doen? Nou? Wij zouden je zijn blijven zoeken, want we zouden niet hebben geweten wat er was gebeurd. Als je het ons had verteld, hadden we in ieder geval nog een manier kunnen zoeken om je terug te halen. Heb je daar wel eens aan gedacht, juffrouw Morgan? Wij zijn een team, en daar ben jij helemaal aan voorbijgegaan!'

Mijn volgende uitbarsting stierf een voortijdige dood. 'Maar jullie hadden er toch niets aan kunnen doen,' zei ik zwakjes.

'Hoe weet je dat?' snauwde Jenks.

Ik zuchtte, gegeneerd dat een mannetje van tien centimeter mij de les las – en nog terecht ook. 'Ja, je hebt gelijk,' zei ik. Ik liet mijn schouders hangen. 'Ik ben er... ik ben er gewoon niet aan gewend om iemand te hebben op wie ik kan bouwen, Jenks. Het spijt me.'

Jenks was zo verbaasd dat hij bijna een meter omlaag zakte. 'Ben... ben je het met me eens?'

Ceri draaide haar hoofd naar de openstaande deur. Haar lege blik werd zo mogelijk nog leger. Ik volgde haar blik naar de donkere hal en het verbaasde me niets om Ivy's ranke silhouet in de deuropening te zien staan, haar heup een beetje naar voren, een hand op haar smalle middel, superslank in haar strakke leren pak.

Doodmoe opeens, duwde ik mezelf weg van de gootsteen en rechtte mijn rug. Ik haatte het wanneer ze zomaar opeens uit het niets leek op te duiken. Ik had niet eens gevoeld hoe de luchtdruk veranderde toen zij de voordeur opendeed. 'Hoi, Ivy,' zei ik, nog steeds met een geagiteerde klank in mijn stem.

Met een al net zo nietszeggende blik in haar ogen als Ceri zelf liet Ivy haar bruine ogen over de kleine vrouw glijden die in háár stoel zat. Met alle gratie van een levende vampier kwam zij in beweging, haar laarzen bijna geluidloos. Terwijl ze haar lange, jaloersmakend steile zwarte haar achter een oor stopte, liep ze naar de koelkast en pakte de jus d'orange. Gekleed in haar nonchalante leren broek en zwarte T-shirt, zag ze eruit als een motorgrietje dat opeens gevoel voor stijl had gekregen. Haar wangen waren rood van de kou en ondanks haar korte leren jack zag ze eruit alsof ze het koud had.

Jenks zweefde naast mij, ons meningsverschil tijdelijk vergeten door het veel urgentere probleem van Ivy die onverwacht iemand in haar keuken aantrof. Mijn laatste gast had ze tegen de muur gedrukt en gedreigd te zullen bijten; Ivy hield niet van verrassingen. Dat ze jus d'orange dronk was een goed teken. Het betekende dat ze had toegegeven aan die verdomde bloeddorst van haar en dat Jenks en ik nu alleen te maken hadden met een door schuldgevoelens gekwelde vampier, in plaats van met een geïrriteerde, door schuldgevoelens gekwelde en hongerige vampier. Er viel veel gemakkelijker met haar te leven sinds ze weer een praktiserende vampier was.

'Eh, Ivy, dit is Ceridwen,' zei ik. 'Ze logeert een tijdje bij ons tot ze haar eigen zaakjes op orde heeft.'

Loom tegen het aanrecht geleund, tegelijkertijd roofzuchtig en sexy, draaide Ivy zich om, draaide de dop van de jus d'orange en dronk rechtstreeks uit het pak. *Heb je mij iets horen zeggen soms?* Ivy's blik gleed over Ceri, toen naar de opgewonden Jenks en vervolgens naar mij. 'Zo,' zei ze en haar melodieuze stem deed me denken aan verscheurde grijze zijde op sneeuw. 'Je bent er dus in geslaagd onder je afspraak met die demon uit te komen. Goed werk. Knap gedaan.'

Mijn mond viel open. 'Hoe wist jij...?' stamelde ik en Jenks slaakte een kreet van verbazing.

Een flauwe glimlach, ongebruikelijk maar oprecht, trok haar mondhoeken omhoog. Ik zag een glimp van haar hoektanden, even groot als de mijne, maar scherp als die van een kat. Voor de verlengde versie zou ze moeten wachten tot ze dood was. 'Je praat in je slaap,' zei ze op luchtige toon.

'Dus je wist het?' zei ik, totaal overdonderd. 'En je hebt nooit iets gezegd!'

'Knap gedaan?' Jenks' vleugels ritselden nerveus. 'Dus jij vindt het wel een goede zaak om de familiaar van een demon te zijn? Tegen welke rijdende trein ben jij onderweg naar huis aangelopen?'

Ivy liep naar de kast om een glas te pakken. 'Als Piscary was vrijgelaten, was Rachel vóór zonsopgang dood geweest,' zei ze terwijl ze sap inschonk. 'En nu is ze dus de familiaar van een demon? En wat dan nog? Ze zei zelf al dat de demon haar niet kan gebruiken zonder haar mee te trekken naar het hiernamaals. En ze leeft nog. Wanneer je dood bent doe je helemaal niets meer.' Ze nam een slokje van haar sap. 'Tenzij je een vampier bent.'

Jenks maakte een lelijk geluid en vloog naar de hoek van de kamer om daar te gaan zitten mokken. Jih maakte van de gelegenheid gebruik om naar binnen te vliegen en zich in de soeplepel te verstoppen die boven het kookeiland hing. Ik zag de puntjes van haar vleugels rood opgloeien boven de koperen rand.

Ivy keek me over de rand van haar glas met haar bruine ogen aan. Haar volmaakt ovale gezicht verraadde niets, want ze verborg haar gevoelens achter de koele façade van onverschilligheid die ze altijd optrok wanneer er meer mensen in de kamer waren dan wij tweeën, inclusief Jenks. 'Ik ben blij dat het is gelukt,' zei ze, haar glas op het aanrecht zettend. 'Alles in orde met je?'

Ik knikte en zag haar opluchting in het lichte trillen van haar lange pianovingers. Ze zou me nooit vertellen hoe ongerust ze was geweest, en ik vroeg me af hoe lang ze op de gang had staan luisteren en zich had staan inhouden. Haar ogen knipperden een paar keer en ze klemde haar kaken op elkaar in een poging haar emoties te bedwingen. 'Ik wist niet dat het vanavond ging gebeuren,' zei ze zacht. 'Dan was ik niet weggegaan.'

'Bedankt,' zei ik en bedacht me dat Jenks gelijk had. Het was stom geweest hun niets te vertellen. Ik was er gewoon niet aan gewend dat iemand anders dan mijn moeder zich zorgen om me maakte.

Ceri zat verbaasd, maar vol aandacht naar Ivy te kijken. 'Partner?' probeerde ze, en Ivy keek weer naar de kleine vrouw.

'Ja,' zei Ivy. 'Partner. Hoezo?'

'Ceri, dit is Ivy,' zei ik, terwijl de kleine vrouw opstond.

Ivy fronste haar wenkbrauwen toen ze zag dat de precieze ordelijkheid op haar bureau veranderd was.

'Zij was Grote Als familiaar,' waarschuwde ik haar. 'Ze heeft een paar dagen nodig om haar zaakjes te regelen, meer niet.'

Jenks maakte een geluid met zijn vleugels waar je ogen pijn van deden en Ivy wierp me een veelbetekenende blik toe. Ik zag de ergernis en de achterdocht op haar gezicht toen Ceri voor haar kwam staan. Het kleine vrouwtje leek in verwarring. 'Jij bent een vampier,' zei ze, haar hand uitstekend naar Ivy's crucifix.

Ivy sprong met schrikbarende snelheid weg en haar ogen flitsten zwart.

'Ho, ho, ho!' zei ik, terwijl ik tussen hen in ging staan, op alles voorbereid. 'Rustig aan, Ivy. Ze heeft duizend jaar in het hiernamaals geleefd. Misschien heeft ze nog nooit een levende vampier gezien. Ik denk dat ze een Inderlander is, maar ze ruikt naar het hiernamaals, dus Jenks kan niet uitmaken wat ze is.' Ik aarzelde en vertelde haar met mijn ogen en mijn laatste zin dat Ceri een kobold was, en wat magie betreft dus een ongeleid projectiel.

Ivy's pupillen waren nu bijna volledig vampierzwart. Haar houding was overheersend en seksueel geladen, maar ze had zojuist haar bloeddorst gelest en was in staat om te luisteren. Ik wierp een snelle blik op Ceri en zag tot mijn opluchting dat ze zo verstandig was zich niet te verroeren. 'Zijn we allemaal oké?' vroeg ik, waarmee ik hen allebei verzocht zich rustig te houden.

Met haar smalle lippen stijf opeengeklemd, keerde Ivy ons de rug toe. Jenks landde op mijn schouder. 'Knap gedaan,' zei hij. 'Ik zie dat je al je meiden onder de duim hebt.'

'Jenks!' siste ik. Ik wist dat Ivy hem had gehoord, want ik zag haar knokkels om haar glas wit worden. Ik piekte hem weg, maar hij fladderde lachend op en keerde weer terug op mijn schouder.

Ceri stond heel zelfverzekerd met haar armen langs haar lichaam te kijken hoe Ivy's gespannenheid groeide. 'O-o-o-o-o,' teemde Jenks. 'Je nieuwe vriendinnetje gaat iets doen, hoor.'

'Eh, Ceri?' vroeg ik, met bonkend hart toekijkend hoe het kleine vrouwtje naast Ivy bij het aanrecht ging staan en duidelijk haar aandacht vroeg.

Met een gezicht dat strak en bleek was van onderdrukte woede, draaide Ivy zich naar haar om. 'Wat?' zei ze effen.

Ceri maakte een koninklijke buiging met haar hoofd, zonder overigens haar groene ogen af te wenden van Ivy's langzaam groter wordende bruine. 'Ik wil mijn verontschuldigingen aanbieden,' zei ze op hoge, heldere toon, elke lettergreep zorgvuldig uitsprekend. 'Ik heb je beledigd.' Haar blik ging naar Ivy's prachtig versierde crucifix dat aan een zilveren kettinkje om haar hals hing. 'Jij bent een vampierstrijdster, en toch kun je het Kruis dragen?'

Ceri's hand beefde en ik wist dat ze het sieraad wilde aanraken. Ivy merkte het ook. Ik wist dat ik me hier niet in kon mengen en keek toe hoe Ivy zich naar haar toe keerde. Met haar heup een eindje vooruitgestoken, onderwierp ze Ceri aan een onderzoekende blik. Ze zag haar opgedroogde tranen, haar prachtige baljurk, haar blote voeten en haar trotse, rechte houding. Terwijl ik met ingehouden adem stond toe te kijken, deed Ivy haar crucifix af. Het kettinkje trok haar haren naar voren toen ze het van haar nek nam.

'Ik ben een levende vampier,' zei ze, de religieuze icoon in de hand van de kobold leggend. 'Ik ben geboren met het vampiervirus. Je weet toch wel wat een virus is?'

Ceri's vingers gleden over het bewerkte zilver. 'Mijn demon liet me alles lezen wat ik wilde. Mijn bloedverwanten sterven aan een virus.' Ze keek op. 'Niet het vampiervirus. Iets anders.'

Ivy keek naar mij en toen weer naar de kleine vrouw die net iets te dicht bij haar stond. 'Het virus heeft mij veranderd toen ik groeide in de buik van mijn moeder. Het heeft mij tot een beetje van allebei gemaakt. Ik kan in de zon lopen en aanbidden zonder pijn,' zei Ivy. 'Ik ben sterker dan jij,' voegde ze eraan toe, terwijl ze onopvallend wat meer ruimte tussen hen aanbracht. 'Maar niet zo sterk als een echte ondode. En ik heb een ziel.' Dit laatste zei ze alsof ze verwachtte dat Ceri het zou ontkennen.

Ceri's uitdrukking werd weer leeg. 'Maar die ga je kwijtraken.'

Ivy's ogen vernauwden zich. 'Dat weet ik.'

Met ingehouden adem luisterde ik naar het tikken van de klok en het bijna onhoorbare gegons van elfenvleugeltjes. Met ernstige ogen overhandigde de kleine vrouw het crucifix weer aan Ivy. 'Het spijt me. Dat is de hel waaruit Rachel Mariana Morgan mij heeft gered.'

Ivy keek naar het kruisje in Ceri's hand. Ze toonde geen enkele emotie. 'Ik hoop dat ze voor mij hetzelfde kan doen.'

Ik kromp ineen. Ivy behield haar gezonde verstand door haar overtuiging dat er een heksenmagie bestond die haar kon bevrijden van het vampiervirus; dat de juiste bezwering haar kon verlossen van al dat bloed en geweld. Maar zo'n bezwering bestond helemaal niet. Ik wachtte tot Ceri Ivy zou vertellen dat niemand ooit verloren was, maar ze knikte alleen maar. 'Ik hoop dat ze dat kan.'

'Ik ook.' Ivy keek naar het crucifix dat Ceri haar voorhield. 'Hou maar. Het helpt mij toch niet meer.'

Mijn mond viel open van verbazing en Jenks landde op mijn grote oorring toen Ceri het crucifix om haar nek hing. Het prachtig bewerkte zilver stak mooi af tegen het warme paars en groen van haar baljapon. 'Ivy...' begon ik, maar ik zweeg onmiddellijk toen Ivy me met half toegeknepen ogen aankeek.

'Het helpt niet meer,' zei ze. 'Zij wil het graag hebben. Ik geef het aan haar.'

Ceri raakte het kruisje aan. Kennelijk vond ze rust in de icoon. 'Dank je wel,' fluisterde ze.

Ivy fronste. 'Als je nog één keer aan mijn bureau komt, breek ik alle tien je vingers.'

Ceri vatte het dreigement vrij luchtig op, hetgeen mij verbaasde. Het was wel duidelijk dat zij eerder met vampiers te maken had gehad. Ik vroeg me af waar – want vampiers konden geen leylijnen manipuleren en waren daarom uitermate ongeschikt als familiaar.

'Wat dacht je van een kopje thee?' vroeg ik. Ik had zin om iets normaals te doen. Niet dat thee zetten nu zo normaal was, maar het kwam erbij in de buurt. De pot stond te dampen en terwijl ik in een kast zocht naar een kopje dat er nog goed genoeg uitzag voor een gast, schommelde Jenks gniffelend heen en weer op mijn oorring. Zijn kinderen kwamen – tot grote ergernis van Ivy – met twee of drie tegelijk de keuken binnenfladderen, aangetrokken door het nieuwe fenomeen van Ceri. Ze zweefden boven haar en Jih durfde het dichtstbij te komen.

Ivy ging pal voor haar computer staan en na een korte aarzeling nam Ceri plaats op de stoel die het verst bij haar vandaan stond. Ze zag er verloren en eenzaam uit, zoals ze daar een beetje zat te spelen met het kruisje om haar hals. Terwijl ik de voorraadkast afzocht naar een theezakje, vroeg ik me af hoe ik dit ging aanpakken. Ivy zou niet blij zijn met een nieuwe huisgenote. En waar moest ze slapen?

Met een verwijtend luid gerammel ordende Ivy haar pennenbakje weer zoals ze dat gewend was. 'Hebbes,' zei ik opgelucht toen ik eindelijk een zakje had gevonden. Jenks liet Ivy verder aan mij over, van mijn oorring gejaagd door de stoom die opsteeg toen ik heet water in het kopje schonk.

'Hier, Ceri,' zei ik, terwijl ik de elfjes wegwuifde en de thee voor haar op tafel zette. 'Wil je er iets in?'

Ze keek naar het kopje alsof ze zoiets nog nooit had gezien. Met grote ogen schudde ze haar hoofd. Ze keek alsof ze weer op het punt stond om in huilen uit te barsten. Ik aarzelde en vroeg me af wat ik verkeerd had gedaan. 'Is het zo goed?' vroeg ik en zij knikte en pakte met een bevend handje het kopje op.

Jenks en Ivy staarden haar aan. 'Weet je zeker dat je geen suiker wilt of zo?' vroeg ik, maar zij schudde haar hoofd. Met een bevend kinnetje bracht ze het kopje naar haar lippen.

Met een diepe frons in mijn voorhoofd ging ik de koffie uit de koelkast pakken. Ivy stond op om de pot om te spoelen. Ze boog zich naar me toe, zodat het stromende water haar woorden overstemde en mompelde: 'Wat mankeert haar? Ze zit te huilen boven haar thee.'

Ik draaide me om. 'Ceri!' riep ik uit. 'Het is helemaal niet erg als je er liever suiker in hebt.'

Terwijl de tranen over haar gezicht stroomden, keek ze me aan. 'Ik heb al – al duizend jaar niets meer gegeten,' snikte ze.

Haar woorden troffen me als een stomp in mijn maag. 'Wil je wat suiker dan?'

Nog steeds huilend, schudde ze haar hoofd.

Toen ik me weer omdraaide, stond Ivy al voor me klaar. 'Ze kan hier niet blijven, Rachel,' zei de vampier, met een strak gezicht.

'Het zal best lukken,' fluisterde ik, verbijsterd dat Ivy bereid was haar op straat te zetten. 'Ik haal gewoon mijn oude bed uit de klokkentoren en dat zet ik dan in de woonkamer. Ik heb nog wel wat oude T-shirts die ze kan dragen tot ik met haar kan gaan winkelen.'

Jenks liet zijn vleugels gonzen om om aandacht te vragen. 'En dan?' vroeg hij vanaf de kraan.

Ik maakte een geërgerd gebaar. 'Dat weet ik ook niet. Ze is al veel beter dan eerst. Een halfuur geleden praatte ze nog niet eens. Moet je haar nu zien.'

We draaiden ons alle drie om en zagen Ceri zachtjes snikkend eerbiedig van haar thee zitten nippen terwijl de elfenmeisjes boven haar zweefden. Drie van hen waren bezig haar lange, blonde haar te vlechten en een vierde zong voor haar.

'Oké,' zei ik, me weer omdraaiend. 'Slecht voorbeeld.'

Jenks schudde zijn hoofd. 'Rache, ik heb echt met haar te doen, maar Ivy heeft wel gelijk. Ze kan hier niet blijven. Ze heeft professionele hulp nodig.'

'Meen je dat nou?' zei ik strijdlustig en ik voelde mijn wangen gloeien. 'Ik heb nog nooit gehoord van groepstherapie voor gepensioneerde demonenfamiliaars, jij wel?'

'Rachel...' zei Ivy.

Een plotselinge uitroep van de elfenkinderen deed Jenks opfladderen van de kraan. Zijn blik gleed langs zijn kinderen die op het punt stonden zich op de muis te storten, die zich eindelijk in de woonkamer had gewaagd en zich opeens in zijn eigen persoonlijke hel bleek te bevinden. 'Ogenblikje,' zei hij, wegschietend om het beestje te redden.

'Nee,' zei ik tegen Ivy. 'Ik dump haar niet in de een of andere inrichting.'

'Ik zeg ook helemaal niet dat je dat moet doen.' Ivy's bleke gezicht had een kleur gekregen en de bruine ring om haar pupillen werd steeds kleiner terwijl mijn lichaamswarmte begon te stijgen en haar instincten aanwakkerde. 'Maar ze kan hier niet blijven. Die vrouw heeft behoefte aan een normaal leven, en, Rachel? Wij zijn niet normaal.'

Ik haalde diep adem om te protesteren, maar ademde toen toch maar weer uit. Fronsend keek ik naar Ceri. Ze veegde haar ogen af en de hand die ze om haar kopje klemde beefde, zodat er ringen verschenen op het oppervlak van haar thee. Mijn blik ging naar de elfenkinderen die ruziemaakten over wie er als eerste een ritje op de muis mocht maken. Het was de kleine Jessie, en het piepkleine elfje gilde van verrukking toen het knaagdier de keuken uitrende met haar op zijn rug. In een wolk van gouden schitteringen vloog iedereen, behalve Jih, erachteraan. Misschien had Ivy wel gelijk.

'Wat wil je dat ik doe, Ivy?' vroeg ik, iets rustiger nu. 'Ik zou wel aan mijn moeder kunnen vragen om haar in huis te nemen, maar die staat zelf met één been in een inrichting.'

Jenks kwam teruggevlogen. 'En Keasley?'

Verrast, keek ik Ivy aan.

'Die oude man aan de overkant van de straat?' vroeg Ivy voorzichtig. 'We weten helemaal niets van hem.'

Jenks landde op de vensterbank, naast Mr. Fish en zette zijn handen op zijn heupen. 'Hij is oud en heeft een vast inkomen. Wat wilde je verder nog weten?'

Ik liet het idee op me inwerken. Ik had een zwak voor de oude heks achter wiens slome manier van praten een scherp verstand en een uitzonderlijke intelligentie schuilgingen. Hij had me opgelapt nadat Algaliarept mijn hals had opengereten. Mijn wilskracht en mijn zelfvertrouwen had hij eveneens opgelapt. De jichtige oude man verborg iets en ik geloofde net zo min dat hij Keasley heette als in zijn verhaal dat hij meer medische apparatuur in huis had dan een kleine eerstehulppost omdat hij niet dol was op dokters. Maar ik vertrouwde hem wel.

'Hij heeft niet veel op met de wet en kan zijn mond houden,' zei ik. Het was perfect. Ik keek hoe Ceri zachtjes met Jih zat te praten. Ivy keek nog wat weifelend en boos, maar ik maakte me los van het aanrecht. 'Ik ga hem meteen bellen,' zei ik en vervolgens liep ik, met een gebaar naar Ceri dat ik zo weer terug was, naar de zitkamer voor de telefoon.

'Ceri,' zei Jenks, toen ik op het knopje drukte om een pot koffie te zetten. 'Als je van thee moet huilen, moet je misschien eens patatjes proberen. Kom hier, dan laat ik je zien hoe de magnetron werkt.'

Keasley kwam eraan. Het kon even duren, want hij had zoveel pijn van zijn jicht dat zelfs de meeste pijnamuletten er niets tegen konden beginnen. Ik vond het vervelend dat hij voor ons de sneeuw in moest, maar het was nog onbeleefder geweest om met z'n allen zomaar bij hem te komen binnenvallen.

Met een vastberadenheid die ik niet begreep, ging Jenks op Ceri's schouder zitten om haar bij te brengen hoe ze bevroren frietjes kon klaarmaken in de magnetron. Toen ze zich bukte om te zien hoe het kleine kartonnen bakje rondjes begon te draaien, zag ik hoe veel te groot en ongemakkelijk mijn roze pantoffels aan haar voeten leken. Elfenmeisjes cirkelden om haar heen in een wervelwind van pastelkleurige zijde en druk gebabbel, maar zij negeerde ze grotendeels. Het onafgebroken rumoer had Ivy naar de woonkamer gejaagd, waar zij zich op dit moment verborgen hield met haar koptelefoon op.

Ik keek op toen ik een tochtvlaag voelde. ''Allo?' klonk een harde, hese stem vanaf de voorkant van de kerk. 'Rachel? De elfen hebben me binnengelaten. Waar zijn jullie, dames?'

Ik keek naar Ceri en zag haar schrikken. 'Dat is Keasley, een buurman,' zei ik. 'Hij gaat je even onderzoeken. Kijken of je niets mankeert.'

'Ik ben helemaal gezond,' zei ze.

Met het idee dat dit nog wel eens moeilijker kon worden dan ik had gedacht, liep ik op mijn sokken de hal in om even met hem te kunnen praten voordat hij Ceri ontmoette. 'Ha, Keasley, wij zijn hierachter.'

Zijn gebogen, gerimpelde gestalte kwam moeizaam de hal binnen en hield het licht tegen. Hij werd begeleid door nog meer elfenkinderen, die hem hulden in cirkels van zwevend elfenstof. Keasley had een bruine, papieren boodschappenzak in zijn hand en hij had de koude geur van sneeuw mee naar binnen genomen, aangenaam vermengd met de karakteristieke geur van roodhout van heksen. 'Rachel,' zei hij, met half samengeknepen ogen naar mij opkijkend toen hij dichterbij kwam. 'Hoe gaat het met mijn favoriete roodkopje?'

'Goed, hoor,' zei ik, terwijl ik mijn armen om hem heen sloeg en me bedacht dat 'goed' eigenlijk wel wat zwak uitgedrukt was na mijn overwinning op Algaliarept. Zijn overall was versleten en rook naar zeep. Ik beschouwde hem tegelijkertijd als de wijze-oude-buurman en een soort surrogaatopa en het maakte me niets uit dat hij een verleden had waarover hij niet wilde praten. Hij was een goed mens; meer hoefde ik niet te weten.

'Kom binnen. Ik wil je graag aan iemand voorstellen,' zei ik, en hij was meteen op zijn hoede. 'Ze heeft je hulp nodig,' zei ik zacht.

Hij perste zijn volle lippen op elkaar en de rimpels in zijn bruine gezicht werden nog dieper. Keasley zuchtte en de papieren zak ritselde in zijn jichtige handen. Hij knikte en opeens zag ik een dun plekje in zijn kroezende grijze haar. Een zucht van verlichting slakend, ging ik hem voor, de keuken binnen, en bleef daar staan om te zien hoe hij op Ceri zou reageren.

De oude heks bleef staan en staarde. Maar toen ik naar het tengere vrouwtje keek, dat in roze donspantoffels naast de magnetron stond in haar elegante baljurk met een bakje dampende patat in haar hand, kon ik wel begrijpen waarom.

'Ik heb geen arts nodig,' zei Ceri.

Jenks vloog op van haar schouder. 'Ha, die Keasley. Ga jij Ceri onderzoeken?'

Keasley knikte en liep hinkend naar een stoel. Hij wenkte Ceri om plaats te nemen en ging toen zelf voorzichtig op de stoel ernaast zitten. Hijgend zette hij de zak tussen zijn voeten en haalde er vervolgens een bloeddrukmeter uit. 'Ik ben geen arts,' zei hij. 'Mijn naam is Keasley.'

Zonder te gaan zitten, keek Ceri eerst naar mij en toen naar hem. 'Ik ben Ceri,' zei ze, nauwelijks hoorbaar.

'Nou, Ceri, aangenaam kennis met je te maken. Hij legde de bloeddrukmeter op tafel en stak zijn door jicht gezwollen hand uit. Met een onzekere blik in haar ogen legde Ceri heel voorzichtig haar handje in de zijne. Keasley schudde hem en glimlachte zijn door koffie verkleurde tanden bloot. De oude man wees op de stoel en Ceri ging zitten. Ze zette met tegenzin haar frietjes neer en keek argwanend naar de bloeddrukmeter.

'Rachel heeft gevraagd of ik je even wil onderzoeken,' zei hij, terwijl hij nog meer doktersspullen tevoorschijn haalde.

Ceri keek me aan en knikte met een diepe zucht.

De koffie was klaar en terwijl Keasley haar temperatuur opnam, haar reflexen en haar bloeddruk controleerde en haar 'Aaaaa' liet zeggen, bracht ik een kopje naar de woonkamer, voor Ivy. Zij zat scheef in haar zachte stoel met haar koptelefoon op, haar hoofd op de ene leuning en haar benen over de andere gedrapeerd. Ze had haar ogen dicht, maar toen ik het kopje neerzette stak ze zonder te kijken haar hand uit om het te pakken. 'Bedankt,' zei ze geluidloos en zonder haar ogen te hebben gezien, liep ik weer terug naar de keuken. Soms vond ik Ivy gewoon eng.

'Koffie, Keasley?' vroeg ik toen ik terug was.

De oude man tuurde naar de thermometer en zette hem af. 'Ja, graag.' Hij keek Ceri glimlachend aan. 'Je bent helemaal gezond.'

'Dank u, meneer,' zei Ceri. Terwijl Keasley bezig was had zij frietjes zitten eten en nu staarde ze somber naar de bodem van het kartonnen bakje.

Jenks was meteen bij haar. 'Nog meer?' vroeg hij. 'Probeer er eens wat ketchup bij.'

Opeens werd het me duidelijk waarom Jenks haar zo graag frietjes wilde laten eten. Het was hem niet om de patat te doen, maar om de ketchup. 'Jenks,' zei ik vermoeid, terwijl ik Keasley zijn koffie bracht en tegen het aanrecht leunde. 'Ze is meer dan duizend jaar oud. Zelfs mensen aten toen tomaten.' Ik aarzelde. 'Ze hadden toen toch al wel tomaten, of niet?'

Het gegons van Jenks' vleugels werd aanmerkelijk minder. 'Shit,' mompelde hij, maar klaarde onmiddellijk weer op. 'Toe maar,' zei hij tegen Ceri. 'Probeer die kerncentrale nu maar zonder mijn hulp te bedienen.'

'Kerncentrale?' vroeg zij, terwijl zij zorgvuldig haar handen aan een servet afveegde en opstond.

'Ja, hebben ze geen magnetrons in het hiernamaals?'

Ze schudde haar hoofd, zodat de punten van haar blonde haar heen en weer golfden. 'Nee. Ik bereidde Als maaltijden altijd met leylijnmagie. Dit is... oud.'

Keasley schrok op en morste bijna met zijn koffie. Zijn blik volgde Ceri's gracieuze bewegingen toen zij naar de vriezer liep en er, op Jenks aanwijzingen, een doosje patat uithaalde. Met haar onderlip tussen haar tanden, drukte ze zorgvuldig op de knopjes. Ik vond het vreemd dat deze vrouw meer dan duizend jaar oud was, maar de magnetron ouderwets vond.

'Hiernamaals?' vroeg Keasley zacht en ik draaide me naar hem om.

Ik hield mijn koffie in twee handen voor me om mijn vingers te verwarmen. 'Hoe is het met haar?'

Hij haalde zijn schouders op. 'Ze is gezond. Hooguit wat ondergewicht. Ze is geestelijk mishandeld. Ik weet niet hoe of wat. Ze heeft hulp nodig.'

Ik haalde diep adem en keek in mijn kopje. 'Ik wil je om een grote gunst vragen.'

Keasley rechtte zijn schouders. 'Nee,' zei hij, terwijl hij zijn tas op zijn schoot zette en al zijn spullen erin begon te doen. 'Ik weet niet eens wie – of zelfs maar wat – ze is.'

'Ik heb haar gestolen van de demon wiens werk jij afgelopen najaar weer hebt opgelapt,' zei ik, mijn hand naar mijn nek brengend. 'Ze was zijn familiaar. Ik betaal haar kost en inwoning.'

'Daar gaat het niet om,' protesteerde hij. Er verscheen een bezorgde blik in zijn bruine ogen. 'Ik weet helemaal niets van haar, Rachel. Ik kan het risico niet nemen haar in huis te nemen. Vraag dit niet van me.'

Ik boog me over de ruimte tussen ons, bijna boos. 'Ze heeft het afgelopen millennium in het hiernamaals doorgebracht. Ik denk niet dat ze erop uit is jou te vermoorden,' zei ik op verwijtende toon en er verscheen een verschrikte blik op zijn verweerde gezicht. 'Het enige wat ze nodig heeft,' zei ik, opgewonden omdat ik kennelijk een van zijn zwakke plekken had gevonden, 'is een normale omgeving waarin zij haar persoonlijkheid kan hervinden. En een heks, een vampier en een elf die in een kerk wonen en op boeven jagen is niet normaal.'

Jenks keek ons vanaf Ceri's schouder aan, terwijl de vrouw stond te kijken hoe haar frietjes warm werden. De elf keek ernstig; hij verstond ons gesprek net zo duidelijk alsof hij bij ons op de tafel had gestaan. Ceri stelde hem zachtjes een vraag en hij draaide zich om en gaf opgewekt antwoord. Hij had alle kinderen behalve Jih de keuken uitgejaagd en er heerste een weldadige rust.

'Keasley, alsjeblieft?' fluisterde ik.

Jih's ijle stemmetje begon te zingen en Ceri's gezicht lichtte op. Zij begon mee te zingen, met een stem die even helder was als die van het elfje, maar na drie noten begon ze al te huilen. Ik keek toe hoe een wolk van elfjes de keuken binnenrolde en haar bijna smoorde. Vanuit de woonkamer klonk een geërgerde kreet dat de elfjes de stereo-ontvangst weer eens stoorden.

Jenks schreeuwde naar zijn kinderen, die onmiddellijk wegstoven, op Jih na. Samen troostten ze Ceri; Jih zacht en geruststellend, Jenks wat onhandiger. Keasley liet zijn schouders zakken en ik wist dat hij het zou doen. 'Oké,' zei hij, 'ik probeer het een paar dagen, maar als het niet werkt, dan komt ze terug.'

'Dat lijkt me redelijk,' zei ik en voelde een enorme last van mijn schouders glijden.

Ceri keek met vochtige ogen naar ons op. 'Je hebt niet gevraagd wat ik ervan vind.'

Mijn ogen werden groot en ik kreeg een kleur. Haar gehoor was al net zo goed als dat van Ivy. 'Eh...' stamelde ik. 'Het spijt me, Ceri. Het is niet dat ik je hier niet wil hebben...'

Met een ernstige blik op haar hartvormige gezichtje, knikte zij. 'Ik ben een struikelblok in een fort vol soldaten,' zei ze. 'Ik zou het een grote eer vinden om bij de oude strijder te mogen wonen en zijn pijnen te verlichten.'

Oude strijder? dacht ik, me afvragend wat zij in Keasley zag dat mij ontging. In de hoek klonk een opgewonden meningsverschil tussen Jenks en zijn oudste dochter. De jonge elf stond aan de zoom van haar lichtgroene jurkje te frunniken, zodat we haar kleine voetjes zagen, terwijl ze met hem stond te redetwisten.

'Ja, wacht eens even,' zei Keasley. 'Ik kan heel goed voor mezelf zorgen. Ik heb niemand nodig om mijn "pijnen te verlichten".'

Ceri glimlachte. Mijn pantoffels aan haar voeten gleden over het linoleum toen ze naar hem toe liep en voor hem neerknielde. 'Ceri,' protesteerde ik, samen met Keasley, maar de jonge vrouw duwde onze handen weg en de plotselinge scherpe blik in haar groene ogen duldde geen enkele inmenging.

'Sta op,' zei Keasley nors. 'Ik weet dat je de familiaar van een demon bent geweest en misschien moest je je bij hem zo gedragen, maar – '

'Zwijg, Keasley,' zei Ceri, met een zachte gloed van hiernamaals rood om haar bleke handen. 'Ik wil graag met je mee naar huis, maar alleen als ik iets terug mag doen voor je goedheid.' Ze keek glimlachend naar hem op en er verscheen een wazige blik in haar groene ogen. 'Het zal me een gevoel van eigenwaarde geven dat ik hard nodig heb.'

Mijn adem stokte toen ik haar kracht voelde putten uit de leylijn achter de kerk. 'Keasley?' zei ik, met een hoog stemmetje.

Zijn bruine ogen werden groot en hij verstijfde waar hij zat, terwijl Ceri haar handen op de knieën van zijn vale, versleten overall legde. Ik zag zijn gezicht verslappen en de rimpels verdiepen zodat hij nog ouder leek. Hij haalde diep adem en verstrakte helemaal.

Ceri, die op haar knieën voor hem zat, huiverde. Haar handen gleden van hem af. 'Ceri,' zei Keasley, met overslaande stem. Hij raakte zijn knieën aan. 'Het is weg,' fluisterde hij en zijn vermoeide ogen vulden zich met tranen. 'O, lieve kind,' zei hij, terwijl hij opstond om haar overeind te helpen. 'Ik ben al zo lang niet zonder pijn geweest. Dank je wel.'

Ceri glimlachte en er gleed een traan over haar wangen toen ze knikte. 'Ik ook niet. Dit helpt.'

Met dichtgeknepen keel draaide ik me om. 'Ik heb nog wel wat T-shirts die je kunt dragen tot ik met je kan gaan winkelen,' zei ik. 'Houd mijn pantoffels maar aan. Daar kom je in elk geval mee aan de overkant.'

Keasley nam haar arm in de ene en zijn papieren zak in de andere hand. 'Ik ga morgen met haar winkelen,' zei hij, terwijl hij naar de hal liep. 'Ik heb me in geen jaren goed genoeg gevoeld om naar het winkelcentrum te gaan. Het zal me goed doen om er eens uit te zijn.' Toen hij zich naar me omdraaide, zag ik dat zijn oude, gerimpelde gezicht een transformatie had ondergaan. 'Maar de rekening stuur ik naar jou.

Ik vertel iedereen wel dat ze het nichtje van mijn zus is. Uit Zweden.'

Ik lachte, maar het voelde meer als een snik. Dit pakte beter uit dan ik had gehoopt en ik kon niet meer ophouden met glimlachen.

Jenks maakte een scherp geluid en zijn dochter landde langzaam op de magnetron. 'Goed dan, ik zal het vragen!' riep hij en zij steeg onmiddellijk weer op, met een hoopvolle blik op haar gezicht. 'Als je moeder het goed vindt en als Keasley het goed vindt, dan vind ik het ook goed,' zei Jenks, zijn vleugels een mistroostig blauw.

Jih fladderde nerveus omhoog, terwijl Jenks voor Keasley ging zweven. 'Eh, heb je thuis misschien wat planten die Jih zou kunnen verzorgen?' vroeg hij, met een vreselijk gegeneerde blik op zijn gezicht. Hij streek zijn blonde haar uit zijn ogen en trok een wrang gezicht. 'Ze wil met Ceri mee, maar ik laat haar niet gaan als ze zich niet nuttig kan maken.'

Mijn mond viel open. Ik keek naar Ceri en zag aan haar ingehouden adem dat ze heel blij zou zijn met het gezelschap. 'Ik heb een pot basilicum staan,' zei Keasley op norse toon. 'En als ze wil blijven wanneer het weer wat beter wordt, kan ze in de tuin werken, voor zover je van een tuin kunt spreken.'

Jih slaakte een gilletje en er dwarrelde goud glanzend elfenstof van haar af dat langzaam in wit veranderde.

'Eerst aan je moeder vragen!' zei Jenks met een verslagen blik toen het opgewonden elfenmeisje wegvloog. Hij landde op mijn schouder en liet zijn vleugels hangen. Ik meende herfstgeuren te ruiken. Voordat ik Jenks ernaar kon vragen, zweefde een wolk van groen en roze de keuken in. Verbijsterd vroeg ik me af of er nog een elf in de kerk was die zich niet in het kringetje rond Ceri bevond.

Met een stoïcijnse gelatenheid op zijn gerimpelde gezicht hield Keasley de zak met doktersspullen open en liet Jih zich erin zakken om goed beschermd tegen de kou veilig naar de overkant te komen. Boven de gekreukelde rand van de zak namen alle elfen luidkeels en zwaaiend afscheid van haar.

Keasley liet zijn ogen rollen en gaf de zak aan Ceri. 'Elfen,' hoorde ik hem mompelen. Toen nam hij Ceri's elleboog, knikte naar mij en liep naar de hal, zijn tred sneller en energieker dan ik ooit eerder had gezien. 'Ik heb een logeerkamer,' zei hij. 'Slaap je 's nachts of overdag?'

'Allebei,' zei ze zacht. 'Mag dat wel?'

Hij lachte zijn koffiegele tanden bloot. 'Dus je houdt van dutjes? Mooi zo, dan voel ik me niet zo oud wanneer ik zit te dommelen.'

Met een blij gevoel zag ik hen naar het sanctuarium lopen. Dit zou in meerdere opzichten goed uitpakken. 'Wat is er, Jenks?' vroeg ik, toen hij op mijn schouder bleef zitten terwijl de rest van zijn gezin Ceri en Keasley naar de voorkant van de kerk begeleidden.

Hij haalde zijn neus op. 'Ik dacht altijd dat Jax de eerste zou zijn die het huis uit zou gaan om zijn eigen tuin te beginnen.'

Opeens begreep ik het. 'Het spijt me, Jenks. Ze gaat het vast prima doen.'

'Ik weet het, ik weet het.' Zijn vleugels kwamen in beweging en verspreidden de geur van herfstbladeren over me heen. 'Eén elf minder in de kerk,' zei hij zacht. 'Zo is het leven. Maar niemand had me verteld dat het zo'n pijn zou doen.'

Over mijn zonnebril turend, leunde ik tegen mijn wagen en overzag het parkeerterrein. Mijn kersenrode cabriolet leek niet erg op zijn plaats tussen het allegaartje van minibusjes en roestige personenwagens. Helemaal achteraan, zo ver mogelijk uit de buurt van potentiële krassen en deukjes, stond een lage, grijze sportwagen. Waarschijnlijk de public-relationspersoon van de dierentuin, terwijl er verder alleen maar parttimers parkeerden en toegewijde biologen die het niet kon schelen waar ze in reden.

Door het vroege tijdstip was het, ondanks de zon, behoorlijk koud en mijn adem vormde witte wolkjes. Ik probeerde me te ontspannen, maar ik voelde mijn maag samentrekken en mijn ergernis groeien. Ik had hier vanmorgen met Nick afgesproken voor een snel rondje joggen door de dierentuin. Het leek erop dat hij niet kwam opdagen. Voor de zoveelste keer.

Ik liet mijn armen langs mijn lichaam vallen en schudde mijn handen los voordat ik vooroverboog en mijn handpalmen plat op het ijskoude en met stuifsneeuw bedekte beton van het parkeerterrein zette. Ik ademde langzaam uit en voelde mijn spieren trekken. Om mij heen klonken de zachte, vertrouwde geluiden van de dierentuin die voorbereidingen trof om open te gaan, vermengd met de geur van exotische mest. Als Nick nu niet binnen vijf minuten kwam opdagen, had ik geen tijd meer voor een fatsoenlijk rondje.

Een paar maanden geleden had ik voor ons allebei joggingpasjes gekocht, zodat we hier tussen middernacht en twaalf uur 's middags, wanneer het park gesloten was, op elk moment konden gaan rennen. Speciaal hiervoor was ik twee uur eerder opgestaan dan normaal. Ik deed mijn best er iets van te maken; ik probeerde een manier te vinden om mijn van-twaalf-uur-'s middags-tot-zonsopgangheksenschema te combineren met Nicks menselijke van-zonsopgang-tot-zonsondergangritme. Het had eigenlijk nooit zo'n probleem geleken. Nick had er ook altijd zijn best voor gedaan. De laatste tijd kwam het echter vooral op mij neer.

Ik schrok op van een piepend en krassend geluid. De afvalbakken werden naar buiten gerold en mijn irritatie nam toe. Waar zat hij? Hij kon het niet hebben vergeten. Nick vergat nooit iets.

'Tenzij hij het wil vergeten,' fluisterde ik. Ik schudde mezelf door elkaar, zwaaide mijn rechterbeen omhoog en zette mijn lichtgewicht joggingschoen op het dak van mijn wagen. 'Au,' fluisterde ik, toen mijn spieren protesteerden, maar ik duwde toch nog een beetje verder. Sinds Ivy en ik niet meer samen trainden omdat zij weer toegaf aan haar bloeddorst, had ik mijn training de laatste tijd een beetje verwaarloosd. Mijn ooglid begon te trillen en ik kneep ze allebei dicht terwijl ik de rekoefening nog wat verder doorzette, mijn enkel vastpakte en begon te trekken.

Nick was het niet vergeten – daar was hij veel te slim voor – hij ging me uit de weg. Ik wist wel waarom, maar het bleef deprimerend. Het was nu drie maanden geleden en hij was nog steeds afstandelijk en op zijn hoede. Het ergste was dat ik niet eens het idee had dat hij van me af wilde. De man riep demonen op in zijn kledingkast en hij was nota bene bang om mij aan te raken.

Afgelopen najaar had ik geprobeerd een vis aan me te binden voor de een of andere stompzinnige opdracht van een leylijncursus en toen had ik per ongeluk Nick tot mijn familiaar gemaakt. Stom, stom, stom.

Ik was een aardheks. Mijn magie kwam van dingen die groeiden en werd geactiveerd door warmte en mijn bloed. Ik wist niet veel van leylijnmagie – behalve dan dat ik het helemaal niks vond. Over het algemeen gebruikte ik het alleen om beschermende cirkels te sluiten tijdens het bereiden van heel erg gevoelige bezweringen. En om de Howlers te dwingen mij te betalen wat ze me schuldig waren. En heel af en toe om mijn huisgenote van me af te houden wanneer ze haar bloeddorst niet kon bedwingen. Ik had het ook gebruikt om Piscary plat op zijn achterste terecht te laten komen, zodat ik hem bewusteloos kon slaan met een stoelpoot. Het was dat laatste wat voor Nick de omslag had betekend van hartstochtelijk-en-heftig, misschien-is-dit-wel-deware, naar telefoongesprekjes en koele kusjes op mijn wang.

Ik begon mezelf nu toch wel een beetje zielig te vinden, zette mijn rechterbeen op de grond en zwaaide mijn linker omhoog.

Leylijnmagie veroorzaakte een krachtige roes en kon een heks krankzinnig maken, zodat het geen toeval was dat er meer zwarte leylijnheksen waren dan zwarte aardheksen. Gebruikmaken van een familiaar maakte het veiliger, omdat de kracht van een leylijn dan gefilterd werd door het simpele brein van dieren, in plaats van door planten zoals in het geval van aardmagie. Vanzelfsprekend werden alleen dieren gebruikt als familiaar – aan deze zijde van de leylijnen althans – en eigenlijk bestonden er ook geen heksenbezweringen om een mens te binden tot familiaar. Maar omdat ik niet veel van leylijnmagie afwist en bovendien nogal haast had, had ik de eerste de beste bezwering die ik tegenkwam gebruikt om een familiaar te binden.

En zo had ik zonder het te weten Nick tot mijn familiaar gemaakt – iets wat wij sindsdien ongedaan proberen te maken – maar vervolgens had ik het nog onnoemlijk veel erger gemaakt door via hem een enorme dosis leylijnenergie binnen te halen om Piscary te bedwingen. Sindsdien had hij me bijna niet meer aangeraakt. Maar dat was maanden geleden. Ik had het daarna nooit meer gedaan. Ik deed immers niet aan leylijnmagie. Of nauwelijks.

Ik rechtte mijn rug, blies mijn onrustgevoelens weg en deed een paar zijwaartse rekoefeningen waarvan mijn paardenstaart op en neer wipte. Toen ik eenmaal had ontdekt dat het mogelijk was een cirkel te vormen zonder er eerst een te trekken, was ik drie maanden bezig geweest om te leren hoe dat moest, in de wetenschap dat het wel eens mijn enige kans kon zijn om aan Algaliarept te ontsnappen. Ik had uitsluitend om drie uur 's ochtends geoefend, wanneer ik zeker wist dat Nick sliep – en onttrok de energie altijd rechtstreeks uit de lijn, zodat het niet via Nick zou gaan – maar misschien werd hij er toch wel wakker van. Hij had er niets over gezegd, maar Nick kennende, zou hij dat nooit doen ook.

Het geratel van het hek dat werd geopend wekte mij uit mijn overpeinzingen en ik liet mijn schouders zakken. De dierentuin was open en een aantal joggers kwam naar buiten met rode wangen en vermoeide, maar tevreden gezichten, nog helemaal in hun hardlooproes. *Verdomme. Hij had toch even kunnen bellen?*

Geërgerd ritste ik mijn heuptasje open en pakte mijn mobieltje. Tegen de auto geleund en naar de grond kijkend om de blikken van passanten te vermijden, scrolde ik door mijn korte lijstje. Nicks nummer stond op de tweede plaats, meteen na dat van Ivy en vóór dat van mijn moeder. Mijn vingers waren ijskoud en ik blies erop terwijl ik de telefoon over liet gaan.

Ik nam een hap adem toen ik verbinding kreeg en hield hem in toen een op band opgenomen vrouwenstem mij vertelde dat dit nummer niet langer in gebruik was. *Geld?* dacht ik. Misschien waren we daarom de afgelopen drie weken niet meer uit geweest. Bezorgd, probeerde ik zijn mobiele nummer.

Ik had nog steeds geen verbinding toen ik opeens het vertrouwde gerommel hoorde van Nicks truck. Met een zucht klapte ik mijn mobieltje dicht. Nicks oude, blauwe truck hobbelde van de grote weg het parkeerterrein op, voorzichtig manoeuvrerend omdat de vertrekkende auto's de strepen negeerden en dwars over het terrein reden. Ik stopte mijn mobieltje weg en sloeg mijn armen en mijn enkels over elkaar.

Hij is er in elk geval, dacht ik, terwijl ik mijn zonnebril rechtzette en mijn best deed om niet te fronsen. Misschien konden we een kopje koffie gaan drinken of zo. Ik had hem al dagen niet gezien en wilde het niet verknallen met een slecht humeur. Bovendien had ik me al drie maanden zo druk lopen maken over de vraag hoe ik onder mijn afspraak met A vandaan kon komen dat ik me, nu dat uiteindelijk gelukt was, wel eens even lekker wilde voelen.

Ik had Nick niets verteld en er zou een hele last van me af vallen als ik mijn hart bij hem kon luchten. Ik hield mezelf voor dat ik mijn mond had gehouden uit angst dat hij mijn last van me over wilde nemen – hij was per slot van rekening ridderlijk tot in het absurde – maar in werkelijkheid was ik gewoon bang dat hij me een hypocriet zou noemen omdat ik hem altijd de les liep te lezen over de gevaren van demonen, terwijl ik nu nota bene de familiaar van een demon was geworden. Wanneer het op demonen aankwam, beschikte Nick over een ongezond gebrek aan angst. Hij was ervan overtuigd dat ze, zolang je er maar voorzichtig mee omging, niet gevaarlijker waren dan laten we zeggen... een groefkopadder.

Dus stond ik daar in de kou te rillen terwijl hij zijn lelijke pick-up, die onder het zand zat, een paar plekken van de mijne verwijderd parkeerde. Ik zag zijn schaduw bewegen tot hij ten slotte uitstapte en het portier achter zich dichtsmeet met een felheid waarvan ik wist dat hij niet tegen mij was gericht, maar die nodig was om het oude slot dicht te laten vallen.

'Ray-ray,' zei hij, terwijl hij zijn mobieltje omhooghield en om de voorkant van de pick-up heen liep. Zijn lange, slanke gestalte zag er goed uit en hij liep snel. Er lag een glimlach op zijn gezicht, dat ooit ingevallen en grimmig was geweest, maar nu een prettig en stoer soort ruwheid had. 'Heb jij me net gebeld?'

Ik knikte en liet mijn armen langs mijn zijden vallen. In zijn vale jeans en laarzen was hij niet bepaald gekleed voor een eindje joggen. Zijn dikke jas hing open en eronder droeg hij een simpel flanellen overhemd. Het zat keurig ingestopt en zijn lange gezicht was netjes geschoren en toch slaagde hij erin er een beetje sjofel uit te zien, met zijn korte zwarte haar dat net iets aan de lange kant was. Hij had een intellectuele uitstraling, in plaats van dat tikkeltje gevaar dat ik over het algemeen graag zag in mijn mannen. Maar misschien school bij Nick het gevaar wel in zijn intellect.

Nick was de intelligentste man die ik kende en zijn briljante logica ging schuil onder een slordige verschijning en een misleidend zacht karakter. Achteraf gezien was het waarschijnlijk die zeldzame mix van scherp verstand en ongevaarlijk menselijk wezen dat mij in hem had aangetrokken. Of misschien omdat hij mijn leven had gered door Grote Al te binden toen die op het punt had gestaan mij te verscheuren.

En ondanks Nicks voorliefde voor oude boeken en de nieuwste elektronische snufjes, was hij geen slome duikelaar; daarvoor waren zijn schouders te breed en zijn kontje te strak. Zijn lange slanke benen konden me bijhouden wanneer we hard liepen en hij had verbazingwekkend sterke armen, wat ik altijd merkte tijdens onze vroeger regelmatig voorkomende, maar tegenwoordig akelig afwezige, vriendschappelijke partijtjes worstelen, die maar al te vaak waren geëindigd in een meer, eh, intieme activiteit. Het was de herinnering aan die intimiteit van weleer die de frons van mijn gezicht hield toen hij met een verontschuldigende blik in zijn ogen naar me toe kwam.

'Ik was het niet vergeten,' zei hij en zijn langwerpige gezicht leek nog langer toen hij zijn rechte pony uit zijn gezicht schudde. Even zag ik een glimp van het demonenteken hoog op zijn voorhoofd, dat hij op dezelfde avond had opgelopen als ik mijn allereerste en nu nog resterende. 'Ik was zo druk bezig dat ik helemaal de tijd ben vergeten. Het spijt me, Rachel. Ik weet dat je je hierop verheugde, maar ik ben niet eens naar bed geweest en ik ben doodmoe. Zullen we voor morgenochtend afspreken?'

Ik beperkte mijn reactie tot een zucht en probeerde mijn teleurstelling te verbergen. 'Nee,' zei ik zuchtend. Hij sloeg zijn armen om me heen in een aarzelende omhelzing. Ik had dat wel verwacht, maar ik wilde meer. De afstand tussen ons was er nu al zo lang dat het bijna normaal voelde. Hij trok zich terug en schuifelde met zijn voeten over de grond.

'Hard aan het werk?' vroeg ik. Dit was de eerste keer sinds een week dat ik hem zag, een enkel telefoontje niet meegerekend en ik wilde niet weer zomaar weggaan.

Nick leek ook geen zin te hebben om weg te gaan. 'Ja en nee.' Hij kneep zijn ogen dicht tegen de zon. 'Ik heb de hele nacht oude boodschappen zitten lezen op een chatroomlijst nadat ik de titel was tegengekomen van dat boek dat Al heeft meegenomen.'

Mijn belangstelling was onmiddellijk gewekt. 'Heb je...' stotterde ik, terwijl mijn hart sneller begon te kloppen.

Mijn hoop verdween als sneeuw voor de zon toen hij naar de grond keek en zijn hoofd schudde. 'Het was de een of andere malloot die ook zo graag iets te melden wil hebben. Hij heeft helemaal geen exemplaar. Het was allemaal verzonnen.'

Ik legde heel even mijn hand op zijn arm en vergaf hem ter plekke dat hij onze afspraak had gemist. 'Het komt wel goed. Vroeg of laat vinden we heus wel iets.'

'Ja,' mompelde hij. 'Maar liever vroeg dan laat.'

Ik voelde me ellendig en verstijfde. We waren zo'n leuk stel geweest en nu was er alleen nog maar deze afschuwelijke afstandelijkheid. Bij het zien van mijn sombere blik, pakte Nick mijn handen en kwam een stap naar voren om mij een halfslachtige omhelzing te geven. Zijn lippen streken langs mijn wang toen hij fluisterde: 'Sorry, Ray-ray. We vinden er wel iets op. Ik doe mijn best. Ik wil echt dat dit wat wordt.'

Zonder me te verroeren snoof ik de geur op van stoffige boeken en frisse aftershave en liet mijn handen aarzelend over hem heen glijden, op zoek naar geruststelling – die ik eindelijk vond.

Mijn adem stokte en ik hield hem zo lang mogelijk in. Ik wilde niet huilen. We waren al maanden op zoek naar de tegenbezwering, maar Al had zelf het boek geschreven waar in stond hoe je mensen tot familiaar kon maken en er waren er maar heel weinig van gedrukt. We konden moeilijk een advertentie in de krant zetten waarin we de hulp inriepen van een professor in de leylijnkunde, want hij of zij zou mij onmiddellijk aangeven voor het beoefenen van zwarte kunst. En dan was ik pas echt de pineut. Of dood. Of nog erger.

Nick liet me langzaam los en ik deed een stap naar achteren. Ik wist nu in elk geval dat er geen andere vrouw in het spel was.

'Hé, eh, de dierentuin is open,' zei ik, en mijn stem verraadde mijn opluchting over het feit dat de ongemakkelijke afstand die hij tussen ons had bewaard eindelijk een beetje kleiner begon te worden. 'Heb je zin om naar binnen te gaan en een kopje koffie te drinken? Ik heb gehoord dat hun aap Mocha zo leuk is dat je ervoor terug zou keren uit de dood.'

'Nee,' zei hij, maar ik hoorde oprechte spijt in zijn stem, zodat ik me begon af te vragen of hij al die tijd misschien toch wel iets had meegekregen van mijn zorgen om de kwestie met Al en zich daarom van mij had teruggetrokken. Misschien lag er voor dit alles toch wat meer schuld bij mezelf dan ik had gedacht. Misschien had ik een hechtere band tussen ons kunnen smeden als ik hem alles had verteld, in plaats van het voor hem te verzwijgen en hem weg te jagen.

Opeens voelde ik wat ik misschien had aangericht met mijn stilzwijgen en ik voelde mijn gezicht ijskoud worden. 'Nick, het spijt me zo,' fluisterde ik.

'Jij kon er niets aan doen,' zei hij, zijn bruine ogen vol vergiffenis, zich niet bewust van mijn gedachten. 'Ik heb zelf tegen hem gezegd dat hij dat boek mocht hebben.'

'Nee, maar weet je – '

Hij omhelsde me en legde me het zwijgen op. Ik voelde een brok in mijn keel en kon geen woord uitbrengen. Ik legde mijn hoofd tegen zijn schouder. Ik had het hem moeten vertellen. Ik had het hem meteen die allereerste avond moeten vertellen.

Nick voelde de verandering in mij en na een korte aarzeling kuste hij voorzichtig mijn wang; maar het was een voorzichtigheid die voortkwam uit zijn lange afwezigheid, niet zijn gebruikelijke aarzeling.

'Nick?' vroeg ik en hoorde zelf de tranen in mijn stem.

Hij trok zich onmiddellijk terug. 'Hé,' zei hij glimlachend, terwijl hij zijn grote hand op mijn schouder legde. 'Ik moet ervandoor. Ik ben al sinds gisteren op en ik moet nu echt slapen.'

Ik deed schoorvoetend een stapje naar achteren, hopend dat hij niet kon zien hoe hoog mijn tranen zaten. Het waren drie lange, eenzame maanden geweest. Maar er leek nu in elk geval verbetering in te zitten. 'Oké. Heb je dan zin om vanavond te komen eten?'

En eindelijk, na weken van snelle afwijzingen, bleef het stil. 'Wat dacht je van een bioscoopje en een etentje? Ik trakteer. Een echt... afspraakje.'

Ik rechtte mijn rug en voelde mezelf groeien. 'Een afspraakje,' zei ik, onhandig van de ene voet op de andere wippend, als een tiener die is uitgenodigd voor haar eerste schoolfeest. 'Wat had je in gedachten?'

Hij glimlachte. 'Iets met heel veel explosies, een heleboel geweren...' Hij raakte me niet aan, maar ik zag het verlangen in zijn ogen. '... strakke kostuums...'

Ik knikte lachend en hij keek op zijn horloge.

'Vanavond,' zei hij, teruglopend naar zijn pick-up. 'Zeven uur?'

'Zeven uur,' riep ik terug en begon me steeds beter te voelen. Hij stapte in en de hele wagen schudde toen hij het portier dichttrok. Toen startte hij de motor en reed vrolijk zwaaiend weg.

'Zeven uur,' zei ik, zijn achterlichten volgend toen hij de straat op reed.

De plastic hangertjes kletterden luidruchtig toen ik de stapel kleren naast de kassa op de toonbank legde. De verveeld ogende blondine, het geblondeerde haar tot net over de oren, keek niet eens op toen ze die gemene, metalen beveiligingsdingen eruit haalde. Bellen blazend met haar kauwgom richtte ze haar pistool op elk prijskaartje om al mijn aankopen voor Ceri bij elkaar op te tellen. Ze hield een telefoontje bij haar oor en haar hoofd een beetje scheef en haar mond stond geen ogenblik stil toen ze haar vriendje vertelde hoe ze de vorige avond haar kamergenote helemaal vol had gestopt met Hellevuur.

Ik keek haar aan en rook nog vaag de geur van de straatdrug aan haar. Als ze zich inliet met Hellevuur, vooral nu, was ze nog dommer dan ze eruitzag. De laatste tijd was het vaal versneden met iets extra's, een hele golf van doden veroorzakend in alle lagen van de bevolking. Misschien was het Trents idee van een kerstcadeautje.

Het meisje voor mij leek me minderjarig, dus ik kon de Gezondheids- en Inderlanddienst op haar afsturen, of haar meeslepen naar de

I.S.-cel. Dat laatste was misschien wel leuk, maar zou wel een deuk slaan in mijn middagje zonnewendewinkelen. Ik wist nog steeds niet wat ik voor Ivy moest kopen. De laarzen, jeans, sokken, lingerie en twee truien op de toonbank waren voor Ceri. Ze kon zich niet met Keasley buiten de deur vertonen in een van mijn T-shirts en roze zachte pantoffels.

Het meisje vouwde de laatste trui op en ik keek naar haar afgrijselijke bloedrode manicure. Er hing een heel stel amuletten om haar nek, maar de huidbezwering die haar acne moest verbergen was hard aan vervanging toe. Ze moest een tovenaar zijn, want een heks zou nog niet dood gevonden willen worden met zo'n achterlijke amulet. Ik keek even naar mijn houten pinkring. Hij mocht dan klein zijn, maar was door een kleine aanpassing mooi wel krachtig genoeg om mijn sproeten te verbergen. *Lekker puh,* dacht ik en voelde me meteen een stuk beter.

Opeens kwam er vanuit het niets een luid gegons en ik stelde tevreden vast dat ik er niet, net als het verkoopstertje, van schrok toen Jenks plompverloren bijna op de toonbank viel. Hij droeg twee zwarte bodystockings over elkaar heen en had een rode hoed op en laarzen aan tegen de kou. Eigenlijk was het te koud voor hem om buiten te zijn, maar Jih's vertrek had hem gedeprimeerd en hij had nog nooit zonnewende inkopen gedaan. Mijn ogen werden groot toen ik de pop zag die hij had meegesleept naar de toonbank. Het ding was bijna drie keer zo groot als hij.

'Rache!' riep hij uit, terwijl hij puffend de donkerharige, voluptueuze plastic jongensdroom rechtop duwde. 'Moet je zien wat ik heb gevonden! Op de speelgoedafdeling!'

'Jenks...' vleide ik, toen ik het echtpaar achter mij hoorde grinniken.

'Het is een Betty-Bijt-Me-Danpop!' riep hij uit, woest met zijn vleugels fladderend om niet om te vallen, met zijn handen op de dijen van de pop. 'Deze wil ik hebben. Voor Ivy. Hij lijkt sprekend op haar.'

Ik keek naar het glimmende plastic leren rokje en het rode vinyl topje en deed mijn mond open om te protesteren.

'Kijk nou, zie je wel?' zei hij op opgewonden toon. 'Als je op dit knopje op haar rug drukt, spuit er allemaal nepbloed uit. Is-ie niet fantastisch?'

Ik schrok toen er opeens een geleiachtige smurrie in een boogje uit de mond van de pop spoot en een kleine dertig centimeter verder op de toonbank terechtkwam. Een rode druppel liep naar haar puntige kinnetje. Het meisje achter de kassa keek ernaar en verbrak de verbinding met haar vriendje. *En dit wilde hij aan Ivy geven?*

Zuchtend schoof ik Ceri's jeans uit de weg. Jenks drukte nogmaals op het knopje en keek in pure aanbidding hoe het rode spul met een onfatsoenlijk geluid uit de mond spoot. Het stel achter mij begon te lachen en de vrouw trok aan zijn arm en fluisterde iets in zijn oor. Ik kreeg het er warm van en pakte de pop. 'Ik koop hem wel voor je, maar alleen als je daarmee ophoudt,' siste ik hem toe.

Met schitterende ogen landde Jenks op mijn schouder en kroop onder mijn sjaal om warm te blijven. 'Ze is er vast en zeker dolblij mee,' zei hij. 'Wacht maar af.'

Ik schoof het ding naar het meisje achter de kassa en keek achter me naar het fluisterende stelletje. Het waren levende vampen, goed gekleed en niet in staat langer dan een halve minuut van elkaar af te blijven. Toen ze zag dat ik keek, trok de vrouw de kraag van zijn leren jack recht om zijn licht gehavende nek te laten zien. De gedachte aan Nick bracht een glimlach op mijn lippen, voor het eerst in weken.

Terwijl het meisje het totaalbedrag berekende, zocht ik in mijn tas naar mijn chequeboekje. Het was fijn om geld te hebben. Heel fijn.

'Rache,' vroeg Jenks, 'wil je er ook nog een zakje M&M's bij doen?' Zijn vleugels zorgden voor een koele tochtvlaag in mijn nek toen hij ze in beweging zette om wat lichaamswarmte te genereren. Hij kon nu eenmaal geen jas dragen met die vleugels van hem en alles wat te zwaar was beperkte hem te veel in zijn bewegingen.

Ik pakte een zakje veel te dure snoepjes waar op een handgeschreven kartonnen bordje bij stond dat de opbrengst ervan bij zou dragen aan de herbouw van opvanghuizen in de stad die door brand waren verwoest. Mijn rekening was al opgemaakt, maar dit kon ze er nog wel bij optellen. En als de vampen achter mij daar een probleem mee hadden, dan konden ze wat mij betreft twee keer dood neervallen. Tjezus, het was voor weeskindertjes, hoor!

Het meisje pakte het zakje aan, sloeg het aan en schonk mij een arrogante blik. De kassa gaf mij het nieuwe totaalbedrag en terwijl iedereen stond te wachten sloeg ik in mijn chequeboekje het kasregister op. Ik verstijfde en knipperde met mijn ogen. Alle bedragen stonden in keurige cijfertjes opgeschreven. Zelf had ik niet de moeite genomen alles bij te houden, omdat ik wist dat er toch genoeg op stond, maar iemand anders had het kennelijk voor mij gedaan. Ik staarde er ongelovig naar. 'Is dat alles?' riep ik uit. 'Is dat alles wat ik nog over heb?'

Jenks schraapte zijn keel. 'Verrassing,' zei hij zwakjes. 'Het lag op je bureau en toen dacht ik: Ik zal je boekhouding eens even voor je doen.' Hij aarzelde. 'Sorry.'

'Het is bijna helemaal op!' stamelde ik, mijn gezicht waarschijnlijk even rood als mijn haar. Er verscheen een argwanende blik in de ogen van het meisje achter de kassa.

Gegeneerd schreef ik de cheque uit. Zij nam hem aan en riep haar chef erbij om hem door hun systeem te halen om er zeker van te zijn dat hij gedekt was. Achter mij begon het vampstelletje sarcastische opmerkingen te maken. Zonder aandacht aan hen te schenken, bladerde ik door het kasregister om te zien waar alles was gebleven.

Bijna tweeduizend voor mijn nieuwe bureau en slaapkamerameublement, nog eens vierduizend voor het isoleren van de kerk en drieënhalf duizend voor een garage voor mijn nieuwe auto; die kon ik moeilijk in de sneeuw laten staan. Dan kreeg je nog de verzekeringen en het gas. Een groot bedrag was naar Ivy gegaan voor achterstallige huur. Weer een ander deel was opgegaan aan mijn nacht op de spoedeisende hulp toen ik een gebroken arm had en nog geen verzekering. Dan nog een deel om een verzekering te krijgen. En de rest... Ik slikte moeizaam. Er was nog wel wat over, maar ik had er in slechts drie maanden tijd zoveel doorheen gejaagd dat mijn twintigduizend dollar was geslonken tot een bedrag met nog maar drie nullen.

'Eh, Rache?' zei Jenks. 'Ik wilde het er eigenlijk later pas met je over hebben, maar ik ken een boekhouder. Zal ik die eens voor je bellen? Ik heb eens naar je financiën gekeken en je zou wel eens een constructie nodig kunnen hebben om dit jaar wat geld weg te sluizen, want je hebt niets opzijgelegd voor de belasting.'

'Voor de belasting?' Ik voelde me misselijk worden. 'Er valt helemaal niets meer weg te sluizen.' Ik pakte mijn tassen van het meisje aan en liep naar de uitgang. 'En wat doe jij eigenlijk met je neus in mijn financiën?'

'Ik woon in je bureau,' zei hij op sarcastische toon. 'Was je soms even vergeten dat alles daar open en bloot ligt?'

Ik zuchtte. Mijn bureau. Mijn prachtige massief eiken bureau met allerlei hoekjes en gaatjes en een geheim vakje onder de linkerlade. Mijn bureau, dat ik maar drie weken had kunnen gebruiken voordat Jenks en zijn kroost erin waren getrokken. Mijn bureau, dat inmiddels zo vol stond met potplanten dat het meer op een decorstuk leek uit een horrorfilm over moordzuchtige planten die de wereldheerschappij wilden overnemen. Maar ik moest kiezen: óf ze zetten hun huishouden op in mijn bureau, óf in de keukenkastjes. Nee. Niet mijn keuken. Hun dagelijkse schijngevechten tussen de hangende pannen en keukenbenodigdheden waren al erg genoeg.

Ik trok mijn jas wat dichter om me heen en terwijl de schuifdeuren opengleden keek ik naar het rode schijnsel dat reflecteerde in de sneeuw.

'Hó, wacht eens even!' gilde Jenks in mijn oor toen we de koude buitenlucht in liepen. 'Waar denk je dat je mee bezig bent, heks? Zie ik eruit alsof ik gemaakt ben van bont?'

'Sorry.' Ik sloeg snel links af de hoek om, om uit de wind te komen en hield mijn schoudertas voor hem open. Scheldend dook hij erin weg. Hij haatte het, maar er was geen alternatief. Een aanhoudende temperatuur van minder dan zeven graden bracht hem in een winterslaap en het was heel gevaarlijk hem daar vóór het aanbreken van de lente uit te wekken, maar in mijn schoudertas zat hij goed.

Een Weer in een dikke wollen jas die tot op zijn laarzen reikte, ging met een ongemakkelijke blik voor me uit de weg. Toen ik oogcontact probeerde te maken, trok hij zijn cowboyhoed over zijn ogen en draaide zich om. Ik fronste mijn voorhoofd; ik had geen Weercliënt meer gehad sinds ik de Howlers had gedwongen me te betalen voor het feit dat ik hun mascotte aan hen had terugbezorgd. Misschien had ik daar toch een steekje laten vallen.

'Hé, geef me die M&M's eens aan,' riep Jenks me mopperend toe, zijn kleine gezichtje rood van de kou. 'Ik sterf van de honger.'

Ik doorzocht gehoorzaam de boodschappentassen en gooide de snoepjes in mijn schoudertas alvorens hem dicht te doen. Ik vond het niet prettig hem op deze manier mee naar buiten te nemen, maar ik was zijn partner, niet zijn moeder. Hij genoot ervan de enige volwassen mannelijke elf in Cincinnati te zijn die niet in winterslaap lag. In zijn ogen was nu waarschijnlijk de hele stad zijn tuin, ook al was hij nog zo koud en besneeuwd.

Het duurde even voordat ik mijn met zebrastrepen versierde autosleuteltjes uit het voorvakje had gevist. Het stelletje dat in de winkel achter mij had gestaan liep langs. Ze liepen lekker met elkaar te flirten en zagen er sexy uit in hun leren kleding. Hij had een Betty-Bijt-Me-Danpop voor haar gekocht en ze liepen te lachen. Ik dacht weer aan Nick en voelde een warme golf van aangename verwachting door mijn lichaam trekken.

Mijn zonnebril opzettend tegen het felle licht, liep ik het trottoir op, met rinkelende autosleutels en mijn tas stijf tegen me aangeklemd. Zelfs in mijn tas zou Jenks het onderweg koud krijgen. Ik nam me voor om thuis koekjes te gaan bakken, zodat hij zich kon koesteren in de hitte van de afkoelende oven. Het was eeuwen geleden dat ik voor het laatst zonnewendekoekjes had gebakken. Ik wist zeker dat ik ergens achter in een keukenkastje een vettig plastic zakje vol met bloem besmeurde koekvormpjes had zien liggen. Het enige wat ik dan verder nog nodig had was de gekleurde suiker.

Mijn stemming klaarde op bij de aanblik van mijn auto, enkeldiep in de knisperende sneeuw langs de stoep. Ja, wat onderhoud betreft was hij zo duur als een vampierprinses, maar hij was van mij en ik zag er hartstikke goed uit achter het stuur, met het dak open en de wind in mijn lange haren... Het was absoluut geen optie geweest om niet voor een garage te betalen.

Hij tsjilpte vrolijk naar me toen ik het portier opende en mijn tassen op de onbruikbare achterbank gooide. Ik vouwde mezelf achter het stuur en zette Jenks zorgvuldig op mijn schoot, waar hij misschien een klein beetje warmer zou blijven. Zodra ik de motor startte ging de verwarming op de hoogste stand. Ik zette hem in zijn versnelling en wilde net wegrijden toen een lange, witte wagen langzaam naast me tot stilstand kwam.

Kwaad keek ik opzij hoe de dubbelparkeerder mij insloot. 'Hé!' riep ik, toen de chauffeur midden op straat uitstapte om het portier te openen voor zijn werkgever. Geërgerd zette ik mijn auto in z'n vrij, stapte uit en trok mijn tas hoog op mijn schouder. 'Hé, ik probeer hier weg te rijden!' riep ik en ik had veel zin om met mijn vuist op het dak van de wagen te slaan.

Maar ik slikte mijn protesten meteen weer in toen het portier opengging en een oudere man met massa's gouden kettingen om zijn nek zijn hoofd naar buiten stak. Zijn kroezende blonde haar piekte alle kanten op. Hij wenkte mij en ik zag de opwinding in zijn blauwe ogen. 'Juffrouw Morgan,' riep hij zachtjes. 'Kan ik u even spreken?'

Ik zette mijn zonnebril af en staarde hem aan. 'Takata?' stotterde ik.

De oudere rocker vertrok zijn gezicht en keek snel naar de paar passerende voetgangers. Ze hadden de limousine al gezien en na mijn uitbarsting had je, zogezegd, de poppetjes aan het dansen. Met half toegeknepen ogen van ergernis, stak Takata een lange, magere hand uit en trok mij uit mijn evenwicht en de limo in. Naar adem happend en mijn tas tegen me aanklemmend zodat ik Jenks niet zou pletten, viel ik in de pluchen stoel tegenover hem. 'Rijden!' riep de muzikant en de chauffeur gooide het portier dicht en rende naar voren.

'Mijn auto!' protesteerde ik. Mijn portier stond open en de sleuteltjes zaten in het contactslot.

'Arron?' zei Takata, gebarend naar een man in een zwart T-shirt die in een hoekje van het peperdure voertuig zat. Gehuld in de karakteristieke geur van bloed die hem als vamp bestempelde gleed hij langs mij heen. Ik voelde een koude luchtstroom toen hij naar buiten glipte en snel de deur achter zich dichtgooide. Ik zag door de getinte ruit hoe hij plaatsnam op mijn leren bekleding en hoe stoer hij eruitzag met zijn geschoren hoofd en donkere zonnebril. Ik kon alleen maar hopen dat ik er half zo goed uitzag. Ik hoorde het gedempte geluid van mijn motor. Toen zette de limo zich in beweging; net op het moment dat de eerste groupies op de ramen begonnen te bonzen.

Met bonkend hart keek ik via het achterraampje naar buiten. Mijn auto reed voorzichtig langs de mensen die op straat stonden te roepen dat we terug moesten komen. Hij werkte zich door de mensenmassa heen en reed door een rood stoplicht om ons bij te houden.

Verbijsterd over hoe snel het allemaal was gegaan, draaide ik me weer om.

De ouder wordende popster droeg een excentrieke oranje broek en een bijpassend vest op een overhemd in een rustgevende aardetint. Alles was zijde en dat was wat mij betreft het enige positieve wat je ervan kon zeggen. Godallemachtig, zelfs zijn schoenen waren oranje. En zijn sokken. Ik trok een gezicht. Het paste op de een of andere manier wel bij al die gouden kettingen en het blonde haar, dat zo wijd uitstond dat je er kleine kinderen de stuipen mee op het lijf kon jagen. Zijn huid was bleker dan de mijne en mijn vingers jeukten om mijn bril met houten montuur uit mijn tas te halen die ik had betoverd om door aardamuletten heen te kijken, om te zien of hij verborgen sproeten had.

'Eh, hoi?' stamelde ik en de man grijnsde, waarmee hij zijn impulsieve, intelligente levenshouding liet zien en zijn neiging om van alles de lol in te zien, al stortte de hele wereld om hem heen in elkaar. De vernieuwende artiest en zijn bandje hadden de sprong naar het sterrendom gemaakt tijdens de Ommekeer en op dat moment met beide handen de kans aangegrepen om de allereerste openlijke Inderlandband te zijn. Hij was een doodgewone jongen uit Cincinnati die goed had geboerd en nu wat terug deed door de opbrengst van zijn winterzonnewendeconcerten aan de liefdadigheidsinstellingen van de stad te schenken. Dit jaar was dat wel heel erg belangrijk, omdat een reeks aangestoken branden veel van de opvangcentra voor daklozen en wezen in de as had gelegd.

'Juffrouw Morgan,' zei de man, de zijkant van zijn grote neus aanrakend. Hij keek over mijn schouder uit het achterraampje. 'Ik hoop dat ik je niet heb laten schrikken.'

Zijn stem was zwaar en zorgvuldig geschoold. Ik was dol op mooie stemmen. 'Eh, nee hoor.' Ik zette mijn zonnebril af en maakte mijn sjaal los. 'Hoe gaat het met je? Je haar zit... geweldig.'

Hij lachte en mijn zenuwen kwamen een beetje tot bedaren. Wij hadden elkaar vijf jaar geleden voor het eerst ontmoet en tijdens een kopje koffie een hele discussie gevoerd over de problemen van het hebben van krullend haar. Dat hij zich mij niet alleen herinnerde, maar zelfs met me wilde praten was vleiend. 'Het zit afschuwelijk,' zei hij, het lange kroezende haar aanrakend dat bij onze vorige ontmoeting nog in dreadlocks had gezeten. 'Maar volgens mijn pr-dame zorgt het voor een stijging van mijn verkoopcijfers met twee procent.' Hij strekte zijn lange benen en nam meteen bijna een hele kant van de limo in beslag.

Ik glimlachte. 'Heb je een nieuwe amulet nodig om het een beetje te temmen?' vroeg ik, mijn tas pakkend.

Mijn adem stokte. 'Jenks!' riep ik uit, de tas openrukkend.

Ziedend van woede kwam Jenks eruit. 'Het zou eens tijd worden dat je aan me denkt!' snauwde hij. 'Wat voor de Ommekeer is er aan de hand? Ik heb bijna mijn vleugel geknakt toen ik op je telefoon viel. De M&M's liggen door je hele tas en denk maar niet dat ik ze voor je opruim. Waar zijn we in Tinks naam?'

Ik glimlachte zwakjes naar Takata. 'Eh, Takata,' begon ik, 'dit is – '

Opeens kreeg Jenks hem in de gaten. Hij barstte uit in een wolk van elfenstof, die de hele auto een ogenblik lang verlichtte en mij deed schrikken. 'Krijg nou wat!' riep de elf uit. 'Jij bent Takata! Ik dacht dat Rachel mijn madeliefjes in de maling nam toen ze zei dat ze je kende. Heilige moeder van Tink! Als Matalina dat hoort! Je bent het echt. Verdomme zeg, je bent het echt!'

Takata draaide aan een knopje op een uitgebreide console en onmiddellijk stroomde er warme lucht de auto in. 'Ja, ik ben het echt. Wil je een handtekening?'

'Nou en of!' zei de elf. 'Niemand zal me geloven.'

Lachend liet ik me wat dieper wegzakken in mijn stoel. Jenks' sterrenverering verdreef mijn nervositeit. Takata pakte een veelgebruikt mapje en haalde er een foto uit van hem en zijn band, poserend voor de Lange Muur in China. 'Aan wie zal ik hem opdragen?' vroeg hij en Jenks verstijfde.

'Eh...' stamelde hij en zijn fladderende vleugels kwamen tot stilstand. Ik stak mijn hand uit om hem op te vangen en zijn verlichte gewicht viel op mijn handpalm. 'Eh...' stotterde hij, lichtelijk in paniek.

'Schrijf maar: "Voor Jenks",' zei ik en Jenks maakte een opgelucht geluidje.

'Ja, Jenks,' zei de elf, die opeens zelfs weer de tegenwoordigheid van geest vond om op te vliegen en op de foto te gaan staan terwijl Takata hem signeerde met een onleesbare handtekening. 'Ik heet Jenks.'

Takata gaf mij de foto, zodat ik die voor hem in mijn tas kon stoppen. 'Leuk je te ontmoeten, Jenks.'

'Ja,' piepte Jenks. 'Ik vind het ook heel leuk.' Nadat hij nog een onmogelijk hoog geluidje had gemaakt waarvan mijn oogleden pijn deden, schoot hij als een krankzinnige vuurvlieg van mij naar Takata.

'Houd je in, Jenks,' fluisterde ik, in de wetenschap dat Takata me niet kon horen, maar de elf wel.

'Ik heet Jenks,' zei hij toen hij weer op mijn schouder landde, huiverend toekijkend terwijl ik de foto in mijn tas stopte. Hij slaagde er niet in zijn vleugels stil te houden en het lichte briesje voelde lekker in de verstikkende hitte van de limo.

Ik keek weer naar Takata en schrok van de lege blik op zijn gezicht. 'Wat?' vroeg ik, denkend dat er iets aan de hand was.

Hij herstelde zich onmiddellijk. 'Niets,' zei hij. 'Ik hoorde dat je weg bent bij de I.S. en dat je nu voor jezelf werkt.' Hij ademde langzaam uit. 'Daar was lef voor nodig.'

'Het was gewoon een stomme zet,' moest ik toegeven, denkend aan de doodsbedreiging die mijn voormalige werkgever bij wijze van vergelding op mijn hoofd had gezet. 'Hoewel ik nu niet meer anders zou willen.'

Hij glimlachte tevreden. 'Dus het alleen werken bevalt je wel?'

'Het valt niet mee zonder de steun van een bedrijf,' zei ik, 'maar ik heb een aardig vangnet van mensen om me heen in wie ik veel meer vertrouwen heb dan in de I.S.

Takata knikte en zijn lange haar ging heen en weer. 'Dat kan ik me helemaal voorstellen.' Zijn voeten stonden een eindje uit elkaar om de bewegingen van de auto op te vangen en ik begon me af te vragen wat ik in Takata's limo deed. Niet dat je mij hoorde klagen. We reden op de ringweg rond de stad en mijn eigen cabriolet reed drie auto's achter ons.

'Nu je hier toch bent,' zei hij opeens, 'wil ik graag je mening over iets vragen.'

'Natuurlijk,' zei ik, denkend dat hij nog erger van de hak op de tak sprong dan Nick. Ik maakte mijn sjaal een beetje los. Het was zo warm.

'Geweldig,' zei hij, terwijl hij de gitaarkoffer opende die naast hem stond en een prachtig instrument van het groene fluweel pakte. Mijn ogen werden groot. 'Ik ga op het zonnewendeconcert een nieuw nummer spelen.' Hij aarzelde. 'Je wist toch wel dat ik in het Coliseum optreed?'

'Ik heb zelfs kaartjes,' zei ik en mijn opwinding groeide. Nick had ze gekocht. Ik was al bang geweest dat ik het zonnewendefeest weer eens op Fountain Square zou doorbrengen, zoals ik dat eigenlijk altijd deed, en waar ik dan mijn naam zou laten meespelen in de loterij waarmee je kon winnen dat je de ceremoniële cirkel daar mocht sluiten. De grote, ingelegde cirkel mocht alleen worden gebruikt door vergunninghouders, behalve dan op zonnewendes en Halloween. Maar nu had ik het idee dat wij onze zonnewende samen gingen doorbrengen.

'Mooi!' zei Takata. 'Dat hoopte ik al. Nou, ik heb een nummer over een vampier die verlangt naar iemand die hij niet krijgen kan en ik weet niet welk refrein het beste is. Ripley voelt meer voor het sombere refrein, maar Arron zegt dat het andere beter is.'

Hij zuchtte en leek er erg mee te zitten, wat niets voor hem was. Ripley was zijn Weer drummer, het enige bandlid dat al bijna zijn hele carrière bij Takata was. Er werd wel beweerd dat zij de reden was dat alle anderen het hooguit een jaar of twee uithielden voordat ze een solocarrière begonnen.

'Ik was eigenlijk van plan het tijdens de zonnewende voor het eerst ten gehore te brengen,' zei Takata. 'Maar nu wil ik het vanavond bij WVMP spelen om Cincinnati de kans te geven het als eerste te horen.' Hij grinnikte en leek meteen jaren jonger. 'Het is veel lekkerder wanneer iedereen meezingt.'

Hij keek naar de gitaar op zijn schoot en speelde een akkoord. De trillingen vulden de auto. Ik liet mijn schouders zakken en Jenks maakte een benauwd geluidje. Takata keek vragend naar me op. 'Wil je eerlijk zeggen welke je beter vindt?' vroeg hij en ik knikte. Mijn eigen privéconcert? Ja, dat leek me wel wat. Jenks maakte opnieuw dat benauwde geluid.

'Oké. Het nummer heet: "Rode Linten".' Takata haalde een keer diep adem en zakte een beetje onderuit. Met een afwezige blik in zijn ogen speelde hij het eerste akkoord. Zijn slanke vingers gleden sierlijk over de snaren en met zijn hoofd over zijn muziek gebogen, begon hij te zingen.

'Hoor je zingen door het gordijn, zie je lachen door het raam. Droog je tranen aan mijn geest, wat geweest is, is geweest. Wist niet dat het me zo zou raken, niemand had me verteld dat de pijn nooit meer over zou gaan.' Zijn stem werd zachter en kreeg het gekwelde geluid dat hem zo beroemd had gemaakt. 'Niemand had me dat verteld. Niemand had me dat verteld,' besloot hij, bijna fluisterend.

'Ooooo, mooi,' zei ik, me afvragend of hij werkelijk dacht dat ik hier een zinnig oordeel over kon vellen.

Hij glimlachte en meteen was zijn artiestenblik verdwenen. 'Oké,' zei hij, zich weer over zijn gitaar buigend. 'Dit is het andere refrein.' Hij speelde een wat zwaarder akkoord, dat bijna vals klonk. Ik voelde een rilling over mijn rug lopen, maar onderdrukte hem. Takata's houding veranderde en zijn gezicht leek vertrokken van pijn. De trillende snaren leken door me heen te galmen en ik zonk nog wat dieper weg in de leren stoel. Het geronk van de motor voerde de muziek regelrecht naar mijn binnenste.

'Je bent van mij,' fluisterde hij bijna. 'Je bent van mij, ook al weet je het zelf nog niet. Je bent van mij, verbondenheid uit hartstocht. Je bent van mij, maar helemaal jezelf. Juist door je wil, juist door je wil, juist door je wil.'

Hij had zijn ogen dicht en ik dacht niet dat hij nog wist dat ik tegenover hem zat. 'Eh...' stamelde ik en zijn blauwe ogen gingen open, bijna in paniek. 'Zelf denk ik het eerste,' zei ik, terwijl hij zich herstelde. De man was wispelturiger dan een la vol gekko's. 'Het tweede refrein vind ik zelf mooier, maar het eerste past beter bij het idee van de vampier die staat te kijken naar wat ze niet kan krijgen.' Ik knipperde met mijn ogen. 'Wat *hij* niet kan krijgen,' herstelde ik, blozend.

God in de hemel, ik maakte mezelf belachelijk. Hij wist waarschijnlijk dat ik samenwoonde met een vampier. Dat zij en ik geen bloed deelden wist hij waarschijnlijk niet. Het litteken in mijn hals was niet van haar, maar van Grote Al, en ik trok mijn sjaal wat hoger om het te bedekken.

Een beetje bibberig legde hij zijn gitaar terzijde. 'Het eerste?' vroeg hij en ik knikte. 'Oké,' zei hij, met een geforceerd glimlachje. 'Dan doen we dat.'

Ik hoorde weer zo'n verstikt gerochel van Jenks en vroeg me af of hij zich nog voldoende zou herstellen om iets anders uit te brengen.

Takata klikte de sloten van de gitaarkoffer dicht en ik wist dat ons gesprekje ten einde was. 'Juffrouw Morgan,' zei hij en het luxueuze interieur van de limousine leek opeens kaal en steriel nu er geen muziek meer klonk. 'Ik wilde dat ik kon zeggen dat ik je speciaal heb opgezocht voor je mening over welk refrein ik moest gebruiken, maar ik zit met een probleem en jij werd mij aanbevolen door iemand die ik vertrouw. Meneer Felps zei dat hij eerder met je heeft samengewerkt en dat je uitermate discreet te werk gaat.'

'Noem me alstublieft Rachel,' zei ik. De man was twee keer zou oud als ik. Het was gewoon belachelijk dat hij me juffrouw Morgan noemde.

'Rachel,' zei hij en Jenks bleef er weer bijna in. Takata glimlachte zwakjes en ik lachte terug. Ik had geen idee wat hier aan de hand was. Het klonk alsof hij een opdracht voor me had. Iets dat de anonimiteit vergde die de I.S. of het FIB niet konden bieden.

Terwijl Jenks half stikkend in de rand van mijn oorschelp kneep, ging ik rechtop zitten, sloeg mijn benen over elkaar en trok mijn kleine agenda om een professionele indruk te maken. In een van haar pogingen om orde te scheppen in mijn chaotische leven, had Ivy hem twee maanden geleden voor me gekocht. Ik had hem alleen bij me om haar een plezier te doen, maar als ik een opdracht kreeg van een beroemde nationale popster was dit misschien wel het juiste moment om hem in gebruik te nemen. 'Dus ene meneer Felps heeft mij aanbevolen?' zei ik. Ik pijnigde mijn hersenen, maar had geen idee over wie hij het had.

In verwarring gebracht fronste Takata zijn zware, expressieve wenkbrauwen. 'Hij zei dat hij je kende. Hij leek bijzonder van je gecharmeerd.'

Opeens begon me iets te dagen. 'O, is hij toevallig een levende vamp? Blond? Denkt dat hij Gods grootste geschenk aan de levenden én de doden is?' vroeg ik, hopend dat ik het bij het verkeerde eind had.

Hij grinnikte. 'Je kent hem dus.' Hij keek naar Jenks, die zat te rillen en zijn mond niet open kreeg. 'Ik dacht dat hij mijn madeliefjes in de maling nam.'

Ik sloot mijn ogen en verzamelde al mijn moed. Kisten. Waarom verbaasde me dat niet? 'Ja, ik ken hem,' mompelde ik, terwijl ik mijn ogen opende. Ik wist niet of ik boos moest zijn of gevleid dat de levende vampier mij bij Takata had aanbevolen. 'Ik wist niet dat hij Felps heette.'

Vervuld van weerzin gaf ik de brui aan mijn poging om professioneel over te komen. Ik gooide mijn agenda weer in mijn tas en liet me achteroverzakken in een hoekje, een beweging die er waarschijnlijk minder charmant uitzag dan hij was bedoeld, want ik werd een handje geholpen door de auto die van rijbaan veranderde. 'Wat kan ik voor je doen?' vroeg ik.

De oudere tovenaar ging rechtop zitten en trok zijn zachte, oranje broekspijpen recht. Ik was nog nooit iemand tegengekomen die er goed uitzag in oranje, maar Takata kwam ermee weg. 'Het gaat om het concert dat er aan gaat komen,' zei hij. 'Ik wilde weten of jouw bedrijf beschikbaar is voor de beveiliging.'

'O.' Ik likte langs mijn lippen en keek hem verbaasd aan. 'Natuurlijk. Geen probleem, maar heb je daar al geen mensen voor?' vroeg ik, terugdenkend aan de strenge beveiliging rond het concert waarbij ik hem had leren kennen. Vampen moesten beschermkapjes om hun tanden doen en niemand kwam erin met meer dan een make-upbezwering. Eenmaal binnen gingen die beschermkapjes er natuurlijk meteen af en werden de amuletten die iedereen in zijn schoenen had verborgen geactiveerd...

Hij knikte. 'Ja, en dat is nu precies het probleem.'

Ik wachtte af en hij boog zich naar voren, een geur van roodhout verspreidend. Met zijn lange muzikantenhanden ineengestrengeld, keek hij naar de vloer. 'Voordat ik naar de stad kwam heb ik zoals gewoonlijk de beveiliging geregeld met meneer Felps,' zei hij, mij weer aankijkend. 'Maar toen kreeg ik een bezoekje van ene meneer Saladan, die beweerde dat hij de beveiliging in Cincinnati regelde en dat al het geld dat ik Piscary nog schuldig was aan hem moest worden afgedragen.'

Ik begreep al waar dit naartoe ging. *Protectie.* O. Juist, ja. Kisten deed net alsof hij nog steeds Piscary's intimus was, aangezien slechts weinig mensen wisten dat Ivy zijn plaats had ingenomen en nu deze felbegeerde titel droeg. Kisten bleef de zaken van de ondode vampier waarnemen, terwijl Ivy dit weigerde. *Godzijdank.*

'Je betaalt dus voor protectie?' vroeg ik. 'En nu wil je dat ik Kisten en die meneer Saladan ga vragen op te houden je te chanteren?'

Takata hield zijn hoofd naar achteren en zijn prachtige, tragische stem barstte in lachen uit, een geluid dat werd opgenomen door het dikke tapijt en de leren bekleding. 'Nee,' zei hij. 'Piscary slaagt er uitstekend in de Inderlanders in het gareel te houden. Ik maak me zorgen om die meneer Saladan.'

Geschrokken, maar niet verrast, schoof ik mijn rode krullen achter mijn oor en wenste dat ik er vanmiddag iets mee had gedaan. Ja, ik maakte ook gebruik van chantage, maar dat was om mezelf in leven te houden, niet om het geld. Dat was een heel verschil. 'Maar het is chantage,' zei ik, vol afkeer.

Er verscheen een serieuze blik op zijn gezicht. 'Het is een vorm van dienstverlening en wat mij betreft is elke stuiver ervan goed besteed.' Toen hij mij zag fronsen boog Takata zich met rinkelende kettingen naar voren en keek mij met zijn blauwe ogen strak aan. 'Mijn voorstelling heeft een VGP, net als een rondreizend circus of een kermis. Die zou ik snel kwijt zijn als ik niet in elke stad waar we komen protectie kon regelen. Het hoort er gewoon bij.'

VGP was de afkorting van Vergunning Gemengd Publiek. Het garandeerde dat er beveiliging aanwezig was om te voorkomen dat er ter plekke werd adergelaten, een noodzakelijkheid bij een gemengd publiek van Inderlanders en mensen. Als je te veel vampiers bij elkaar had en eentje kon zijn of haar bloedbelustheid niet de baas, dan was het voor de anderen wel heel erg moeilijk om dit voorbeeld niet te volgen. Ik had nooit begrepen hoe een velletje papier genoeg kon zijn om hongerige vampiers ertoe te dwingen hun tanden bij zich te houden, maar allerlei zaken werkten er heel hard aan om een A-status op hun VGP te behouden, omdat zowel mensen als levende Inderlanders hen anders zouden boycotten. Het was veel te gemakkelijk om het loodje te leggen of opeens geestelijk gebonden te zijn aan een vampier die je niet eens kende. En persoonlijk zou ik, ongeacht het feit dat ik met een vampier samenwoonde, nog liever dood zijn dan als het speeltje van een vampier te eindigen.

'Het blijft chantage,' zei ik. We waren zojuist de brug over de rivier de Ohio overgestoken en ik vroeg me af waar we anders naartoe gingen dan naar de Hollows.

Takata haalde zijn smalle schouders op. 'Wanneer ik op tournee ben, blijf ik steeds één nacht, of hooguit twee, op dezelfde plek. Als iemand kwaad wil, dan zijn we dus nooit lang genoeg in de buurt om ze op te sporen en elke goth weet dat. Hoe krijg je een opgewonden vamp of Weer zover dat hij of zij zich een beetje fatsoenlijk gedraagt? Piscary zorgt er gewoon voor dat iedereen weet dat hij hem of haar persoonlijk ter verantwoording zal roepen wanneer er iets gebeurt.'

Ik keek op. Het beviel me helemaal niet dat het allemaal zo logisch en simpel leek.

'Bij mijn optredens vinden nooit incidenten plaats,' zei Takata glimlachend, 'en Piscary ontvangt daarvoor zeven procent van de kaartverkoop. Iedereen blij. Tot nu toe ben ik altijd erg tevreden geweest over Piscary's werk. Ik vond het niet eens erg toen hij zijn tarieven verhoogde om zijn advocaat te kunnen betalen.'

Ik snoof en keek naar de grond. 'Mijn schuld,' zei ik.

'Dat heb ik gehoord,' zei de man droogjes. 'Meneer Felps was bijzonder onder de indruk. Maar Saladan?' Takata begon onrustig te worden en zijn expressieve vingers trommelden een ingewikkeld ritme terwijl hij uit het raampje keek naar de passerende gebouwen. 'Ik kan het me niet veroorloven hen allebei te betalen. Dan zou ik niets overhouden voor de renovatie van die opvanghuizen in de stad en daar is het hele concert per slot van rekening voor bedoeld.'

'Je wilt dat ik ervoor zorg dat er werkelijk niets gebeurt,' zei ik en hij knikte. Intussen keek ik naar de Jim Beambottelarij langs de snelweg. Nu hij wist dat de ondode meestervampier in het gevang zat voor moord, moorden die ik definitief op zijn conto had geschreven, probeerde Saladan Piscary van zijn plaats te verdringen.

Ik hield mijn hoofd een beetje schuin, in een vergeefse poging Jenks aan te kijken, die op mijn schouder zat. 'Ik moet het eerst met mijn andere partner bespreken, maar het lijkt me geen probleem,' zei ik. 'Wij zijn met ons drieën. Ik, een levende vamp en een mens.' Ik wilde Nick er ook bij hebben, ook al werkte hij officieel niet voor ons bedrijf.

'En ik,' piepte Jenks. 'Ik ook. Ik ook.'

'Daar moeten we het misschien eerst even over hebben, Jenks,' zei ik. 'Misschien is het daar wel heel erg koud.'

Takata begon te lachen. 'Met al die lichaamswarmte en onder die lampen. Vergeet het maar.'

'Dat is dan afgesproken,' zei ik, heel erg in mijn nopjes. 'Ik neem aan dat we speciale pasjes krijgen?'

'Ja.' Takata pakte iets onder het mapje vandaan waarin de foto's van zijn band zaten. 'Hier kom je mee langs Clifford. Verder moet het geen probleem zijn.'

'Super,' zei ik, in mijn tas gravend om een van mijn visitekaartjes op te duikelen. 'Dit is mijn kaartje voor het geval je in de tussentijd contact met me zou willen opnemen.'

Het ging nu allemaal heel snel en ik pakte het stapeltje dik karton aan dat hij me gaf in ruil voor mijn zwarte visitekaartje. Hij keek er glimlachend naar en stak het weg in zijn borstzakje. Toen tikte hij met een dikke knokkel tegen de glazen ruit die ons van de chauffeur scheidde. Toen we naar de kant van de weg reden klemde ik mijn tas tegen me aan.

'Bedankt, Rachel,' zei hij, toen de wagen aan de rand van de snelweg tot stilstand kwam. 'Ik zie je de tweeëntwintigste rond het middaguur in het Coliseum zodat je met mijn staf de beveiliging kunt doornemen.'

'Klinkt goed,' zei ik, terwijl het portier openging en Jenks vloekend dekking zocht in mijn tas. Koude lucht stroomde naar binnen en ik kneep mijn ogen tot spleetjes tegen het felle middaglicht. Mijn eigen wagen stond achter ons. *Liet hij me hier gewoon staan?*

'Rachel? Ik meen het. Bedankt.' Takata en ik schudden elkaar de hand. Zijn handdruk was stevig, maar zijn hand voelde dun en knokig aan in de mijne. 'Je hebt er goed aan gedaan door bij de I.S. weg te gaan. Je ziet er fantastisch uit.'

Ik glimlachte breed. 'Dank je,' zei ik, waarna ik me door de chauffeur uit de limousine liet helpen. De vamp die mijn wagen had gereden glipte langs me heen en verdween in het verste hoekje van de limo, terwijl ik de kraag van mijn jas weer omhoogtrok en mijn sjaal om mijn hals sloeg. Voordat de chauffeur het portier sloot, zwaaide Takata nog even ten afscheid.

Ik stond met mijn voeten in de sneeuw en keek hoe de limousine in het drukke verkeer verdween.

Met mijn tas in mijn hand wachtte ik tot het verkeer het toeliet en stapte toen snel in mijn auto. De verwarming stond op de hoogste stand en ik snoof de geur op van de vamp die in mijn wagen had gereden.

In mijn hoofd hoorde ik nog de muziek die Takata met mij had gedeeld. Ik ging de beveiliging regelen op zijn zonnewendeconcert. Ik kon me niets mooiers voorstellen.

Ik had rechtsomkeert gemaakt en was over de rivier de Ohio teruggereden naar de Hollows en Jenks had nog steeds geen woord gezegd. De overdonderde elf had zich op zijn gebruikelijke plekje boven op mijn binnenspiegel geposteerd en keek hoe zich samenpakkende sneeuwwolken de zonnige middag donker en somber maakten. Ik dacht niet dat het de kou was die zijn vleugels blauw kleurde, want de verwarming stond aan. Het was schaamte.

'Jenks?' vroeg ik en zijn vleugels begonnen te ruisen.

'Zeg maar niks,' mompelde hij nauwelijks verstaanbaar.

'Jenks, zo erg was het niet.'

Hij draaide zich om met een blik vol zelfverwijt op zijn gezicht. 'Ik wist mijn eigen naam niet meer, Rache.'

Ik kon een glimlach niet onderdrukken. 'Ik zal het aan niemand vertellen.'

Zijn vleugels kregen weer iets rozigs. 'Echt niet?' vroeg hij en ik knikte. Je hoefde geen genie te zijn om te begrijpen hoe belangrijk het voor de trotse elf was om zelfverzekerd te zijn en zichzelf in de hand te hebben. Ik wist zeker dat daar zijn grove taal en korte lontje vandaan kwamen.

'Niet tegen Ivy zeggen, hoor,' zei ik, 'maar toen ik hem de eerste keer ontmoette, wist ik van gekkigheid niet hoe ik bij hem in het gevlij moest komen. Hij had er ontzettend misbruik van kunnen maken; hij had me als een papieren zakdoekje kunnen gebruiken en me weg kunnen gooien. Maar dat deed hij niet. Hij gaf me het gevoel dat ik interessant en belangrijk was, ook al mocht ik nog maar net kleine opdrachtjes doen voor de I.S.. Hij is gewoon ontzettend cool, weet je. Een persoonlijkheid. Ik wil wedden dat hij amper heeft gemerkt dat je je naam niet meer wist.'

Jenks zuchtte en zijn hele lichaam bewoog bij het uitademen. 'Je hebt je afslag gemist.'

Ik schudde mijn hoofd en remde voor een rood stoplicht achter een foeilelijke SUV waar ik niet omheen kon kijken. Op de met strooizout bedekte bumpersticker stond: SOMMIGEN VAN MIJN BESTE VRIENDEN ZIJN MENSEN. JAMMIE, en ik glimlachte. Zoiets zag je alleen in de Hollows. 'Nu we toch in de buurt zijn, wil ik meteen even kijken of Nick al wakker is,' legde ik uit. Ik keek naar Jenks. 'Hou je het nog even vol?'

'Ja hoor,' zei hij. 'Dat gaat best, maar jij maakt wel een vergissing.'

Het licht sprong op groen en ik liet bijna mijn motor afslaan. We schoten het kruispunt over en toen ik een flinke dot gas gaf voelde ik de wagen onder me wegglijden in de sneeuw. 'We hebben vanmorgen gepraat in de dierentuin,' zei ik en voelde me helemaal warm worden vanbinnen. 'Volgens mij gaan we het samen wel redden. En bovendien wil ik hem die backstagepasjes laten zien.'

Zijn vleugels gonsden hoorbaar. 'Weet je het zeker, Rachel? Ik bedoel, we zijn allemaal vreselijk geschrokken toen je die leylijn door hem heen trok. Misschien moet je niet te veel willen. Geef hem wat meer tijd en ruimte.'

'Ik heb hem drie maanden gegeven,' mompelde ik en het kon me niet schelen dat de man in de wagen achter mij dacht dat ik met hem zat te flirten omdat mijn blik op mijn binnenspiegeltje was gevestigd. 'Nog meer ruimte en hij zit op de maan. Ik ga de inrichting van zijn huis niet veranderen, ik wil hem alleen die pasjes laten zien.'

Jenks zei niets, en zijn zwijgzaamheid maakte me nerveus. Die nervositeit veranderde in verbazing toen ik Nicks parkeerplaats opreed en naast zijn gedeukte blauwe pick-up tot stilstand kwam. Er stond een koffer op de passagiersplek. Die had er vanmorgen nog niet gestaan.

Met open mond keek ik Jenks aan en hij haalde met een ongelukkig gezicht zijn schouders op. Opeens bekroop me een akelig gevoel. Ik dacht terug aan ons gesprek bij de dierentuin. We zouden vanavond naar de bios gaan. *En hij had zijn koffer gepakt? Ging hij ergens naartoe?*

'Kruip in mijn tas,' zei ik zacht, weigerend het ergste te geloven. Dit was niet de eerste keer dat ik hier tot de ontdekking kwam dat Nick weg was of op het punt stond te vertrekken. Hij was de afgelopen maanden wel vaker de stad uit geweest en meestal kwam ik daar pas achter wanneer hij weer terug was. En nu was zijn telefoon afgesloten en stond er een ingepakte koffer in zijn auto? *Had ik hem verkeerd ingeschat?* Als ons afspraakje van vanavond bedoeld was om me te dumpen, dan zou ik dat niet overleven.

'Rachel...'

'Ik doe nu het portier open,' zei ik, terwijl ik met stijve vingers mijn sleuteltjes in mijn tas stopte. 'Wil je hier soms blijven wachten en hopen dat het niet te koud wordt?'

Jenks kwam voor me zweven. Hij had zijn handen op zijn heupen, maar keek toch bezorgd. 'Zodra we binnen zijn laat je me eruit,' zei hij.

Mijn keel kneep dicht en ik knikte. Langzaam en met tegenzin liet hij zich in mijn tas zakken. Ik trok zorgvuldig de riempjes dicht en stapte uit, maar een opwelling van gekwetste gevoelens maakte dat ik het portier zo hard dichtsmeet dat mijn kleine rode autootje stond te schudden. Toen ik in de laadbak van de pick-up keek zag ik dat die droog was en dat er geen sneeuw in lag. Kennelijk was Nick de afgelopen paar dagen niet in Cincinnati geweest. Geen wonder dat ik hem vorige week niet had gezien.

Mijn gedachten tolden door mijn hoofd toen ik over het gladde pad naar de gemeenschappelijke voordeur liep, die opentrok en de trap opliep, steeds kleiner wordende stukjes sneeuw achterlatend op de grijze vloerbedekking. Op de tweede verdieping aangekomen, dacht ik eraan om Jenks uit mijn tas te laten en hij zweefde zwijgend boven me en nam mijn woede in zich op.

'We zouden vanavond uitgaan,' zei ik, terwijl ik mijn handschoenen uittrok en ze in mijn zak propte. 'Ik had het al weken moeten zien aankomen, Jenks. De haastige telefoongesprekjes, de uitstapjes buiten de stad zonder mij iets te vertellen, het ontbreken van enig lichamelijk contact voor god mag weten hoe lang.'

‘Tien weken,’ zei Jenks, die mij met gemak bijhield.

‘O, werkelijk?’ zei ik bitter. ‘Nou, bedankt dat je het voor me hebt bijgehouden.’

‘Rustig nou, Rache,’ zei hij, een spoor van elfenstof achterlatend van bezorgdheid. ‘Misschien is het niet wat je denkt.’

Ik was al eens eerder gedumpt. Ik was niet achterlijk. Maar het deed wel pijn. Verdomme, wat deed dat pijn.

In de kale gang was geen enkel plekje voor Jenks om te landen, dus ging hij met tegenzin op mijn schouder zitten. Met mijn kaken zo stijf op elkaar geklemd dat het pijn deed, balde ik mijn vuist om op Nicks deur te bonken. Hij moest thuis zijn – hij ging nooit ergens naartoe zonder die pick-up – maar voordat ik iets kon doen zwaaide de deur al open.

Ik liet mijn arm weer zakken en staarde Nick aan. Hij keek al even verbaasd als ik. Zijn jas hing open en hij had een muts van zachte blauwe wol over zijn oren getrokken. Hij zette hem meteen af en nam de muts en zijn sleutels in zijn andere hand, waarmee hij al een mooie, glanzende aktetas vasthield, die volkomen in tegenstelling leek met zijn verder nogal sjofele uitmonstering. Zijn haar zat in de war en hij streek het glad terwijl hij intussen probeerde zich een houding te geven. Er zat sneeuw aan zijn laarzen. *Maar niet aan zijn auto.*

Met rammelende sleutels zette hij de tas op de grond. Hij zuchtte. De schuldbewuste blik in zijn ogen verraadde dat ik gelijk had. ‘Hallo, Ray-ray.’

‘Hallo, Nick,’ zei ik, extra veel nadruk leggend op de *k*. ‘Ik neem aan dat ons afspraakje niet doorgaat.’

Jenks gonsde een begroeting en ik kon hem wel wat doen voor de verontschuldigende blik die hij Nick toewierp. Tien centimeter of een meter negentig, ze hoorden allemaal bij dezelfde club. Nick maakte geen aanstalten me binnen te vragen.

‘Was vanavond bedoeld als een dumpetentje?’ vroeg ik op de man af, omdat ik er gewoon vanaf wilde zijn.

Zijn ogen werden groot. ‘Nee!’ protesteerde hij, maar zijn blik schoot naar de aktetas.

‘Is er iemand anders, Nick? Want ik ben een grote meid. Ik kan wel wat hebben.’

‘Nee,’ zei hij nogmaals, wat zachter nu. Hij keek alsof hij ook niet wist wat hij hiermee aan moest. Hij stak zijn hand uit, maar stopte vlak voor mijn schouder. Hij liet zijn hand weer zakken. ‘Nee.’

Ik wilde hem geloven. Echt waar. 'Wat dan?' wilde ik weten. *Waarom vroeg hij me niet binnen? Waarom moest dit verdomme op de gang?*

'Ray-ray,' fluisterde hij, met een diepe frons in zijn voorhoofd. 'Het ligt niet aan jou.'

Ik sloot mijn ogen en zette me schrap. *Hoe vaak had ik dat al gehoord?*

Zijn voet duwde de dure aktetas verder de gang in en mijn ogen vlogen open van het krassende geluid. Ik deed snel een stap opzij toen hij naar buiten kwam en de deur achter zich dichttrok. 'Het ligt niet aan jou,' zei hij, zijn stem opeens heel hard. 'En het was geen dumpetentje. Ik wil het niet uitmaken. Maar er is iets gebeurd en eerlijk gezegd gaat dat je niets aan.'

Mijn mond viel open van verbazing. Jenks' woorden schoten door me heen. 'Je bent nog steeds bang van me,' zei ik, beledigd dat hij er niet voldoende op vertrouwde dat ik geen lijn meer door hem zou trekken.

'Dat is niet waar,' zei hij boos. Met stijve bewegingen sloot hij zijn deur af en draaide zich toen met de sleutel in zijn hand naar mij om. 'Hier,' zei hij kwaad. 'Neem mijn sleutel maar. Ik ben een tijdje de stad uit. Ik wilde hem eigenlijk vanavond aan je geven, maar nu je hier toch bent, gaat het in één moeite door. Ik heb mijn post stopgezet en de huur is betaald tot eind augustus.'

'Augustus!' stamelde ik, opeens bang.

Hij keek naar Jenks. 'Jenks, denk je dat Jax hier kan komen om mijn planten te verzorgen tot ik terug ben? Dat heeft hij de vorige keer prima gedaan. Misschien is het maar voor een weekje, maar de verwarming en de elektriciteit worden gewoon doorbetaald voor het geval ik langer weg ben.'

'Nick...' protesteerde ik met een klein stemmetje. *Hoe was deze situatie zo snel omgedraaid?*

'Natuurlijk,' zei Jenks timide. 'Weet je, ik denk dat ik maar even beneden op jullie wacht.'

'Nee, ik ben klaar.' Nick pakte de aktetas op. 'Vanavond heb ik het te druk, maar voordat ik wegga wip ik nog wel even langs om hem op te halen.'

'Nick, wacht!' zei ik. Mijn maag kromp samen en ik voelde me duizelig. Ik had mijn mond moeten houden. Ik had niet op die ingepakte tas moeten letten en het domme vriendinnetje moeten spelen. Ik had met hem uit eten moeten gaan en kreeft moeten bestellen. Mijn eerste echte vriendje in vijf jaar en nu alles eindelijk een beetje normaal begon te worden, joeg ik hem de stuipen op het lijf. Net als alle anderen.

Jenks maakte een gegeneerd geluidje. 'Eh, ik wacht wel bij de voordeur,' zei hij en verdween de trap af, met achterlating van een spoor van glanzend elfenstof.

Met een ongelukkige blik op zijn lange gezicht, drukte Nick de sleutel in mijn hand. Zijn vingers waren ijskoud. 'Ik kan – ' Hij zuchtte en keek me diep in de ogen. Ik wachtte angstig af wat hij te zeggen had. Opeens wilde ik het niet meer horen.

'Rachel, ik wilde je dit tijdens het eten vertellen, maar... ik heb mijn best gedaan. Echt waar. Ik kan dit op dit moment gewoon niet,' zei hij zacht. 'Ik ga niet bij je weg,' voegde hij er haastig aan toe voordat ik mijn mond open kon doen. 'Ik houd van je en ik wil bij je zijn. Misschien wel voor de rest van mijn leven. Ik weet het niet. Maar elke keer als jij een lijn aanboort, dan voel ik dat en dan is het net alsof ik weer terug ben in dat FIB-busje, met een epileptische aanval van de lijn die je door mij trok. Dan krijg ik geen lucht. Dan kan ik niet nadenken. Dan kan ik helemaal niets meer. Wanneer ik verder weg ben, is het gemakkelijker. Ik moet er een tijdje tussenuit. Dat heb ik je niet verteld, omdat ik niet wilde dat je je rot zou voelen.'

Mijn gezicht voelde koud aan en ik kon geen woord uitbrengen. Hij had me nooit verteld dat ik hem een epileptische aanval had bezorgd. God, dat had ik helemaal niet geweten. Jenks was bij hem geweest. Waarom had hij me dat niet verteld?

'Ik moet even tot rust komen,' fluisterde hij, zachtjes in mijn handen knijpend. 'Om er een paar dagen niet aan te hoeven denken.'

'Ik houd er meteen mee op,' zei ik, in paniek. 'Ik boor geen enkele lijn meer aan. Nick, je hoeft niet weg te gaan!'

'Jawel.' Hij liet mijn handen los en raakte even mijn kin aan. Hij had een gekwelde glimlach op zijn gezicht. 'Ik wil juist dat je wel lijnen trekt. Ik wil dat je veel oefent. Op een dag zal leylijnmagie je leven redden en ik wil dat je verdomme de allerbeste leylijnheks van Cincinnati wordt.' Hij haalde diep adem. 'Maar ik moet wat afstand van je nemen. Het is maar voor even. Bovendien heb ik wat zaken te doen buiten de stad. Dat heeft verder niets met jou te maken. Ik kom heus weer terug.'

Maar hij had het over augustus gehad. 'Je komt niet terug,' zei ik en voelde hoe mijn keel werd dichtgeknepen. 'Je komt nog een keer je boeken ophalen en dan ben je weg.'

'Rachel – '

'Nee.' Ik draaide me om. De sleutel lag koud in mijn hand en sneed in mijn palm. *Doorademen,* zei ik tegen mezelf. 'Ga nu maar. Ik breng Jax morgen wel even. Ga nu maar.'

Toen hij een hand op mijn schouder legde, deed ik mijn ogen dicht, maar ik draaide me niet meer om. Ik deed ze weer open toen hij zich dichter naar me toe boog en ik de geur van stoffige oude boeken en nieuwe elektronica opsnoof. 'Bedankt, Rachel,' fluisterde hij en heel even voelde ik zijn lippen op de mijne. 'Ik ga niet bij je weg. Ik kom terug.'

Ik hield mijn adem in en staarde naar de lelijke grijze vloerbedekking. *Ik wilde niet huilen, verdomme. Ik wilde het niet.*

Ik hoorde hem even aarzelen, maar toen klonk het zachte gestommel van zijn laarzen op de trap. Mijn hoofd begon pijn te doen toen het gedempte geronk van zijn pick-up het raam aan het einde van de gang liet trillen. Ik wachtte tot ik het niet meer hoorde en toen pas volgde ik hem naar buiten, langzaam en zonder iets te zien.

Ik had het weer gedaan.

Ik reed mijn auto voorzichtig de kleine garage binnen en zette de lichten uit en de motor af. Somber staarde ik naar de geplamuurde wand die zich nog geen halve meter voor de grille bevond. De stilte sijpelde naar binnen, verbroken door het getik van de afkoelende motor. Ivy's fiets stond tegen de zijmuur, bedekt met een stuk zeildoek en opgeslagen voor de winter. Het was al bijna donker. Ik wist dat ik Jenks naar binnen moest brengen, maar het viel niet mee de energie op te brengen om mijn gordel los te maken en uit te stappen.

Jenks liet zich met een om aandacht vragend gegons op het stuur vallen. Ik liet mijn handen in mijn schoot glijden en mijn schouders zakken. 'Nou, je weet nu in elk geval waar je aan toe bent,' zei hij.

Mijn frustratie flakkerde weer op, maar stierf toen weg, overweldigd door een golf van apathie. 'Hij zei dat hij terug zou komen,' zei ik somber. Ik moest in de leugen blijven geloven tot ik sterk genoeg was voor de waarheid.

Jenks sloeg zijn armen om zijn bovenlichaam en hield zijn libellenvleugels stil. 'Rache,' vleide hij. 'Ik mag Nick heel erg graag, maar je gaat binnenkort twee telefoontjes krijgen. Eén waarin hij zegt dat hij je mist en zich al veel beter voelt, en een tweede waarin hij zegt dat het hem heel erg spijt en je vraagt om zijn sleutel aan zijn huisbaas te geven.'

Ik keek naar de muur. 'Laat mij nou maar dom zijn en hem nog een poosje geloven, goed?'

De elf ging mokkend akkoord. Hij maakte een verkleumde indruk, zijn vleugels bijna zwart terwijl hij zich rillend zo klein mogelijk maakte. Ik had het uiterste van hem gevergd door een omweg te maken langs Nick. Ik moest echt koekjes bakken vanavond. Hij mocht niet zo koud gaan slapen. Dan werd hij misschien niet meer wakker voor het begin van de lente.

'Klaar?' vroeg ik, mijn tas openhoudend, en hij sprong er onhandig in, in plaats van te vliegen. Bezorgd vroeg ik me af of ik mijn tas misschien beter onder mijn jas kon stoppen. In plaats daarvan deed ik hem in de papieren boodschappentas van het warenhuis en rolde hem zo ver mogelijk dicht.

Toen deed ik pas het portier open, heel voorzichtig, om de muur niet te raken. Met de tas in mijn hand liep ik over het aangeveegde pad naar de voordeur. Langs de stoep stond een gestroomlijnde, zwarte Corvette geparkeerd. Hij hoorde hier niet thuis en het leek me ook niet erg veilig op de besneeuwde straten. Ik herkende hem als de wagen van Kisten en mijn gezicht verstrakte. Ik kwam hem de laatste tijd veel te vaak tegen naar mijn zin.

De wind beet in mijn onbedekte gezicht en ik keek omhoog naar de torenspits, scherp afgetekend tegen de grijze wolken. Met kleine pasjes over het ijs lopend, passeerde ik Kistens mobiele icoon van mannelijkheid en beklom de treden naar de dikke, houten openslaande deuren. Er zat geen gewoon slot op, hoewel er aan de binnenkant een eikenhouten balk zat die ik elke zonsopgang, vlak voordat ik naar bed ging, op zijn plek liet zakken. Ik bukte me moeizaam, haalde een bakje antivrieskorrels uit de open tas die naast de deur stond en strooide die op de treden voordat de gesmolten sneeuw van die middag de kans kreeg om te bevriezen.

Ik duwde de deur open en mijn haar waaide op in de warme lucht die me tegemoetkwam. Ik hoorde zachte jazzmuziek spelen, glipte naar binnen en trok de deur zachtjes achter me dicht. Ik had helemaal geen zin om Kisten te zien – ook al vormde hij nog zo'n aangenaam plaatje voor de ogen – hoewel ik hem eigenlijk moest bedanken voor het feit dat hij mij had aanbevolen bij Takata.

Het was donker in het kleine portaal en in het sanctuarium was het schemerig. Ik rook koffie en groeiende planten, een soort combinatie van een plantenkas en een koffietentje. Lekker. Ik legde Ceri's spullen op het kleine antieke tafeltje dat Ivy van thuis had meegenomen en maakte mijn tas open. Jenks opgeheven gezichtje keek me aan.

'Goddank,' mompelde hij, terwijl hij langzaam omhoogzweefde. Toen aarzelde hij even, hield zijn hoofd een beetje schuin en luisterde. 'Waar is iedereen?'

Ik trok mijn jas uit en hing hem aan een haakje. 'Misschien heeft Ivy je kinderen weer eens de huid vol gescholden en hebben ze zich verstopt. Heb je er moeite mee?'

Hij schudde zijn hoofd. Maar hij had wel gelijk. Het was echt stil. Veel te stil. Meestal klonken er oorverdovende kreten van elfenkinderen die tikkertje speelden, hangende keukenbenodigdheden die op de grond kletterden, of het gesnauw van Ivy die ze uit de woonkamer verjaagde. De enige rust die ons gegund was, was tijdens de vier uurtjes die ze 's middags sliepen en nog eens vier uur na middernacht.

Jenks begon de warmte van de kerk te voelen en zijn vleugels waren alweer doorschijnend en bewogen veel beter. Ik besloot Ceri's spullen te laten liggen tot ik ze naar de overkant van de straat kon brengen en na de sneeuw van mijn laarzen te hebben gestampt naast de smeltende plasjes die Kisten had achtergelaten, liep ik achter Jenks aan door het donkere portaal, het stille sanctuarium in.

Mijn schouders ontspanden toen ik het gedempte licht zag binnenvallen door de hoge gebrandschilderde ramen die van mijn knieën tot aan het plafond reikten. Een van de hoeken werd in beslag genomen door Ivy's imposante vleugel, die zorgvuldig werd afgestoft en onderhouden, maar alleen werd bespeeld wanneer ik niet thuis was. Schuin tegenover de piano stond mijn met planten bezaaide cilinderbureau, helemaal vooraan op het enkelhoge podium waar vroeger het altaar had gestaan. Op de muur erboven was nog steeds de enorme schaduw van een kruis zichtbaar, geruststellend en beschermend. De kerkbanken waren al weggehaald voordat ik hier was komen wonen, zodat er nu nog slechts sprake was van een enorme, galmende ruimte van hout en glas, die rook naar rust en eenzaamheid, warmte en veiligheid. Ik voelde me hier veilig.

Jenks verstijfde en al mijn instincten kwamen in het geweer.

'Nu!' gilde een doordringende stem.

Jenks schoot recht omhoog, een wolk van elfenstof achterlatend op de plek waar hij even tevoren nog was geweest. Hij leek wel een inkt spuitende octopus. Met bonkend hart liet ik me op de hardhouten vloer vallen en wegrollen.

Ik hoorde het scherpe tikken van projectielen die de planken naast mij raakten. Mijn angst liet me verder rollen tot ik een hoekje vond om te schuilen. Ik opende de leylijn op het kerkhof en voelde de kracht ervan op me inwerken.

'Rachel! Het zijn mijn kinderen!' riep Jenks, net op het moment dat ik getroffen werd door een salvo van piepkleine sneeuwballetjes.

Ik stikte bijna in het woord om mijn cirkel te activeren en trok de aanzwellende kracht terug. Hij beukte op me in en ik kreunde toen de dubbele leylijnenergie opeens dezelfde ruimte in beslag nam. Wankelend viel ik op een knie en worstelde om lucht te krijgen tot de overtollige energie terugkeerde naar de lijn. O, god. Het leek wel alsof ik in brand stond. Ik had die cirkel gewoon moeten maken.

'Wat halen jullie je in Tinkerbels naam in je hoofd!' schreeuwde Jenks, boven mij zwevend terwijl ik me zelf op de vloer probeerde te concentreren. 'Jullie weten toch dat je een agent nooit zo aan het schrikken mag maken! Ze is een beroeps! Dit kost jullie de kop nog eens! En denk maar niet dat ik dan een hand zal uitsteken om jullie op te rapen. Wij zijn hier te gast! Naar het bureau! Allemaal! Jax, je stelt me héél erg teleur.'

Ik haalde diep adem. Verdomme. Wat deed dat een pijn. *Memo aan mezelf: stop nooit halverwege met een leylijnbezwering.*

'Matalina!' riep Jenks. 'Weet je wat onze kinderen hebben gedaan?'

Ik liet mijn tong langs mijn lippen glijden. 'Het geeft niet,' zei ik, terwijl ik opkeek en vaststelde dat het hele sanctuarium verlaten was. Zelfs Jenks was verdwenen. 'Wat heb ik toch een geweldig leven,' mompelde ik en ik kwam voorzichtig, in fases, overeind van de vloer. De brandende tinteling in mijn huid was al wat gezakt en met een wild bonkend hart liet ik de lijn helemaal los en voelde de achtergebleven energie uit mijn chi stromen, mij bevend achterlatend.

Met het geluid van een kwaaie bij kwam Jenks vanuit de achterkamers binnengevlogen. 'Rachel,' zei hij, voor mij tot stilstand komend. 'Het spijt me. Ze hadden de sneeuw gevonden die Kisten aan zijn schoenen mee naar binnen had gebracht en toen heeft hij zitten vertellen over sneeuwbalgevechten in zijn jeugd. O, kijk nou toch. Je bent helemaal nat.'

Matalina, Jenks' vrouw, kwam in een wolk van grijze en blauwe zijde het sanctuarium binnen. Met een verontschuldigende blik glipte ze onder de opening van mijn cilinderbureau door. Mijn hoofd begon te bonken en mijn ogen traanden. De toon waarop ze tegen de kinderen tekeerging was zo hoog dat ik het niet kon horen.

Doodmoe richtte ik me in mijn volle lengte op en trok mijn trui recht. Kleine natte plekken lieten zien waar ik was geraakt. Als het moordzuchtige feeën waren geweest met bezweringen, in plaats van elfjes met sneeuwballen, was ik dood geweest. Mijn hartslag kalmeerde en ik griste mijn tas van de grond. 'Het geeft niet,' zei ik, Jenks bij voorbaat de mond snoerend. 'Niks aan de hand. Zo zijn kinderen.'

Jenks bleef besluiteloos voor me zweven. 'Dat is wel zo, maar het zijn mijn kinderen en wij zijn hier te gast. Ze zullen hun verontschuldigingen aan komen bieden, onder andere.'

Met een gebaar dat het wel goed zat, stommelde ik de donkere gang in, de geur van koffie achterna. *Gelukkig had niemand me over de grond zien rollen, vluchtend voor elfensneeuwballen*, dacht ik. Maar dit soort dingen waren heel gewoon geworden sinds Jenks en zijn gezin hier na de eerste vorst hun intrek hadden genomen. Ik kon moeilijk meer doen alsof ik er niet was. Bovendien hadden ze waarschijnlijk de frisse luchtvlagen gevoeld toen ik binnenkwam.

Ik passeerde de tegenover elkaar gelegen heren- en damestoiletten die waren verbouwd tot een conventionele badkamer en een combinatie van badkamer en washok. Die laatste was van mij. Mijn kamer bevond zich aan de rechterkant van de gang en die van Ivy lag er pal tegenover. Daarna kreeg je de keuken en ik sloeg snel links af, in de hoop een kop koffie te kunnen pakken en me gauw in mijn kamer te kunnen verbergen om Kisten te ontlopen.

Het was een vergissing geweest hem in die lift te zoenen en hij liet nooit een kans voorbijgaan om me daaraan te herinneren. Omdat ik op dat bewuste ogenblik niet had gedacht de ochtend nog te zullen halen, had ik toegegeven aan de verleiding van de vampirische hartstocht. Nog erger was dat Kisten heel goed had geweten dat hij me over de streep had getrokken en dat ik op het punt had gestaan om ja te zeggen.

Uitgeput drukte ik met mijn elleboog het lichtknopje omlaag en liet mijn tas op het aanrecht vallen. De tl-verlichting ging flikkerend aan en Mr. Fish begon meteen wild in het rond te zwemmen. Vanuit de woonkamer, die ik hier vandaan niet kon zien, klonken zachte jazzmuziek en flarden van een gesprek. Kistens leren jas hing over Ivy's stoel voor haar computer. Er stond een halfvolle pot koffie en na even te hebben nagedacht, schonk ik die leeg in mijn gigantische koffiebeker. Terwijl ik mijn best deed om heel zachtjes te doen, begon ik een nieuwe pot te zetten. Het was niet mijn bedoeling iets af te luisteren, maar Kistens stem was zo zacht en zo warm als een bubbelbad.

'Ivy, liefje,' smeekte hij terwijl ik de koffie uit de koelkast pakte. 'Het is maar voor één nacht. Een uurtje, misschien. Naar binnen en meteen weer naar buiten.'

'Nee.'

Ivy's stem klonk kil en er lag een duidelijke waarschuwing in. Kisten drong langer aan dan ik zou hebben gedaan, maar zij waren samen opgegroeid, als kinderen van rijke ouders die van hen verwachtten dat zij in hun voetsporen zouden treden en kleine vampkindertjes zouden krijgen om Piscary's familielijn van levende vampen voort te zetten voordat zij uitstierven en ware ondoden zouden worden. Maar het zat er niet in – het huwelijk niet, maar ook dat met die doden niet. Ze hadden al eens geprobeerd samen te wonen, maar hoewel ze geen van beiden wilden vertellen hoe dat was gegaan, was hun relatie bekoeld tot er niets anders meer van over was dan een soort eigenaardige broer-zusverhouding.

'Je hoeft helemaal niets te doen,' pleitte Kisten, zijn namaak Engelse accent flink aandikkend. 'Je hoeft er alleen maar bij te zijn. Ik doe het woord.'

'Nee.'

Iemand zette de muziek af en ik trok behoedzaam de besteklade open voor het koffieschepje. Er vlogen drie gillende elfenkinderen uit. Ik slikte mijn kreet in en keek met bonzend hart hoe zij in de donkere hal verdwenen. Met snelle bewegingen van de adrenaline, zocht ik in de la, maar kon het schepje niet vinden. Uiteindelijk zag ik het in de gootsteen liggen. Waarschijnlijk had Kisten koffiegezet. Ivy zou het, met haar belachelijke drang naar orde en netheid, hebben afgewassen, afgedroogd en opgeborgen.

'Waarom niet?' Kistens stem klonk nu verongelijkt. 'Zoveel is het toch niet wat hij vraagt?'

Ivy's stem, hoewel rustig en beheerst, klonk ziedend van woede. 'Ik wil die ellendeling niet in mijn hoofd. Waarom zou ik hem door mijn ogen laten kijken? Mijn gedachten laten voelen?'

Met de pot in mijn vingers hing ik boven de gootsteen. Ik wilde dat ik dit niet hoorde.

'Maar hij houdt van je,' fluisterde Kisten, gekwetst en jaloers. 'Je bent zijn intimus.'

'Hij houdt niet van mij. Hij houdt ervan dat ik me tegen hem verzet.' Het klonk verbitterd en ik kon bijna zien hoe haar volmaakte, enigszins oriëntaalse trekken verstrakten van woede.

'Ivy,' suste Kisten. 'Het is een lekker gevoel, bedwelmend. De macht die hij met je deelt – '

'Het is een leugen!' riep ze uit en ik schrok. 'Wil jij het prestige? De macht? Wil jij Piscary's belangen blijven behartigen? Net doen alsof je nog steeds zijn intimus bent? Ga je gang maar. Maar ik laat hem niet toe in mijn hoofd, zelfs niet om jou te helpen!'

Ik liet luidruchtig water in de koffiepot stromen om hen eraan te herinneren dat ik meeluisterde. Ik wilde niets meer horen en wilde dat ze op zouden houden.

Kistens zucht klonk lang en diep. 'Zo werkt het niet. Als hij het werkelijk wil, dan kan je hem niet tegenhouden, Ivy, liefje.'

'Houd. Je. Mond.'

De woorden klonken zo vol ingehouden woede dat ik een rilling onderdrukte. De pot liep over en ik schrok toen het water over mijn hand stroomde. Ik zette de kraan uit en goot het overtollige water eruit.

In de woonkamer hoorde ik hout kraken. Mijn maag kromp samen. Iemand had zojuist iemand anders in een stoel geduwd. 'Toe maar,' fluisterde Kisten boven het gedruppel van het water in het koffiezetapparaat uit. 'Zet die tanden er maar in. Je weet dat je het wilt. Net als vroeger. Piscary voelt alles wat je doet, of je dat nu wilt of niet. Waarom denk je dat je de laatste tijd niet meer van bloed af kunt blijven? Drie jaar onthouding en nu kan je nog geen drie dagen zonder? Geef het op, Ivy. Hij zou het heerlijk vinden om te voelen hoe wij weer van elkaar genieten. En misschien begrijpt je huisgenote het dan eindelijk ook eens. Ze heeft bijna ja gezegd,' plaagde hij. 'Niet tegen jou, maar tegen mij.'

Ik verstijfde. Dat was voor mij bedoeld. Ik was dan wel niet in de kamer, maar ik had er net zo goed met mijn neus bovenop kunnen zitten.

Opnieuw gekraak van hout. 'Als je haar bloed ook maar met één vinger aanraakt, vermoord ik je, Kist. Ik zweer het je.'

Ik keek de keuken rond, op zoek naar een uitweg, maar het was te laat, want ik hoorde Ivy's voetstappen al bij de deuropening. Ze zag er voor haar doen een beetje verwaaid uit, zoals ze daar stond en met haar ongelooflijke vermogen om lichaamstaal te lezen zag ze hoe ongemakkelijk ik me hierbij voelde. Het was op z'n zachtst gezegd riskant dingen voor haar geheim te houden. Ze zag altijd alles. Ik zag aan haar gefronste wenkbrauwen hoe kwaad ze was op Kist, en die agressieve woede beloofde niet veel goeds, ook al was hij niet tegen mij gericht. Haar bleke huid had een zachtroze gloed, die het normaal gesproken amper zichtbare littekenweefsel in haar nek extra duidelijk liet uitkomen. Ze had door middel van een operatie getracht Piscary's fysieke teken van zijn aanspraak op haar te minimaliseren, maar wanneer ze opgewonden was kon je het nog steeds goed zien. En ze wilde nooit een van mijn huidamuletten gebruiken. Ik snapte nog steeds niet waarom.

Toen ze mij roerloos bij de gootsteen zag staan, gleden haar bruine ogen van mijn dampende koffiemok naar de lege pot. Ik haalde mijn schouders op. Wat kon ik zeggen?

Ivy kwam de keuken binnen en zette een lege beker op het aanrecht. Ze streek haar steile, zwarte haar glad en wist een kalme, beheerste indruk te wekken. 'Je bent van streek,' zei ze, met een stem die nog hees klonk van boosheid. 'Wat is er gebeurd?'

Ik haalde mijn backstagepasjes tevoorschijn en bevestigde ze met een magneet in de vorm van een tomaat aan de koelkast. Mijn gedachten gingen naar Nick, en toen naar het over de grond rollen om elfensneeuwballen te ontwijken. En dan vergat ik nog bijna hoe leuk het was geweest haar Kisten te horen bedreigen om van mijn bloed af te blijven, wat zij nooit zou proeven. *Tsjonge, wat een keus.* 'Niks,' zei ik zacht.

Lang en slank in haar spijkerbroek en shirt, sloeg ze haar armen over elkaar en leunde tegen het aanrecht naast het koffiezetapparaat, in afwachting van de verse koffie. Ze perste haar smalle lippen op elkaar en slaakte een diepe zucht. 'Heb je gehuild? Wat is er aan de hand?'

Ik was stomverbaasd. *Wist ze dat ik had gehuild?* Verdomme. Het waren hooguit drie tranen geweest. Voor het stoplicht. En ik had ze al weggeveegd voordat ze eruit waren gerold. Ik keek naar de lege gang, want ik wilde niet dat Kisten dit wist. 'Ik vertel het je later wel, oké?'

Ivy volgde mijn blik naar de deuropening. Verbazing rimpelde de huid rond haar bruine ogen. Opeens begreep ze het; ze wist dat ik was gedumpt. Ze knipperde met haar ogen en ik keek naar haar, opgelucht toen de eerste opleving van bloeddorst vanwege mijn nieuwe, beschikbare status, snel wegstierf.

Levende vampiers hadden, in tegenstelling tot ondode vampiers, geen bloed nodig om hun gezonde verstand te behouden. Maar ze smachtten er wel naar en kozen degenen van wie ze het namen met veel zorg uit. Meestal volgden ze daarbij hun eigen seksuele voorkeur, in de hoop dat er ook nog seks van zou komen. Maar het afnemen van bloed kon in belangrijkheid variëren van het bevestigen van een diepe, platonische vriendschap tot de oppervlakkigheid van een eenmalig contact. Net als de meeste levende vampen, beweerde Ivy dat ze bloed niet gelijkstelde aan seks, maar ik deed dat wel. De gevoelens die een vampier bij mij kon losmaken, lagen te dicht bij seksuele vervoering om iets anders te denken.

Na tot twee keer toe tegen een muur gekwakt te zijn door leylijnenergie, was bij Ivy de boodschap wel overgekomen dat ik weliswaar haar vriendin was, maar nooit, echt nóóit, ja tegen haar zou zeggen. Sinds ze weer praktiseerde was het wel gemakkelijker geworden, omdat ze nu ergens anders aan haar trekken kwam en ontspannen en verzadigd, en walgend van zichzelf omdat ze er weer aan had toegegeven, thuiskwam.

Waar ze mij er eerst van had getracht te overtuigen dat het geen seks was als zij me beet, spande ze zich nu in om me ervan te verzekeren dat geen enkele andere vampier een vinger naar me uit zou steken. Als zij mijn bloed niet kreeg, mocht niemand anders het hebben en zij had zich op onrustbarende, doch vleiende wijze tot doel gesteld andere vampiers ervan te weerhouden misbruik te maken van mijn demonenteken en mij over te halen hun schaduw te worden. Het feit dat ik met haar samenwoonde bood mij bescherming – bescherming die ik graag accepteerde, daar schaamde ik me niet voor – en in ruil daarvoor was ik haar onvoorwaardelijke vriendin. En hoewel dat misschien eenzijdig klonk, was het dat niet.

Ivy was geen gemakkelijke vriendin en jaloers op iedereen die mijn aandacht trok, hoewel ze het goed wist te verbergen. Nick werd met moeite getolereerd. Kisten leek echter vrijgesteld van haar jaloezie, wat mij een o-zo-warm gevoel bezorgde. En terwijl ik mijn koffie pakte, hoopte ik dat ze vanavond uit zou gaan om die verdomde bloedlust van haar te bevredigen, zodat ze me niet de rest van de week aan zou lopen kijken als een uitgehongerde panter.

Toen ik de spanning voelde verschuiven van woede naar speculatie, keek ik naar het koffiezetapparaat, dat nog stond te pruttelen, en kon alleen maar denken hoe ik hier weg kon komen. 'Wil jij de mijne?' vroeg ik. 'Ik heb er nog niet van gedronken.'

Bij het horen van Kistens mannelijke gegrinnik keek ik om. Hij was zonder waarschuwing in de deuropening verschenen. 'Ik heb ook nog niets gedronken,' zei hij suggestief. 'Ik lust wel wat als jij iets in de aanbieding hebt.'

Ik werd overvallen door de herinnering aan Kisten en mij in die lift: mijn vingers die met zijn zijdezachte geblondeerde lokken speelden, de baardgroei van een dag die hij cultiveerde om zijn fijne trekken iets stoers te geven hard tegen mijn huid, het gevoel van zijn handen die mijn onderlichaam tegen het zijne drukten. *Verdomme.*

Ik rukte mijn ogen van hem weg en dwong mijn hand omlaag, die onbewust naar mijn demonenteken was gegaan om het te voelen tintelen, geprikkeld door de vampferomonen die hij onbewust verspreidde. *Verdomme, verdomme.*

Met een zelfgenoegzame blik ging hij in Ivy's stoel zitten. Kennelijk wist hij precies waar ik aan dacht. Maar bij het zien van zijn goedgebouwde lichaam, viel het ook niet mee om aan iets anders te denken.

Kisten was ook een levende vamp en zijn bloedlijn ging net zo ver terug als die van Ivy. Vroeger was hij Piscary's intimus geweest, en hij had nog steeds die gloed om zich heen van het delen van bloed met de ondode vampier. Hoewel hij vaak de playboy speelde door in leren motorkleding te lopen en met een slecht Brits accent te praten, gebruikte hij dit alleen maar om zijn zakelijke talenten te verhullen. Hij was intelligent. En snel. En hoewel niet zo machtig als een ondode vampier, was hij sterker dan zijn compacte lichaamsbouw en smalle taille deden vermoeden.

Vandaag was hij heel keurig gekleed in een zijden overhemd op een donkere pantalon. Kennelijk probeerde hij een professionele indruk te maken, nu hij meer van Piscary's zakelijke belangen waarnam omdat de vampier zat te verkommeren in een gevangeniscel. De enige verwijzingen naar Kistens ondeugende kant waren de staalgrijze ketting die hij om zijn nek droeg – identiek aan het exemplaar dat Ivy om haar enkel droeg – en de twee diamanten oorknopjes in elk oor. Het was althans de bedoeling dat er twee in elk oor zaten. Iemand had er één uitgetrokken, zodat er een gemene scheur was ontstaan.

Met zijn onberispelijke schoenen uitdagend een eindje uit elkaar, zakte Kisten gemakkelijk onderuit in Ivy's stoel en peilde de stemmingen in de keuken. Mijn hand gleed onwillekeurig weer naar mijn hals. Hij probeerde me te betoveren, in mijn hoofd te kruipen en mijn gedachten en beslissingen te manipuleren. Dat ging hem niet lukken. Alleen een ondode kon een onwillige betoveren en hij kon niet langer op Piscary's kracht leunen, die hem de vermogens van een ondode vampier gaven.

Ivy pakte de koffiepot onder de trechter vandaan. 'Laat Rachel met rust,' zei ze, duidelijk de meest dominante van de twee. 'Nick heeft haar zojuist gedumpt.'

Mijn adem stokte in mijn keel en ik staarde haar vol afschuw aan. Dat had hij niet mogen weten!

'Ach...' fluisterde Kisten, naar voren leunend om zijn ellebogen op zijn knieën te zetten. 'Die man was ook niks voor jou, liefje.'

Geërgerd ging ik aan de andere kant van het keukeneiland staan. 'Rachel is de naam. Niet liefje.'

'Rachel,' zei hij zacht en mijn hart begon te bonzen van de dwang die hij erin legde. Ik keek uit het raam naar de besneeuwde, schemerige tuin en de grafzerken erachter. Wat voor de Ommekeer deed ik hier in mijn keuken met twee hongerige vampen terwijl de zon bijna onderging? Moesten zij nergens anders zijn? Waren er geen mensen die ze moesten bijten en die niet mij waren?

'Hij heeft me niet gedumpt,' zei ik terwijl ik het vissenvoer pakte om Mr. Fish te voeren. In het donkere raam zag ik Kisten naar me kijken. 'Hij is een paar dagen de stad uit. Heeft me zijn sleutel gegeven om alles in de gaten te houden en zijn brievenbus te legen.'

'O.' Kisten wierp Ivy een zijdelingse blik toe. 'Blijft hij lang weg?'

Ik kreeg een kleur, zette het vissenvoer weg en draaide me om. 'Hij zei dat hij terug zou komen,' protesteerde ik. Ik hoorde de pijnlijke waarheid achter mijn woorden en voelde mijn gezicht verstrakken. Waarom zou Nick zeggen dat hij terugkwam als niet eerst bij hem was opgekomen dat *niet* te doen?

Terwijl de twee vampen zwijgende blikken uitwisselden, trok ik een alledaags kookboek uit mijn magische bibliotheek tevoorschijn en liet het op het aanrecht ploffen. Ik had Jenks vanavond de oven beloofd. 'Waag het niet om alsnog een poging bij me te wagen, Kisten,' waarschuwde ik.

'Ik zou het niet durven.' De trage, zachte toon van zijn stem beweerde heel iets anders.

'Want jij bent niet half de man die Nick is,' zei ik, wat behoorlijk dom klonk.

'Dus je stelt hoge eisen?' vroeg Kisten spottend.

Ivy ging boven op het aanrecht zitten, naast mijn oplosvat met veertig liter zout water, maar slaagde er nog steeds in een roofzuchtige indruk te maken terwijl ze van haar koffie nipte en toekeek hoe Kisten met mijn gevoelens speelde.

Kisten keek haar aan alsof hij om haar toestemming vroeg en ik fronste mijn voorhoofd. Toen stond hij op en leunde over het kookeiland heen. Zijn ketting zwaaide heen en weer en trok mijn aandacht naar zijn nek, die vol zat met lichte, bijna onzichtbare littekens. 'Ik houd van actiefilms,' zei hij en mijn ademhaling versnelde. Ik rook de geur van leer die nog om hem heen hing onder de droge geur van zijde.

'Ja, dus?' zei ik strijdlustig, gepikeerd dat Ivy hem waarschijnlijk had verteld dat Nick en ik soms weekenden lang aan één stuk door op de bank naar de Adrenalinezender zaten te kijken.

'Dus kan ik je aan het lachen maken.'

Ik bladerde naar het meest vlekkerige, gekreukelde recept in het boek dat ik van mijn moeder had gepikt, wetend dat dit het recept voor suikerkoekjes was. 'Bozo de Clown maakt me ook aan het lachen, maar daar ga ik ook niet mee uit.'

Ivy likte aan haar vinger en tekende een streepje in de lucht. Eén-nul voor mij.

Kisten lachte een glimpje hoektand bloot en leunde naar achteren. Zo te zien was de klap goed aangekomen. 'Laat mij je mee uit nemen,' zei hij. 'Een platonisch eerste afspraakje om te bewijzen dat Nick niets bijzonders was.'

'O, doe me een lol,' kreunde ik, niet gelovend dat hij zo diep zou zinken.

Grijnzend veranderde Kisten zichzelf weer in een verwend rijk jongetje. 'Als je een leuke avond hebt, dan beken je eerlijk dat Nick niets bijzonders was.'

Ik bukte me om de bloem te pakken. 'Nee,' zei ik, terwijl ik opstond en het pak met een klap op het aanrecht zette.

Er gleed een gekwetste blik over zijn stoppelige gezicht, gemaakt, maar niettemin effectief. 'Waarom niet?'

Ik keek om naar Ivy, die zwijgend zat toe te kijken. 'Jij hebt geld,' zei ik. 'Iedereen met genoeg geld kan een meisje een leuke avond bezorgen.'

Ivy zette weer een streepje. 'Dat zijn er al twee,' zei ze en hij fronste.

'Dus Nick was een gierig mannetje, huh?' zei Kisten, in een poging zijn ergernis te verbergen.

'Let op je woorden,' kaatste ik terug.

'Goed, juffrouw Morgan.'

De lome onderdanigheid in zijn stem bracht mijn gedachten weer terug naar die lift. Ivy had me eens verteld dat Kisten het wel opwindend vond om een onderdanige rol te spelen. Wat ik had gemerkt was dat een onderdanige vampier nog steeds agressiever was dan de meeste mensen konden behappen. Maar ik was niet de meeste mensen. Ik was een heks.

Ik keek naar zijn ogen en zag dat ze mooi, effen blauw waren. In tegenstelling tot Ivy, gaf Kisten vrijelijk toe aan zijn bloeddorst, zodat het niet de belangrijkste factor was die zijn hele leven beheerste. 'Honderdvijfenzeventig dollar?' vroeg hij en ik bukte me om de suiker te pakken.

Dus de man dacht dat een goedkoop uitje bijna tweehonderd dollar kostte?

'Honderd?' zei hij en ik keek hem aan en zag zijn oprechte verbazing.

'Ons gemiddelde avondje uit kostte zestig piek,' zei ik.

'Verdomme!' vloekte hij en aarzelde toen. 'Ik mag toch wel verdomme zeggen, of niet?'

'Verdomme, ja natuurlijk.'

Vanaf haar plekje op het aanrecht hoorde ik Ivy grinniken. Kisten fronste oprecht verbaasd zijn wenkbrauwen. 'Oké,' zei hij, diep in gedachten verzonken. 'Een avondje uit voor zestig dollar.'

Ik wierp hem een veelbetekenende blik toe. 'Ik heb nog geen ja gezegd.'

Hij ademde lang en traag in en proefde mijn stemming in de lucht. 'Maar je hebt ook nog geen nee gezegd.'

'Nee.'

Hij zakte dramatisch in elkaar, wat me onwillekeurig toch een glimlachje ontlokte. 'Ik zal je heus niet bijten,' protesteerde hij, zijn blauwe ogen ondeugend onschuldig.

Ik haalde mijn grootste koperen toverketel onder het aanrecht vandaan om als mengkom te gebruiken. Hij was niet meer betrouwbaar om mee te toveren, want er zat een deuk in van de keer dat ik Ivy ermee tegen haar hoofd had geslagen. Het handige verfspatpistool dat ik erin bewaarde maakte een geruststellend geluid tegen het metaal toen ik het uit de ketel pakte om op enkelhoogte onder het aanrecht terug te leggen. 'En dat zou ik moeten geloven omdat...'

Kistens blik schoot naar Ivy. 'Omdat zij me twee keer vermoordt als ik het wel doe.'

Ik ging de eieren, boter en melk uit de koelkast halen en hoopte dat zij geen van beiden merkten dat mijn hart sneller begon te kloppen. Maar ik wist dat de verleiding niet voortkwam uit de subliminale feromonen die zij onbewust verspreidden. Ik miste het om me begeerd en nodig te voelen. En Kisten had een doctoraal in het verleiden van vrouwen, ook al waren zijn motieven eenzijdig en niet oprecht. Volgens mij genoot hij net zo van het oppervlakkig nemen van bloed, zoals sommige mannen van oppervlakkige seks genoten. En ik voelde er niets voor om een van zijn schaduwen te worden die overal achter hem aan liepen, gevangen door het bindende speeksel in zijn beet, verlangend naar zijn aanraking en het gevoel hoe zijn tanden in mij wegzonken en mij vervulden met euforie. *Shit, nu deed ik het weer.*

'Waarom zou ik?' vroeg ik en voelde mezelf warm worden. 'Ik vind je niet eens aardig.'

Kisten boog zich over het aanrecht. Het felle blauw van zijn ogen hield mijn blik vast. Aan zijn ondeugende grijns was duidelijk te zien dat hij wist dat ik zwakker werd. 'Reden te meer om met me uit te gaan,' zei hij. 'Als ik je voor zestig luizige dollars een leuke avond kan bezorgen, kan je je voorstellen wat iemand die je wel aardig vindt zou kunnen. Je hoeft me maar één ding te beloven.'

Het ei voelde koud aan in mijn handen en ik legde het neer. 'Wat?' vroeg ik.

Zijn glimlach werd breder. 'Niet de hele tijd voor me wegduiken.'

'Pardon?'

Hij maakte het boterkuipje open en stak zijn vinger erin, die hij langzaam schoon likte. 'Ik kan je niet laten voelen dat ik je aantrekkelijk vind als jij iedere keer dat ik je aanraak helemaal verstijft.'

'Dat heb ik nooit gedaan,' zei ik, in gedachten opnieuw terugkerend naar de lift. Godallemachtig, ik had me daar bijna ter plekke aan hem vergrepen.

'Dit is anders,' zei hij. 'Het is een afspraakje, en ik zou er mijn hoektanden voor over hebben om erachter te komen waarom vrouwen van mannen verwachten dat ze zich op afspraakjes anders gedragen dan anders.'

'Omdat dat nu eenmaal zo is,' zei ik.

Hij trok zijn wenkbrauwen op naar Ivy. Toen richtte hij zich op en stak zijn hand over het aanrecht heen om mijn kin aan te raken. Ik deinsde onmiddellijk terug.

'Nee,' zei hij, zijn arm terugtrekkend. 'Ik ga mijn reputatie niet ruïneren door je helemaal voor niets mee uit te nemen voor een avondje uit van zestig dollar. Als ik je niet mag aanraken, gaat het niet door.'

Ik staarde hem aan en voelde mijn hart bonken. 'Goed.'

Kisten knipperde geschokt met zijn ogen. 'Goed?' vroeg hij toen hij Ivy spottend hoorde lachen.

'Ja,' zei ik, de boter naar me toe halend en er met een houten lepel een flinke hoeveelheid uit scheppend. 'Ik wilde toch al niet met je uit. Je bent veel te blij met jezelf. Je denkt dat je iedereen maar kunt laten doen wat jij wilt. Ik word kotsmisselijk van zoveel egoïsme.'

Ivy begon te lachen en sprong lichtvoetig en zonder een geluid te maken op de grond. 'Zie je nou wel?' zei ze. 'Kom maar op met de poen.'

Met een diepe zucht trok hij zijn portefeuille uit zijn achterzak, haalde er een briefje van vijftig uit en drukte dat in haar hand. Ze trok haar sierlijke wenkbrauwen op en tekende weer een streepje in de lucht. Met een ongebruikelijke glimlach rekte ze zich uit om het geld in de koekjespot boven op de koelkast te gooien.

'Dat zal je altijd zien,' zei Kisten, met een dramatisch droevige blik in zijn ogen. 'Probeer je eens iets aardigs te doen voor iemand en haar een beetje op te vrolijken en wat krijg je ervoor als dank? Ik word hier gewoon misbruikt en beroofd.'

In drie lange passen kwam Ivy achter hem staan. Ze legde een arm om zijn borst, leunde tegen hem aan en fluisterde in zijn gescheurde oor: 'Arme schat.' Ze zagen er goed uit samen, met haar zijdezachte sensualiteit en zijn zelfverzekerde mannelijkheid.

Hij reageerde totaal niet toen haar vingers tussen de knoopjes van zijn overhemd gleden. 'Je had er vast van genoten,' zei hij tegen mij.

Met het gevoel alsof ik een test had doorstaan, schoof ik de boter van de lepel en likte mijn vinger af. 'Hoe kun jij dat nu weten?'

'Omdat je hier ook van genoten hebt,' antwoordde hij. 'Je hebt geen moment meer gedacht aan die oppervlakkige, egocentrische man die het niet eens weet te waarderen wanneer ze hem in zijn – ' Hij keek Ivy aan. 'Waar zei je dat ze hem had gebeten, Ivy, liefje?'

'In zijn pols.' Ivy draaide zich om, om haar koffie te pakken.

'Die het niet eens weet te waarderen wanneer ze hem in zijn... pols bijt,' besloot Kisten.

Mijn wangen gloeiden. 'Ik zal jou nog eens iets vertellen!' riep ik tegen Ivy. En ik had niet eens bloed laten vloeien. Goeie god!

'Geef het nu maar toe,' zei Kisten. 'Je hebt ervan genoten om met mij te praten en je krachten met mij te meten. We hadden vast lol gehad samen,' zei hij, mij van onder zijn pony aankijkend. 'Je ziet eruit alsof je wel wat lol kunt gebruiken. Je zit al ik weet niet hoe lang opgesloten in deze kerk. Wanneer was de laatste keer dat je je echt voor een avondje uit hebt gekleed? Dat je je mooi hebt gevoeld? Begerenswaardig?'

Ik stond doodstil en voelde mezelf in- en uitademen, heel regelmatig. Ik dacht aan Nick die zonder mij iets te vertellen had willen vertrekken, ons geknuffel en onze intimiteit waaraan zo abrupt een eind was gekomen. Het was zo lang geleden. Ik miste zijn aanraking die me het gevoel gaf dat hij naar me verlangde, die mijn hartstocht wekte en me tot leven bracht. Dat gevoel wilde ik terug – ook al was het een leugen. Eén avondje maar, zodat ik niet zou vergeten hoe het was tot ik het opnieuw vond.

'Er wordt niet gebeten,' zei ik, met het gevoel dat ik een grote vergissing maakte.

Ivy keek op, een uitdrukkingsloze blik op haar gezicht.

Kisten leek niet eens verbaasd. Ik zag aan hem dat hij het begreep. 'En jij duikt niet telkens voor me weg,' zei hij zacht, met een levendige, glinsterende blik in zijn ogen. Hij keek dwars door me heen.

'Maximaal zestig dollar,' zei ik op mijn beurt.

Kisten stond op en pakte zijn jas van de stoel. 'Ik sta overmorgen om één uur 's nachts voor je deur. Trek wat leuks aan.'

'En geen misbruik maken van mijn litteken,' zei ik ademloos, op de een of andere manier niet in staat voldoende lucht binnen te krijgen. *Waar was ik in vredesnaam mee bezig?*

Met een roofdierachtige gratie, trok hij zijn jas aan. Hij aarzelde en dacht even na. 'Ik zal er niet eens op ademen,' beloofde hij. Zijn bedachtzame uitdrukking veranderde in zelfgenoegzame verwachting toen hij in de deuropening staand zijn hand ophield voor Ivy.

Met stramme bewegingen haalde Ivy het briefje van vijftig weer uit de koekjespot en gaf het aan hem terug. Hij bleef net zo lang staan wachten tot zij er nog eentje pakte en aan hem gaf.

'Bedankt Ivy, liefje,' zei hij. 'Nu heb ik genoeg voor mijn afspraakje én de kapper.' Hij keek me aan en hield mijn blik vast tot ik helemaal geen lucht meer kreeg. 'Tot gauw, Rachel.'

Het geluid van zijn nette schoenen klonk heel hard in de donker wordende kerk. Ik hoorde hem nog iets tegen Jenks zeggen, gevolgd door het geluid van de voordeur die dichtviel.

Ivy was niet blij. 'Dat was ontzettend stom van je,' zei ze.

'Ik weet het.' Zonder haar aan te kijken, begon ik met snelle bewegingen de suiker en de boter te mengen.

'Waarom heb je het dan gedaan?'

Ik bleef roeren. 'Misschien omdat ik, in tegenstelling tot jou, wel graag word aangeraakt,' zei ik voorzichtig. 'Misschien omdat ik Nick zo mis. Misschien omdat hij eigenlijk al drie maanden weg is en ik te stom ben geweest om dat te merken. Bemoei je er niet mee, Ivy. Ik ben je schaduw niet.'

'Nee,' gaf zij toe, minder boos dan ik had verwacht. 'Ik ben je huisgenote en Kist is gevaarlijker dan je denkt. Ik heb hem dit eerder zien doen. Hij jaagt op je. Heel langzaam.'

Ik stopte met roeren en keek haar aan. 'Nog langzamer dan jij?' vroeg ik.

Ze staarde me aan. 'Ik jaag niet op jou,' zei ze, met een gekwetste klank in haar stem. 'Daar geef je me de kans niet voor.'

Ik liet de lepel los, zette mijn handen aan weerskanten van de kom en boog mijn hoofd eroverheen. Wij waren een lekker stel. De een te bang om iets te voelen uit angst dat zij de controle kwijtraakte over de stalen houdgreep waarin zij haar gevoelens hield, en de ander zo smachtend naar gevoelens dat zij haar vrije wil op het spel zette voor één avondje plezier. Hoe ik erin was geslaagd zo lang uit handen van een vampier te blijven was me een raadsel.

'Hij wacht op je,' zei ik, toen ik dwars door de geïsoleerde muren van de kerk de motor van Kistens auto hoorde ronken. 'Ga je dorst lessen. Ik vind het niet prettig als je dat niet doet.'

Ivy kwam in beweging. Zonder een woord te zeggen, liep ze stijfjes de keuken uit, haar laarzen bonkend op de houten vloer. Ik hoorde nauwelijks dat ze de kerkdeur achter zich dichttrok. Langzaam maar zeker begon ik het tikken van de klok boven de gootsteen weer te horen. Ik haalde diep adem, tilde mijn hoofd op, en vroeg me af hoe ik in vredesnaam haar oppasser was geworden.

De ritmische dreun van mijn rennende voeten die door mijn ruggengraat trok, vormde een aangename afleiding van mijn gedachten aan Nick. Het was helder weer, de zon weerkaatste schitterend van de sneeuw, zodat ik ondanks mijn nieuwe zonnebril mijn ogen bijna dicht moest knijpen. Mijn oude zonnebril had ik in Takata's limousine laten liggen, en de nieuwe zat niet zo lekker. Dit was de tweede dag op een rij dat ik op het onzalige tijdstip van tien uur 's ochtends was opgestaan om een eind te gaan lopen, en bij de Ommekeer, lopen zou ik ditmaal. Na middernacht was joggen niet leuk meer – te veel gekken op straat. Bovendien had ik vanavond een afspraakje met Kisten.

Die gedachte schoot door me heen en ik versnelde mijn pas. Ik paste mijn hijgende ademhaling aan aan mijn loopritme en langzaam ontstond er een soort hypnotiserend tempo dat me in een lopersroes bracht. Ik voerde het tempo zelfs nog verder op en genoot ervan. Bij het passeren van de beren liep er een bejaard heksenechtpaar voor me dat afwisselend een eindje wandelde en rende. Ze bekeken me met hongerige belangstelling. De beren, niet de heksen. Volgens mij was dat de reden waarom de directie hardlopers toeliet. Wij bezorgden de grote roofdieren iets om naar te kijken, naast al die kleuters in wandelwagentjes en vermoeide ouders.

Juist om die reden had ons groepje hardlopers zelfs het initiatief genomen om de Indo-Chinese tijgers te adopteren. De kosten voor hun onderhoud en gezondheid werden volledig betaald van het abonnementsgeld voor onze speciale loperspasjes. Ze aten er goed van.

'Loper!' riep ik hijgend op het ritme van mijn voetstappen en de twee heksen gingen opzij om plaats voor mij te maken. 'Bedankt,' zei ik in het passeren, terwijl ik hun zware, roodhouten geur rook in de frisse, bijna pijnlijk droge lucht.

Het geluid van hun gemoedelijke conversatie ebde snel weg. Ik wijdde een verwarde, boze gedachte aan Nick. Ik had hem niet nodig om te rennen; dat kon ik ook wel in mijn eentje. Hij had de laatste tijd trouwens toch niet vaak meegelopen, eigenlijk al niet meer sinds ik zelf een auto had en niet meer afhankelijk van hem was om mee te rijden.

Ach, welnee, dacht ik, mijn kaken op elkaar klemmend. Het kwam niet door die auto. Het was iets anders. Iets wat hij me niet wilde vertellen. Iets wat mij 'heel eerlijk gezegd helemaal niets aanging'.

'Loper!' hoorde ik niet ver achter mij iemand roepen.

Het klonk laag en beheerst. Wie het ook was, hij of zij hield me zonder enige moeite bij. Alle waarschuwingssignalen traden in werking. *We zullen eens zien of je kunt lopen,* dacht ik, en haalde een keer diep adem.

Ik voerde het tempo op en verschillende spiergroepen kwamen moeiteloos in beweging, bijna als bij het doorschakelen van een auto. Mijn hart bonsde en ik ademde de koude lucht in en uit. Ik liep al aardig snel, mijn natuurlijke tempo, ergens tussen een langeafstandsloop en een sprint. Op de middelbare school was ik altijd de grote favoriet geweest op de achthonderd meter en toen ik voor de I.S. werkte en wel eens de achtervolging op een boef moest inzetten, had ik er veel plezier van gehad. Nu ik het tempo echter verder opvoerde, begonnen mijn kuiten te protesteren en mijn longen te branden. Na de neushoorns sloeg ik links af en nam me heilig voor hier vaker te komen; mijn conditie was niet meer wat zij geweest was.

Er liep niemand voor me. Ik zag zelfs geen dierenverzorgers. Ik luisterde en hoorde de voetstappen zich aanpassen aan de mijne. Toen ik opnieuw links afsloeg, gluurde ik even over mijn schouder.

Het was een Weer, vrij klein en dun, maar hij zag er goed uit in een grijze joggingbroek met bijpassend shirt. Zijn lange zwarte haar werd bijeengehouden met een zweetband en zijn gezicht vertoonde geen enkele inspanning. Hij hield me met gemak bij.

Shit. Mijn hart sloeg een keer extra hard. Ook zonder cowboyhoed en lange wollen jas herkende ik hem wel. *Shit, shit, shit.*

Een toevloed van adrenaline stelde me in staat mijn tempo nog verder op te voeren. Het was dezelfde Weer. Waarom volgde hij mij? Mijn gedachten gingen nog iets verder terug dan gisteren. Ik had hem eerder gezien. Heel vaak zelfs. Hij had bij de horloges staan kijken toen Ivy en ik vorige week een nieuw parfum hadden uitgezocht dat de combinatie van mijn natuurlijke lichaamsgeur en de hare moest overvleugelen. Hij had de luchtdruk van zijn banden staan opmeten toen ik drie weken geleden was gaan tanken en mijn sleuteltjes in het contactslot had laten zitten, zodat ik niet meer in mijn auto kon. En drie maanden geleden had ik hem tegen een boom zien leunen toen Trent en ik in Eden Park hadden staan praten.

Ik klemde mijn kaken op elkaar. *Misschien wordt het tijd om eens een praatje te maken?* dacht ik toen ik langs het verblijf van de grote katten rende.

Een eindje verderop, bij de adelaars, was een steile helling. Ik sloeg rechts af en rende de heuvel af. Meneer Weer volgde. Terwijl ik achter de adelaars langs liep, liep ik in gedachten na wat ik bij me had. In mijn heuptasje zaten mijn sleutels, mijn mobieltje, een lichte pijnamulet die ik al had geactiveerd, en mijn minispatpistool, dat al geladen was met slaapmiddelen. Daar had ik dus niets aan; ik wilde met hem praten. Ik wilde hem niet bewusteloos schieten.

Het pad verbreedde zich in een groot, verlaten terrein. Niemand rende hier omdat het zo'n ellende was om weer tegen de steile heuvel op te rennen. Perfect. Met bonzend hart sloeg ik links af om de helling te nemen, in plaats van naar de ingang aan Vine Street te rennen. Ik hoorde zijn tred haperen en glimlachte. Dat had hij niet zien aankomen. Ik leunde tegen de heuvel in en rende op volle snelheid naar boven. Het leek wel slow motion. Het pad was smal en besneeuwd. Hij volgde.

Hier, dacht ik, toen ik boven aan de heuvel was aangekomen. Hijgend keek ik snel even achterom en schoot toen van het pad af, het dichte struikgewas in. Ik hield mijn adem in en voelde mijn longen schroeien.

oen hij me passeerde hoorde ik het geluid van zijn geconcentreerde voetstappen en zware ademhaling. Boven aangekomen, bleef hij even staan om te kijken waar ik was gebleven. Hij kneep zijn donkere ogen tot spleetjes en op zijn voorhoofd verschenen de eerste tekenen van lichamelijk ongemak.

Ik haalde een keer diep adem en sprong.

Hij hoorde me wel, maar het was al te laat. Terwijl hij zich omdraaide, landde ik tegen hem aan, hem tegen een oude eik drukkend. Alle lucht werd uit zijn longen geperst toen hij met zijn rug tegen de boom kwakte en hij zette grote, verbaasde ogen op. Ik drukte mijn handen om zijn keel om hem op zijn plek te houden en beukte mijn vuist in zijn plexus solaris.

Hij klapte dubbel en hapte naar adem. Toen ik hem losliet zakte hij met zijn rug langs de boom tot hij op de grond zat. Hij hield zijn handen tegen zijn maag. Een klein rugzakje gleed bijna over zijn hoofd.

'Wie ben je en waarom volg je me al drie maanden?' riep ik, erop rekenend dat het ongewone tijdstip en het feit dat de dierentuin gesloten was onze conversatie privé zou houden.

De Weer boog zijn hoofd en stak een hand in de lucht. Die was klein voor een man, en breed, met korte, sterke vingers. Zweet had zijn grijze spandex shirt een tint donkerder gekleurd en langzaam legde hij zijn gespierde benen in een wat minder ongemakkelijke houding.

Ik deed een stap naar achteren, mijn hand op mijn heup en zwaar hijgend terwijl ik bijkwam van de klim. Boos zette ik mijn zonnebril af en stak hem tussen mijn broekband.

'David,' hijgde hij schor, terwijl hij naar me opkeek, maar onmiddellijk zijn hoofd weer liet zakken, worstelend om een nieuwe hap lucht te nemen. In zijn bruine ogen had ik pijn en ook een vleugje schaamte gezien. Het zweet droop over zijn verweerde gezicht. Zijn ruwe stoppelbaard was even zwart als zijn haar. 'Godallemachtig,' zei hij tegen de grond. 'Waarom moest je me nou zo hard slaan? Wat is dat toch met roodharige vrouwen, dat ze altijd willen slaan?'

'Waarom volg je mij?' beet ik hem toe.

Het hoofd nog steeds gebogen, stak hij opnieuw zijn hand omhoog, ten teken dat ik nog even geduld moest hebben. Nerveus verplaatste ik mijn gewicht op mijn andere been, terwijl hij intussen een paar keer goed doorademde. Hij liet zijn hand zakken en keek op. 'Mijn naam is David Hue,' zei hij. 'Ik ben schade-expert. Vind je het goed als ik opsta? Ik word een beetje nat.'

Mijn mond viel open en ik zette een paar stappen naar achteren, het

pad op, terwijl hij opstond en de sneeuw van zijn achterste veegde.
'Schade-expert?' stamelde ik. Mijn verbazing spoelde het laatste restje adrenaline uit mijn systeem en ik wilde dat ik mijn jas had, want nu ik stilstond leek het opeens stukken kouder. 'Ik heb mijn rekening betaald,' zei ik en begon een beetje boos te worden. 'Ik heb nog nooit een achterstand gehad. Je zou toch denken dat je voor zeshonderd dollar per maand – '

'Zeshonderd per maand!' zei hij, met een geschokte uitdrukking op zijn gezicht. 'O, meisje, wij moeten echt even praten.'

Beledigd liep ik nog verder naar achteren. Hij was halverwege de dertig, schatte ik aan de hand van zijn volwassen kaaklijn en een nauwelijks waarneembare bolling rond zijn middel die zijn spandex shirt niet helemaal kon verbergen. Datzelfde shirt kon echter ook de keiharde spieren van zijn smalle schouders niet verhullen. En zijn benen waren in één woord geweldig. Sommige mensen zouden geen spandex mogen dragen. Hoewel hij ouder was dan ik mijn mannen graag had, hoorde David daar beslist niet bij.

'Is dat waar dit allemaal om te doen is?' vroeg ik, tegelijkertijd geërgerd en opgelucht. 'Kom je zo aan je cliënten? Door ze te stalken?' Ik fronste en wendde mijn blik af. 'Dat is toch gewoon zielig. Zelfs voor een Weer.'

'Wacht eens even,' zei hij, terwijl hij me achterna kwam op het pad. 'Nee. Ik ben hier namelijk vanwege de vis.'

Ik bleef doodstil staan, mijn voeten alweer in de zon. Mijn gedachten schoten naar de vis die ik afgelopen september uit meneer Rays kantoor had gestolen. *Shit.*

'Eh,' stotterde ik, met knieën die opeens niet alleen maar slap waren van het rennen. 'Welke vis?' Met onhandige vingers frommelde ik mijn zonnebril open. Ik zette hem op en begon naar de uitgang te lopen.

Terwijl hij intussen aan zijn middel voelde om de schade op te nemen, rende David met me mee. 'Zie je wel,' zei hij, bijna tegen zichzelf. 'Dit is nu precies waarom ik je volgde. Nu krijg ik nooit een eerlijk antwoord. Nu kan ik die schadeclaim nooit uitbetalen.'

Ik kreeg pijn in mijn buik en ik dwong mezelf sneller te gaan lopen. 'Het berustte allemaal op een vergissing,' zei ik en voelde mijn wangen gloeien. 'Ik dacht dat het de vis van de Howlers was.'

David deed zijn hoofdband af, streek zijn haar naar achteren, en deed hem weer om. 'Er wordt beweerd dat de vis dood is. Mij lijkt dat uitermate onwaarschijnlijk. Als jij het echter kan bevestigen, kan ik mijn rapport opmaken, een cheque sturen naar degene van wie meneer Ray die vis had gestolen en dan zie je me nooit meer.'

Ik wierp hem een zijdelingse blik toe, opgelucht dat hij me geen dwangbevel of iets dergelijks ging overhandigen. Toen niemand mij kwam vragen waar de vis was gebleven, had ik zelf ook al het vermoeden gekregen dat meneer Ray hem van iemand had gestolen. Maar dit had ik niet verwacht. 'Wil je zeggen dat iemand zijn vis had verzekerd?' vroeg ik spottend. Ik kon het nauwelijks geloven, maar zag wel dat hij bloedserieus was. 'Dat meen je niet.'

De man schudde zijn hoofd. 'Ik volg je nu al een tijdje om erachter te komen of jij hem misschien hebt.'

We waren bij de ingang aangekomen en ik bleef staan. Ik wilde niet dat hij met me mee zou lopen naar mijn auto, hoewel hij natuurlijk al lang wist welke dat was. 'Waarom vraag je het me niet gewoon, meneer de verzekeringsagent?'

Hij plaatste zijn voeten een eindje uit elkaar in een agressieve houding. Hij was precies even lang als ik – aan de kleine kant voor een man dus – maar de meeste Weren waren aan de buitenkant geen grote mensen. 'Verwacht je nu werkelijk dat ik geloof dat je het niet weet?'

Ik keek hem niet-begrijpend aan. 'Dat ik wat niet weet?'

Hij streek met een hand over zijn baardstoppels en keek naar de lucht. 'De meeste mensen liegen alles bij elkaar wanneer ze een wensvis in handen krijgen. Als je hem hebt, vertel het me dan alsjeblieft. Mij kan het niet schelen. Ik wil alleen die schadeclaim van mijn bureau.'

Mijn mond viel open. 'Een... een wens...'

Hij knikte. 'Een wensvis, ja.' Hij trok zijn zware wenkbrauwen op. 'Wist je dat werkelijk niet? Heb je hem nog?'

Ik plofte neer op een van de koude bankjes. 'Jenks heeft hem opgegeten.'

De Weer keek me aan. 'Pardon?'

Ik kon niet opkijken. Ik dacht terug aan het afgelopen najaar en keek naar het hek, waarachter mijn glimmende rode cabriolet op me stond te wachten. Ik had een auto gewenst. Verdomme, ik had een auto gewenst en ik had hem gekregen. *En Jenks had een wensvis opgegeten?*

Zijn schaduw viel over me heen en ik keek op naar Davids silhouet, zwart afgetekend tegen het heldere blauw van de middag. 'Mijn partner en zijn gezin hebben hem opgegeten.'

David staarde me aan. 'Dat meen je niet.'

Ik voelde me misselijk worden en keek weer omlaag. 'We wisten het niet. Hij heeft hem boven een kampvuurtje geroosterd en samen met zijn gezin opgegeten.'

Zijn kleine voeten maakten een snelle beweging. Hij haalde een opgevouwen vel papier en een pen uit zijn rugzakje. Terwijl ik met mijn ellebogen op mijn knieën in het niets zat te staren, kwam David op zijn hurken naast me zitten en begon te schrijven, het gladde betonnen bankje als bureau gebruikend. 'Als u hier zou willen tekenen, juffrouw Morgan,' zei hij, mij de pen voorhoudend.

Ik slaakte een diepe zucht. Ik pakte eerst de pen en toen het papier aan. Hij had een keurig, nauwgezet handschrift, hetgeen betekende dat hij precies en goed georganiseerd was. Ivy zou dol op hem zijn. Ik las het vel papier vluchtig door en realiseerde me dat het een officieel document was, waaraan David met de hand had toegevoegd dat ik getuige was geweest van de vernietiging van de vis, zonder me bewust te zijn van zijn speciale krachten. Fronsend krabbelde ik mijn naam eronder en schoof het terug.

Met een geamuseerde en ongelovige blik in zijn ogen pakte hij de pen van me aan en zette eveneens zijn handtekening. Ik onderdrukte een zacht gesnuif toen hij een stempel uit zijn rugzak haalde en daarmee het document notarieel bekrachtigde. Hij vroeg me niet me te legitimeren, maar ja, hij had me nota bene drie maanden gevolgd. 'Ben je ook nog notaris?' vroeg ik en hij knikte, waarna hij alles terug stopte in zijn rugzak en die dichtritste.

'Dat is een noodzakelijkheid in mijn werk.' Toen stond hij op en glimlachte. 'Hartelijk bedankt, juffrouw Morgan.'

'Graag gedaan, hoor.' Mijn gedachten tuimelden over elkaar heen. Ik kon niet beslissen of ik dit aan Jenks ging vertellen of niet. Toen ik David weer aankeek, zag ik dat hij mij zijn visitekaartje voorhield. Ik pakte het verbaasd aan.

'Nu we hier toch zijn,' zei hij, terwijl hij zo ging staan dat ik niet tegen de zon in hoefde te kijken om hem te kunnen zien, 'als je misschien belangstelling hebt voor een gunstiger verzekeringspremie – '

Ik zuchtte en liet het kaartje vallen. *Wat een sukkel.*

Hij grinnikte en maakte een sierlijke buiging om het kaartje op te rapen. 'Ik betaal via mijn vakbond maar tweehonderdvijftig per maand voor mijn ziektekostenverzekering.'

Nu was mijn belangstelling dan toch gewekt. 'Agenten zijn vrijwel onverzekerbaar.'

'Klopt.' Hij haalde een zwart nylon jack uit zijn rugzak en trok het aan. 'Net als schade-experts. Maar aangezien er maar zo weinig van ons zijn, vergeleken bij de pennenlikkers die het grootste deel van het bedrijf vormen, krijgen we toch een gunstig tarief. Voor het lidmaatschap van de vakbond betaal ik honderdvijftig dollar per jaar. Daarvoor krijg je korting op je verzekeringen, huurauto's en net zoveel biefstuk als je opkunt bij de jaarlijkse picknick.'

Dat klonk te mooi om waar te zijn. 'Waarom?' vroeg ik, het kaartje weer van hem aannemend.

Hij haalde zijn schouders op. 'Mijn partner is vorig jaar met pensioen gegaan. Ik heb iemand nodig.'

Mijn mond viel open toen het begrip opeens tot me doordrong. *Dacht hij echt dat ik schade-expert wilde worden? Als-je-blie-ie-ieft.* 'Sorry, ik heb al werk,' zei ik, grinnikend.

David maakte een geïrriteerd geluidje. 'Nee. Je begrijpt me verkeerd. Ik wil geen partner. Ik heb alle stagiaires met wie ze me hebben opgezadeld weggejaagd en alle anderen laten het wel uit hun hoofd om het met mij te proberen. Ik heb twee maanden om iemand te vinden, anders sturen ze me de laan uit. Ik houd van mijn werk en ik ben er goed in, maar ik wil geen partner.' Hij aarzelde en overzag met zijn scherpe, professionele blik het terrein achter mij. 'Ik werk alleen. Als je je handtekening zet, hoor je bij de vakbond, krijg je korting op je verzekeringen en zie je mij alleen maar op de jaarlijkse picknick, waar we dikke vrienden zijn en meedoen aan de zakloopwedstrijd. Ik help jou; jij helpt mij.'

Mijn wenkbrauwen gingen steeds hoger en ik keek van hem naar het kaartje in mijn hand. Vierhonderd dollar minder per maand klonk geweldig. En waarschijnlijk scheelde het ook aanzienlijk in mijn autoverzekering. Toch wel in de verleiding gebracht, vroeg ik: 'Welke ziektekostenverzekering hebben jullie?'

Zijn dunne lippen krulden zich in een glimlach en ik zag een glimp van zijn kleine tanden. 'Zilveren Kruis.'

Ik knikte. Die was speciaal voor Weren, maar flexibel genoeg voor mij. Een botbreuk is een botbreuk. 'Ja, ja,' zei ik, naar achteren leunend, 'en waar schuilt het addertje?'

Zijn grijns werd breder. 'Je salaris gaat naar mij, want ik doe al het werk.'

Aha, dacht ik. Hij zou dus twee salarissen krijgen. Wat een zwendel. Gniffelend gaf ik hem zijn kaartje terug. 'Bedankt, maar nee, toch maar niet.'

David maakte een teleurgesteld geluid en pakte zijn kaartje aan. 'Ik kon het altijd proberen. Eigenlijk is het een idee van mijn vorige partner. Ik had kunnen weten dat je er niet voor zou gaan.' Hij aarzelde. 'Heeft je partner echt die vis opgegeten?'

Ik knikte en raakte bij de gedachte alleen al gedeprimeerd. 'Ik heb er in elk geval nog een auto aan overgehouden.'

'Tja...' Hij legde het kaartje naast me neer. 'Bel me als je van gedachten mocht veranderen. Met het toestelnummer op het kaartje krijg je mij rechtstreeks aan de lijn. Wanneer ik niet op pad ben, ben ik van drie tot middernacht op kantoor. Ik wil zelfs wel overwegen je echt als leerling aan te nemen. Mijn laatste partner was ook een heks en jij lijkt me wel iemand met lef.'

'Dank je,' zei ik op sarcastische toon.

'Het is niet zo saai als je denkt. En veel minder gevaarlijk dan wat je nu doet. Misschien verander je wel van gedachten nadat je nog een paar keer in elkaar geslagen wordt.'

Wie dacht deze vent wel niet dat hij was? 'Ik werk niet voor anderen. Ik werk voor mezelf.'

Met een knikje bracht hij zijn hand naar zijn hoofd in een soort saluut, waarna hij zich omdraaide en wegliep. Ik stond op en zag zijn slanke gestalte het hek uit glippen. Hij stapte in een grijze twoseater die tegenover mijn eigen rode wagentje stond en reed weg. Ik kromp ineen toen ik zijn wangen herkende en me realiseerde dat hij gisteren naar Nick en mij had zitten kijken.

Mijn achterste was bevroren van het betonnen bankje. Ik pakte zijn kaartje op, scheurde het doormidden en liep naar een afvalbak, maar toen ik de twee helften boven de opening hield, aarzelde ik. Langzaam stopte ik ze toch maar in mijn zak.

Schade-expert? zei een klein stemmetje in mijn hoofd spottend. Ik trok een lelijk gezicht, haalde de helften weer uit mijn zak en gooide ze alsnog in de bak. Voor iemand anders werken? Dat nooit meer.

Met een warm en vredig gevoel strooide ik de gele suiker op het geglazuurde koekje dat de vorm had van een zon. Oké, het was gewoon een rondje, maar met de schitterende suiker erop kon het best een zonnetje zijn. Ik was de lange nachten beu en de tastbare bekrachtiging van het wisselen der seizoenen had mij altijd vervuld met een kalme kracht. Vooral de winterzonnewende.

Ik legde het koekje op een stukje keukenpapier en pakte de volgende. Het was heel stil en het enige wat ik hoorde was muziek vanuit de woonkamer. Takata had 'Rode Linten' gelanceerd bij WVMP, en het radiostation draaide het nummer helemaal grijs. Dat kon me niet schelen. Het nummer had het refrein dat ik hem had aangeraden, en ik vond het leuk dat ik een kleine bijdrage had geleverd aan zijn creatie.

Alle elfen lagen al minstens twee uur te slapen in mijn bureau. Waarschijnlijk zou het nog wel even duren voordat Ivy opstond en de keuken binnen kwam stommelen, op zoek naar koffie. Ze was voor zonsopgang thuisgekomen, heel kalm en ontspannen en duidelijk uit op mijn goedkeuring van het feit dat zij haar bloeddorst had gelest aan de een of andere arme drommel. Vervolgens was ze in haar bed gedoken als de eerste de beste Hellevuurverslaafde. Ik had de kerk helemaal voor mij alleen en daar ging ik alle rust uit halen die ik krijgen kon.

Heupwiegend op het ritme van de drums op een manier die ik wel uit mijn hoofd zou laten als er iemand toekeek, moest ik onwillekeurig glimlachen. Het was heerlijk om af en toe eens even alleen te zijn.

Jenks had zijn kinderen meer laten doen dan zich verontschuldigen en toen ik vanmiddag wakker was geworden, had ik een verse pot koffie aangetroffen in een glimmend schone keuken. Alles glansde, alles was gepoetst. Ze hadden zelfs het verzamelde stof uit de cirkel geveegd die ik om het kookeiland heen in het linoleum had gekrast. Er zat geen stofje en geen spinnenweb meer aan de muren of het plafond, en terwijl ik mijn mes in het groene glazuur doopte, nam ik me heilig voor het voortaan altijd zo schoon te houden.

Neem je zuster in de maling, dacht ik, terwijl ik het kransje glazuurde. Ik zou het gewoon weer voor me uit schuiven tot de keuken weer hetzelfde niveau van chaos had bereikt waaruit de elfen me nu hadden gered. Ik gaf het twee weken, maximaal.

Mijn bewegingen afstemmend op het ritme van de muziek, legde ik drie rode snoepjes op het koekje, die bessen moesten voorstellen. Met een zucht legde ik het koekje weg en pakte het koekje in de vorm van een kaars. Zou ik het paars maken voor wijsheid of groen voor verandering?

Ik wilde net het paarse glazuur pakken toen in de woonkamer de telefoon ging. Ik verstijfde een ogenblik, zette toen het boterkuipje met glazuur neer en rende naar de telefoon voordat de elfen wakker zouden worden. Ze waren nog erger dan een baby in huis. Ik griste de afstandsbediening van de bank en richtte hem op de radio om hem zachter te zetten. '*Vampiric Charms*,' zei ik toen ik opnam. Ik hoopte dat ik niet te hard hijgde. 'U spreekt met Rachel.'

'Wat kost een begeleidster voor de drieëntwintigste?' informeerde een jonge stem, overslaand.

'Dat hangt van de situatie af.' Ik zocht verwoed naar de agenda en een pen. Die lagen niet waar ik ze had neergelegd en ten slotte haalde ik mijn persoonlijke agenda maar uit mijn tas. Ik meende dat de drieëntwintigste een zaterdag was. 'Gaat het om een doodsbedreiging of om beveiliging in het algemeen?'

'Doodsbedreiging!' riep de stem uit. 'Ik wil gewoon een mooie meid, zodat mijn vrienden niet denken dat ik een watje ben.'

Ik sloot mijn ogen en probeerde rustig te blijven. *Te laat*, dacht ik, de pen weer dichtklikkend. 'Dit is een onafhankelijk agentenbureau,' zei ik vermoeid, 'geen bloedhuis. En, jochie? Doe jezelf een lol en kies het meest verlegen meisje. Ze is veel cooler dan je zou denken en bovendien zal ze de volgende ochtend niet de nieuwe eigenaar van je ziel zijn.'

De verbinding werd verbroken en ik fronste. Dit was deze maand al het derde telefoontje van die strekking. Misschien moest ik toch eens naar de advertentie in de gele gids kijken die Ivy erin had geplaatst.

Ik veegde de laatste suiker van mijn handen en zocht in het smalle kastje waar het antwoordapparaat bovenop stond. Ik vond het telefoonboek en legde het op de salontafel. Het rode lampje van het antwoordapparaat knipperde en ik drukte het in, terwijl ik intussen in het telefoonboek de afdeling Privédetectives opzocht. Ik verstijfde toen ik opeens Nicks stem hoorde, ongemakkelijk en schuldbewust, die me vertelde dat hij vanmorgen om een uur of zes langs was geweest om Jax op te pikken en dat hij me over een paar dagen zou bellen.

'Lafaard,' fluisterde ik en bedacht me dat dit de zoveelste nagel aan zijn doodskist was. Hij wist dat er om zes uur alleen maar elfen op waren. Ik nam me voor het heel erg naar mijn zin te hebben op mijn afspraakje met Kisten, of Ivy hem na afloop zou moeten vermoorden of niet. Ik drukte op het knopje om zijn boodschap te wissen en boog me weer over het telefoonboek.

Wij stonden als een van de laatsten vermeld, maar toen ik de in een aantrekkelijk lettertype gezette tekst las fronste ik mijn wenkbrauwen. Het was een keurige advertentie, mooier dan de paginagrote advertenties eromheen, met op de achtergrond een getekende afbeelding van een mysterieus ogende vrouw in een lange regenjas en een hoed op.

'"Snel. Discreet. Geen lastige vragen,"' zei ik, hardop lezend. '"Grote en kleine zaken. Verschillende betalingsmogelijkheden. Verzekerd. Week-, dag- en uurtarieven."' Daaronder stonden alle drie onze namen, adres en telefoonnummer. Ik snapte er niets van. Hier stond niets dat iemand op de gedachte kon brengen van een bloedhuis of zelfs maar van een escortbureau. Toen zag ik de kleine lettertjes onderaan, die verwezen naar de kleinere advertenties.

Ik bladerde door de dunne pagina's naar de allereerste advertentie in de lijst. Toen keek ik nog eens wat beter; niet naar onze advertentie, maar die eromheen. Allemachtig, die vrouw was bijna naakt en had het zwierige lichaam van een tekenfilmfiguurtje. Mijn ogen gingen naar het bovenschrift. 'Escortservice?' zei ik, blozend om de sensuele, suggestieve advertenties.

Toen viel mijn blik weer op onze eigen advertentie en opeens kreeg de tekst een heel nieuwe betekenis. Geen lastige vragen? Week-, dag- en uurtarieven? *Verschillende betalingsmogelijkheden?* Met mijn lippen stijf op elkaar geklemd, sloeg ik het boek dicht en liet het liggen om Ivy erover aan te spreken. Geen wonder dat we zulke telefoontjes kregen.

Niet zo'n klein beetje geïrriteerd, zette ik de stereo weer wat harder en liep terug naar de keuken, terwijl Steppenwolfs 'Magic Carpet Ride' zijn best deed om me op te vrolijken.

Het was hooguit de hint van een tochtvlaag, van de geur van nat plaveisel, waardoor ik aarzelde en waarom de hand die langs de deuropening op mij afschoot mijn kaak miste.

'Godsamme!' vloekte ik, terwijl ik de keuken indook, in plaats van me terug te trekken in de smalle hal. Met Jenks' kinderen in mijn achterhoofd boorde ik wel de leylijn achter de kerk aan, maar deed verder niets anders dan in een verdedigende houding zakken tussen de gootsteen en het kookeiland. Ik bleef er bijna in toen ik zag wie er in de deuropening stond.

'Quen?' bracht ik uit, terwijl de enigszins rimpelige, atletisch gebouwde man mij uitdrukkingsloos aankeek. Het hoofd van Trents beveiliging was geheel in het zwart gekleed en zijn nauwsluitende bodystocking had in de verte wel iets weg van een uniform. 'Waar ben jij in vredesnaam mee bezig?' vroeg ik. 'Eigenlijk zou ik de I.S. moeten bellen, weet je dat wel? En je door hen uit mijn keuken moeten laten slepen voor inbraak! Als Trent me wil spreken, kan hij hiernaartoe komen, net als iedereen. Ik zou hem vertellen dat hij wat mij betreft afwaswater kan drinken, maar hij zou op z'n minst het fatsoen kunnen hebben mij daar persoonlijk de kans voor te geven!'

Quen schudde zijn hoofd. 'Ik heb een probleem, maar ik denk niet dat jij er iets aan kunt doen.'

Ik trok een lelijk gezicht naar hem. 'Stel me niet op de proef, Quen,' beet ik hem toe. 'Dan kom je van een koude kermis thuis.'

'Dat zullen we nog wel eens zien.'

Dat was de enige waarschuwing die ik kreeg voordat de man op mij afstormde.

Met ingehouden adem dook ik voor hem langs, in plaats van naar achteren, zoals ik eigenlijk wilde. Quen leefde voor beveiliging. Als ik naar achteren krabbelde, kreeg hij me te pakken. Met bonzend hart greep ik mijn gebutste koperen toverketel met wit glazuur en haalde ermee uit.

Quen pakte hem vast en trok me naar voren. Mijn hoofd deed pijn van de adrenaline toen ik de ketel losliet. Hij smeet hem opzij. Met een enorm 'dong' stuiterde hij de hal in.

Ik greep het koffiezetapparaat en gooide het naar zijn hoofd. De stekker zat nog in het stopcontact, dus het apparaat kwam niet ver en de glazen pot kletterde in duizend stukjes op de grond. Hij dook weg en ik zag aan zijn groene ogen dat hij zich afvroeg waar ik mee bezig was. Maar als hij me te pakken kreeg, was ik verloren. Ik had een kast vol amuletten binnen handbereik, maar geen tijd om er ook maar één te activeren.

Hij maakte zich klaar om te springen en omdat ik nog wist hoe hij Piscary met ongelooflijke sprongen had weten te ontwijken, rende ik naar mijn oplosketel. Met inspanning van al mijn krachten, gooide ik hem om.

Quen slaakte een kreet van afschuw toen veertig liter zout water over de vloer stroomde en zich vermengde met koffie en glassplinters. Wild om zich heen zwaaiend met zijn armen, gleed hij uit.

Ik hees mezelf op het kookeiland, waarbij ik op geglazuurde koekjes stapte en flesjes gekleurde suiker omgooide. Bukkend om de hangende keukenspullen te ontwijken, sprong ik boven op hem toen hij omhoogkwam.

Mijn voeten raakten hem midden op zijn borst en we gingen allebei neer.

Waar was iedereen? dacht ik, terwijl mijn heup de klap opving en ik kreunde van pijn. Ik maakte genoeg herrie om de ondoden te wekken. Maar aangezien zoveel lawaai de laatste tijd schering en inslag was, zouden Ivy en Jenks het waarschijnlijk gewoon negeren en hopen dat het ophield.

Glibberend krabbelde ik van Quen weg. Blindelings mijn handen uitstekend, grabbelde ik naar mijn spatpistool dat ik expres op kruiphoogte bewaarde. Ik rukte het tevoorschijn. Een stel koperen nestschalen rolden luidruchtig omver.

'Zo is het genoeg!' riep ik, terwijl ik met stijve armen en met mijn kont in zout water het pistool op hem richtte. Het was geladen met waterkogels om mee te oefenen, maar dat kon hij niet weten. 'Wat wil je?'

Quen aarzelde. Al dat water maakte donkere plekken op zijn zwarte broek. Zijn ooglid trilde.

De adrenaline stroomde door mijn lichaam. Hij ging het risico nemen.

Intuïtie en veel trainen met Ivy maakten dat ik de trekker overhaalde op het moment dat hij als een kat op de tafel sprong. Ik volgde hem en schoot het hele pistool op hem leeg.

Hij keek bijna beledigd toen in elkaar dook en van mij naar de zes nieuwe spetters op zijn strakke shirt keek. Shit. Ik had één keer gemist. Hij klemde zijn kaken op elkaar en vernauwde zijn ogen tot spleetjes. 'Water?' zei hij. 'Jij laadt je spatpistool met water?'

'Bof jij even?' snauwde ik. 'Wat wil je?' Hij schudde zijn hoofd en ik hield mijn adem in toen ik opeens het gevoel kreeg dat ik viel. Hij gebruikte de lijn achter de kerk.

In paniek sprong ik overeind en schudde het haar uit mijn gezicht. Aan zijn kant van de tafel richtte Quen zich in zijn volle lengte op en bewoog zijn handen terwijl hij iets in het Latijn mompelde.

'Om de dooie dood niet!' riep ik, mijn spatwapen naar zijn hoofd smijtend. Hij dook weg en ik greep alles wat ik vinden kon om hem mee te bekogelen, in een wanhopige poging te voorkomen dat hij zijn spreuk af zou maken.

Quen ontweek het boterkuipje met glazuur. Het knalde tegen de muur, waar het een grote groene veeg op achterliet. Ik greep de koektrommel, rende om het aanrecht heen en zwaaide ermee alsof het een wapen was. Hij sprong vloekend van de tafel. De koekjes en de kleine rode snoepjes vlogen in het rond.

Ik rende achter hem aan en greep hem bij zijn knieën, zodat we samen op de kletsnatte vloer vielen. Hij worstelde net zolang tot hij zich had omgedraaid en mij met zijn felle groene ogen kon aankijken. Wild om me heen grabbelend, propte ik koekjes die zompig waren van het zoute water in zijn mond zodat hij me niet verbaal kon bezweren.

Met een woedende blik op zijn gebruinde, pokdalige gezicht spuugde hij ze midden in mijn gezicht. 'Jij kleine canicula – ' wist hij nog net uit te brengen voordat ik weer een nieuwe lading tussen zijn lippen propte.

Zijn tanden sloten zich om mijn vinger en ik gaf een gil en trok mijn hand weg. 'Je hebt me gebeten!' schreeuwde ik, buiten mezelf van woede. Ik haalde uit met mijn vuist, maar hij rolde weg en sprong overeind, bijna over de stoelen struikelend.

Hijgend wachtte hij me op. Hij was kleddernat en zat onder de glinsterende gekleurde suikerkorrels. Met een diep gegrom sprong hij op me af.

Ik probeerde weg te komen, maar voelde een gemene steek van pijn in mijn hoofd toen hij me bij mijn haren greep en me naar zich toe trok in een soort omhelzing, met mijn rug tegen zijn borst. Hij sloeg één arm om mijn nek en stak de andere tussen mijn benen, me omhoogtrekkend tot ik op één been stond.

Woest beukte ik met mijn vrije arm een elleboog in zijn onderbuik. 'Blijf met je handen...' gromde ik, op één voet achteruit hinkend, 'van mijn haar af!' Bij de muur aangekomen gooide ik mijn volle gewicht achterwaarts tegen hem aan. Alle lucht werd uit zijn longen geperst toen ik hem een stoot tussen zijn ribben gaf en zijn greep om mijn nek verslapte.

Ik draaide me bliksemsnel om, om mijn arm tegen zijn kaak te stoten, maar hij was al weg. Ik stond naar de gele muur te kijken. Schreeuwend viel ik op de grond toen opeens mijn benen onder me vandaan werden getrokken. Hij sprong met zijn volle gewicht boven op me en drukte me tegen de natte vloer, met mijn armen boven mijn hoofd.

'Ik heb gewonnen,' zei hij, schrijlings op me zittend, en met een wilde blik in zijn groene ogen.

Ik probeerde me vergeefs los te worstelen, boos dat het gevecht werd beslist door zoiets onbenulligs als lichaamsgewicht. 'Je vergeet iets, Quen,' beet ik hem toe. 'Ik heb zevenenvijftig huisgenoten.'

Hij fronste zijn enigszins rimpelige voorhoofd.

Ik haalde diep adem en floot. Quen zette grote ogen op. Kreunend van inspanning rukte ik mijn rechterhand los en sloeg met de muis van mijn hand tegen zijn neus.

Hij deinsde terug en ik duwde hem van me af, waarna ik van hem weg rolde. Op handen en knieën veegde ik mijn natte, piekerige haar uit mijn ogen.

Quen was opgestaan, maar verroerde zich niet. Hij stond doodstil, zijn met natte koekjes besmeurde handen boven zijn hoofd geheven in een gebaar van overgave. Jenks zweefde voor hem, het zwaard dat hij speciaal had om opdringerige feeën te verdrijven, op Quens rechteroog gericht. De elf keek behoorlijk pissig en het elfenstof dat hij verstrooide vormde een brede zonnestraal van hem tot de vloer.

'Adem,' zei Jenks op dreigende toon. 'Knipper met je ogen. Geef me één goeie reden, ellendig wangedrocht van de natuur.'

Ik krabbelde overeind op het moment dat Ivy, sneller dan ik ooit voor mogelijk had gehouden, binnen kwam stormen. Met haar ochtendjas losjes om zich heen hangend, greep ze Quen bij de keel.

De lampen flikkerden en de hangende keukenspullen zwaaiden heen en weer toen zij hem tegen de muur naast de deuropening smeet. 'Wat doe jij hier?' grauwde ze, haar knokkels spierwit van de kracht die ze zette. Jenks was met Quen meegevlogen, het puntje van zijn zwaard nog steeds tegen het oog van de man.

'Wacht!' riep ik, bang dat ze hem zouden vermoorden. Niet dat ik daarmee kon zitten, maar dan zou ik mensen van de I.S. over de vloer krijgen en heel veel papierwerk. 'Rustig aan,' suste ik.

Ik keek naar Ivy, die Quen nog steeds bij zijn keel hield. Ik had glazuursel aan mijn hand en veegde het hijgend af aan mijn natte spijkerbroek. Ik was doorweekt met zout water en er zaten koekkruimels en suiker in mijn haar. De keuken zag eruit alsof er een koekfabriek was ontploft. Ik keek naar het paarse glazuur aan het plafond. *Hoe kwam dat daar nu weer?*

'Juffrouw Morgan,' zei Quen, rochelend toen Ivy haar greep aanspande.

Ik voelde aan mijn ribben en mijn gezicht vertrok van pijn. Kwaad beende ik naar waar hij in Ivy's greep bungelde. 'Juffrouw Morgan?' schreeuwde ik, vijftien centimeter verwijderd van zijn rood aanlopende gezicht. 'Juffrouw Morgan? Ben ik nu opeens juffrouw Morgan? Wat mankeert jou in vredesnaam?' riep ik. 'Je komt ongevraagd mijn huis binnen. Je verpest mijn koekjes. Heb je enig idee hoeveel tijd het gaat kosten om dit allemaal op te ruimen?'

Hij rochelde nogmaals en mijn woede begon weg te ebben. Ivy stond hem met een schrikbarend intense blik aan te staren. De geur van zijn angst werd haar te veel. Het was nog maar middag en ze begon al te vampen. Dat voorspelde niet veel goeds en ik deed een stap naar achteren, opeens weer helemaal bij mijn positieven. 'Eh, Ivy?' zei ik.

'Niks aan de hand,' zei ze op hese toon, maar haar ogen vertelden een ander verhaal. 'Zal ik hem uitzuigen om hem zijn mond te laten houden?'

'Nee!' riep ik uit en kreeg weer dat vallende gevoel in mijn lichaam. Quen boorde een lijn aan. Ik hield mijn adem in. De toestand begon uit de hand te lopen. Hier gingen gewonden vallen. Ik kon een cirkel maken, maar dan wel om mezelf, niet om hem. 'Laat hem!' zei ik op bevelende toon. 'Jenks, jij ook!' Ze maakten geen van beiden aanstalten om iets te doen. 'Nu!'

Ivy drukte hem tegen de muur, liet hem vallen en zette een stap naar achteren. Hij zakte langzaam op de vloer, bracht zijn hand naar zijn nek en begon verschrikkelijk te hoesten. Langzaam trok hij zijn benen in een normale houding. Zijn pikzwarte haar uit zijn ogen strijkend, keek hij, blootsvoets en met gekruiste benen op de grond gezeten, naar mij op. 'Morgan,' zei hij schor, met zijn hand tegen zijn keel. 'Ik heb je hulp nodig.'

Ik keek Ivy even aan, die haar zwartzijden ochtendjas stond dicht te knopen. *Hij had mijn hulp nodig? En dat moest ik geloven?* 'Alles goed met je?' vroeg ik aan Ivy en zij knikte. Het ringetje bruin dat nog resteerde van haar ogen was veel te dun naar mijn zin, maar de zon stond hoog aan de hemel en de spanning in de kamer begon af te nemen. Toen ze mijn ongerustheid zag, perste ze haar lippen op elkaar.

'Met mij is alles prima,' zei ze nogmaals. 'Zal ik nu meteen de I.S. bellen of zal ik hem eerst doodmaken?'

Ik keek de keuken rond. Mijn koekjes waren naar de filistijnen en lagen in kleffe bergjes door de hele keuken. De klodders glazuursel op de muren begonnen omlaag te druipen. Het zoute water liep de keuken uit en dreigde het tapijt in de woonkamer te bereiken. Ik vond het eigenlijk wel een goed idee hem door Ivy te laten vermoorden.

'Ik wil horen wat hij te zeggen heeft,' zei ik, terwijl ik een la opentrok en drie theedoeken op de drempel legde om als een soort dijk te fungeren. Jenks' kinderen gluurden om een hoekje naar binnen. De kwade elf wreef zijn vleugels tegen elkaar, hetgeen een doordringend gefluit produceerde, en zij maakten onmiddellijk dat ze wegkwamen.

Ik pakte een vierde theedoek, veegde het glazuursel ermee van mijn elleboog en ging voor Quen staan. Met mijn voeten een eindje uit elkaar en mijn handen op mijn heupen wachtte ik af. Het moest wel om iets belangrijks gaan als hij bereid was het risico te nemen dat Jenks erachter kwam dat hij een kobold was. Mijn gedachten gingen naar Ceri, aan de overkant van de straat, en ik werd steeds ongeruster. Ik wilde niet dat Trent te weten kwam dat zij bestond. Dan zou hij haar beslist gebruiken – op en heel akelige manier.

De kobold voelde door zijn zwarte shirt heen aan zijn ribben. 'Volgens mij heb je ze gebroken,' zei hij.

'Ben ik geslaagd?' vroeg ik op scherpe toon.

'Nee. Maar je bent de beste die ik kan vinden.'

Ivy maakte een ongelovig geluidje en Jenks liet zich een eindje zakken, maar zorgde ervoor buiten zijn bereik te blijven. 'Stommeling,' schold het tien centimeter grote ventje. 'We hadden je wel drie keer kunnen vermoorden.'

Quen keek hem ernstig aan. 'Wij. Maar ik was geïnteresseerd in *haar*. Niet in *wij*. Ze is gezakt.'

'Dan neem ik aan dat dat betekent dat je nu weer weggaat,' zei ik, heel goed wetend dat dat te veel gevraagd was. Ik keek naar zijn onopvallende uitmonstering en slaakte een diepe zucht. Kobolden sliepen wanneer de zon hoog aan de hemel stond en midden in de nacht, net als elfen. Quen was hier zonder medeweten van Trent.

Met een iets zelfverzekerder gevoel trok ik een stoel naar me toe en ging tegenover Quen zitten voordat hij kon zien dat mijn benen trilden. 'Trent weet niet dat je hier bent,' zei ik en hij knikte somber.

'Het is mijn probleem, niet het zijne,' zei Quen. 'Ik betaal je, hij niet.'

Ik knipperde met mijn ogen en deed mijn best mijn ongerustheid te verbergen. Trent wist het niet. Interessant. 'Je hebt een klus voor me waar hij niets vanaf weet,' zei ik. 'Waar gaat het om?'

Quens blik gleed naar Ivy en Jenks.

Geërgerd sloeg ik mijn benen over elkaar en schudde mijn hoofd. 'Wij zijn een team. Ik ga hun niet vragen de kamer te verlaten zodat jij me kan vertellen wat voor achterlijk probleem je je op je nek hebt gehaald.'

De oudere kobold keek me fronsend aan. Hij zuchtte ontevreden.

'Nu moet je eens goed luisteren,' zei ik, mijn vinger in zijn richting prikkend. 'Ik mag je niet. Jenks mag je niet. En Ivy zou je het liefst opvreten. Dus ik zou maar eens gaan praten.'

Hij verroerde zich niet. Op dat moment zag ik opeens zijn wanhoop achter zijn ogen schijnen, als licht op water. 'Ik heb een probleem,' zei hij, met een fluistering van angst in zijn zachte, beheerste stem.

Ik keek Ivy aan. Ze haalde snel adem en stond met haar armen om zich heen geslagen haar ochtendjas dicht te houden. Ze leek van streek en haar bleke gezicht was nog witter dan anders.

'Meneer Kalamack gaat naar een bijeenkomst en – '

Ik tuitte mijn lippen. 'Ik heb vandaag al een aanbod afgeslagen om de hoer te spelen.'

Quens ogen flitsten. 'Houd je mond,' zei hij op kille toon. 'Er is iemand die zich bemoeit met meneer Kalamacks secondaire zakelijke belangen. De bijeenkomst is een poging om tot een voor beide partijen aanvaardbare schikking te komen. Ik wil dat jij erbij bent om je ervan te verzekeren dat het niet meer is dan dat.'

Een voor beide partijen aanvaardbare schikking? Het was gewoon een ik-ben-veel-sterker-dan-jij-dus-rot-op-uit-mijn-stad-feestje. 'Saladan?' sloeg ik een slag.

Hij keek oprecht verbaasd. 'Ken je hem?'

Jenks hing boven Quen en probeerde vast te stellen wat hij was. De elf raakte steeds gefrustreerder en telkens wanneer hij van richting veranderde, deed hij dat met steeds schokkeriger en scherpere bewegingen van zijn libellenvleugels. 'Ik heb van hem gehoord,' zei ik, aan Takata denkend. Ik kneep mijn ogen half dicht. 'Wat kan mij het schelen als hij Trents *secondaire zakelijke belangen* overneemt? Dit gaat zeker over Hellevuur, of niet soms?' vroeg ik. 'Ik zou zeggen, val van je geloof en brand in de hel. Trent vermoordt mensen. Niet dat hij dat niet eerder heeft gedaan, maar nu vermoordt hij ze zonder reden.' Ik sprong woedend overeind. 'Jouw baas is mottenstront. Ik zou hem aan moeten geven, in plaats van hem beschermen. En jij,' zei ik, iets harder en mijn vinger in zijn richting priemend, 'bent nog minder dan mottenstront omdat je ziet waar hij mee bezig is en er niets aan doet!'

Quen kreeg een kleur en ik was behoorlijk met mezelf ingenomen. 'Ben je werkelijk zo dom?' vroeg hij en ik verstijfde. 'Dat slechte Hellevuur komt niet bij meneer Kalamack vandaan, maar bij Saladan. Daar gaat de hele bijeenkomst om. Meneer Kalamack probeert het van de straat te krijgen en tenzij je wilt dat Saladan de hele stad overneemt, kun je beter je best gaan doen om meneer Kalamack in leven te houden. Neem je de opdracht aan of niet? Het levert je tienduizend dollar op.'

Jenks stootte een ultrasone kreet van verbazing uit waarvan je oogbollen uit hun kassen sprongen.

'Handje contantje,' voegde Quen eraan toe, terwijl hij ergens een stapeltje bankbiljetten vandaan haalde en voor mijn voeten gooide.

Ik keek naar het geld. Het was niet genoeg. Een miljoen was nog niet genoeg. Ik schoof het met mijn voet over de natte vloer terug naar Quen. 'Nee.'

'Pak het geld en laat hem de zenuwen krijgen, Rache,' zei Jenks vanaf de zonovergoten vensterbank.

De in het zwart geklede kobold glimlachte. 'Zo gaat juffrouw Morgan niet te werk.' Zijn pokdalige gezicht straalde vertrouwen uit en ik haatte de zelfgenoegzame blik in zijn groene ogen. 'Als ze het geld aanneemt, zal ze meneer Kalamack tot haar laatste snik beschermen. Heb ik gelijk of niet?'

'Nee,' zei ik, hoewel ik wist dat ik dat wel degelijk zou doen. Maar die luizige tien ruggen nam ik niet van hem aan.

'En je neemt zowel de opdracht aan als het geld,' zei Quen, 'want als je dat niet doet, ga ik iedereen die het maar horen wil vertellen over je zomers in dat leuke jeugdkamp van zijn vader. Jij bent de enige die ook maar enigszins kans maakt om hem in leven te houden.'

Mijn gezicht werd ijskoud. 'Rotzak,' fluisterde ik, weigerend om angst te voelen. 'Waarom laat je me niet gewoon met rust? Waarom ik? Je hebt zojuist de hele vloer met me aangeveegd.'

Zijn ogen wendden zich af van de mijne. 'Er zullen daar vampiers aanwezig zijn,' zei hij zacht. 'Heel machtige. Er bestaat een kans – ' Hij keek me recht in de ogen. 'Ik weet niet of – '

Ik schudde mijn hoofd, een heel klein beetje gerustgesteld. 'Als je bang bent voor vampiers, dan is dat jouw probleem,' zei ik. 'Ik ben niet van plan het door jou ook tot mijn probleem te laten maken. Ivy, werk hem mijn keuken uit.'

Ze verroerde zich niet en toen ik me omdraaide verdween mijn irritatie bij het zien van de wezenloze blik op haar gezicht. 'Hij is gebeten,' fluisterde ze en ik schrok van de weemoedige hapering in haar stem. Ze leunde met haar rug tegen de muur, sloot haar ogen en ademde diep in om zijn geur te kunnen ruiken.

Mijn mond viel open. Nu begreep ik het. Piscary had hem gebeten, vlak voordat ik de ondode vampier bewusteloos had geslagen. Quen was een Inderlander, dus kon hij het vampvirus niet oplopen en geen ommekeer maken, maar misschien was hij wel geestelijk gebonden aan de meestervampier. Onwillekeurig bracht ik mijn hand naar mijn nek. Ik had het koud.

Toen Grote Al mijn nek had opengereten en had geprobeerd mij te vermoorden, had hij de gedaante en de vermogens van een vampier aangenomen. Hij had mijn aderen gevuld met dezelfde krachtige cocktail van neurotransmitters die nu door Quen stroomde. Het was een eigenschap die vampiers in staat stelde te overleven, omdat zij dan altijd een gewillige bloedvoorraad hadden, en veranderde pijn in genot wanneer het werd geprikkeld door vampierferomonen. Als de vamp voldoende ervaring had, kon hij de reactie zodanig sensibiliseren dat hij, en alleen hij, de beet voldoende kon prikkelen om de persoon in kwestie een aangenaam gevoel te bezorgen, zodat deze zich alleen aan hem gebonden zou voelen. Op deze manier werd tevens voorkomen dat een andere vampier gemakkelijk van zijn privévoorraad kon snoepen.

Algaliarept had niet de moeite genomen de neurotransmitters te sensibiliseren – hij was per slot van rekening bezig me te vermoorden. Ik bleef dus zitten met een litteken waarmee elke vampier kon spelen. Ik was van niemand, en zolang ik vampiertanden aan de goede kant van mijn huid liet, zou dat zo blijven. In de hiërarchie van de vampierwereld vertegenwoordigde een ongebonden gebetene het laagste van het laagste, een hartig hapje, een pathetisch restverschijnsel dat zo weinig voorstelde dat elke vampier ervan kon nemen wat hij wilde. Dit soort door niemand opgeëist bezit was geen lang leven beschoren. Het werd doorgegeven van vamp tot vamp, had al snel geen enkele levenskracht of wil meer en kwijnde uiteindelijk weg in een verwarde eenzaamheid van verraad wanneer zijn of haar afschuwelijke leven zichtbare sporen begon achter te laten op het gelaat. Zonder Ivy's bescherming had ik me ook tot deze mensen kunnen rekenen.

En Quen was hetzij gebeten en niet opgeëist, zoals ik, óf gebeten en opgeëist door Piscary. Terwijl ik de man vol medelijden aankeek, bedacht ik me dat hij terecht bang was.

Toen hij zag dat ik begreep hoe de vork in de steel zat, stond Quen op. Ivy verstijfde en ik stak mijn hand op ten teken dat het in orde was. 'Ik weet niet of de beet mij aan hem heeft gebonden of niet,' zei Quen en zijn vlakke stem kon zijn angst niet geheel verhullen. 'Ik kan het risico niet nemen dat meneer Kalamack alleen van mij afhankelijk is. Het kan zijn dat ik... op een gevoelig moment even ben afgeleid.'

De golven van extase en beloftes aan genot die de beet teweeg kon brengen, zouden inderdaad wel eens een enorme afleiding kunnen zijn, zelfs midden in een gevecht. Ik had oprecht medelijden met hem. Het zweet stond op zijn enigszins rimpelige gezicht. Hij was zo oud als mijn vader zou zijn als hij nog had geleefd, met de kracht van een twintigjarige en een robuustheid die je alleen met de jaren kreeg.

'Heeft een andere vamp je litteken wel eens laten tintelen?' vroeg ik aan hem, wetend dat het een heel persoonlijke vraag was, maar hij was naar mij toegekomen.

Zonder zijn blik van me af te wenden, zei hij: 'Ik ben nog niet in een situatie geweest waarin dat zou kunnen gebeuren.'

'Rache?' riep Jenks en ik hoorde vleugelgekletter toen hij naast me kwam zweven.

'Dan weet ik ook niet of Piscary je gebonden heeft of niet,' zei ik. Ik verstijfde toen ik opeens voelde dat mijn litteken begon te tintelen, een sensatie die flarden van diepere gevoelens bij me losmaakte en mijn pupillen verwijdde. Quen verstrakte. Onze blikken ontmoetten elkaar en aan zijn angstige oogopslag zag ik dat hij het ook voelde.

'Rache!' schreeuwde Jenks, terwijl hij met vuurrode vleugels voor me kwam fladderen en me dwong om achteruit te lopen. 'Quen is hier niet de enige met een probleem!'

Ik volgde zijn angstige blik naar Ivy. 'O... shit,' fluisterde ik.

Ivy had zichzelf in een hoekje gedrukt. Haar ochtendjas viel open, zodat haar zwartzijden nachtjapon zichtbaar was. Haar zwarte ogen keken wezenloos voor zich uit en haar mond bewoog. Ik bevroor, niet goed begrijpend wat er gaande was.

'Haal hem hier weg,' fluisterde ze, terwijl er een druppel speeksel van haar tanden viel. 'O, god, Rachel. Hij is aan niemand gebonden. Piscary... zit in mijn hoofd.' Ze haalde beverig adem. 'Hij wil dat ik hem pak. Ik weet niet of ik het tegen kan houden. Laat Quen maken dat hij wegkomt!'

Ik staarde haar aan, niet wetend wat ik moest doen.

'Haal hem uit mijn hoofd!' kreunde ze. 'Haal hem eruit!' Vol afschuw keek ik toe hoe zij langzaam langs de muur omlaag gleed en zich zo klein mogelijk maakte, met haar handen over haar oren. 'Haal hem weg!'

Met luid bonzend hart draaide ik me om naar Quen. Mijn hals was een gloeiende massa beloften. Ik zag aan zijn gezicht dat zijn litteken ook in lichterlaaie stond. O god, dit was zo lekker.

'De deur,' zei ik tegen Jenks. Toen greep ik Quen bij zijn arm en trok hem mee naar de gang. Achter ons klonk een angstaanjagend gorgelend gekreun. Ik begon te rennen en sleurde Quen achter me aan. Quen verstijfde toen we het sanctuarium binnengingen en trok zich los.

'Jij gaat weg!' schreeuwde ik, mijn hand naar hem uitstekend. 'Nu!'

Hij stond met gebogen rug te beven en de meester in de oosterse vechtkunst zag er heel kwetsbaar uit. De lijnen in zijn gezicht waren het bewijs van de inwendige strijd die hij had gevoerd. Zijn ogen toonden zijn gebroken geest. 'Jij zult in mijn plaats meneer Kalamack begeleiden,' zei hij met een holle klank in zijn stem.

'Vergeet het maar.' Ik reikte naar zijn arm.

Hij sprong achteruit. 'Jij begeleidt meneer Kalamack in mijn plaats,' herhaalde hij, opnieuw met een wanhopige uitdrukking op zijn gezicht.

'En anders geef ik me gewonnen en ga ik terug naar die keuken.' Zijn gezicht vertrok en ik was bang dat hij het sowieso zou doen. 'Hij fluistert tegen me, Morgan. Ik kan hem via haar horen...'

Mijn mond werd kurkdroog. Ik dacht aan Kisten. Als ik me aan hem liet binden, kon ik ook zo eindigen. 'Waarom ik?' vroeg ik. 'Er is een hele universiteit aan mensen die beter kunnen toveren dan ik.'

'Jij bent de enige die niet alleen op haar magie vertrouwt,' hijgde hij, bijna dubbelgeklapt. 'Jij gebruikt het alleen als laatste redmiddel. Dat geeft je een voordeel.' Hij hapte naar adem. 'Ze wordt zwakker. Ik voel het.'

'Oké!' riep ik uit. 'Ik ga wel, verdomme! Maak nu in vredesnaam dat je wegkomt!'

Een geluid van doodsangst, zacht als een briesje, ontsnapte hem. 'Help me!' fluisterde hij. 'Ik kan me niet meer verroeren.'

Met bonzend hart greep ik zijn arm en sleepte hem naar de deur. Achter ons klonken Ivy's gekwelde kreten. Mijn maag draaide om. Hoe haalde ik het in mijn hoofd om een avondje uit te gaan met Kisten?

Een felle streep in de sneeuw gereflecteerd licht viel de kerk binnen toen Jenks en zijn kroost het ingewikkelde katrollensysteem bedienden dat wij hadden uitgedokterd om hen in staat te stellen de deur te openen. Quen deinsde achteruit voor de ijzige kou waarvoor de elfen op de vlucht sloegen. 'Naar buiten!' riep ik kwaad en bang terwijl ik hem meetrok het trottoir op.

Langs de stoep stond een lange Gray Ghostlimousine stationair te draaien. Ik slaakte een zucht van verlichting toen Jonathan, Trents vertrouwde bediende, het portier opende en uitstapte. Ik had niet verwacht ooit blij te zijn deze gruwelijk grote, weerzinwekkende man te zien. Ze deden dit dus samen, achter Trents rug om. Dit was nog een grotere vergissing dan ik had gedacht. Dat voelde ik gewoon.

Ik hielp een hijgende, strompelende Quen de treden af. 'Neem hem snel mee,' zei ik.

Jonathan rukte het portier aan de passagierszijde open. 'Doe je het?' vroeg hij, en drukte zijn dunne lippen stijf op elkaar toen hij mijn met koekjes besmeurde haar en natte spijkerbroek zag.

'Ja!' Ik duwde Quen de auto in. Hij viel op de leren bank en zakte in elkaar als een dronkenlap. 'Rijden!'

De grote kobold gooide het portier dicht en staarde me aan. 'Wat heb je met hem gedaan?' vroeg hij op ijzige toon.

'Niets! Het is Piscary! Haal hem hier weg!'

Kennelijk tevredengesteld, liep hij met grote passen om de wagen heen. Eigenaardig geruisloos trok de limousine op. Ik stond op de ijskoude stoep te bibberen en keek hem na tot hij om de hoek was verdwenen.

Mijn hartslag kalmeerde en ik sloeg mijn armen om mezelf heen. De winterzon was koud. Langzaam draaide ik me om, om naar binnen te gaan, nog niet wetend wat ik ineengekruld op mijn keukenvloer zou aantreffen.

Ik bekeek mezelf in de spiegel boven mijn nieuwe massief essenhouten kaptafel terwijl ik mijn oorringen indeed, die groot genoeg waren voor Jenks om in te schommelen. Het simpele zwarte jurkje stond me goed en de bijpassende laarzen tot net boven de knie zouden mijn benen warm houden. Ik vermoedde niet dat Kisten een sneeuwbalgevecht in het park op het programma had staan, hoe oubollig en goedkoop dat ook was. En hij had gezegd dat ik iets leuks aan moest trekken. Ik bekeek mezelf van opzij. Dat zag er goed uit. Heel goed.

Tevreden met mezelf, ging ik op mijn bed zitten en ritste mijn laarzen dicht, waarbij ik de laatste paar centimeter open liet staan zodat ik gemakkelijker kon lopen. Ik wilde me niet al te zeer verheugen op mijn uitje met Kisten, maar ik had de laatste tijd zo weinig de kans gekregen me mooi te maken en plezier te hebben dat het bijna onvermijdelijk was. Ik hield mezelf voor dat een avondje uit met mijn vriendinnen net zo leuk kon zijn. Het ging niet om Kisten; het ging om het uitgaan.

Op zoek naar de mening van een tweede persoon liep ik met klikkende hakken de gang in. Waar zat Ivy? Ik zag nog voor me hoe ze Piscary uit haar hoofd had trachten te verdrijven. Zodra Quen weg was had de ondode vampier het opgegeven, maar zij was de rest van de dag heel erg terneergeslagen geweest en had er niet over willen praten terwijl ze me hielp de keuken schoon te maken. Ze wilde niet dat ik met Kisten uitging en eigenlijk was ik het wel met haar eens dat het een onzalig idee was. Maar het leek wel alsof ik Kisten niet van me af kon houden. Hij had gezegd dat hij me niet zou bijten en ik was niet van plan me door een ogenblik van hartstocht op andere gedachten te laten brengen. Nu niet. Nooit niet.

Bij het binnengaan van de woonkamer liet ik even mijn hand over mijn glinsterende cocktailjurkje glijden, in aarzelende afwachting van Ivy's goedkeuring. Ivy zat met haar benen onder zich getrokken op de bank een tijdschrift te lezen. Ik zag dat ze nog op dezelfde bladzijde was als toen ik me een halfuur geleden was gaan omkleden.

'Wat vind je?' vroeg ik, terwijl ik langzaam een rondje draaide en me heel lang voelde op mijn naaldhakken.

Zuchtend sloeg ze het tijdschrift dicht, met haar vinger tussen de pagina's waar ze gebleven was. 'Ik vind het een grote vergissing.'

Ik keek fronsend omlaag naar mijn jurk. 'Ja, je hebt gelijk,' zei ik, in gedachten mijn kast uitspittend. 'Ik trek wel iets anders aan.'

Ik wilde me net omdraaien toen ze haar tijdschrift door de kamer tegen de muur smeet. 'Dat bedoelde ik niet!' riep ze uit en ik draaide me geschrokken om.

Ivy's ovale gezichtje vertrok en ze fronste haar smalle wenkbrauwen terwijl ze nerveus rechtop ging zitten op de bank. 'Rachel...' zei ze op smekende toon en ik wist meteen waar dit gesprek naartoe ging.

'Ik laat me heus niet door hem bijten,' zei ik en begon een beetje boos te worden. 'Ik ben een grote meid. Ik kan heel goed op mezelf passen. En na vanmiddag kun je er donder op zeggen dat hij niet met zijn tanden bij mij in de buurt komt.'

Met een bezorgde blik in haar bruine ogen trok ze haar benen weer onder zich. Ze maakte een onzekere indruk. Het was een uitdrukking die ik niet vaak bij haar zag. Toen deed ze even haar ogen dicht en zuchtte diep, alsof ze zich vermande. 'Je ziet er beeldig uit,' zei ze en ik voelde bijna letterlijk mijn bloeddruk dalen. 'Laat je niet door hem bijten,' voegde ze er zachtjes aan toe. 'Ik wil me niet verplicht voelen Kisten te doden als hij je bijt om je aan zich te binden.'

'Afgesproken,' zei ik, en ik deed mijn best om mijn toon luchtig te houden, hoewel ik wist dat ze het meende. Het zou de enige betrouwbare manier zijn om zijn aanspraak op mij te verbreken. Als er maar lang genoeg overheen ging en ik ver genoeg bij hem uit de buurt bleef zou dat uiteindelijk ook wel lukken, maar Ivy was geen type om risico's te nemen. En ze zou het onmogelijk kunnen verkroppen als ik aan hem gebonden zou zijn nadat ik haar had afgewezen. Mijn hakken klikten iets langzamer toen ik terugliep naar mijn kamer om iets ingetogeners aan te trekken. Dit jurkje vroeg gewoon op moeilijkheden.

Voor mijn open kast staand, schoof ik wat hangertjes heen en weer in de hoop dat iets er opeens uit zou springen en zou zeggen: 'Draag mij! Draag mij!' Ik had alles al bekeken en al bijna besloten dat ik niets had wat niet te sexy was en toch mooi genoeg voor een avondje stappen. Met al het geld dat ik de afgelopen maand had uitgegeven aan het vullen van mijn kast, moest er toch iets bij zitten. Mijn maag kromp ineen bij de gedachte aan mijn slinkende bankrekening, maar Quen had zijn tienduizend dollar op de keukenvloer laten liggen. En ik hád beloofd op Trent te komen passen...

Ik schrok op van het zachte klopje op mijn deur en met mijn hand op mijn sleutelbeen draaide ik me op.

'Eh,' zei Ivy en aan haar kleine glimlachje zag ik dat ze het wel grappig vond dat ik van haar schrok. 'Sorry. Ik weet heus wel dat je je niet door hem laat bijten.' Ze tilde in een vermoeid gebaar een lange hand op. 'Zo zijn vampen nu eenmaal. Dat is alles.'

Ik knikte ten teken dat ik het begreep. Ik woonde al zo lang met Ivy onder één dak dat haar onbewuste vampierinstincten mij als haar eigendom beschouwden, ook al was ze zich er heel goed van bewust dat dat niet zo was. Het was de reden waarom ik niet meer met haar sparde, mijn kleren niet meer samen met de hare waste, niet meer met haar over familie- en bloedbanden sprak en niet meer achter haar aan liep als ze midden in een gesprek zonder aanwijsbare reden opeens de kamer uitliep. Het waren allemaal dingen die haar vampierinstincten prikkelden en ons weer terug zouden brengen naar waar we zeven maanden geleden waren, moeizaam aanmodderend terwijl we probeerden uit te vinden hoe we met elkaar samen konden wonen.

'Hier,' zei Ivy, terwijl ze één stap over de drempel zette en me een pakje overhandigde dat zo groot was als een vuist, ingepakt in groene folie, met een paarse strik eromheen. 'Een vroeg zonnewendecadeautje. Ik dacht dat je het misschien wel kon gebruiken voor je afspraakje met Kisten.'

'O, Ivy!' riep ik uit, het mooie, duidelijk in de winkel ingepakte geschenk van haar aannemend. 'Dank je wel. Ik heb jouw cadeautje nog niet ingepakt...' *Ingepakt? Ik had het nog niet eens gekocht.*

'Dat geeft niet,' zei ze, een beetje nerveus. 'Ik had ermee willen wachten, maar ik dacht dat je het nu wel kon gebruiken. Voor je afspraakje.' Met een verwachtingsvolle blik keek ze naar het pakje in mijn hand. 'Toe dan. Maak maar open.'

'Oké.' Ik ging op mijn bed zitten en trok heel voorzichtig het lint en het papier los, wat ik volgend jaar misschien nog wel kon gebruiken. Op het papier stond het Black Kisslogo afgebeeld en ik hield mijn vingers even stil om de spanning wat op te voeren. De Black Kiss was een exclusieve vampierwinkel. Ik kwam er niet eens om etalages te kijken. De verkoopsters hadden aan één blik genoeg om te weten dat ik me er niet eens een zakdoekje kon veroorloven.

In het pakje zat een klein houten doosje, en in dat doosje lag, op een kussentje van rood fluweel, een glazen parfumflesje. 'Ooooo,' fluisterde ik. 'Dank je wel.' Ivy kocht al parfum voor me sinds ik hier was komen wonen en wij samen een luchtje probeerden te vinden dat de combinatie van haar geur met de mijne overstemde en haar zou helpen haar vampirische neigingen te onderdrukken. Mijn kaptafel stond vol geurtjes die we met wisselend succes hadden uitgeprobeerd. In feite was het parfum meer voor haar bedoeld dan voor mij.

'Er is bijna niet aan te komen,' zei ze, met een ietwat ongemakkelijke blik. 'Je moet het speciaal bestellen. Mijn vader had me erover verteld. Ik hoop dat je het lekker vindt.'

'Mmmmm,' zei ik, terwijl ik het openmaakte en er een beetje van achter mijn oor en op mijn polsen sprenkelde. Het rook naar groene houtsoorten met een vleugje citrus: fris en fruitig, met een hint van iets duisterders. Verrukkelijk. 'O, dit is zalig,' zei ik, terwijl ik opstond om haar een snelle knuffel te geven.

Ze bleef doodstil staan en ik liep weer naar mijn kaptafel en deed net of ik haar verbazing niet opmerkte. 'Goh,' zei ze en toen ik me omdraaide zag ik een verwonderde uitdrukking op haar gezicht. 'Het werkt.'

'Wat...' vroeg ik voorzichtig, me afvragend wat ik op mijn lijf had gesprenkeld.

Ze keek even om zich heen alvorens mij aan te kijken. 'Het blokkeert de reukzin van een vampier,' zei ze. 'Of in elk geval voor de meer gevoelige aroma's die doordringen tot het onderbewuste.' Haar scheve glimlachje gaf haar iets onschuldigs. 'Ik kan je nu helemaal niet ruiken.'

'Cool,' zei ik, onder de indruk. 'Dan zou ik het dus elke dag moeten dragen.'

Er verscheen een subtiele, schuldbewuste uitdrukking op Ivy's gezicht. 'Dat zou kunnen, maar ik heb het laatste flesje gekocht en ik weet niet of ik het nog eens zou kunnen vinden.'

Ik knikte. Wat ze bedoelde was dat het duurder was dan een liter water op de maan. 'Dank je wel, Ivy,' zei ik gemeend.

'Graag gedaan.' Haar glimlach was oprecht. 'Vrolijke vroege zonnewende.' Ze keek naar de voorzijde van de kerk. 'Daar heb je hem.'

Het geronk van een auto filterde naar binnen door mijn dunne gebrandschilderde raam. Ik keek op het wekkertje naast mijn bed. 'Precies op tijd.' Ik keek haar aan, haar met mijn ogen smekend om open te gaan doen.

'Nee.' Ze grinnikte en liet daarbij onbewust een stukje tand zien. 'Dat doe je zelf maar.'

Toen draaide ze zich om en liep weg. Ik keek omlaag, besloot dat wat ik aanhad hoogst ongeschikt was, en dat ik er nu ook nog in open moest gaan doen. 'Ivy...' zei ik klaaglijk, terwijl ik achter haar aan liep. Haar hand opstekend bij wijze van weigering liep ze de keuken in.

'Mooie boel,' mopperde ik en liep met klikkende hakken naar de voorkant van de kerk. In het voorbijgaan knipte ik de lichten in het sanctuarium aan, maar de hoge, schemerige gloed maakte de ruimte er niet echt vrolijker op. Het was na enen in de ochtend en de elfen lagen allemaal veilig en warm in mijn bureau te pitten tot een uurtje of vier, wanneer ze weer wakker zouden worden. In de hal hadden we geen verlichting en ik vroeg me af of we daar niet eens iets aan moesten doen toen ik één kant van de zware houten deuren openduwde.

Met het zachte geluid van schoenzolen die knerpten over rotszout, deed Kisten een stapje naar achteren.

'Ha, Rachel,' zei hij, terwijl hij zijn blik over mijn kleren liet glijden. Een lichte verstarring van de huid rond zijn ogen vertelde me dat ik goed had geraden; ik was niet gekleed op wat hij van plan was. Ik wenste dat ik wist wat hij aanhad onder de prachtige grijze wollen jas die hij droeg. De jas kwam tot aan de bovenrand van zijn laarzen en zag er heel chic uit. Hij had zich ook geschoren – zijn gebruikelijke baardstoppels van één dag waren verdwenen – wat hem een gedistingeerde uitstraling gaf die ik niet van hem gewend was.

'Dit is niet wat ik aandoe, hoor,' zei ik bij wijze van begroeting. 'Kom binnen. Geef me één minuutje om me te verkleden.'

'Tuurlijk.' Achter hem zag ik zijn zwarte Corvette langs de stoep staan. De lichte sneeuwvlokken smolten meteen wanneer ze de motorkap raakten. Hij liep langs me heen naar binnen en ik trok de deur achter hem dicht.

'Ivy zit in de keuken,' zei ik, terwijl ik naar mijn kamer liep en zijn voetstappen achter me aan hoorde komen. 'Ze heeft een vervelende middag gehad. Ze wil niet met mij praten, maar misschien praat ze met jou.'

'Ze heeft me gebeld,' zei hij en de zorgvuldige manier waarop hij dat zei vertelde me dat hij alles al wist van Piscary die zijn macht over haar had willen bewijzen. 'En je trekt toch zeker ook wel andere laarzen aan?'

Bij de deur van mijn kamer bleef ik abrupt staan. 'Wat mankeert er aan mijn laarzen?' vroeg ik, terwijl ik me bedacht dat die laarzen nu juist het enige waren wat ik aan wilde houden. Eh... het enige van deze combinatie, niet letterlijk het enige.

Hij stond er met opgetrokken geblondeerde wenkbrauwen naar te kijken. 'Die hakken zijn wat, twaalf centimeter hoog?'

'Ja.'

'Het is glad buiten. Straks glijd je uit en val je op je reet.' Zijn blauwe ogen werden groot. 'Ik bedoel je achterste.'

Er gleed een glimlach over mijn gezicht bij de gedachte dat hij probeerde zijn taal voor mij te kuisen. 'En ze maken me net zo lang als jij,' zei ik zelfgenoegzaam.

'Dat was me al opgevallen.' Hij bleef even staan. Met een wiegende heupbeweging, schoof hij langs mij heen mijn kamer binnen.

'Hé!' protesteerde ik toen hij meteen naar mijn kast liep. 'Ga mijn kamer uit!'

Zonder aandacht aan mij te schenken, dook hij meteen achter in de kast, waar ik alles bewaarde wat ik niet leuk vond. 'Ik heb hier laatst iets gezien,' zei hij en trok met een tevreden uitroepje iets tevoorschijn. 'Hier,' zei hij, een paar saaie zwarte laarzen omhooghoudend. 'Laten we hier maar eens mee beginnen."

'Die laarzen?' zei ik klaaglijk terwijl hij ze neerzette en meteen weer in mijn kast dook. 'Die hebben helemaal geen hakken. Ik heb ze al vier jaar en ze zijn totaal uit de mode. En wat had jij trouwens in mijn kast te zoeken?'

'Dat is een klassieke laars,' zei Kisten, beledigd. 'Die raken nooit uit de mode. Trek nou maar aan.' Hij zocht verder en trok op gevoel iets tevoorschijn, want hij kon achter in die kast onmogelijk iets zien. Mijn gezicht begon te gloeien toen ik een oud pak zag waarvan ik het bestaan al helemaal was vergeten. 'Nee, dat is ronduit lelijk,' zei hij en ik griste het uit zijn handen.

'Dat is mijn oude sollicitatiepak,' zei ik. 'Zoiets hoort lelijk te zijn.'

'Weg ermee. Maar de broek moet je wel bewaren. Die draag je vanavond.'

'Absoluut niet!' wierp ik tegen. 'Kisten, ik ben uitstekend in staat mijn eigen kleren uit te zoeken!'

Hij trok zwijgend zijn wenkbrauwen op, draaide zich weer om naar de kast en haalde uit het afdankertjesgedeelte een zwarte blouse met lange mouwen die mijn moeder drie jaar geleden voor me had gekocht. Ik had het hart niet om hem weg te geven, want het was echte zijde, ook al was hij zo lang dat hij bij mij tot halverwege mijn bovenbenen kwam. De halslijn was veel te laag, zodat mijn onooglijke decolleté zo mogelijk nog platter leek.

'En deze,' zei hij en ik schudde mijn hoofd.

'Nee,' zei ik vastberaden. 'Hij is te lang en bovendien is het iets wat mijn moeder zou dragen.'

'Dan heeft je moeder meer smaak dan jij,' zei hij goedgehumeurd. 'Draag er een hemdje onder en stop hem in vredesnaam niet in je broek!'

'Kisten, mijn kast uit!'

Maar hij dook er weer in weg en boog zijn hoofd over iets kleins in zijn handen. Ik dacht dat het misschien dat spuuglelijke tasje met kraaltjes was dat ik nooit had moeten kopen, maar ik schrok me een ongeluk toen hij zich omdraaide met een onschuldig ogend boek. Het had geen titel en was gebonden in zacht bruin leer. De glinstering in Kistens ogen verraadde dat hij precies wist wat het was.

'Geef hier,' zei ik, mijn hand ernaar uitstekend.

Met een ondeugende grijns hield Kisten het hoog boven zijn hoofd. Ik kon er waarschijnlijk nog wel bijkomen, maar dan moest ik wel in hem klimmen. 'Zo, zo...' zei hij op plagerige toon. 'Juffrouw Morgan. U shockeert mij en brengt mij in verrukking. Hoe komt u aan een exemplaar van Rynn Cormels handboek voor de omgang met ondoden?'

Ik perste mijn lippen op elkaar en de stoom kwam zo'n beetje uit mijn oren. Ik kon er niet bij. Met mijn ene heup een beetje naar voren, kon ik niets anders doen dan toekijken hoe hij een stapje naar achteren deed en het boek doorbladerde.

'Heb je het gelezen?' vroeg hij, waarna hij een bladzijde wat beter bekeek en een verrast mmmm-geluid maakte. 'Die was ik helemaal vergeten. Ik vraag me af of ik dat nog kan.'

'Ja, ik heb het gelezen.' Ik stak mijn hand uit. 'Geef hier.'

Kisten rukte zijn aandacht los van de pagina's, maar hield het boek in zijn grote, mannelijke handen. Zijn ogen waren een heel klein beetje zwarter geworden en ik kon mezelf wel voor mijn kop slaan toen ik een tinteling van opwinding door me heen voelde gaan. Verdomde vampferomonen.

'Ooooo, het is heel belangrijk voor je,' zei Kisten, met een blik naar de deur toen Ivy iets omstootte in de keuken. 'Rachel...' zei hij, iets zachter, terwijl hij een stapje dichterbij kwam. 'Je kent al mijn geheimen.' Zonder te kijken, vouwden zijn vingers het hoekje van een pagina om. 'Wat me helemaal gek maakt. Wat me instinctief tot aan het – randje brengt...'

Die laatste woorden sprak hij heel langzaam uit en ik onderdrukte een verrukkelijke huivering.

'Je weet hoe je me moet... manipuleren,' fluisterde hij, het boek achteloos aan zijn hand bungelend. 'Hebben heksen ook een handboek?'

Op de een of andere manier bevond hij zich nog hooguit een halve meter bij mij vandaan en ik had hem niet eens zien bewegen. De geur van zijn wollen jas was heel sterk en ook rook ik de duizelingwekkende geur van leer. Met een rode blos op mijn wangen griste ik het boek uit zijn hand en Kisten deinsde naar achteren. 'Dat zou je wel willen,' zei ik. 'Dit boek heb ik van Ivy gekregen om te voorkomen dat ik ongewild haar instincten zou prikkelen. Dat is alles.' Ik schoof het onder mijn kussen en zijn glimlach werd breder. Verdomme, als hij het waagde me aan te raken, kon hij een dreun krijgen.

'Daar hoort het thuis,' zei hij. 'Niet in een kast. Je moet het altijd onder handbereik houden om snel even iets op te kunnen zoeken.'

'Eruit,' zei ik, naar de deur wijzend.

Met zijn lange jas boven zijn laarzen wapperend, liep hij naar de deur. Elke beweging die hij maakte had een zelfverzekerde, verleidelijke gratie. 'Steek je haar op,' zei hij, terwijl hij wegwandelde. Hij lachte en liet me zijn tanden zien. 'Je hebt een mooie hals. Bladzijde twaalf, derde alinea van boven.' Hij likte langs zijn lippen en ik ving nog net een glimp van zijn hoektanden op.

'Eruit!' riep ik, waarop ik naar de deur liep en hem achter hem dichtsmeet.

Woedend draaide ik me om naar wat hij voor me op mijn bed had uitgestald. Ik was blij dat ik mijn bed vanmiddag nog even had opgemaakt. Een vage tinteling in mijn nek bracht mijn hand omhoog en ik drukte mijn handpalm ertegenaan, in een poging het weg te duwen. Ik staarde naar mijn kussen en haalde toen aarzelend het boek tevoorschijn. Had Rynn Cormel dit geschreven? Tjezus, die man had tijdens de Ommekeer in zijn eentje zowat het hele land geleid en dan had hij dus ook nog tijd gehad om een handleiding voor seks met vampiers te schrijven?

Toen ik het opensloeg op de pagina met het omgevouwen hoekje steeg er een geur van seringen uit op. Ik was op alles voorbereid, want ik had het boek al twee keer helemaal doorgenomen en het stuitte me eerder tegen de borst dan dat ik het opwindend vond, maar het ging alleen maar over het gebruik van halskettinkjes om boodschappen naar je geliefde te sturen. Kennelijk was het zo dat hoe meer je je hals bedekte, des te verleidelijker het voor hem of haar werd om hem open te rijten. Het griezelig aandoende metaalachtige kant dat de laatste tijd zo populair was, had hetzelfde effect als rondlopen in je lingerie. Een hele blote hals was bijna net zo erg – daarmee toonde je je vampirische maagdelijkheid en dat scheen ongelooflijk opwindend te zijn.

'Goh,' mompelde ik, terwijl ik het boek dichtklapte en op mijn bed gooide. Misschien moest ik het toch nog maar eens lezen. Toen keek ik naar de kleding die Kisten voor me had uitgekozen. Het zag er nogal tuttig uit, maar ik zou het toch aantrekken en wanneer Ivy me vertelde dat ik er wel veertig in leek, kon hij nog een kwartiertje wachten terwijl ik me weer omkleedde.

Met snelle bewegingen trok ik mijn laarzen uit en gooide ze in een hoek. Ik was vergeten dat de grijze pantalon een zijden voering had, wat een prettig gevoel gaf als je hem aantrok. Ik koos – zonder hulp van Kisten – een zwart haltertopje uit en trok daarover de lange blouse aan. Het deed absoluut niets om mijn rondingen te accentueren en ik draaide me fronsend om naar de spiegel.

Ik wist niet wat ik zag. 'Verdomd,' fluisterde ik. Ik had er daarnet goed uitgezien in mijn zwarte jurkje en laarzen. Maar hierin? Hierin leek ik... geraffineerd. Indachtig bladzijde twaalf, pakte ik mijn langste gouden ketting en hing die om mijn hals. 'Verdraaid zeg,' fluisterde ik, mezelf vanuit een andere hoek bekijkend.

Mijn welvingen waren verdwenen, verborgen onder de simpele rechte lijnen, maar de ingetogen uitstraling van de eenvoudige pantalon, de zijden blouse en de gouden ketting schreeuwden zelfvertrouwen en nonchalante rijkdom uit. Mijn bleke huid leek nu eerder van zacht albast dan ziekelijk wit en mijn atletische lichaam gestroomlijnd. Ik had een heel nieuwe uitstraling. Ik had nooit geweten dat ik er rijk en gedistingeerd kon uitzien.

Aarzelend nam ik mijn haar op en hield het boven op mijn hoofd. 'Wauw,' fluisterde ik, toen ik zag dat het mij van geraffineerd in elegant veranderde. Om er zo goed uit te zien had ik het er wel voor over dat Kisten nu zou weten dat hij me beter kon kleden dan ik zelf.

Ik zocht in een la en vond en activeerde mijn laatste amulet om mijn kroezende haar te temmen. Vervolgens stak ik het op, maar liet een paar plukjes nonchalant over mijn oren vallen. Ik deed nog een beetje van mijn nieuwe parfum op, controleerde mijn make-up, verborg mijn haaramulet onder mijn blouse en pakte een klein avondtasje, want mijn schoudertas zou het hele effect teniet doen. Dat ik nu mijn gebruikelijke amuletten niet bij me had was wel een punt van overweging, maar ik ging niet werken, maar een avondje uit. En als ik Kisten van me af moest vechten, zou ik toch gebruikmaken van leylijnmagie.

Mijn platte laarzen maakten nauwelijks geluid toen ik mijn kamer uitliep en de zachte stemmen van Kisten en Ivy achternaliep, het amberkleurig verlichte sanctuarium in. In de deuropening aarzelde ik even en keek naar binnen.

Ze hadden de elfen wakker gemaakt, die nu overal in het rond fladderden, maar vooral rond Ivy's vleugel waarop ze tikkertje speelden tussen de snaren. Er hing een vaag gonzend geluid in de lucht en ik realiseerde me dat de vibraties van hun vleugels de snaren lieten trillen.

Ivy en Kisten stonden bij de doorgang naar de hal. Zij had diezelfde ongemakkelijke, opstandige blik die ze eerder die avond had gehad, toen ze niet met me wilde praten. Kisten stond bezorgd naar haar toe geleund, met een hand op haar schouder.

Ik kuchte zachtjes en Kisten liet zijn hand zakken. Ivy viel meteen weer terug in haar gebruikelijke kalme houding, maar ik zag dat haar zelfvertrouwen een gevoelige klap had gekregen.

'O, dat is veel beter,' zei Kisten, toen hij zich naar mij omdraaide. Ik zag hem even naar mijn halsketting kijken.

Hij had zijn jas open geknoopt en terwijl ik naar hen toe liep bekeek ik hem goedkeurend. Geen wonder dat hij mijn kleding had willen uitkiezen. Hij zag er fantastisch uit: hij droeg een donkerblauw Italiaans krijtstreeppak, glimmende schoenen en hij had zijn haar naar achteren gekamd en rook een beetje naar zeep... Hij wierp me een aantrekkelijk zelfverzekerde glimlach toe. De ketting die hij altijd droeg zag je nauwelijks onder de kraag van zijn gesteven witte overhemd. Hij droeg een smaakvolle stropdas en een horlogeketting hing uit een vestzakje en liep vervolgens door een knoopsgat naar een volgend vestzakje. Op zijn smalle middel, brede schouders en slanke heupen was niets aan te merken. Helemaal niets.

Ivy stond mij met knipperende ogen van top tot teen op te nemen. 'Wanneer heb je dat gekocht?' vroeg ze en ik glimlachte.

'Dit heeft Kist bij elkaar gezocht uit mijn kast,' zei ik opgewekt en dat was meteen de enige keer dat ik tegenover hem zou toegeven dat hij dit beter kon dan ik.

We hadden een afspraakje, dus ging ik naast Kisten staan. Nick zou een zoen hebben gekregen, maar zolang Ivy en Jenks om ons heen hingen – in Jenks' geval zelfs letterlijk – kon een beetje discretie geen kwaad. Bovendien was hij Nick niet.

Jenks landde op Ivy's schouder. 'Moet ik nog iets zeggen?' vroeg de elf, die er met zijn handen op zijn heupen uitzag als een beschermende vader, aan Kisten.

'Nee, meneer,' zei Kisten bloedserieus en ik probeerde niet te lachen. Het beeld van een tien centimeter grote elf die dreigend voor een één meter tachtig lange vampier stond zou ronduit lachwekkend zijn geweest als Kisten hem niet serieus had genomen. Jenks' waarschuwing was gemeend en diende absoluut niet licht te worden opgevat. Het enige wat moeilijker te stoppen was dan feeënmoordenaars, waren elfen. Als ze dat zouden willen, zouden ze zo de wereldheerschappij kunnen overnemen.

'Mooi zo,' zei Jenks, kennelijk tevredengesteld.

Ik stond naast Kisten op en neer te wiebelen op mijn platte laarzen en keek iedereen aan. Niemand zei iets. Dit was echt een eigenaardige situatie. 'Zullen we?' vroeg ik ten slotte.

Jenks gniffelde en vloog weg om zijn kinderen terug te jagen in het bureau. Ivy keek Kisten nog een laatste keer aan en liep het sanctuarium uit. Sneller dan ik had verwacht, hoorde ik haar de tv keihard aanzetten. Ik keek nog eens naar Kisten en vond dat hij nog minder gemeen had met de stoere motorrijder die ik kende dan een geit met een boom.

'Kisten,' zei ik, mijn hand naar mijn ketting brengend. 'Wat... betekent dit?'

Hij boog zich naar me toe. 'Zelfvertrouwen. Nergens naar op zoek, maar wel heel ondeugend achter gesloten deuren.'

Ik onderdrukte een opgewonden huivering toen hij zich weer oprichtte. *Oké. Dat... werkt dus.*

'Ik zal je in je jas helpen,' zei hij en ik maakte een ongelukkig geluidje toen ik hem naar de hal volgde. Mijn jas. Mijn lelijke, lelijke jas met de nepbontkraag.

'Oei,' zei Kisten, toen hij hem in het schemerige licht dat vanuit het sanctuarium naar binnen viel zag hangen. 'Ik weet al iets.' Hij trok zijn jas uit. 'Je kunt de mijne wel dragen. Hij is zowel voor dames als voor heren.'

'Ho, ho, wacht eens even,' protesteerde ik, naar achteren deinzend voordat hij de jas om mijn schouders kon hangen. 'Zo dom ben ik nu ook weer niet, mannetje. Dan ruik ik straks helemaal naar jou. Dit is een platonisch afspraakje en ik ben niet van plan de belangrijkste regel te overtreden door onze geuren al te mengen voordat ik nog maar een stap buiten deze kerk heb gezet.'

Hij lachte en zijn witte tanden glinsterden in het schemerlicht. 'Daar heb je natuurlijk helemaal gelijk in,' moest hij eerlijk toegeven. 'Maar wat trek je dan aan? Dat?'

Mijn gezicht vertrok toen ik naar mijn jas keek. 'Goed dan,' gaf ik toe, maar alleen omdat ik mijn nieuwe elegantie niet meteen wilde verpesten met nepbont en nylon. En ik droeg natuurlijk ook mijn nieuwe parfum... 'Maar ik trek hem niet aan om expres onze geuren te mengen. Begrepen?'

Hij knikte, maar zijn glimlach deed toch anders vermoeden en ik liet me door hem in zijn jas helpen. Ik sloot een ogenblik mijn ogen toen de zware jas over mijn schouders viel, zacht en warm. Kisten kon mij dan misschien niet ruiken, maar ik rook Kisten wel degelijk en zijn achtergebleven lichaamswarmte zonk diep in mij. Leer, zijde en een vleugje frisse aftershave maakte het tot een mix waarbij ik een zucht nauwelijks kon onderdrukken. 'Heb jij het nu niet koud?' vroeg ik, toen ik zag dat hij nu alleen nog maar zijn colbertje aanhad.

'De auto is al warm.' Ik wilde de deur openmaken, maar hij was me voor en legde zijn hand op de mijne op de deurknop. 'Laat mij maar,' zei hij galant. 'Ik ben vanavond jouw gastheer. Sta me toe me daar ook naar te gedragen.'

Hoewel ik het een beetje onzin vond, liet ik hem toch de deur openen en mijn arm nemen, zodat hij me van de licht besneeuwde treden kon helpen. Kort na zonsondergang was het gaan sneeuwen en de lelijke grijze sneeuwhopen die waren opgeworpen door sneeuwschuivers waren bedekt met een laagje maagdelijk witte sneeuw. Het was fris en helder weer en er stond geen wind.

Het verbaasde me niets toen hij ook nog de autodeur voor me openhield en onwillekeurig voelde ik me toch wel een beetje bijzonder toen ik was ingestapt. Kisten deed het portier weer dicht en haastte zich naar de andere kant. De leren stoelen waren warm en er hing geen kartonnen boompje aan de binnenspiegel. Terwijl hij bezig was met instappen wierp ik een snelle blik op de cd's die hij in zijn auto had liggen. Ze liepen uiteen van Korn tot Jeff Beck en hij had er zelfs eentje van zingende monniken. Luisterde *híj* naar zingende monniken?

Kisten nam plaats achter het stuur. Zodra de wagen startte, zette hij de verwarming voluit. Ik zonk diep weg in mijn stoel en genoot van het zware geronk van de motor. Hij was aanzienlijk krachtiger dan die van mijn eigen kleine wagentje en trilde door me heen alsof het buiten onweerde. Ook het leer was van een betere kwaliteit en het dashboard was echt mahoniehout, geen nep. Ik was een heks; ik zag zulke dingen.

Ik weigerde Kistens auto te vergelijken met Nicks tochtige, lelijke pick-up, maar het kostte me wel moeite dat niet te doen. En ik genoot ervan om behandeld te worden alsof ik heel speciaal was. Niet dat Nick me nooit het gevoel gaf dat ik bijzonder voor hem was, maar dit was toch anders. Het was leuk om me eens echt op te tutten, ook al eindigden we in de een of andere shoarmatent. Wat niet eens zo onwaarschijnlijk was gezien het feit dat Kisten maar zestig dollar te spenderen had.

Toen ik hem zo naast me zag zitten, realiseerde ik me dat het me niets kon schelen.

'Nou,' zei ik langzaam, terwijl ik mijn best moest doen om de deurknop niet te pakken om te voorkomen dat het portier open zou zwaaien toen we over een treinspoor reden. 'Waar gaan we naartoe?'

Kisten glimlachte naar me, waarbij zijn gezicht werd verlicht door de koplampen van de wagen achter ons. 'Dat zul je wel zien.'

Ik trok mijn wenkbrauwen op en deed mijn mond al open om naar details te vragen toen er opeens een zacht getjilp uit zijn jaszak klonk. Mijn vrolijke bui sloeg meteen om toen hij me verontschuldigend aankeek en zijn mobieltje pakte.

'Ik hoop niet dat dit de hele nacht zo doorgaat,' mompelde ik, mijn elleboog op de deurknop zettend en naar buiten starend. 'En anders mag je wat mij betreft nu meteen wel rechtsomkeert maken en me thuisbrengen. Nick nam nooit zijn telefoon op wanneer we samen uit waren.'

'Nick probeerde ook niet de halve stad te runnen.' Kisten wipte het zilveren klepje omhoog. 'Ja,' zei hij en toen ik de ergernis in zijn stem hoorde, keek ik toch weer opzij. Ik hoorde de gedempte, zachte klanken van een smekende stem. Op de achtergrond klonk bonkende muziek. 'Dat meen je niet.' Kisten keek van de weg naar mij en weer terug. In zijn blik zag ik een mengeling van bezorgdheid en ongeloof. 'Ga er dan naartoe en gooi die vloer open.'

'Dat heb ik al geprobeerd!' riep de zachte stem. 'Het zijn beesten, Kist. Ellendige wilden!' In de stem klonk een hoge, paniekerige klank.

Kisten zuchtte en keek naar mij. 'Oké, oké. We rijden wel even langs. Ik regel het wel.'

De stem aan de andere kant was duidelijk opgelucht, maar Kisten luisterde al niet meer, klapte de telefoon dicht en stopte hem weg. 'Sorry, schatje,' zei hij met dat belachelijke accent. 'Even heel snel. Vijf minuutjes. Ik beloof het.'

En het was juist zo goed begonnen. 'Vijf minuutjes?' vroeg ik. 'Eén ding wil ik niet meer horen,' dreigde ik, half serieus. 'Je kunt kiezen: die telefoon of dat accent.'

'O!' zei hij, met een dramatisch gebaar zijn hand tegen zijn borst leggend. 'Dat doet pijn.' Hij wierp me een zijdelingse blik toe, kennelijk blij dat ik het zo luchtig opvatte. 'Zonder mijn mobieltje kan ik echt niet. Dan het accent maar...' Hij grinnikte. '... schatje.'

'O, alsjeblieft,' kreunde ik. Ik vond het leuk om elkaar zo een beetje te plagen. Ik had bij Nick zo lang op eieren moeten lopen, altijd bang om iets te zeggen wat het allemaal nog erger zou maken. Daar hoefde ik me voortaan dus geen zorgen meer om te maken.

Het kwam niet als een verrassing voor me toen Kisten in de richting van de rivier reed. Ik vermoedde eigenlijk al dat er problemen bij Piscary's Pizza waren. Nadat het het afgelopen najaar zijn Vergunning Gemengd Publiek was kwijtgeraakt, was het restaurant overgegaan op een publiek van uitsluitend vampiers en ik had gehoord dat Kisten er zelfs in was geslaagd de zaak winstgevend te maken. Het was in heel Cincinnati de enige zaak met een goede naam die winst maakte zonder VGP. 'Wilden?' vroeg ik, toen we de parkeerplaats van het twee verdiepingen tellende restaurant opreden.

'Mike is een beetje hysterisch,' zei Kisten, terwijl hij op een gereserveerde plek ging staan. 'Het gaat gewoon om een paar vrouwen.' Hij stapte uit en ik bleef zitten, met mijn handen in mijn schoot. Ik had wel verwacht dat hij de motor zou laten draaien. Ik keek verbaasd op toen hij mijn portier opende en ik keek hem niet-begrijpend aan.

'Ga je niet even mee naar binnen?' vroeg hij, in elkaar duikend voor de koude wind die van de rivier kwam. 'Het is hier ijskoud.'

'Eh, zou ik dat nu wel doen?' vroeg ik verbaasd. 'Je bent immers je VGP kwijt.'

Kisten pakte mijn hand. 'Maak jij je daar maar geen zorgen om.'

Het plaveisel was glad en toen ik uitstapte was ik blij dat ik mijn platte laarzen aanhad. 'Maar je hebt toch geen VGP,' zei ik nogmaals. De parkeerplaats was afgeladen en toekijken hoe vampiers elkaars bloed dronken was niet iets waar ik me bijzonder op verheugde. En als ik vrijwillig naar binnen ging terwijl ik wist dat de zaak geen VGP had, zou de politie me niet helpen als er iets misging.

Kistens jas was lang en sleepte een beetje over de grond. Hij nam mijn arm en begeleidde me naar de met een luifel overdekte ingang. 'Daar binnen weet iedereen dat jij Piscary bewusteloos hebt geslagen,' zei hij zacht, heel dicht bij mijn gezicht, zodat ik me heel erg bewust was van zijn adem op mijn wang. 'Niemand van hen had zoiets zelfs maar in overweging durven nemen. En jij had hem kunnen doden, maar dat heb je niet gedaan. Er is meer lef voor nodig om een vampier in leven te laten dan om er een te vermoorden. Niemand zal je lastigvallen.' Toen hij de deur opende, werden we overspoeld door licht en muziek. 'Of maak je je zorgen om het bloed?' vroeg hij toen ik terugschrok.

Ik keek hem aan en knikte. Het kon me niet eens schelen dat hij mijn angst zag.

Met een afwezige blik leidde Kisten me voorzichtig mee naar binnen. 'Je zult heus geen bloed zien,' zei hij. 'Iedereen komt hier om zich te ontspannen, niet om het beest te voeren. Dit is de enige plek in Cincinnati waar vampiers bij elkaar kunnen komen en zichzelf kunnen zijn zonder rekening te hoeven houden met hoe mensen, heksen of Weren vinden dat zij zich zouden moeten gedragen. Je zult hier geen bloed zien; tenzij iemand zijn vinger openhaalt bij het openmaken van een flesje bier.'

Nog steeds een beetje onzeker, liet ik me mee naar binnen nemen. Eenmaal binnen bleven we even staan zodat hij de sneeuw van zijn nette schoenen kon stampen. Het eerste wat me opviel was hoe warm het was en volgens mij was die warmte niet alleen maar afkomstig van de open haard aan de andere kant van de ruimte. Volgens mij liep het tegen de dertig graden en de warmte droeg de aangename geuren met zich mee van wierook en duistere dingen. Terwijl ik Kistens jas openmaakte, ademde ik diep in. Het leek wel of de lucht zich in mijn hoofd nestelde en mij ontspande op de manier zoals ook een warm bad en een stevige maaltijd dat konden.

Een lichte onrust verdreef het gevoel toen een levende vamp met onrustbarend snelle bewegingen naar voren kwam. Zijn schouders leken zo breed als ik lang was en ik denk dat hij met gemak honderdtwintig kilo woog. Maar hij had oplettende, intelligente ogen en bewoog zijn gespierde lichaam met de sexy gratie die de meeste levende vampen hadden. 'Sorry,' zei hij tegen me, in een echt achterbuurtaccent. Hij stak zijn hand uit – niet om me aan te raken, maar duidelijk om aan te geven dat ik weg moest gaan. 'Piscary's heeft geen VGP meer. Wij mogen alleen vampen toelaten.'

Kisten kwam achter me staan en hielp me uit zijn jas. 'Ha, Steve. Nog problemen gehad, vanavond?'

'Meneer Felps,' riep de grote man zachtjes uit. Zijn accent veranderde onmiddellijk in dat van iemand die een goede opleiding had genoten, hetgeen ook veel beter paste bij de intelligentie in zijn ogen. 'Ik had u pas veel later verwacht. Nee. Hier beneden is alles rustig. Alleen Mike heeft boven wat problemen.' Met een verontschuldigende blik in zijn bruine ogen keek hij mij aan. 'Sorry, mevrouw. Ik wist niet dat u bij meneer Felps hoorde.'

Ik herkende een uitgelezen kans om mijn nieuwsgierigheid te bevredigen en glimlachte. 'Neemt meneer Felps wel vaker jongedames mee naar zijn club die niet van de vampirische overtuiging zijn?' informeerde ik.

'Nee, mevrouw,' zei de man en het klonk zo natuurlijk dat ik hem wel moest geloven. Zijn woorden en handelingen waren zo onschuldig en onvampirisch dat ik twee keer moest snuffelen om mezelf ervan te overtuigen dat hij er toch echt een was. Ik had me niet gerealiseerd dat de vampieridentiteit toch wel in hoge mate voortkwam uit gedrag. En toen ik eens rondkeek over de begane grond, besloot ik dat het net een gewoon chic restaurant was, chiquer eigenlijk dan toen het nog wel een VGP had.

Het bedienend personeel was keurig gekleed en hield het grootste deel van hun littekens bedekt. Ze deden hun werk op een snelle en efficiënte manier die in geen enkel opzicht provocerend was. Mijn blik gleed over de foto's boven de bar en ik schrok toen ik een wazig kiekje zag van Ivy in haar leren motorpak, op haar motorfiets met een rat en een nerts op de benzinetank. *O god. Iemand had ons gezien.*

Toen Kisten zag waar ik naar stond te kijken wierp hij me een spottende blik toe. 'Steve, dit is juffrouw Morgan,' zei hij, terwijl hij mijn geleende jas aan de uitsmijter overhandigde. 'We blijven maar even.'

'Goed, meneer,' zei de man, waarna hij opeens bleef staan en zich omdraaide. 'Rachel Morgan?'

Ik glimlachte. 'Leuk kennis met je te maken, Steve,' zei ik.

Ik bloosde toen Steve mijn hand pakte en er een kus op drukte. 'Het genoegen is geheel aan mijn kant, juffrouw Morgan.' De grote vampier aarzelde en ik zag de dankbaarheid in zijn expressieve ogen. 'Bedankt dat u Piscary niet hebt gedood. Het zou Cincinnati in een hel hebben veranderd.'

Ik grinnikte. 'O, maar ik heb het niet in mijn eentje gedaan, hoor. Ik heb hulp gehad om hem te arresteren. En bedank me nog maar liever niet,' zei ik, niet zeker wetend of hij het meende of niet. 'Piscary en ik hebben nog een meningsverschil en ik heb nog niet besloten of het de moeite waard is om hem te doden of niet.'

Kisten lachte, maar het klonk enigszins geforceerd. 'Goed, goed,' zei hij, mijn hand uit die van Steve trekkend. 'Zo kan ie wel weer. Steve, wil jij iemand mijn lange leren jas van beneden laten halen? Zodra ik de vloer heb geopend vertrekken we weer.'

'Jazeker, meneer.'

Ik kon een glimlach niet onderdrukken toen Kisten een hand achter mijn elleboog legde en mij op subtiele wijze naar de trap leidde. Hoewel hij me steeds weer aanraakte, dacht ik niet dat hij daar bijbedoelingen mee had – nog niet althans – en vooralsnog kon ik het nog wel hebben dat hij me als een barbiepop van hot naar her sleepte. Het hoorde een beetje bij mijn mondaine uiterlijk vanavond en het gaf me wel een speciaal gevoel.

'Goeie god, Rachel.' Zijn gefluister in mijn oor bezorgde me een koude rilling. 'Vind je niet dat je reputatie al stoer genoeg is, zonder dat je meteen met bloed gaat lopen smijten?'

Steve stond al met een ander personeelslid te smoezen en overal keken mensen om, om te zien hoe Kisten mij naar de eerste verdieping leidde. 'Wat?' zei ik, zelfverzekerd lachend naar iedereen die mij aankeek. Ik zag er goed uit. Ik voelde me goed. Dat zag toch iedereen?

Kisten trok mij naar zich toe om zijn hand in de holte van mijn onderrug te leggen. 'Denk je nu echt dat het een goed idee was om Steve te vertellen dat Piscary alleen nog maar in leven is omdat jij nog niet hebt besloten of je hem zult doden of niet? Wat voor beeld denk je dat mensen op die manier van je krijgen?'

Ik lachte hem toe. Ik voelde me lekker. Ontspannen. Alsof ik de hele middag aan de wijn had gezeten. Het moesten de vampferomonen zijn, maar ik had mijn demonenteken nog niet gevoeld. Dit was iets anders. Kennelijk voelden al deze vampen zich verzadigd en ontspannen en prettig en kennelijk deelden ze dat gevoel graag met anderen. Hoe kwam het dat Ivy zich nooit zo voelde? 'Ik heb toch gezegd dat ik hulp heb gehad?' zei ik, me afvragend of ik misschien een beetje onduidelijk praatte. 'Maar Piscary doden staat met een nummer één op mijn verlanglijstje als hij ooit uit de gevangenis komt.'

Kisten zei niets, maar keek me aan met een blik waardoor ik me afvroeg of ik iets verkeerds had gezegd. Maar hij had me die avond zelf die Egyptische balsemvloeistof gegeven, met de gedachte dat Piscary daar knock-out van zou gaan. Hij had zelf gezegd dat ik hem moest vermoorden. Was hij misschien van gedachten veranderd?

Hoe verder we de trap op liepen, hoe harder de muziek klonk die van de eerste verdieping kwam. Het was een stevig dansritme en ik had meteen zin erop te bewegen. Ik voelde mijn bloed in mijn oren gonzen en wankelde toen Kisten boven aan de trap een ruk aan mijn arm gaf om me stil te laten staan.

Het was hier nog warmer en ik wuifde mezelf koelte toe. De enorme glazen ruiten die ooit uitzicht hadden geboden over de rivier de Ohio waren, in tegenstelling tot beneden, vervangen door muren. De eettafels waren weggehaald, zodat er nu een gigantische, hoge open ruimte was ontstaan. Langs de muren stonden overal hoge cocktailtafeltjes. Stoelen ontbraken. Aan de andere kant van de zaal bevond zich een lange bar. Opnieuw geen stoelen. Iedereen stond.

Boven de bar en vlak onder het plafond bevond zich een donkere galerij waar de dj en het lichtpaneel stonden. Daarachter stond iets dat op een biljarttafel leek. Midden op de dansvloer stond een roodaangelopen lange man met een draadloze microfoon met een gemengd gezelschap vampiers te praten: levende en dode, mannen en vrouwen, allemaal ongeveer gekleed zoals ik eerder die avond gekleed was. Het was een vampdansclub en het liefst had ik mijn handen voor mijn oren gehouden om het afkeurende gefluit en gejoel niet te hoeven horen.

Toen de man met de microfoon Kisten in de gaten kreeg klaarde zijn langwerpige gezicht op van opluchting. 'Kisten!' zei hij. Zijn door de microfoon versterkte uitroep deed mensen omkijken en ontlokte een luid gejuich aan de vrouwen in niets verhullende feestjurkjes. 'Godzijdank!'

De man wenkte hem en Kisten pakte mij bij mijn schouders. 'Rachel?' vroeg hij. 'Rachel!' riep hij, mijn aandacht losrukkend van al die mooie draaiende lichtjes boven de dansvloer. Zijn blauwe ogen keken me bezorgd aan. 'Voel je je wel goed?'

Ik knikte nadrukkelijk. 'Ja, ja, ja,' zei ik, giechelend. Ik voelde me zo warm en ontspannen. Ik vond Kistens dansclub helemaal te gek.

Kisten fronste zijn voorhoofd. Hij keek naar de opzichtig geklede man om wie iedereen stond te lachen en toen weer naar mij. 'Rachel, dit duurt maar heel even. Is dat goed?'

Ik keek alweer naar de lichtjes en hij draaide mijn kin naar zich toe. 'Ja hoor,' zei ik, heel langzaam pratend zodat de woorden er goed uit zouden komen. 'Ik wacht hier wel. Ga jij de dansvloer maar openen.' Iemand botste tegen me aan en ik viel bijna om. 'Je hebt een leuke club, Kisten. Echt te gek.'

Kisten zette me rechtop en wachtte met loslaten tot ik mijn evenwicht had gevonden. De menigte scandeerde nu zijn naam en hij stak ter begroeting zijn hand in de lucht. Toen ze nog harder begonnen te roepen, hield ik mijn handen voor mijn oren. De muziek dreunde op me in.

Kisten wenkte iemand die onder aan de trap stond en ik zag dat Steve met twee treden tegelijk naar boven kwam, zijn enorme lichaam verplaatsend alsof het niets woog. 'Is zij wat ik denk dat ze is?' vroeg Kisten aan de grote man toen hij dichterbij kwam.

'Ja-a-ah-a,' zei de grote man langzaam terwijl ze samen naar mij stonden te kijken. 'Haar bloed is gesuikerd. Maar ze is een heks.' Steve keek Kisten aan. 'Ja toch?'

'Ja,' zei Kisten. Hij moest bijna schreeuwen om boven het lawaai uit te komen van de mensen die stonden te roepen dat hij de microfoon moest pakken. 'Ze is gebeten, maar ze is aan niemand gebonden. Misschien komt het daardoor.'

'Vampi, vampi fer... eh... fer – ' Ik likte fronsend met mijn tong langs mijn lippen. 'Feromonen,' zei ik, met grote ogen. 'Mmmm, lekker. Hoe komt het toch dat Ivy zich nooit zo voelt?'

'Omdat Ivy een stijve trut is.' Kisten fronste. Hij zuchtte en ik stak mijn armen uit naar zijn schouders. Hij had mooie schouders, met harde spieren en vol belofte.

Kisten trok mijn handen van zijn schouders en hield ze voor me. 'Steve, blijf bij haar.'

'Goed, baas,' zei de grote vampier, terwijl hij naast en een heel klein stukje achter me kwam staan.

'Bedankt.' Kisten keek in mijn ogen en hield ze vast. 'Sorry, Rachel,' zei hij. 'Jij kunt hier niets aan doen. Ik had geen idee dat dit zou gebeuren. Ik ben zo terug.'

Hij liep weg en ik stak mijn armen naar hem uit en schrok van het tumult dat losbarstte toen hij in het midden van de zaal ging staan. Kisten bleef een ogenblik roerloos staan. Hij zag er sexy uit in zijn Italiaanse pak, terwijl hij met gebogen hoofd wachtte en nadacht over wat hij wilde gaan zeggen. Hij manipuleerde de menigte al voordat hij nog maar een woord had gezegd; ik was ernstig onder de indruk. Met zijn mond stijf dichtgeknepen en een ondeugend glimlachje om zijn mond hief hij ten slotte zijn hoofd op en keek iedereen van onder zijn blonde haren aan. 'Shit, zeg,' fluisterde hij in de microfoon en de menigte begon te juichen. 'Wat doen jullie hier allemaal?'

'Op jou wachten!' riep een vrouwenstem.

Kisten lachte en maakte een suggestieve beweging terwijl hij in de richting van de stem knikte. 'Hé, Mandy. Ben jij er ook vanavond? Wanneer hebben ze jou vrijgelaten?'

Ze gilde het uit en hij lachte. 'Wat zijn jullie een stelletje helleveegen, weten jullie dat wel? Jullie maken het Mickey veel te moeilijk. Wat mankeert er aan Mickey? Hij is toch aardig voor jullie?'

De vrouwen joelden en ik bedekte mijn oren. Ik verloor even mijn evenwicht en viel bijna om. Steve pakte mijn elleboog.

'Ik probeerde een avondje uit te gaan,' zei Kisten, terwijl hij in een dramatisch gebaar zijn hoofd liet zakken. 'Mijn eerste afspraakje in god mag weten hoe lang. Zien jullie haar, daar bij de trap?'

Er werd een enorme schijnwerper op mij gericht en ik vertrok mijn gezicht en kneep mijn ogen dicht. De warmte van de lamp liet mijn huid tintelen en ik richtte me op, opnieuw bijna omvallend toen ik zwaaide. Steve greep me weer bij mijn arm en ik keek lachend naar hem op. Ik leunde tegen hem aan en hij schudde goedmoedig zijn hoofd, zachtjes met een vinger langs mijn kin strijkend alvorens me rechtop te zetten.

'Ze is er niet helemaal bij vanavond,' zei Kisten. 'Jullie hebben het hier allemaal veel te veel naar je zin en dat voelt zij. Wie had ooit kunnen denken dat heksen net zo graag feestvieren als wij?'

Het lawaai zwol aan en de lichtjes begonnen nog sneller te draaien en raceten over de vloer en langs de muren en over het plafond. Toen het tempo van de muziek werd opgevoerd, ging mijn ademhaling ook steeds sneller.

'Maar jullie weten wat ze zeggen,' zei Kisten boven het lawaai uit. 'Hoe groter ze zijn – '

'Hoe beter het is,' riep iemand.

'Hoe meer ze willen feesten!' riep Kisten boven het gelach uit. 'Dus laat haar een beetje met rust, oké? Ze wil alleen een beetje plezier maken. Geen aanstellerij. Geen spelletjes. Ik vind dat elke heks met voldoende kloten om Piscary neer te halen en in leven te laten, voldoende hoektanden heeft om mee te feesten. Zijn jullie het daar allemaal mee eens?'

De eerste verdieping barstte bijna uit zijn voegen en ik viel tegen Steve aan. Mijn ogen werden vochtig toen mijn emoties van het ene uiterste in het andere vervielen. Ze vonden me aardig. Was dat cool of niet?

'Dan kan het feest nu beginnen!' riep Kisten, zich omdraaiend naar het ravennest van de dj achter hem. 'Mickey, geef me het nummer wat ik wil.'

De vrouwen gilden het uit van enthousiasme en ik keek met open mond toe hoe de dansvloer plotseling vol liep met vrouwen, allemaal met een woeste blik in hun ogen en scherpe bewegingen. Korte onthullende jurkjes, hoge hakken en extravagante make-up waren hier de regel, hoewel een paar oudere vampiers net zo chic gekleed waren als ik. Er waren misschien iets meer levenden dan ondoden.

De muziek barstte los uit de luidsprekers aan het plafond. Een zware beat, een blikkerige snaredrum, een oubollige synthesizer en een hese stem. Het was Rob Zombies 'Living Dead Girl', en ik keek vol ongeloof toe hoe de verschillende bewegingen van de goedgevormde en luchtig geklede vrouwelijke vampiers langzaam maar zeker veranderden in de ritmische, simultane bewegingen van een gechoreografeerde dans.

Ze waren aan het lijndansen. O... mijn... god. De vampiers waren aan het lijndansen.

Als een school vissen wiegden en bewogen ze gezamenlijk, met hun voeten stampend alsof ze het stof van het plafond probeerden te schudden. Niet één van hen maakte een vergissing of een misstap. Ik knipperde nog eens met mijn ogen toen Kisten als een soort Michael Jackson voor hen ging dansen. Hij zag er onbeschrijflijk aantrekkelijk uit in zijn zelfverzekerde, vloeiende bewegingen, vooral toen hij vervolgens een geweldige John Travolta neerzette. De vrouwen achter hem volgden zijn bewegingen na het allereerste gebaar exact. Ik had geen idee of ze hadden geoefend of dat hun snellere reactievermogen hen in staat stelde tot zo'n vlekkeloze improvisatie. Ik besloot dat het er ook helemaal niet toe deed.

Geheel opgaand in de macht en de intensiteit, stond Kisten te stralen, meegevoerd op de bewondering van de vampiers achter hem. Half verdoofd door een overdosis feromonen, muziek en lichten, voelde ik mezelf duizelig worden. Elke beweging had een vloeiende gratie, elk gebaar was precies en ongehaast.

Het lawaai beukte op me in en terwijl ik hen zo in volle overgave zag feesten, realiseerde ik me dat het voortkwam uit de kans om hier te zijn wat ze wilden zijn, zonder angst dat iemand hen eraan zou herinneren dat ze vampiers waren en dus duister en somber moesten zijn en een mysterieus gevaar met zich mee moesten dragen. Ik voelde me bevoorrecht dat ze me voldoende respecteerden om zich te laten zien zoals ze het liefst wilden zijn.

Zwaaiend op mijn benen leunde ik tegen Steve aan terwijl de beat mijn geest in een weldadige gevoelloosheid dreunde. Mijn oogleden weigerden open te blijven. Een donderend lawaai schudde me door elkaar en slonk toen weg tot een sneller ritme en een ander soort muziek. Iemand raakte mijn arm aan en ik deed mijn ogen open.

'Rachel?'

Het was Kisten en ik glimlachte. 'Je danst goed,' zei ik. 'Wil je met mij dansen?'

Hij schudde zijn hoofd en keek naar de vampier die mij overeind hield. 'Help me even om haar naar buiten te brengen. Shit zeg, dit is echt heel raar.'

'Stoute, stoute jongen,' brabbelde ik, terwijl mijn ogen weer dichtvielen. 'Niet van die lelijke woorden zeggen.'

Een zacht gegiechel ontsnapte mij, wat overging in een gilletje van verrukking toen iemand me optilde om me in zijn armen te dragen. Ik huiverde toen het lawaai minder werd en mijn hoofd tegen iemands borst viel. Het was een lekker warm plekje, en ik nestelde me ertegenaan. De denderende beat ging over in geanimeerde gesprekken en het gekletter van porselein. Er lag een dikke deken over me heen en ik protesteerde meteen toen iemand een deur opendeed en ik de koude lucht op mijn gezicht voelde.

De muziek en het gelach achter mij veranderden in een ijzige stilte die alleen werd verbroken door twee paar voetstappen over knerpende sneeuw en het geluid van een auto die openging. 'Zal ik er niet iemand bij laten komen?' hoorde ik een man vragen op het moment dat een onaangename koude luchtstroom mij deed rillen.

'Nee. Ik denk dat ze alleen wat frisse lucht nodig heeft. Als ze tegen de tijd dat we er zijn nog niet is opgeknapt, bel ik Ivy wel.'

'Goed, rustig aan dan maar, baas,' zei de eerste stem.

Ik zakte omlaag en even later voelde ik een koude leren bank tegen mijn wang. Met een diepe zucht, kroop ik nog wat dieper onder de deken die naar Kisten en naar leer rook. Mijn vingers tintelden en ik hoorde mijn hartslag en voelde mijn bloed stromen. Ik schrok zelfs niet van het dichtvallende portier. Het plotselinge aanslaan van de motor klonk rustgevend en terwijl de bewegingen van de auto mij in slaap wiegden, had ik kunnen zweren dat ik monniken hoorde zingen.

Ik werd wakker van het vertrouwde gehobbel van rijden over een spoorlijn en mijn hand schoot automatisch naar de deurknop, voordat de deur open kon vallen. Ik zette grote ogen op toen mijn knokkels een onbekende deur raakten. O, ja. Ik zat niet in Nicks pick-up; ik zat in Kistens Corvette.

Ik verstijfde, zakte nog wat dieper weg en staarde naar de deur met Kistens leren jas als een deken over me heen gedrapeerd. Ik hoorde hoe Kisten de muziek wat zachter zette. Hij wist dat ik wakker was. Mijn gezicht begon te gloeien en ik wilde dat ik net kon doen of ik nog buiten westen was.

Somber kwam ik overeind en trok Kistens lange jas om me heen, of in elk geval zo goed en zo kwaad als dat ging in de beperkte ruimte van de auto. Ik wilde hem niet aankijken en keek in plaats daarvan uit het raam om te zien waar we ergens waren in de Hollows. Het was druk op straat en volgens het klokje op het dashboard liep het tegen tweeën. Ik was tegen de vlakte gegaan als de eerste de beste dronkenlap voor het oog van een groot deel van Cincinnati's meest vooraanstaande vampiers, helemaal high van hun feromonen. Waarschijnlijk hadden ze gedacht dat ik een zwak, mager heksje was dat niets kon hebben.

Kisten draaide zich naar me om terwijl hij vaart minderde voor een stoplicht. 'Blij dat je er weer bent,' zei hij zachtjes.

Met mijn lippen stijf op elkaar geperst, voelde ik zo onopvallend mogelijk aan mijn hals om mezelf ervan te verzekeren dat alles nog was zoals ik het had achtergelaten. 'Hoe lang ben ik bewusteloos geweest?' vroeg ik. *Dit gaat wonderen doen voor mijn reputatie.*

Kisten schakelde naar de eerste versnelling. 'Je bent niet bewusteloos geweest. Je bent in slaap gevallen.' Het licht sprong op groen en hij trok op tot vlak achter de auto vóór ons om hem te dwingen in beweging te komen. 'Buiten westen raken wijst op een gebrek aan zelfbeheersing. In slaap vallen is wat je doet wanneer je moe bent.' Terwijl we over het kruispunt reden keek hij me aan. 'Iedereen wordt wel eens moe.'

'Maar niemand valt in slaap in een dansclub,' zei ik. 'Ik ben bewusteloos geraakt.' Ik zocht in mijn herinneringen, die zo helder waren als wijwater in plaats van barmhartig vaag, en kreeg een vuurrode kleur. Gesuikerd, had hij het genoemd. Mijn bloed was gesuikerd. Ik wilde naar huis. Ik wilde naar huis, heel diep wegkruipen in de priesterschuilplaats die de elfen in het trappenhuis van de klokkentoren hadden gevonden, en gewoon doodgaan.

Kisten zweeg, maar ik voelde dat hij iets wilde gaan zeggen zodra hij het had gecontroleerd en goed bevonden aan de hand van zijn minzaamheidsmeter. 'Het spijt me,' zei hij, hetgeen mij verraste, maar het feit dat hij toegaf ergens schuldig aan te zijn voedde mijn woede alleen maar in plaats van hem te sussen. 'Het was stom van me om je mee te nemen naar Piscary's zonder eerst uit te zoeken of heksenbloed gesuikerd kon worden.' Hij klemde zijn kaken op elkaar. 'En het is niet zo erg als je denkt.'

'Dat zal wel,' mompelde ik, met mijn hand onder mijn stoel voelend tot ik mijn avondtasje had gevonden. 'Ik wed dat de halve stad het inmiddels weet. "Hé, heeft er iemand zin om morgen mee te gaan naar Morgan om te zien hoe ze wordt gesuikerd? We hoeven het alleen maar met een heel stel ontzettend naar onze zin te hebben en hop, daar gaat ze! Láchen jongen!"'

Kisten hield zijn aandacht bij de weg. 'Zo is het helemaal niet gegaan. En er waren daar meer dan tweehonderd vampen, van wie een groot deel ondood was.'

'En moet ik me daar beter van voelen?'

Met stijve bewegingen haalde hij zijn mobieltje uit zijn zak, drukte een knopje in gaf het aan mij.

'Ja?' vroeg ik in de telefoon, bijna snauwend. 'Met wie?'

'Rachel? God, is alles goed met je? Ik zweer je dat ik hem vermoord voor het feit dat hij je heeft meegenomen naar Piscary's. Hij zei dat je gesuikerd bent geraakt. Heeft hij je gebeten?'

'Ivy!' stamelde ik en keek toen naar Kisten. 'Heb je het tegen Ivy verteld? Nou, je wordt bedankt. Wil je misschien ook nog mijn moeder bellen?'

'Alsof Ivy er anders niet was achter gekomen,' zei hij. 'Ik wilde liever dat ze het van mij zou horen. Bovendien maakte ik me zorgen om je,' voegde hij eraan toe, mijn volgende uitbarsting in de kiem smorend.

'Heeft hij je gebeten!' zei Ivy, mijn aandacht afleidend van zijn laatste woorden. 'Nou?'

Ik richtte me weer tot de telefoon. 'Nee,' zei ik, aan mijn hals voelend. *Hoewel ik geen idee heb waarom. Ik ben zo stom geweest.*

'Kom naar huis,' zei ze en mijn woede sloeg om in opstandigheid. 'Als iemand je heeft gebeten, merk ik dat meteen. Kom naar huis, zodat ik je kan ruiken.'

Ik maakte een protesterend geluid. 'Ik kom niet naar huis om aan me te laten ruiken! Ze zijn daar allemaal heel aardig voor me geweest. En het was heerlijk om me vijf rottige minuten lang eens helemaal te laten gaan.' Ik wierp een woedende blik op Kisten, want ik begreep waarom hij de telefoon aan mij had gegeven om met Ivy te praten. De manipulerende rotzak glimlachte. Hoe kon ik boos op hem blijven terwijl ik hem aan het verdedigen was?

'Ben je in vijf minuten gesuikerd geraakt?' vroeg Ivy vol afgrijzen.

'Inderdaad,' zei ik droogjes. 'Je zou het eens moeten proberen. Gewoon bij Piscary's gaan zitten en al die feromonen op je in laten werken. Alleen heb je kans dat ze jou er niet in laten. Waarschijnlijk zou je het plezier van de andere gasten bederven.'

Haar adem stokte en ik wenste onmiddellijk dat ik mijn woorden kon terugnemen. Shit. 'Ivy... het spijt me,' zei ik snel. 'Dat had ik niet moeten zeggen.'

'Ik wil Kisten graag even spreken,' zei ze zacht.

Ik likte met mijn tong over mijn lippen en voelde me ellendig. 'Tuurlijk.'

Met ijskoude vingers gaf ik de telefoon aan hem. Even keek hij me aan met die ondoorgrondelijke blik van hem. Hij luisterde even, mompelde iets wat ik niet kon verstaan en verbrak toen de verbinding. Terwijl hij het kleine, zilveren mobieltje in zijn zak stopte, probeerde ik zijn stemming te peilen.

'Gesuikerd?' vroeg ik, omdat ik vond dat ik eigenlijk wel moest weten wat er was gebeurd. 'Wil je me misschien vertellen wat dat precies is?'

Zijn handen gleden over het stuur en hij leek zich enigszins te ontspannen. Het licht van de straatlantaarns die wij passeerden wierp griezelige schaduwen op hem. 'Het is een mild kalmerend middel,' zei hij, 'dat vampiers uitscheiden wanneer ze zich verzadigd en ontspannen voelen. Een soort nagenieten na goeie seks? De eerste keer dat een van de nieuwste ondoden opeens gesuikerd raakte, kort nadat er alleen nog maar vampen in Piscary's mochten komen, kwam dat als een verrassing. Ze genoten er allemaal van, dus toen heb ik boven de tafeltjes maar weggehaald en er een lichtshow en een dj neergezet. Ik heb er een dansclub van gemaakt. Sindsdien raakte iedereen gesuikerd.'

Hij zweeg even toen we een scherpe bocht maakten om een enorm parkeerterrein bij de rivier op te rijden. Langs de kant lagen sneeuwhopen van bijna twee meter hoog. 'Het is een natuurlijke roes,' zei hij, terwijl hij terugschakelde en langzaam naar een klein groepje auto's reed die vlak voor een vrolijk verlichte boot stonden. 'En nog legaal ook. Iedereen vindt het fijn en inmiddels spelen ze zelf politieagentje door iedereen eruit te gooien die alleen maar even een snelle slok bloed komt halen en degenen in bescherming te nemen die met een akelig gevoel binnenkomen en in slaap vallen, zoals met jou is gebeurd. Het heeft nog een positief effect ook. Vraag maar aan die FIB-kapitein van je. Het aantal gewelddadige misdrijven gepleegd door jonge, alleenstaande vampen is gedaald.'

'Je meent het,' zei ik en bedacht me dat het klonk als een informele steungroep voor vampiers. *Misschien moet Ivy ook eens gaan. Of misschien toch maar liever niet. Zij zou het voor de rest verpesten.*

'Je zou er niet zo ontvankelijk voor zijn geweest als je het niet zo nodig had gehad,' zei hij, terwijl hij de wagen parkeerde.

'O, dus het is *mijn* schuld,' zei ik droogjes.

'Niet doen,' zei hij, met een scherpe klank in zijn stem. 'Ik heb je vanavond al een keer tegen me laten schreeuwen. Nu moet je de zaken niet gaan omdraaien. Hoe meer je het nodig hebt, hoe heftiger het je treft. Dat is alles. Daarom keek niemand je er ook op aan – ze zullen eerder een beetje vriendelijker over je denken.'

Toch een beetje uit het veld geslagen, trok ik een verontschuldigend gezicht. 'Sorry.' Eigenlijk beviel het me wel dat hij te slim was om zich te laten manipuleren door valse vrouwelijke logica. Het maakte hem interessanter. Langzaam ontspande hij zich en zette de verwarming en de zachtjes spelende cd uit.

'Jij had verdriet vanbinnen,' zei hij toen hij de cd van de zingende monniken eruit haalde en terug stopte in het hoesje. 'Verdriet om Nick. Ik heb gezien hoeveel verdriet je al hebt sinds je die lijn door hem hebt getrokken en hij zo bang van je is geworden. En zij vonden het fijn om te zien hoe jij je ontspande.' Hij glimlachte afwezig. 'Het gaf hun een goed gevoel dat de grote boze heks die Piscary in elkaar heeft geslagen hen vertrouwde. Vertrouwen is iets wat wij niet vaak krijgen, Rachel. Levende vampiers smachten er bijna net zo hevig naar als naar bloed. Het is ook de reden waarom Ivy in staat is iedereen te vermoorden die een bedreiging vormt voor jouw vriendschap met haar.'

Ik zei niets en keek alleen maar voor me uit, terwijl alles me langzaam duidelijk begon te worden.

'Dat wist je niet, hè?' voegde hij eraan toe en ik schudde mijn hoofd, niet erg op mijn gemak bij het analyseren van mijn relatie met Ivy. Het begon koud te worden in de auto en ik rilde.

'En het feit dat je je kwetsbaar opstelde heeft je reputatie ongetwijfeld ook geen kwaad gedaan,' zei hij. 'Dat je je niet door hen bedreigd voelde en het gewoon liet gebeuren.'

Ik keek naar de boot die voor ons lag en versierd was met knipperende feestverlichting. 'Ik had geen keus.'

Hij stak zijn hand uit en trok zijn jas wat rechter om mijn schouders. 'Die had je wel.'

Kisten liet zijn hand zakken en ik glimlachte zwakjes. Ik was nog niet overtuigd, maar voelde me nu in elk geval niet meer zo'n ontzettende oen. In gedachten liep ik de gebeurtenissen nog eens na: het langzame afglijden van een toestand van ontspanning in een diepe slaap en de manier waarop iedereen om me heen daarop reageerde. Niemand had me uitgelachen. Ik had me op mijn gemak gevoeld, veilig. Begrepen. En ik had van niemand ook maar een greintje bloeddorst gevoeld.

Ik had niet geweten dat vampiers zo ook konden zijn.

'Lijndansen, Kisten?' vroeg ik en ik voelde een spottend glimlachje opkomen.

Hij liet een nerveus lachje horen en boog zijn hoofd. 'Hé, eh, zou je dat alsjeblieft niet verder willen vertellen?' vroeg hij, en ik zag de randjes van zijn oren rood worden. 'Wat binnen de muren van Piscary's gebeurt, blijft binnen de muren van Piscary's. Dat is een ongeschreven wet.'

In een opwelling stak ik mijn hand uit en streelde met één vinger de rand van zijn rode oor. Hij straalde en draaide zich om, om mijn hand te pakken en zijn lippen over mijn vingers te laten glijden. 'Tenzij je een verbod wilt krijgen om er ooit nog een voet over de drempel te zetten,' zei hij.

Zijn adem op mijn vingers bezorgde me een rilling en ik trok mijn hand weg. Zijn beschouwende blik boorde zich regelrecht in mijn ziel en vormde knopen in mijn maag van de zenuwen. 'Je zag er geweldig uit daarbinnen,' zei ik, zonder me erom te bekommeren of ik hier wel verstandig aan deed. 'Doen jullie ook aan karaokeavonden?'

'Mmmm,' mompelde hij en leunde met een kwajongensblik tegen de deur. 'Karaoke. Geen slecht idee. Op dinsdag is het nooit zo druk, dan krijgen we nooit genoeg mensen binnen voor een goeie roes. Maar misschien lukt het daar wel mee.'

Om mijn glimlach te verbergen richtte ik mijn aandacht op de boot. Even zag ik Ivy voor me die op het podium 'Round Midnight' stond te zingen, maar het beeld was meteen weer verdwenen. Kisten volgde mijn blik naar de boot. Het was een van die nieuw gebouwde rivierboten, twee verdiepingen hoog en vrijwel helemaal dicht. 'Ik wil je ook wel naar huis brengen, als je dat liever wilt,' zei hij.

Mijn hoofd schuddend, trok ik zijn jas om me heen en snoof de geur van leer op. 'Nee, ik wil wel eens zien hoe jij voor zestig dollar een boottochtje met een dineetje voor twee personen voor elkaar krijgt.'

'We gaan hier niet dineren. Dit is gewoon amusement.' Hij streek met een handig gebaar zijn haar uit zijn gezicht.

Opeens ging mij een lichtje op. 'Het is een gokboot,' zei ik. 'Dat is niet eerlijk. Alle gokboten zijn eigendom van Piscary. Hier hoef je niets voor te betalen.'

'Dit is geen boot van Piscary.' Kisten stapte uit en liep om de auto heen om het portier voor mij te openen. Hij zag er goed uit in zijn wollen jas, zoals hij daar stond te wachten tot ik was uitgestapt.

'O,' zei ik, toen mij nog wat lichtjes op gingen. 'We komen hier om een kijkje te nemen bij de concurrentie?'

'Zoiets, ja.' Hij boog zich naar voren en keek me aan. 'Kom je? Of gaan we weer weg?'

Zolang hij zijn fiches hier niet gratis kreeg, viel het binnen onze afspraak. Bovendien had ik nog nooit eerder gegokt. Misschien was het wel heel leuk. Ik accepteerde zijn hand en liet me door hem uit de auto helpen.

Snel liepen we naar de loopplank. Onder aan de loopplank stond een man in een anorak en handschoenen ons op te wachten en terwijl Kisten even met hem stond te praten, keek ik naar de waterlijn van de boot. Rijen luchtbelletjes voorkwamen dat de rivierboot helemaal ingesloten zou worden door het ijs. Het was waarschijnlijk duurder dan de boot op het droge halen voor de winter, maar stadsverordeningen bepaalden dat je alleen maar op de rivier mocht gokken. En ook al lag de boot aangemeerd, hij lag toch in het water.

Na iets in een radio te hebben gezegd, liet de grote man ons passeren. Kisten legde een hand op mijn rug en duwde me vooruit. 'Ik ben blij dat ik je jas mocht lenen,' zei ik, terwijl mijn laarzen over de loopplank kletterden. Even later stonden wij in een overdekte gang. Het laagje sneeuw dat vanavond was gevallen was inmiddels bevroren en ik veegde het in natte hoopjes van de reling in het open water.

'Graag gedaan,' zei hij, op een half houten, half glazen deur wijzend. Er stonden twee met elkaar verstrengelde hoofdletters S op afgebeeld. Toen Kisten de deur opendeed en wij over de drempel stapten, voelde ik een vleugje leylijnkracht door me heen trekken, waardoor ik een rilling niet kon onderdrukken. Waarschijnlijk was het de antiknoeibezwering van het casino, maar ik kreeg er kippenvel van, alsof ik olie inademde in plaats van lucht.

Een andere grote man in een smoking – een heks, aan de bekende geur van roodhout te ruiken – heette ons welkom en nam onze jassen aan. Kisten tekende het gastenboek en noteerde mij als 'gast'. Beledigd schreef ik mijn eigen naam onder de zijne, in grote, sierlijke krulletters die bijna drie hele regels in beslag namen. De pen liet mijn vingers tintelen en voordat ik hem neerlegde keek ik even naar het metalen staafje. Al mijn alarmbellen rinkelden, en terwijl Kisten voor bijna het hele bedrag dat dit avondje uit mocht kosten één enkele fiche kocht, trok ik een nauwkeurige streep door zowel mijn eigen naam als die van Kisten, om te voorkomen dat onze handtekeningen eventueel zouden worden gebruikt als focusobjecten voor een leylijnbezwering.

'En dat doe je omdat...' vroeg Kisten, terwijl hij mijn arm pakte.

'Laat mij nu maar.' Ik glimlachte naar de stoïcijns uit zijn ogen kijkende heks in smoking die bij het gastenboek stond. Er bestonden wel subtielere manieren om dergelijke diefstallen van focusvoorwerpen te voorkomen, maar ik kende ze niet. En dat ik zojuist onze gastheer had beledigd interesseerde me totaal niet. Ik kwam hier toch nooit meer terug.

Kisten hield me bij mijn arm zodat ik op mijn gemak iedereen die van de goktafel naar me opkeek kon toeknikken alsof ik heel belangrijk was. Ik was blij dat Kisten me had gekleed; in wat ik zelf had uitgekozen had ik er hier uitgezien als een hoertje. De eiken- en teakhouten lambrisering deed warm aan en het zachte, groene tapijt voelde door mijn laarzen heen heerlijk aan onder mijn voeten. Voor de weinige ramen hingen wijnrode en zwarte gordijnen, die waren opengetrokken om de lichtjes van Cincinnati te laten zien. Het was warm en er hing een geur van opwinding en veel mensen bij elkaar. Het gerinkel van fiches en alle andere geluiden om mij heen maakten dat mijn hart sneller begon te kloppen.

Het lage plafond had claustrofobisch kunnen zijn, maar was het niet. Er stonden twee tafels voor blackjack, een dobbeltafel, een roulettetafel en een hele rij eenarmige bandieten. In de hoek stond een kleine bar. Als mijn intuïtie me niet bedroog, was vrijwel het voltallige personeel heks of tovenaar. Ik vroeg me af waar de pokertafel stond. Boven, misschien? Het was het enige spel dat ik kende. Nou ja, behalve blackjack, maar dat was voor watjes.

'Wat dacht je van een spelletje blackjack?' vroeg Kisten, terwijl hij mij die richting op leidde.

'Mij best,' zei ik, glimlachend.

'Wil je iets drinken?'

Ik keek naar de mensen om me heen. Bijna iedereen dronk cocktails, met uitzondering van één enkele man met een biertje. Hij dronk het rechtstreeks uit het flesje, wat zijn hele *look* verknoeide, op zijn smoking na dan. *'Dead Man's Float?'* vroeg ik en Kisten hielp me op een kruk. 'Met een dubbele portie ijs?'

De wachtende serveerster knikte en na Kistens bestelling te hebben opgenomen, liep de oudere heks weg. 'Kisten?' Ik keek omhoog, aangetrokken door een enorme schijf van grijs metaal die aan het plafond hing. Stroken glanzend metaal straalden er aan alle kanten van uit, als een stralende zon, helemaal tot aan de randen van het plafond. Misschien was het decoratie, maar ik wilde wedden dat het metaal achter de houten lambrisering en zelfs onder de vloer door liep. 'Kisten, wat is dat?' fluisterde ik, hem aanstotend.

Hij keek naar de schijf. 'Dat zal wel met hun beveiligingssysteem te maken hebben.' Hij keek mij lachend aan. 'Sproetjes,' zei hij. 'Zelfs zonder de amuletten ben je hier de allermooiste vrouw.'

Ik bloosde om het compliment – nu wist ik dus zeker dat de gigantische schijf meer was dan art deco – maar toen hij zich weer omdraaide naar de gever, keek ik angstig in de spiegel naast de trap. Mijn schouders zakten omlaag toen ik mezelf in mijn geraffineerde outfit zag met sproeten en met haar dat alweer begon te kroezen. De hele boot was een geen-bezweringenzone – in elk geval voor ons aardheksen die gebruikmaakten van amuletten – en ik vermoedde dat er in die grote paarse schijf ook nog iets zat om leylijnheksen tegen te houden.

Het feit dat de boot in het water lag bood ook al enige bescherming tegen geknoei met leylijnmagie, want je kon geen lijn over water aanboren, tenzij je een omweg maakte via een familiaar. Naar alle waarschijnlijkheid temperde het beveiligingssysteem van de boot reeds geactiveerde leylijnbezweringen en spoorde het iedereen op die een familiaar gebruikte om een nieuwe leylijn aan te boren. Vroeger had ik een kleinere uitvoering ervan op mijn reeds lang geleden verdwenen i.s.-handboeien zitten.

Terwijl Kisten met grootse gebaren zijn fiche van een schamele vijftig dollar inzette, leunde ik naar achteren en bestudeerde de gasten. Er zaten er een stuk of dertig, allemaal goed gekleed en de meesten ouder dan Kisten en ik. Ik fronste toen ik me realiseerde dat Kisten hier de enige vamp was: heksen, Weren en een enkele mens met rode ogen die al lang op bed had moeten liggen, maar geen vampiers.

Ik had het gevoel dat hier iets niet klopte, dus terwijl Kisten met een paar keer spelen zijn geld verdubbelde, liet ik mijn aandacht los en probeerde de ruimte om me heen met mijn tweede gezicht te zien. Ik hield er niet van mijn tweede gezicht te gebruiken, vooral 's avonds niet, wanneer ik er een laagje hiernamaals overheen kon zien liggen, maar ik kreeg toch liever de kriebels dan dat ik niet wist wat er gebeurde. Even vroeg ik me af of Algaliarept nu wist wat ik deed, maar toen besloot ik dat dat onmogelijk was, tenzij ik gebruikmaakte van een lijn. Wat ik natuurlijk niet ging doen.

Ik deed mijn ogen dicht zodat mijn weinig gebruikte tweede gezicht niet hoefde te concurreren met mijn normale zicht en na een mentaal duwtje, opende ik mijn geestesoog. Onmiddellijk begonnen de plukjes haar die zich uit mijn kapsel hadden losgewerkt te wapperen in de wind die altijd waaide in het hiernamaals. De herinnering aan de boot verdween en in plaats daarvan verscheen het verwoeste landschap van de demonenstad.

Er ontsnapte mij een zachte kreet van afschuw en opeens wist ik weer waarom ik dit nooit zo dicht bij het centrum van Cincinnati deed; de demonenstad lag in puin en zag er afschuwelijk uit. De wassende halve maan stond waarschijnlijk al aan de hemel en de onderkant van de wolken had een rode gloed, die de grimmige cascade van verwoeste gebouwen en puinhopen met hier en daar wat groens verlichtte met een waas dat alles bedekte en mij het gevoel gaf dat ik op de een of andere manier met iets glibberigs was bedekt. Er werd wel beweerd dat demonen onder de grond leefden en toen ik zag wat ze hadden gedaan met hun stad – die gebouwd was op dezelfde leylijnen als Cincinnati – vroeg ik me niet langer af waarom. Ooit had ik het hiernamaals overdag gezien. Dat was niet veel beter.

Ik bevond me niet in het hiernamaals, ik keek er alleen naar, maar toch voelde ik me niet op mijn gemak, vooral niet toen ik me realiseerde waarom alles zoveel duidelijker leek dan anders. Dat kwam natuurlijk doordat ik bedekt was met Algaliarepts zwarte aura. Denkend aan de overeenkomst waar ik ternauwernood onderuit was gekomen, deed ik mijn ogen open, biddend dat Algaliarept geen manier zou vinden om mij door de lijnen heen te gebruiken, zoals hij had gedreigd.

De gokboot zag er nog net zo uit als ik hem had achtergelaten en de geluiden die mij mentaal bij de werkelijkheid hadden gehouden kregen weer betekenis. Ik gebruikte nu zowel mijn eerste als mijn tweede gezicht en voordat mijn tweede gezicht zich kon laten overdonderen en verdwaald kon raken, keek ik snel om me heen.

Mijn oog werd onmiddellijk getrokken door de metalen schijf in het plafond en mijn mond vertrok van afkeer. Hij was bedekt met een dikke, pulserende paarse laag. Ik wist bijna zeker dat dat het was wat ik bij het binnenkomen had gevoeld.

Wat me echter het meest interesseerde was de aura van alle anderen. De mijne kon ik zelf niet zien, zelfs niet wanneer ik in de spiegel keek. Nick had me eens verteld dat hij goudgeel van kleur was – hoewel nu toch niemand hem meer kon zien onder die van Al. Kistens aura had een gezonde, warme oranjerode kleur, met rond zijn hoofd hier en daar wat geel en ik glimlachte. Hij gebruikte zijn hoofd om beslissingen te nemen, niet zijn hart; het verbaasde me niets. Er zat geen zwart in, hoewel verder vrijwel iedereen in de zaal wel iets donkers in zijn aura had, realiseerde ik me terwijl ik om me heen keek.

Ik onderdrukte een schrikreactie toen ik een jonge man vanuit een hoekje naar me zag kijken. Hij was in smoking, maar voelde zich er duidelijk gemakkelijk in. Hij had niet dat stijve, arrogante van de portier of de professionele saaiheid van de gevers. En aan het volle glas dat bij zijn hand stond zag ik dat hij een klant was, geen personeel. Zijn aura was zo donker dat je bijna niet kon zien of hij donkerblauw was of donkergroen. Er liep ook een vleugje demonenzwart doorheen en ik schaamde dood dat hij, als hij me met zijn tweede gezicht zat te bekijken – wat ongetwijfeld het geval was – kon zien dat ik bedekt was met Algaliarepts zwarte slijm.

Met zijn kin op zijn naar binnen gekrulde vingers leunend, nam hij mij vanaf de andere kant van de zaal van top tot teen op. Hij was diep gebronsd – wat ik knap vond, midden in de winter – en dat in combinatie met hier en daar wat lichte plukjes in zijn overigens zwarte haar, deed me vermoeden dat hij niet uit deze streek kwam, maar uit een van de warme staten. Hij was niet bijzonder goed gebouwd of bijzonder aantrekkelijk, maar hij maakte zo'n zelfverzekerde indruk dat hij toch mijn interesse wekte. Hij zag er ook rijk uit, maar dat gold voor elke man in smoking.

Mijn blik gleed van hem naar de man die bier zat te drinken en kwam tot de conclusie dat je ondanks je smoking toch wel uit een achterbuurt kon komen. Glimlachend richtte ik mijn aandacht weer op de zonaanbidder.

Hij zat nog steeds naar mij te kijken en toen hij mij zag glimlachen, deed hij hetzelfde en hield daarbij zijn hoofd een beetje scheef, alsof hij me uitnodigde voor een gesprekje. Ik wilde mijn hoofd al schudden, maar bedacht me toen. Waarom eigenlijk niet? Als ik dacht dat Nick nog terugkwam hield ik mezelf voor de gek. En mijn afspraakje met Kisten was eenmalig.

Me afvragend of zijn zwarte auravlekken van een demonenteken kwamen, concentreerde ik me om voorbij zijn ongebruikelijk donkere aura te kijken. Terwijl ik dat deed, lichtte de paarse gloed die van het plafond kwam ietwat gelig op.

De man schrok en keek naar het plafond. Ik zag de schrik op zijn gladgeschoren gezicht. Er werd van drie kanten tegelijk iets geroepen en bij mijn vergeten elleboog hoorde ik Kisten vloeken toen de gever zei dat er met zijn kaarten was geknoeid en dat het spel stil zou worden gelegd tot hij een nieuw spel kon aanbreken.

Op dat moment raakte ik mijn tweede gezicht helemaal kwijt, toen de heks die bij het gastenboek stond mij aanwees aan een tweede man die er, gezien het ontbreken van enige uitdrukking op zijn gezicht, uitzag als iemand van de beveiligingsdienst.

'O, shit,' zei ik, terwijl ik me omdraaide en mijn *Dead Man's Float* oppakte.

'Wat?' vroeg Kisten geïrriteerd terwijl hij zijn gewonnen fiches op kleur sorteerde.

Mijn gezicht vertrok en ik keek hem over de rand van mijn glas aan. 'Volgens mij heb ik iets heel stoms gedaan.'

‘Wat heb je gedaan, Rachel?’ vroeg Kisten op effen toon, maar verstijvend toen hij over mijn schouder keek.

‘Niks!’ riep ik uit. De gever schonk me een vermoeide blik en verbrak het zegel van een nieuw spel kaarten en ik draaide me niet om toen ik een aanwezigheid achter me voelde.

‘Is er een probleem?’ vroeg Kisten. Hij richtte zijn blik ongeveer een meter boven mijn hoofd. Toen ik me langzaam omdraaide, stond daar een heel, heel grote man in een heel, heel grote smoking.

‘Ik zou de dame graag even willen spreken,’ donderde zijn stem.

‘Ik heb niks gedaan,’ zei ik snel. ‘Ik bekeek alleen de, eh, beveiliging...’ besloot ik zwakjes. ‘Beroepsmatige interesse. Hier. Dit is mijn visitekaartje. Ik zit zelf ook in de beveiliging.’ Ik rommelde in mijn avondtasje om een kaartje te vinden en gaf er een aan hem. ‘Heus, het was niet mijn bedoeling ergens mee te knoeien. Ik heb niet eens een lijn aangeboord. Eerlijk waar niet.’

Eerlijk? Hoe stom klonk dat? Mijn zwarte visitekaartje zag er heel klein uit in zijn enorme handen en hij keek ernaar en las het snel door. Hij maakte oogcontact met een vrouw die onder aan de trap stond. Zij haalde haar schouders op en zei geluidloos: 'Ze heeft geen lijn gebruikt.' De man draaide zich naar me om. 'Dank u, juffrouw Morgan,' zei hij en ik voelde mijn schouders ontspannen. 'Ik wil u alleen vragen in het vervolg uw aura niet meer over de huisbezweringen te laten gelden.' Er kon geen glimlachje vanaf. 'De volgende keer zullen wij u verzoeken te vertrekken.'

'Tuurlijk, geen probleem,' zei ik, terwijl ik weer door begon te ademen.

Hij liep weg en om ons heen werd het gokken hervat. Kistens blik toonde zijn ergernis. 'Kan ik je dan nergens mee naartoe nemen?' zei hij droogjes, terwijl hij zijn fiches in een klein emmertje deed en aan mij overhandigde. 'Hier, ik ga even naar het toilet.'

Ik stond hem wezenloos aan te kijken toen hij me nog even een waarschuwende blik schonk alvorens me achter te laten in een casino met een emmertje fiches en geen idee wat ik ermee moest doen. Ik draaide me om naar de gever achter de blackjacktafel en hij trok vragend zijn wenkbrauwen op. 'Laat ik maar iets anders gaan spelen,' zei ik, van de kruk glijdend en hij knikte.

Met mijn avondtasje onder mijn arm geklemd, stond ik, met mijn fiches in mijn ene hand en mijn drankje in mijn andere, om me heen te kijken. De zonaanbidder was verdwenen en ik onderdrukte een zucht van teleurstelling. Toen ik naar de fiches keek zag ik dat weer diezelfde verstrengelde S'en erop stonden afgebeeld. Zonder zelfs maar te weten hoeveel mijn fiches waard waren, slenterde ik in de richting van de dobbeltafel.

Ik glimlachte naar twee mannen die een eindje opschoven om plaats voor mij te maken, zette mijn drankje en de fiches op de lage rand van de tafel en probeerde er intussen achter te komen waarom sommige mensen blij waren met de vijf die aan de bovenkant van de dobbelsteen verscheen en anderen juist helemaal niet. Een van de heksen die plaats voor me had gemaakt stond wel erg dichtbij en ik vroeg me af wanneer hij zijn openingszin op me af zou vuren. En ja hoor, nadat de volgende dobbelsteen was gerold schonk hij me een brede grijns en zei: 'Hier ben ik. Wat zijn je laatste twee wensen?'

Mijn hand beefde en ik deed mijn best om hem stil te houden. 'O, alsjeblieft,' zei ik. 'Hou toch op.'

'O, goede manieren, schatje,' zei hij hardop in een poging mij in verlegenheid te brengen, maar dat kon ik zelf veel beter dan hij.

De geluiden om me heen leken te verdwijnen toen ik mijn aandacht op hem richtte. Beledigd als ik was, stond ik net op het punt hem een veeg uit de pan te geven toen zonaanbidder opeens opdook. 'Meneer,' zei hij op kalme toon, 'dat was de slechtste openingszin die ik ooit heb gehoord. Hij was niet alleen beledigend, maar getuigde ook van een ernstig gebrek aan gezond verstand. Ik zie dat u de jongedame lastigvalt. Het lijkt me beter dat u vertrekt voordat zij u blijvende schade toebrengt.'

Hij nam me in bescherming, maar liet intussen doorschemeren dat ik heel goed voor mezelf kon zorgen, wat ik al knap vond om in één alinea te bewerkstelligen, laat staan in één zin. Ik was onder de indruk.

Het openingszinnenwonder haalde een keer diep adem, wierp toen een korte blik over mijn schouder en veranderde van gedachten. Mopperend pakte hij zijn drankje en de arm van zijn vriend die aan mijn andere kant zat en vertrok.

Mijn schouders ontspanden zich en ik wendde me met een diepe zucht tot zonaanbidder. 'Bedankt,' zei ik, hem nog eens goed bekijkend. Hij had bruine ogen en smalle lippen en wanneer hij lachte, lachte zijn hele gezicht mee, voluit en oprecht. Er zat een Aziatische voorouder in zijn niet al te verre verleden, van wie hij zijn steile zwarte haar had geërfd en zijn kleine neus en mond.

Hij boog zijn hoofd, kennelijk in verlegenheid gebracht. 'Geen dank. Ik moest iets doen om die openingszin goed te maken, voor alle mannen die hem gebruiken.' Er verscheen een blik van valse oprechtheid op zijn krachtige gezicht. 'Wat zíjn je twee andere wensen?' vroeg hij grinnikend.

Ik lachte en richtte mijn aandacht weer op de dobbeltafel.

'Mijn naam is Lee,' zei hij, de stilte verbrekend voordat hij ongemakkelijk zou worden.

'Rachel,' zei ik, opgelucht toen hij me zijn hand toestak. Hij rook naar zand en roodhout en liet zijn slanke vingers in mijn hand glijden om mij net zo stevig de hand te drukken als ik hem. We rukten onze handen los en ik keek hem aan toen er per ongeluk wat leylijnenergie tussen ons heen en weer schoot.

'Sorry,' zei hij, zijn hand achter zijn rug verbergend. 'Kennelijk staat een van ons op een laag pitje.'

'Dat zal ik wel zijn,' zei ik, weigerend mijn hand af te vegen. 'Ik sla geen leylijnenergie op in mijn familiaar.'

Lee's wenkbrauwen gingen omhoog. 'Echt niet? Ik zag toevallig hoe je de beveiliging zat te bekijken.'

Nu bracht hij me echt in verlegenheid en ik nam een slokje van mijn drankje en draaide me om, om met mijn ellebogen op de tafelrand te leunen. 'Dat was een ongelukje,' zei ik, terwijl de amberkleurige dobbelsteen voorbij rolde. 'Het was niet mijn bedoeling een alarm af te laten gaan. Ik wilde alleen – eh – jou wat beter kunnen zien,' besloot ik, hoogstwaarschijnlijk net zo rood als mijn haar. *O, god, ik was dit echt ongelooflijk aan het verpesten.*

Maar Lee leek het wel grappig te vinden. Zijn tanden leken spierwit in zijn zongebruinde gezicht. 'Ik ook.'

Hij had een leuk accent. Westkust, misschien? Zijn gemakkelijke manier van doen sprak me aan, maar toen hij een slokje van zijn witte wijn nam, zag ik een stukje van zijn pols onder zijn manchet tevoorschijn komen en leek mijn hart stil te staan. Hij had een litteken. Hij had net zo'n litteken als ik. 'Je hebt een demonente-' Hij keek me aan en ik slikte de rest van mijn woorden in. 'Sorry.'

Lee keek snel naar de gasten die vlak bij ons zaten. Niemand leek het te hebben gehoord. 'Geeft niet,' zei hij zacht, zijn bruine ogen half toegeknepen. 'Ik heb het per ongeluk opgelopen.'

Ik leunde met mijn rug tegen de tafel en begreep nu meteen waarom mijn demonkleurige aura hem geen angst had aangejaagd. 'Geldt dat niet voor iedereen?' zei ik, verrast toen hij zijn hoofd schudde. Ik dacht aan Nick en beet op mijn onderlip.

'Hoe ben je aan het jouwe gekomen?' vroeg hij en nu was het mijn beurt om zenuwachtig te zijn.

'Ik was stervende. Hij heeft me gered. Ik sta bij hem in de schuld voor een veilige doorgang door de lijnen.' Het leek me niet noodzakelijk Lee te vertellen dat ik de familiaar van de demon was. 'En jij?'

'Nieuwsgierigheid.' De herinnering deed hem zijn voorhoofd fronsen.

Zelf ook behoorlijk nieuwsgierig, nam ik hem nog eens goed op. Ik wilde Als naam niet zeggen en daarmee het contract verbreken dat we overeen waren gekomen toen hij mij zijn oproepnaam had gegeven, maar wilde wel weten of het om dezelfde demon ging. 'Hé, eh, draagt de jouwe ook groen fluweel?' vroeg ik.

Lee schrok op. Zijn bruine ogen werden groot onder zijn zwarte haar, maar toen verscheen er een glimlach van gedeelde problemen op zijn gezicht. 'Ja. Hij praat met een Brits accent – '

'En is dol op glazuursel en patat?' viel ik hem in de rede.

Lee boog grinnikend zijn hoofd. 'Ja, wanneer hij niet bezig is de gedaante aan te nemen van mijn vader.'

'Hoe bestaat het?' zei ik, een eigenaardige verwantschap met hem voelend. 'Het is dezelfde.'

Zijn mouw omlaag trekkend om het litteken te verbergen, leunde Lee tegen de dobbeltafel. 'Jij bent kennelijk heel handig met leylijnen,' zei hij. 'Geeft hij je instructies?'

'Nee,' zei ik nadrukkelijk. 'Ik ben een aardheks.' Ik toonde hem mijn vinger met mijn ringamulet en raakte even het kettinkje aan van de amulet om mijn hals die werd geacht mijn haar te ontkroezen.

Hij keek van het litteken op mijn pols naar het plafond. 'Maar je...' zei hij langzaam.

Ik schudde mijn hoofd en nam een slok van mijn drankje. Ik zat nog steeds met mijn rug naar het spel. 'Ik zei toch dat ik het per ongeluk deed. Ik ben geen leylijnheks. Ik heb er alleen een cursus in gevolgd. Nou ja, een halve eigenlijk. De docente overleed voordat de cursus ten einde was.'

Hij knipperde ongelovig met zijn ogen. 'Dr. Anders?' riep hij uit. 'Heb je een cursus gevolgd bij dr. Anders?'

'Heb je haar gekend?' Ik ging wat rechter zitten.

'Ik heb van haar gehoord.' Hij boog zich naar me toe. 'Zij was de beste leylijnheks ten oosten van de Mississippi. Ik ben hiernaartoe gekomen om colleges bij haar te volgen. Zij stond te boek als de allerbeste.'

'Dat was ze ook,' zei ik somber. Ze had beloofd me te helpen mijn vergissing om Nick tot mijn familiaar te binden ongedaan te maken. Nu was niet alleen het bezweringenboek verdwenen, maar was zij dood en daarmee ook al haar kennis. Ik besefte dat ik een beetje afwezig was en schoot overeind. 'Dus jij bent een student?' vroeg ik.

Lee legde zijn ellebogen op de rand van de tafel en keek hoe de dobbelstenen achter mij over de tafel rolden en stuiterden. 'Ik reis rond en leer overal wat,' zei hij. 'Ik ben jaren geleden al afgestudeerd aan Berkeley.'

'O, ik zou zo graag eens naar de kust gaan,' zei ik, met mijn halsketting spelend en me afvragend hoeveel van dit gesprek aan overdrijving leed. 'Maakt het zout daar alles niet veel moeilijker?'

Hij haalde zijn schouders op. 'Leylijnheksen hebben er niet zoveel last van. Ik heb altijd wel te doen met aardheksen, die vastzitten op een weg die hun geen macht geeft.'

Mijn mond viel open. Geen macht? Dat had hij gedacht. De kracht van aardmagie steunde net zozeer op leylijnen als de bezweringen van leylijnheksen. Dat het gefilterd werd door planten, maakte het minder agressief en misschien iets trager, maar zeker niet zwakker. Er was nog nooit een leylijnspreuk geschreven die iemands gestalte letterlijk kon veranderen. Dat noemde ik nog eens macht. Zijn opmerking toeschrijvend aan onwetendheid, ging ik er maar niet verder op in, omdat ik hem anders misschien weg zou jagen voordat ik de kans kreeg er eerst achter te komen wat een klootzak hij eigenlijk was.

'Moet je mij nou zien,' zei hij, duidelijk inziend dat hij zoiets stoms had gezegd dat hij net zo goed meteen in de grond kon zakken. 'Sta ik jou nota bene op te houden, terwijl je natuurlijk snel even wilde spelen voordat je vriendje terugkomt.'

'Hij is mijn vriendje niet,' zei ik, minder blij dan ik had kunnen zijn met zijn subtiele manier om erachter te komen wat mijn connectie met Kisten was. 'Ik zei een keer tegen hem dat hij me geen fatsoenlijk avondje uit kon bezorgen voor zestig dollar en die uitdaging heeft hij aangenomen.'

Lee keek om zich heen door het casino. 'En hoe gaat het tot nu toe?'

Ik nam een slokje van mijn drankje en kwam erachter dat het ijs jammergenoeg was gesmolten. Achter mij ging een luid gejuich op omdat er kennelijk iets goeds gebeurde. 'Tot nu toe ben ik gesuikerd en tegen de vlakte gegaan in een vampdansclub, beledigd door mijn huisgenote en heb ik het beveiligingssysteem van een casinoboot op tilt laten slaan.' Ik haalde nonchalant een schouder op. 'Niet slecht, zou ik zeggen.'

'Het is nog vroeg.' Lee's blik volgde de rollende dobbelstenen achter mij. 'Mag ik je iets te drinken aanbieden? Ik heb gehoord dat ze hier een goede huiswijn hebben. Ik geloof dat het een merlot is.'

Ik vroeg me af waar dit naartoe ging. 'Nee, dank je. Rode wijn... valt bij mij nooit zo goed.'

Hij grinnikte. 'Ik ben er ook niet echt dol op. Ik krijg er migraine van.'

'Ik ook,' riep ik zachtjes en oprecht verrast uit.

Lee gooide zijn haren uit zijn ogen. 'Als ik dat had gezegd, had je me er vast van beschuldigd dat ik je naar de mond probeerde te praten.' Ik glimlachte, een beetje verlegen opeens, en hij keek naar het gejuich rond de tafel. 'Je gokt niet, als ik het goed begrijp?' zei hij.

Ik keek achter me en toen weer naar hem. 'Kun je het zo goed aan me zien?'

Hij legde een hand op mijn schouder en draaide me om. 'Ze hebben zojuist drie vieren op rij gegooid en dat heb je niet eens gezien,' zei hij zachtjes, bijna in mijn oor.

Ik deed niets om hem te ontmoedigen of juist aan te moedigen en aan het plotselinge bonzen van mijn hart had ik ook al niet veel. 'O, is dat zo bijzonder dan?' vroeg ik, terwijl ik mijn best deed een luchtige toon aan te slaan.

'Hier,' zei hij, terwijl hij de man achter de dobbeltafel een teken gaf. 'Nieuwe speler,' zei hij.

'Ho, wacht even,' protesteerde ik. 'Ik heb geen idee hoe dit werkt.'

Lee pakte onverstoorbaar mijn emmertje met fiches en bracht me naar het hoofd van de tafel. 'Jij rolt, ik zet voor je in.' Hij zweeg even en keek mij met zijn bruine ogen onschuldig aan. 'Is dat... oké?'

'Tuurlijk,' zei ik, grinnikend. Wat kon mij het ook schelen? Kisten had me de fiches zelf gegeven. Dat hij er niet bij was om ze samen met mij te verspelen was niet mijn probleem. Eigenlijk hoorde hij me nu te leren dobbelen, niet de eerste de beste vent in een smoking. Waar bleef hij trouwens?

Terwijl ik de dobbelstenen oppakte keek ik naar de gezichten rond de tafel. De stenen voelden een beetje glibberig aan – als botjes bijna – en ik schudde ze.

'Wacht even...' Lee legde zijn hand over de mijne. 'Je moet ze eerst kussen. Eén keertje maar,' zei hij. Zijn stem klonk serieus, maar zijn ogen glinsterden. 'Als ze denken dat je toch wel van ze houdt, doen ze hun best niet voor je.'

'Oké,' zei ik. Ik bracht de dobbelstenen naar mijn lippen, maar weigerde toch echt ze te kussen. Ik bedoel, ja dág! Getver. Mensen schoven hun fiches heen en weer en met een hart dat sneller klopte dan het spelletje rechtvaardigde, wierp ik de stenen. Terwijl ze over de tafel dansten en stuiterden, keek ik naar Lee in plaats van naar de dobbelstenen.

Lee keek aandachtig toe en ik bedacht me dat, hoewel hij niet zo mooi was als Kisten, meer kans maakte om op de cover van een tijdschrift te komen dan Nick. Een doodgewone jongen, en nog een heks ook, mét een universitaire graad. Mijn moeder zou uit haar dak gaan als ik deze mee naar huis nam. Er moest bijna wel iets aan hem mankeren. *Nog afgezien van zijn demonenteken?* dacht ik nuchter. God, bescherm me tegen mezelf.

De reacties van de toeschouwers op de acht die ik gooide verschilden nogal. 'Niet goed?' vroeg ik aan Lee.

Hij haalde zijn schouders op toen hij de dobbelstenen oppakte die de man achter de tafel hem toeschoof. 'Het kan ermee door,' zei hij 'Maar nu moet je nog een keer acht gooien voordat je met een zeven kunt winnen.'

'O,' zei ik, net alsof ik het snapte. Zonder er ook maar iets van te begrijpen, wierp ik de stenen nog een keer. Deze keer gooide ik negen. 'Doorgaan?' vroeg ik en hij knikte.

'Ik zal een paar één-rolweddenschappen voor je plaatsen,' zei hij. 'Als je dat tenminste goed vindt.'

Iedereen leek op mijn antwoord te wachten, dus zei ik: 'Doe maar, ik vind het best.'

Lee knikte. Even verscheen er een frons op zijn voorhoofd en toen zette hij een stapeltje rode fiches op een vierkant vakje. Iemand grinnikte en fluisterde: 'Een groentje', in het oor van zijn buurman.

De dobbelstenen lagen warm in mijn hand en ik wierp ze over de tafel. Ze stuiterden terug en bleven liggen. Het was elf en iedereen aan tafel kreunde. Lee glimlachte echter. 'Je hebt gewonnen,' zei hij, een hand op mijn schouder leggend. 'Zie je wel?' Hij wees. 'De kans dat je elf gooit is vijftien tegen één. Ik dacht wel dat je een zebra was.'

Met grote ogen keek ik toe hoe de overheersende kleur van mijn stapeltje fiches van rood in blauw veranderde toen de man achter de tafel er een stapeltje bovenop legde. 'Pardon?'

Lee legde de stenen in mijn hand. 'Wanneer je hoefgetrappel hoort, moet je uitkijken naar paarden. Dat zouden in dit geval de gewone worpen zijn. Ik wist wel dat jij iets bijzonders zou werpen. Een zebra.'

Ik vond het wel een grappige gedachte en de dobbelstenen rolden mijn hand al uit voordat hij mijn fiches goed en wel naar een ander vakje had geschoven. Mijn hartslag versnelde en terwijl Lee me de details uitlegde van kansberekening en wedden, wierp ik nog een keer, en nog een keer, en nog eens, terwijl het om mij heen steeds drukker en rumoeriger werd. Het duurde niet lang voordat ik het doorkreeg. Het risico, de vraag wat er ging gebeuren en het ademloze wachten tot de dobbelstenen eindelijk stil lagen, bezorgde me net zo'n roes als het jagen op een onderwereldfiguur, maar dan beter, omdat hier alleen die kleine plastic fiches op het spel stonden, niet mijn leven. Lee begon me nu ook andere manieren van wedden uit te leggen en toen ik het waagde iets voor te stellen, straalde hij helemaal en gebaarde dat de tafel geheel van mij was.

Helemaal in mijn nopjes, nam ik het inzetten van hem over en liet de fiches liggen waar ze lagen. Totdat Lee een hand op mijn schouder legde en me influisterde hoe groot de kans was dat ik dit of dat zou gooien. Ik voelde zijn opwinding door de dunne stof van mijn zijden blouse en de warmte van zijn vingers leek op mijn schouder te blijven hangen toen hij zijn hand weghaalde om mij de stenen te geven.

Ik keek op toen de hele tafel om mijn laatste worp begon te juichen, verbaasd dat bijna iedereen om ons heen stond en dat wij op de een of andere manier in het middelpunt van de belangstelling waren beland.

'Zo te zien heb je het helemaal in je vingers.' Lee glimlachte en deed een stapje naar achteren.

Mijn gezicht verstrakte. 'Ga je weg?' vroeg ik, toen de kerel met de rode wangen die bier zat te drinken de dobbelstenen in mijn hand drukte en me aanspoorde om ze te werpen.

'Ik moet weg,' zei hij. 'Maar ik kon de verleiding niet weerstaan kennis met je te maken.' Hij boog zich naar me toe en zei: 'Ik vond het een genoegen je te leren dobbelen. Je bent een heel bijzondere vrouw, Rachel.'

'Lee?' Geheel in verwarring legde ik de dobbelstenen neer en de mensen rond de tafel kreunden.

Lee pakte de stenen op en legde ze in mijn hand. 'Je gaat geweldig. Niet ophouden nu.'

'Wil je mijn telefoonnummer?' vroeg ik. *O, god, ik klonk wanhopig.*

Maar Lee lachte, zonder zijn tanden te laten zien. 'Jij bent Rachel Morgan, de I.S.-agente die ontslag nam om samen te gaan werken met de laatste levende Tamwoodvamp. Je staat in het telefoonboek... op niet minder dan vier plaatsen.'

Ik kreeg een kleur, maar slaagde erin mezelf ervan te weerhouden iedereen uit te leggen dat ik geen hoertje was.

'Tot de volgende keer,' zei Lee, terwijl hij, alvorens weg te lopen, zijn hand opstak en me toeknikte.

Ik legde de dobbelstenen neer en liep van de tafel weg zodat ik kon zien hoe hij de trap opliep, naar de achterkant van de boot. Hij zag er geweldig uit in zijn smoking en paarse cummerband. Het kleurde bij zijn aura, besloot ik. Een nieuwe werper nam mijn plaats in en het werd weer rumoerig.

Mijn stemming was er niet beter op geworden en ik trok me terug naar een tafeltje bij een koud raam. Iemand van het personeel bracht me mijn drie emmers vol fiches achterna. Een ander zette een nieuwe *Dead Man's Float* voor me neer op een linnen servet. Een derde stak de rode kaars voor me aan en vroeg of hij verder nog iets voor me kon doen. Ik schudde mijn hoofd en hij verdween. 'Wat klopt er niet aan dit plaatje?' fluisterde ik, met mijn vingers over mijn voorhoofd wrijvend. Hier zat ik dan, gekleed als een jonge rijke weduwe, in mijn dooie eentje in een casino met drie emmers vol fiches. Lee had geweten wie hij was, maar had niets laten blijken? En waar zat Kisten in hemelsnaam?

De opwinding rond de dobbeltafel ebde weg en de mensen begonnen in groepjes van twee en drie uit te waaieren. Ik telde tot honderd, en toen tot tweehonderd. Boos stond ik op, klaar om mijn fiches te verzilveren en op zoek te gaan naar Kisten. Naar het toilet, m'n reet. Waarschijnlijk zat hij boven te pokeren – zonder mij.

Met de emmertjes in mijn hand bleef ik opeens staan. Daar kwam Kisten de trap af, met de snelle bewegingen van een levende vamp. 'Waar heb jij gezeten?' vroeg ik toen hij voor me stond. Zijn gezicht stond strak en ik zag een straaltje zweet over zijn voorhoofd lopen.

'We gaan weg,' zei hij kortaf. 'Kom mee.'

'Wacht eens even.' Hij had mijn elleboog gepakt, maar ik rukte me los. 'Waar heb je uitgehangen? Je hebt me helemaal alleen gelaten. De een of andere wildvreemde vent moest me leren dobbelen. Kijk eens wat ik heb gewonnen.'

Kisten keek naar mijn emmertjes, duidelijk niet onder de indruk. 'Die tafels zijn geprepareerd,' zei hij tot mijn schrik. 'Ze hielden jou aangenaam bezig terwijl ik met de baas praatte.'

Ik had het gevoel dat ik een stomp in mijn maag had gekregen. Toen hij mijn elleboog weer wilde pakken, trok ik mijn arm weg. 'Houd nu eens me op me van hot naar her te slepen,' zei ik. Het kon me niets schelen dat er mensen stonden te kijken. 'En wat bedoel je dat je met de baas hebt gepraat?'

Hij wierp me een vermoeide blik toe en ik zag de eerste stoppels alweer op zijn kin verschijnen. 'Kunnen we dit gesprek buiten voortzetten?' vroeg hij. Zo te zien had hij haast.

Ik keek naar de grote mannen die de trap af kwamen. Dit was een gokboot. En hij was niet van Piscary. Kisten behartigde de belangen van de ondode vampier. Hij was hier om druk uit te oefenen op de nieuwe grote man in de stad, en mij had hij meegenomen voor het geval er problemen zouden rijzen. Toen alle puzzelstukjes eindelijk op hun plek vielen, stikte ik bijna van woede, maar discretie was de moeder van de porseleinkast.

'Ook goed,' zei ik. Mijn voetstappen hielden gelijke tred met mijn hartslag toen ik in de richting van de deur liep. Ik zette mijn emmers met fiches op de balie en glimlachte grimmig naar de dame die erachter zat. 'Ik wil mijn winst graag doneren aan het fonds voor de nieuwbouw van de afgebrande weeshuizen,' zei ik vastberaden.

'Goed, mevrouw,' zei de vrouw beleefd, terwijl zij ze afwoog.

Kisten nam een fiche van de berg. 'Deze willen we graag verzilveren.'

Ik trok hem uit zijn vingers, kwaad dat hij me op deze manier voor zijn karretje had gespannen. Dit was natuurlijk de plek waar hij Ivy eigenlijk mee naartoe had willen nemen. En ik was er met open ogen ingetuind. Fluitend gooide ik de fiche naar de man achter de dobbeltafel. Hij ving hem op en knikte een bedankje.

'Dat was een fiche van honderd dollar!' protesteerde Kisten.

'Meen je dat nou?' Boos pakte ik er nog een en gooide die achter de eerste aan. 'Ik wil geen vrekkige indruk maken,' mompelde ik. De vrouw overhandigde mij een kwitantie voor $8.750, geschonken aan het stadsfonds. Ik keek er een ogenblik naar en stopte het toen in mijn avondtasje.

'Rachel!' protesteerde Kisten en zijn gezicht werd vuurrood achter zijn blonde haar.

'We houden geen cent.' De portier die Kistens jas voor mij ophield straal voorbijlopend, liep ik met grote passen de deur met de dubbele S'en uit. Stond die ene S wellicht voor Saladan? *God, wat was ik toch een stommeling.*

'Rachel...' Kistens stem klonk kwaad en hard toen hij mij vanuit de deuropening nariep: 'Kom terug en laat haar een van die fiches verzilveren.'

'Die eerste fiches heb je me zelf gegeven en de rest heb ik gewonnen!' riep ik vanaf de voet van de loopplank, met mijn armen om mijn bovenlichaam geslagen in de vallende sneeuw. 'Ik doneer het hele zootje. En ik ben bloedlink op jou, ellendige bloedzuigende lafaard!'

De man aan de voet van de loopplank grinnikte, maar trok meteen zijn gezicht in de plooi toen ik hem een woedende blik toewierp. Kisten aarzelde even, maar trok toen de deur dicht en kwam achter mij aan naar beneden, mijn geleende jas over zijn arm. Ik beende met grote passen naar zijn auto, wachtend tot hij het portier voor me zou openen of me zou vertellen dat ik een taxi kon nemen.

Met zijn jas half aan, kwam Kisten bij me staan. 'Waarom ben je zo boos op me?' vroeg hij en in het schemerlicht zag ik zijn blauwe ogen zwart worden.

'Dat is toch Saladans boot, of niet soms?' vroeg ik woedend. 'Ik mag dan een beetje traag van begrip zijn, maar uiteindelijk kom ik er toch altijd wel achter. Piscary is de grote gokbaas in Cincinnati. Jij kwam hier vanavond een percentage van de winst opeisen voor Piscary. En Saladan heeft dat geweigerd, waar of niet? Hij beweegt zich op Piscary's terrein en jij hebt mij als back-up meegenomen omdat je wist dat ik voor je zou knokken als het uit de hand zou lopen.'

Ik was zo kwaad dat ik zonder aan zijn tanden en zijn kracht te denken mijn gezicht tot vlak bij het zijne bracht. 'Waag het niet me óóit nog onder valse voorwendselen mee te lokken voor zoiets. Ik had wel dood kunnen zijn door die spelletjes van jou. Ik krijg geen tweede kans, Kisten. Dood is dood voor mij!'

Mijn stem weerkaatste tegen de nabijgelegen gebouwen. Ik dacht aan iedereen die vanaf de boot meeluisterde en kreeg een kleur. Maar ik was verdomme zo kwaad en voordat ik weer bij hem in de auto stapte wilde ik dit eerst met Kisten uitpraten. 'Je zoekt mijn kleren uit en geeft me het gevoel bijzonder te zijn,' zei ik, met samengeknepen keel. 'Je behandelt me alsof je echt graag met me uit wilt, al was het alleen maar omdat je hoopte je tanden in mijn nek te kunnen zetten, en dan kom ik erachter dat het je zelfs dáár niet om ging, maar dat het om záken ging. Ik was niet eens je eerste keus. Eigenlijk wilde je Ivy meenemen, in plaats van mij! Ik was je alternatíéf. Hoe goedkoop denk je dat ik me nu voel?'

Hij deed zijn mond open en klapte hem meteen weer dicht.

'Ik kan begrijpen dat je mij als tweede keus gebruikte, want je bent nu eenmaal een man en dus een klootzak!' riep ik. 'Maar je hebt me hier willens en wetens in een potentieel gevaarlijke situatie gebracht zonder mijn bezweringen, zonder mijn amuletten. Je zei dat we een avondje uit gingen, dus heb ik die thuisgelaten. Verdomme, Kisten, als je back-up nodig had, was ik heus wel met je meegegaan!'

'Bovendien,' voegde ik eraan toe, terwijl ik mijn woede een beetje voelde zakken omdat hij werkelijk naar me leek te luisteren, in plaats van wanhopig allerlei excuses te staan verzinnen. 'Bovendien zou het veel leuker zijn geweest als ik had geweten wat er gaande was. Dan had ik een beetje naar informatie kunnen vissen en meer van die dingen.'

Hij staarde me aan en ik zag de verbazing in zijn ogen. 'Echt waar?'

'Ja, echt waar. Denk je dat ik agent ben geworden omdat de verzekering ook tandartskosten dekt? Dan had ik veel meer lol gehad dan nu de een of andere vent me dobbelen heeft geleerd. Dat had jij trouwens eigenlijk moeten doen.'

Kisten stond naast me en er lag al een dun laagje sneeuw op de leren jas die over zijn arm hing. Zijn gezicht stond somber en ongelukkig in het schemerige licht van een straatlantaarn. Hij deed zijn mond open en mijn ogen vernauwden zich. Hij slaakte een diepe zucht van verslagenheid. Ik voelde mijn bloed snel stromen en mijn hele lijf voelde tegelijkertijd warm en koud aan van mijn woede en van de snijdende wind die van de rivier kwam. Het beviel me allerminst dat Kisten mijn gevoelens waarschijnlijk beter kon lezen dan ikzelf.

Zijn ogen, die alweer blauwer begonnen te worden, gleden langs mij heen naar de boot. Terwijl ik naar hem stond te kijken werden ze tot mijn ontzetting opeens pikzwart. 'Je hebt gelijk,' zei hij kortaf, met afgemeten stem. 'Stap in.'

Mijn woede laaide weer op. *Wel verdomme...* 'Je hoeft niet zo uit de hoogte te doen,' zei ik pinnig.

Hij stak zijn hand uit en ik deinsde voor hem terug voordat hij me kon aanraken. Met zwarte ogen die zielloos leken in het schemerlicht, hield hij de deur voor mij open. 'Dat doe ik niet,' zei hij, terwijl ik zag hoe zijn bewegingen die griezelige vampsnelheid kregen. 'Er komen drie mannen aan van de boot. Ik ruik kruit. Jij hebt gelijk, ik zat fout. En stap nu in die verdomde auto.'

Een vlaag van angst flitste door me heen en Kisten, die dit voelde, hield zijn adem in alsof ik hem een klap in zijn gezicht had gegeven. Ik verstijfde en zag aan zijn groeiende honger dat ik meer te vrezen had dan de voetstappen die over de loopplank denderden. Met bonzend hart stapte ik in de wagen. Kisten gaf me zijn jas en zijn sleuteltjes. Mijn deur viel dicht en terwijl hij voor zijn auto langs naar de andere kant rende, stak ik de sleutel in het contactslot. Kisten stapte in en op hetzelfde moment dat hij zijn portier dichttrok sloeg de motor brullend aan.

De drie mannen veranderden van richting en renden naar een oud model BMW. 'Daarmee halen ze ons nooit in,' zei Kisten smalend. Terwijl de ruitenwissers de sneeuw van de voorruit veegden, zette hij de wagen in zijn versnelling en zette ik me schrap voor het moment waarop hij gas zou geven. We slingerden slippend de straat op en reden door een rood licht. Ik keek niet achterom.

Toen het drukker begon te worden, minderde Kisten snelheid en met een wild bonkend hart, schoot ik zijn jas aan en deed mijn gordel om. Hij draaide de verwarming hoog, maar vooralsnog blies hij alleen maar koude lucht. Ik voelde me naakt zonder mijn amuletten. Verdomme, ik had toch iets mee moeten nemen, maar het zou een gezellig avondje uit worden!

'Het spijt me,' zei Kisten, terwijl hij een scherpe bocht naar links maakte. 'Je had gelijk.'

'Stomme idióót!' riep ik, mijn stem schel in de beperkte ruimte van de auto. 'Waag het niet om ooit nog eens dingen voor mij te beslissen, Kisten. Die mannen hadden pistolen en ik had niks!' De adrenaline liet mijn woorden harder klinken dan ik ze bedoelde en ik keek hem aan. Opeens herinnerde ik me het zwart van zijn ogen toen hij mijn angst had geroken. Hij mocht er dan ongevaarlijk uitzien, in zijn Italiaanse pak en zijn achterovergekamde haren – maar dat was hij niet. Van het ene moment op het andere kon hij opeens heel iemand anders zijn. *God, wat deed ik hier in vredesnaam?*

'Ik zei toch dat het me speet?' zei Kisten, zonder zijn blik van de weg af te wenden terwijl de verlichte gebouwen, wazig van de sneeuw, langsgleden. Zijn stem klonk niet zo'n klein beetje geërgerd en ik besloot maar even niet meer tegen hem te schreeuwen, ook al zat ik nog te beven van woede. Bovendien zat hij niet om vergeving te smeken en eigenlijk vond ik de zelfverzekerde manier waarop hij zijn fouten toegaf wel een verademing.

'Laat ook maar zitten,' zei ik nors. Ik was nog niet bereid hem te vergeven, maar had ook geen zin meer er verder over te praten.

'Shit,' zei hij, zijn kaken op elkaar klemmend terwijl hij in zijn binnenspiegel keek in plaats van naar de weg vóór ons. 'Ze zitten nog steeds achter ons.'

Ik schrok, maar slaagde erin me niet om te draaien om te kijken. Ik stelde mezelf tevreden met wat ik in de zijspiegel kon zien. Kisten maakte een scherpe bocht naar rechts en mijn mond viel open van ongeloof. De weg voor ons was verlaten, een donkere tunnel van niets vergeleken met de lichten en de veilige verkeersdrukte achter ons. 'Wat doe je?' vroeg ik, en ik hoorde zelf de angst in mijn stem.

Hij zat nog steeds in zijn binnenspiegel te kijken toen de donkere Cadillac voor ons opdook en dwars voor ons op de weg ging staan.

'Kisten!' riep ik, mijn armen voor mijn gezicht slaand tegen de klap. Ik slaakte een gil toen hij vloekend een ruk aan het stuur gaf. Mijn hoofd sloeg tegen het raam en ik onderdrukte een kreet van pijn. Met ingehouden adem voelde ik hoe de wielen het contact met de weg verloren en weggleden op het ijs. Vloekend reageerde Kisten met zijn vampreflexen, maar de wagen verzette zich tegen hem. Toen de kleine Corvette in aanraking kwam met de stoeprand maakte hij nog een laatste schokkende beweging en kwam toen glijdend tot stilstand.

'Blijf in de wagen.' Hij pakte de deurknop. Vier mannen in donkere pakken stapten uit de Cadillac die voor ons stond. In de BMW achter ons zaten er nog eens drie. Waarschijnlijk waren het allemaal heksen en hier zat ik dan, slechts gewapend met een paar schoonheidsamuletten. *Dat beloofde nog een mooi verhaal te worden tussen de overlijdensberichten.*

'Kisten, wacht!' zei ik.

Met zijn hand op de deur draaide hij zich om. Mijn borst verkrampte bij het zien van zijn zwarte ogen. *O, god, hij was aan het vampen.*

'Het komt wel goed,' zei hij, met een stem die de diepe, volle klank had van zwarte aarde en mij regelrecht in mijn ziel raakte.

'Hoe weet je dat?' fluisterde ik.

Hij trok een van zijn geblondeerde wenkbrauwen op, maar zo subtiel dat ik niet eens zeker wist of hij wel had bewogen. 'Als ze me vermoorden, dan zou ik dood zijn en dan zou ik ze nooit met rust laten. Ze willen alleen maar – praten. Blijf in de wagen.'

Hij stapte uit en gooide het portier dicht. De motor draaide nog en het geluid ervan spande mijn spieren, een voor een. De sneeuw smolt weg op de voorruit en ik zette de ruitenwissers uit. 'Blijf in de wagen,' mopperde ik, nerveus. Toen ik achteromkeek, zag ik de drie kerels uit de BMW dichterbij komen. Ik zag alleen Kistens grimmige silhouet toen hij voor de koplampen van zijn eigen auto langsliep, op de vier mannen toe lopend met een nonchalance waarvan ik wist dat hij niet echt was. 'In de wagen blijven, sodemieter toch op,' zei ik, terwijl ik het portier opende en de kou in stapte.

Kisten keek om. 'Ik zei dat je in de wagen moest blijven,' zei hij en ik verbeet mijn angst om de grimmigheid van zijn uitdrukking. Hij had al afstand genomen van wat er ging gebeuren.

'Ja, dat heb je inderdaad gezegd,' zei ik, terwijl ik mijn armen liet zakken. Het was koud en ik rilde.

Hij aarzelde, kennelijk in tweestrijd. De naderende mannen verspreidden zich. Wij waren omsingeld. Hun gezichten waren donker maar zelfverzekerd. Nu hoefden ze alleen nog maar met een knuppel of een koevoet tegen hun handen te slaan om het plaatje compleet te maken. Maar het waren heksen. Hun kracht school in hun magie.

Ik ademde langzaam in en uit en wiegde heen en weer op mijn platte laarzen. Toen ik de adrenaline door mijn bloed voelde stromen, ging ik in het licht van de koplampen staan, met mijn rug tegen die van Kisten.

De zwarte honger in zijn ogen leek even weg te ebben. 'Rachel, wacht alsjeblieft in de auto,' zei hij met een stem die me koude rillingen bezorgde. 'Dit duurt niet lang en ik wil niet dat je het koud krijgt.'

Hij wilde niet dat ik het koud kreeg? dacht ik, terwijl ik zag hoe de drie kerels uit de BMW zich als een levend dranghek achter ons opstelden. 'Er zijn hier zeven heksen,' zei ik zacht. 'Er zijn er maar drie nodig om een net te vormen, en eentje om het vast te houden zodra het is geplaatst.'

'Klopt, maar ik heb maar drie seconden nodig om een man uit te schakelen.'

De mannen in mijn gezichtsveld aarzelden. Het was niet voor niets dat de I.S. geen heksen inzette om een vampier te arresteren. Met zeven tegen één kwam je misschien een heel eind, maar niet zonder dat er iemand ernstig gewond raakte.

Ik waagde een blik over mijn schouder en zag dat de vier kerels uit de Cadillac naar de man in de lange jas keken die uit de BMW was gestapt. *Dat zal de baas zijn*, dacht ik, hoewel hij wel wat erg van zichzelf overtuigd leek, zoals hij zijn lange jas gladstreek en een knikje gaf in de richting van de mannen om ons heen. De twee die voor Kisten stonden kwamen naar voren, terwijl drie anderen juist een stap naar achteren deden. Hun lippen bewogen en hun handen gebaarden. Mijn nekharen gingen overeind staan van het plotselinge aanzwellen van krachten.

Minimaal drie leylijnheksen, schatte ik in, en bevroor toen een van de mannen een pistool trok. Shit. Kisten kon terugkeren uit de dood, maar ik niet.

'Kisten...' waarschuwde ik, mijn blik strak op het wapen gevestigd.

Ik schrok me een ongeluk toen Kisten in actie kwam. Het ene moment stond hij nog naast me en het volgende bevond hij zich tussen de mannen. Er klonk een schot. Ik dook weg en verblindde mezelf in de koplampen van de Corvette. Ik maakte mezelf zo klein mogelijk en zag dat een van de mannen op de grond lag, maar niet degene met het pistool.

Al mompelend en naar elkaar gebarend begonnen de leylijnheksen, bijna onzichtbaar in het felle schijnsel, ons te omsingelen en met elke stap die zij zetten het net aan te trekken. Mijn huid tintelde terwijl het net langzaam over ons heen viel.

Zo snel dat ik nauwelijks kon volgen wat er gebeurde, greep Kisten de pols van de man met het pistool. Het geluid van een brekend bot klonk helder in de koude, droge lucht. Mijn maag draaide om toen de man het uitschreeuwde en op de grond viel. Vervolgens gaf Kisten hem een keiharde klap tegen zijn hoofd. Iemand riep iets. Het wapen viel en Kisten ving het op voordat het de sneeuw raakte.

Met een snelle polsbeweging gooide Kisten het wapen naar mij. Het schitterde in de koplampen en ik sprong naar voren om het te vangen. Het zware metaal landde in mijn vuist. Het voelde warm aan, wat me verraste. Er klonk nog een schot en ik schrok. Het wapen viel in de sneeuw.

'Pak dat pistool!' riep de man in de lange jas die buiten de kring stond.

Ik gluurde over de motorkap van Kistens Corvette en zag dat hij ook een pistool had. Mijn ogen werden groot van schrik toen ik de zwarte schaduw van een man op me af zag komen. Hij had een bol oranje hiernamaals in zijn hand. Mijn adem stokte toen hij de bol lachend naar me toe gooide.

Ik liet me op de grond vallen en maakte een harde landing op de met sneeuw bedekte ijslaag. Toen de bol hiernamaals Kistens auto raakte en wegkaatste, spatte hij uiteen in een waterval van naar zwavel stinkende vonken. Ik werd bedolven onder een ijskoude sneeuwbrij, waar ik echter wel meteen weer een helder hoofd van kreeg.

Op de grond liggend, zette ik mijn handen plat op de koude straat en drukte mezelf omhoog. Mijn kleren... Mijn kleren! Mijn met zijde gevoerde pantalon zat onder de vieze grauwe sneeuw. 'Kijk nu eens wat jullie hebben gedaan!' riep ik, terwijl ik woedend de koude viezigheid van me af veegde.

'Vuile klootzak!' riep Kisten en toen ik me omdraaide zag ik dat de drie heksen in een slordige kring om hem heen stonden. Degene die de bol hiernamaals had gegooid kromp ineen van pijn en Kisten verkocht hem een gemene trap. *Hoe kwam hij hier nu weer zo snel?* 'Je hebt mijn lak geruïneerd, ellendeling!'

Terwijl ik toekeek, zag ik in één ademloos onderdeel van een seconde Kistens gezicht veranderen. Met gitzwarte ogen deed hij een uitval naar de dichtstbijzijnde leylijnheks. De ogen van de man werden groot van angst, maar voor meer kreeg hij de tijd niet.

Kisten ramde een vuist in zijn gezicht, zodat zijn hoofd naar achteren schoot. Er klonk een akelig krakend geluid en de heks zakte in elkaar. Met zijn armen slap langs zijn lichaam vloog hij achterwaarts door de lucht en kwam in het schijnsel van de koplampen van de Cadillac op de grond terecht.

Zich al omdraaiend voordat de eerste ophield met bewegen, nam Kisten een sprong naar de tweede, maakte een ingewikkelde draaibeweging en trapte met zijn nette schoenen in de knieholtes van de geschrokken heks. De man gilde het uit toen zijn benen het onder hem begaven. Er kwam een akelig abrupt einde aan zijn schreeuw toen Kisten een arm om zijn nek sloeg. Mijn maag kromp samen bij het gerochel en het geluid van versplinterend kraakbeen.

De derde heks probeerde zich uit de voeten te maken. *Dom. Heel, heel erg dom.*

Kisten had nog geen halve seconde nodig om de paar meter die hen scheidde te overbruggen. Hij greep de vluchtende heks bij zijn arm en draaide hem om, zonder daarbij zijn arm los te laten. Het geluid van de arm die uit de kom schoot trof me als een klap in mijn gezicht. Ik hield mijn hand tegen mijn buik en voelde me misselijk worden. Hij had er geen seconde over hoeven nadenken.

Kisten bleef staan voor de laatste heks die nog overeind stond. Ik huiverde toen ik me herinnerde hoe Ivy ook eens zo naar mij had gekeken. Hij had een pistool, maar ik vermoedde niet dat hij er veel aan zou hebben.

'Ga je me neerschieten?' snauwde Kisten.

De man glimlachte. Ik voelde hem een lijn aanboren. Ik deed mijn mond al open om een waarschuwing te roepen.

Kisten schoot naar voren en greep de man bij de keel. De ogen van de man puilden uit van angst en benauwdheid. Het pistool viel uit zijn hand en zijn armen hingen machteloos langs zijn lichaam. Kistens schouders spanden zich en de agressie straalde van hem af. Zijn ogen kon ik niet zien. En dat wilde ik ook niet. Maar de man die hij vasthield zag ze wel en hij was doodsbang.

'Kisten!' schreeuwde ik, te bang om me ermee te bemoeien. *O, god. Nee, alstublieft. Dit wil ik niet zien.*

Kisten aarzelde en ik vroeg me af of hij mijn hart kon horen bonken. Langzaam, alsof hij zichzelf geweld moest aandoen, trok Kisten de man naar zich toe. De heks hapte naar adem, maar kreeg bijna geen lucht. De koplampen schenen op het schuimende speeksel in zijn mondhoeken en zijn vuurrode gezicht.

'Zeg maar tegen Saladan dat ik bij hem langskom,' gromde Kisten hem toe.

Ik schrok toen Kisten zijn arm uitstak en de heks een eind wegslingerde. Hij belandde tegen een defecte lantaarnpaal, maar de trillingen die hij veroorzaakte lieten het licht weer opflikkeren. Ik durfde me amper te verroeren toen Kisten zich omdraaide. Toen hij mij in het schijnsel van de koplampen in de vallende sneeuw zag staan, aarzelde hij even. Zijn ogen nog steeds angstaanjagend zwart, veegde hij een sneeuwvlokje van zijn jas.

Tot het uiterste gespannen, maakte ik mijn blik van hem los en volgde zijn voorbeeld toen hij naar de slachting keek die hij had aangericht. Het tafereel werd helder verlicht door drie paar koplampen en een straatlantaarn. Overal lagen mannen. Degene met de ontwrichte arm had overgegeven en probeerde naar een auto te kruipen. Een eind verderop in de straat blafte een hond en achter een verlicht raam zag ik een gordijn bewegen.

Kotsmisselijk hield ik mijn hand tegen mijn maag. O god, ik had me absoluut niet kunnen verroeren en was niet in staat geweest om ook maar iets uit te richten. Ik had mezelf laten verslappen, omdat er geen doodsbedreigingen meer op mijn hoofd stonden. Maar vanwege de aard van mijn werk, zou ik altijd een doelwit blijven.

Kisten kwam in beweging en ik zag dat er nog een heel dun randje blauw rond zijn zwarte pupillen zat. 'Ik had gezegd dat je in de wagen moest blijven,' zei hij en ik verstijfde toen hij me bij mijn arm nam en naar de Corvette bracht.

Ik voelde me als verlamd en verzette me niet. Hij was niet boos op me en ik wilde niet al te zeer de nadruk leggen op mijn luid bonzende hart en mijn angst. Maar opeens voelde ik een tinteling van gevaar. Ik rukte me los uit Kistens greep, draaide me om en keek om me heen.

Van onder de lantaarnpaal kneep de gewonde man met een van pijn vertrokken gezicht zijn ogen tot spleetjes. 'Sterf, kreng,' zei hij en mompelde toen iets barbaars in het Latijn.

'Kijk uit!' riep ik, Kisten van me wegduwend.

Hij viel naar achteren, maar wist met zijn vampiergratie zijn evenwicht te bewaren. Ik gleed uit en viel languit in de sneeuw. Ik hoorde een rauwe kreet. Met wild bonkend hart, krabbelde ik overeind en keek als eerste naar Kisten. Hij mankeerde niets. Het was de heks.

Mijn hand ging naar mijn mond en ik keek vol afgrijzen hoe zijn met hiernamaals besmeurde lichaam over het trottoir lag te kronkelen. Een intense angst schoot door me heen toen ik zag hoe de opgeworpen sneeuw rood begon te kleuren. Hij bloedde uit al zijn poriën. 'God, help hem,' fluisterde ik.

Hij gilde, en gilde nog een keer en het doordringende geluid raakte me diep. Kisten kwam op hem af gelopen. Ik kon hem niet tegenhouden; de heks bloedde en schreeuwde het uit van pijn en angst. Hij activeerde alle instincten die Kisten bezat. Ik wendde mijn gezicht af en zocht met één hand steun aan de ronkende warme motorkap van de Corvette. Nu ging ik echt over mijn nek. Ik wist het zeker.

Ik keek op toen de angst en de pijn van de man eindigden in een akelig gekraak. Met een gruwelijk woeste uitdrukking op zijn gezicht, kwam Kisten overeind uit zijn hurkhouding. De hond blafte weer, en vulde de ijskoude nacht met een waarschuwend geluid. Uit de slappe hand van de man rolden een paar dobbelstenen. Kisten raapte ze op.

Ik kon niet meer denken. Opeens stond Kisten naast mij. Hij trok me mee naar de auto. Ik liet hem zijn gang gaan, blij dat hij niet had toegegeven aan zijn vampirische instincten en me afvragend waarom eigenlijk niet. Sterker nog, zijn vampieraura was helemaal verdwenen, zijn ogen stonden weer normaal en zijn reacties waren niet overdreven snel.

'Hij is niet dood,' zei hij, mij de dobbelstenen gevend. 'Ze zijn geen van allen dood. Ik heb niemand vermoord, Rachel.'

Ik vroeg me af waarom het hem iets zou uitmaken wat ik dacht. Ik pakte de vierkante blokjes plastic aan en kneep er zo hard in dat mijn vingers er pijn van deden. 'Pak het pistool,' fluisterde ik. 'Mijn vingerafdrukken staan erop.'

Zonder te laten merken of hij me had gehoord, duwde hij mijn lange jas, die uit de auto hing, naar binnen en gooide de deur dicht.

Mijn aandacht werd getrokken door de scherpe geur van bloed en ik vouwde moeizaam mijn hand open. De dobbelstenen waren kleverig. Mijn maag draaide om en ik drukte een ijskoude vuist tegen mijn mond. Het waren de dobbelstenen die ik in het casino had gebruikt. De hele zaal had gezien hoe ik ze kuste; hij had geprobeerd ze als focusobject te gebruiken. Maar ik had ze niet echt gekust en dus had de zwarte magie zich tegen zijn maker gekeerd.

Ik staarde uit het raam en deed mijn best om niet te hyperventileren. Dat had ik moeten zijn daarginds, met verwrongen ledematen languit liggend in de bloederige sneeuw. Ik was een joker geweest in

Saladans spel en hij was bereid geweest mij uit te schakelen om het voordeel weer aan zijn mannen toe te spelen. En ik had niets gedaan, te zeer verlamd van de schrik en het ontbreken van mijn amuletten om zelfs maar een cirkel te trekken.

Ik zag iets schitteren toen Kisten in het schijnsel van de koplampen ging staan en zich bukte om het wapen op te rapen. Hij keek me aan – vermoeid en op zijn hoede – tot hij zich opeens bliksemsnel omdraaide naar een beweging achter hem. Iemand probeerde te vertrekken.

Ik kreunde zachtjes toen Kisten met een paar ongelooflijk grote, snelle stappen bij hem was, hem vastpakte en optilde, zodat zijn voeten in de lucht bungelden. De man jammerde zacht en smeekte om zijn leven. Ik hield mezelf voor dat het onzin was om medelijden met hem te hebben en dat hij voor mij en Kisten een veel erger lot in gedachten had gehad. Maar het enige wat Kisten deed was tegen hem praten. Hun gezichten raakten elkaar bijna toen de vampier iets in zijn oor fluisterde.

In een plotselinge beweging smeet Kisten hem op de motorkap van de Cadillac en veegde vervolgens het pistool schoon aan de zoom van zijn jas. Toen hij klaar was, liet hij het wapen vallen en liep weg.

Met opgetrokken schouders beende Kisten terug naar de auto, het toonbeeld van een slechte combinatie van woede en bezorgdheid. Ik zei niets toen hij instapte en de ruitenwissers aanzette. Zwijgend schakelde hij naar de eerste versnelling en manoeuvreerde de wagen uit de val die de twee andere auto's hadden gevormd.

Ik hield me vast aan de deur en zei niets terwijl hij de wagen heen en weer en weer terug manoeuvreerde. Uiteindelijk lag er weer een verlaten weg voor ons en gaf Kisten plankgas. Mijn ogen werden groot toen de wielen gierden en wij over het ijs naar links begonnen te glijden, maar toen kregen de banden grip op de weg en schoten we naar voren. We vertrokken op dezelfde manier als we hier gekomen waren, met het slippende, gierende geluid van een brullende motor.

Ik hield mijn mond terwijl Kisten met snelle, schokkende bewegingen de auto bestuurde. Om ons heen begon het lichter te worden en ik zag de gespannen lijnen in zijn gezicht. Ik had kramp in mijn maag en pijn in mijn rug. Hij wist dat ik nu zat te bedenken wat ik moest zeggen.

Het was tegelijkertijd opwindend en ongelooflijk angstaanjagend geweest om hem aan het werk te zien. Het samenwonen met Ivy had mij wel geleerd dat vampen zo veranderlijk waren als een seriemoordenaar; het ene moment grappig en innemend, het volgende moment agressief en levensgevaarlijk. Dat wist ik dus, maar nu ik dit had gezien was ik er wel weer even pijnlijk met mijn neus bovenop gedrukt.

Moeizaam slikkend, bekeek ik hoe ik erbij zat en zag dat ik verschrikkelijk gespannen was, erger dan een eekhoorn die speed heeft geslikt. Ik trok onmiddellijk mijn samengeknepen handen los en mijn schouders omlaag. Toen ik naar de bebloede dobbelstenen in mijn hand keek, mompelde Kisten: 'Ik zou je dat nooit aandoen, Rachel. Nooit.'

Het ritme van de ruitenwissers was traag en regelmatig. *Misschien had ik toch in de auto moeten blijven.*

'In het handschoenenkastje liggen vochtige doekjes.'

Er klonk iets zachts en bijna verontschuldigends in zijn stem. Ik opende het handschoenenkastje en vond wat tissues. Met trillende vingers rolde ik de dobbelstenen erin en na een ogenblik te hebben geaarzeld, stopte ik ze in mijn avondtasje.

Na nog wat verder te hebben gezocht, vond ik de vochtige doekjes. Ik gaf Kisten de eerste en gebruikte de tweede om mijn eigen handen schoon te maken. Het kostte Kisten geen enkele moeite door de besneeuwde, drukke straten te rijden en tegelijkertijd zorgvuldig zijn nagelriemen schoon te maken. Toen hij klaar was, hield hij zijn hand op voor mijn gebruikte doekje en ik gaf het aan hem. Er hing een klein afvalzakje achter mijn stoel en hij stak zijn arm naar achteren en gooide de vuile doekjes weg. Zijn handen waren zo vast als die van een chirurg, maar ik krulde mijn vingers onder mijn handpalmen om het trillen te verbergen.

Kisten herstelde zich snel en ik kon bijna zien hoe hij bij het uitademen de spanning van zich af blies. We waren halverwege de Hollows en voor ons lagen de lichtjes van Cincinnati.

'Knapperig en krokant,' zei hij opeens op luchtige toon.

Ik keek hem stomverbaasd aan. 'Pardon?' zei ik, blij dat mijn stem niet trilde. Oké, ik had zojuist gezien hoe hij met de moeiteloze gratie van een roofdier een hele groep van dertien zwarte heksen tegen de grond had gewerkt, maar als hij nu opeens een boom wilde opzetten over ontbijtgranen, dan vond ik dat ook prima. 'Knapperig en krokant,' zei hij. 'Zo'n geluid maakte het toen ik die heksen uitschakelde.'

Ik trok mijn wenkbrauwen hoog op en glimlachte wrang. Met een kleine beweging strekte ik mijn voet uit naar de vloerverwarming. Als ik niet lachte, moest ik vast huilen. En ik wilde niet huilen.

'Ik heb het er vanavond niet zo best vanaf gebracht, hè?' zei hij, zijn blik weer op de weg gericht.

Ik zei niets, want eigenlijk wist ik niet wat ik voelde.

'Rachel,' zei hij zacht. 'Het spijt me dat je dat allemaal hebt moeten zien.'

'Ik wil er niet over praten,' zei ik, terugdenkend aan de kreten van doodsangst en pijn. Ik wist wie Kisten was en voor wie hij werkte, dus had ik van tevoren geweten dat hij soms afschuwelijke dingen deed, maar wat ik nu met eigen ogen had gezien vervulde mij met afschuw, terwijl het me tegelijkertijd fascineerde. Ik was een agent, geweld maakte deel uit van mijn bestaan. Ik kon wat gebeurd was niet zonder meer als slecht bestempelen zonder een schaduw over mijn eigen beroep te werpen.

Hoewel zijn ogen gitzwart waren geweest en zijn instincten op scherp hadden gestaan, had hij snel en doortastend gehandeld, met een souplesse en een efficiëntie die ik hem benijdde. Bovendien had ik door alles heen voortdurend gevoeld dat Kisten mij in de gaten hield, en zich er steeds van bewust was waar ik me bevond en van wie ik iets te duchten had.

Ik was helemaal dichtgeslagen en hij had me beschermd.

Kisten reed rustig de kruising voor ons op toen het licht op groen sprong. Hij zuchtte, zich er kennelijk niet van bewust wat er door mij heen ging, en nam de afslag naar de kerk. Op het verlichte klokje op het dashboard zag ik dat het halfvier was. Uitgaan leek opeens helemaal zo leuk niet meer, maar ik zat nog steeds te trillen en als hij me niet mee uit eten nam, moest ik het straks nog met kaascrackers en een restje rijst doen. Jakkes. 'Mickey-d's?' stelde ik voor. *In godsnaam zeg, het was maar een afspraakje. Eén platonisch... afspraakje.*

Kisten schrok op. Zijn mond viel open van verbazing en hij ramde bijna de auto die voor ons reed. Gelukkig trapte hij nog net op tijd op de rem. Gewend als ik was aan Ivy's rijstijl, zette ik mezelf gewoon schrap en bewoog met de schokken van de auto mee.

'Wil je nog steeds uit eten?' vroeg hij, terwijl de man voor ons onverstaanbare beledigingen schreeuwde in zijn binnenspiegel.

Ik haalde mijn schouders op. Ik zat onder de gore modder en sneeuw, mijn haar was inmiddels tot over mijn oren gezakt, mijn zenuwen lagen volkomen in puin – als ik niet snel iets in mijn maag kreeg werd ik chagrijnig. Of misselijk. Of nog erger.

Kisten leunde naar achteren en er verscheen een bedachtzame uitdrukking op zijn gezicht. In zijn nonchalante houding schemerde iets door van zijn gebruikelijke, arrogante zelf. 'Fastfood is het enige wat ik nog kan betalen,' mompelde hij, maar ik zag dat het een opluchting voor hem was dat ik niet naar huis wilde. 'Ik was van plan een deel van die winst te gebruiken om je mee te nemen naar de Carew Tower voor een diner bij zonsopgang.'

'Die weeskindertjes hebben dat geld harder nodig dan ik een veel te duur etentje op het hoogste punt van Cincinnati,' zei ik. Daar moest Kisten wel om lachen en dat geluid maakte het mij wat gemakkelijker mijn laatste restje argwaan te laten varen. Hij had me in bescherming genomen toen ik zelf geen vin meer kon verroeren. Dat zou in het vervolg niet meer gebeuren. Nooit meer.

'Hé, eh, denk je dat er een kansje bestaat dat je Ivy niet gaat vertellen over... je weet wel?' vroeg hij.

Ik lachte om de ongemakkelijke klank in zijn stem. 'Voor niets gaat de zon op, hoektandje.'

Hij draaide zich naar me om, met ogen die groot waren van zogenaamde bezorgdheid. 'Ik ben gemachtigd je in ruil voor je stilzwijgen een extra grote milkshake aan te bieden,' zei hij op vlakke toon, en ik onderdrukte een rilling bij de geveinsde dreiging die hij erin legde. Ja, dat ik een stommeling was wist ik ook wel. Maar ik leefde nog en hij had me beschermd.

'Maak daar een chocolademilkshake van,' zei ik, 'en we hebben een deal.'

Kisten lachte breed en greep het stuur wat zelfverzekerder vast.

Ik leunde lekker achterover in de warme leren kussens en verdrong een kleine, o-zo-kleine zorgwekkende gedachte. *Wat nou? Alsof ik zoiets tegen Ivy zou vertellen?*

Het geknerp van ijs en strooizout ging door merg en been toen Kisten mij naar de voordeur bracht. Zijn auto stond langs de stoep geparkeerd in een poel van licht, wazig door de vallende sneeuw. Ik liep het trapje op en vroeg me af wat er de komende vijf minuten ging gebeuren. Het was een platonisch afspraakje, maar het was een afspraakje. De gedachte dat hij me misschien zou kussen maakte me behoorlijk nerveus.

Bij de deur draaide ik me glimlachend naar hem om. Kisten stond naast me in zijn lange, wollen jas en glanzende schoenen en zag er goed uit met zijn haar zo half over zijn ogen. De sneeuwvlokken waren prachtig om te zien, en verzamelden zich op zijn schouders. Ik moest toch telkens weer even denken aan alle verschrikkelijke dingen die er vanavond waren gebeurd. 'Ik vond het gezellig,' zei ik. De rest wilde ik vergeten. 'Ik heb erg gelachen bij Mickey-d's.'

Kisten liet zijn hoofd zakken en grinnikte zachtjes. 'Ik heb nog nooit eerder met iemand gedaan alsof we inspecteurs van de Voedsel- en Warendienst waren om een gratis maaltijd te krijgen. Hoe wist je wat je precies moest doen?'

Ik trok een gezicht. 'Ik, eh, heb in mijn middelbareschooltijd in de keuken van een hamburgertent gestaan, tot ik een bezwering in het frituurvet liet vallen.' Hij fronste zijn wenkbrauwen en ik voegde eraan toe: 'Toen ben ik ontslagen. Ik snap nog steeds niet waarom ze er zo moeilijk over deden. Er was niemand gewond geraakt en die vrouw zag er stukken beter uit met steil haar.'

Hij lachte en begon meteen te hoesten. 'Heb je een drankje in de frituurpan laten vallen?'

'Ja, per ongeluk. De bedrijfsleider moest voor een hele dag een behandeling in een schoonheidsinstituut betalen en ik kon ophoepelen. Het enige wat ze nodig had om de bezwering te verbreken was een zoutbad, maar ze wilde er per se werk van maken.'

'Ik kan me niet voorstellen waarom...' Kisten wipte op en neer op zijn tenen terwijl hij met zijn handen op zijn rug door de sneeuw omhoog stond te turen naar de kerktoren. 'Ik ben blij dat je het naar je zin hebt gehad. Ik vond het ook leuk.' Hij zette een stap naar achteren en ik wachtte roerloos af. 'Ik kom morgenavond nog wel even langs om mijn jas op te halen.'

'Hé, eh, Kisten?' vroeg ik, zonder precies te weten waarom. 'Heb je... zin in een kopje koffie?'

Met één voet al op de volgende trede naar beneden kwam hij op sierlijke wijze tot stilstand. Hij keek glimlachend om en ik zag aan zijn ogen dat hij er echt blij mee was. 'Alleen als ik het mag zetten.'

'Afgesproken.' Mijn hart begon ietsje sneller te kloppen toen ik de deur opendeed en hem voorging naar binnen. Trage jazzklanken kwamen ons vanuit de woonkamer tegemoet. Ivy was thuis en ik hoopte dat ze al op pad was geweest voor haar tweewekelijkse portie bloed. Een gevoelvol gezongen 'Lilac Wine' zorgde voor een rustige stemming, geaccentueerd door de duisternis van het sanctuarium.

Ik trok Kistens jas uit en hoorde de zijden voering ruisend van me af glijden. Het sanctuarium was schemerig en stil en de elfen lagen nog lekker te slapen in mijn bureau, hoewel ze inmiddels eigenlijk wakker hadden moeten zijn. Bang om de rust te verstoren, trok ik mijn laarzen uit, terwijl Kisten zijn jas naast de jas hing die ik van hem had geleend.

'Kom mee naar achteren,' fluisterde ik, om de elfen niet wakker te maken. Met een zachte glimlach volgde Kisten mij naar de keuken. We deden heel stil, maar toen de muziek zachter werd gezet wist ik dat Ivy ons had gehoord. Ik gooide mijn avondtasje op mijn kant van de tafel en voelde me een heel ander mens toen ik op mijn sokken naar de koelkast liep voor de koffie. Ik zag mezelf in het raam. Als je niet op de natte sneeuwplekken en het ingezakte haar lette, zag ik er niet eens zo slecht uit.

'Ik pak de koffie wel,' zei ik, in de koelkast zoekend terwijl het geluid van stromend water de zachte jazz verstoorde. Met de koffie in mijn hand draaide ik me om en zag hem volkomen ontspannen en op zijn gemak in zijn krijtstreeppak bij de gootsteen staan om de nieuwe koffiepot om te spoelen. Hij nam zijn taak heel serieus en leek niet eens in de gaten te hebben dat ik me in dezelfde ruimte bevond terwijl hij de oude koffiedrab weggooide en met een nonchalante beweging een filter uit het keukenkastje pakte.

Na vier hele uren met hem te hebben doorgebracht zonder ook maar één flirtende opmerking of seksueel- of bloedgetinte dubbelzinnigheid, voelde ik me op mijn gemak. Ik had niet geweten dat hij zo kon zijn: normaal dus. Ik zag dat hij even helemaal nergens aan dacht en wat ik zag beviel me. Ik vroeg me af hoe het zou zijn om altijd zo met hem om te gaan.

Kennelijk voelde Kisten dat ik naar hem keek, want hij draaide zich om. 'Wat?' vroeg hij lachend.

'Niks.' Ik keek naar de donkere hal. 'Ik ga even bij Ivy kijken.'

Kisten glimlachte en ik ving een glimp op van zijn tanden. 'Oké.'

Niet zeker wetend waarom hij dat fijn zou moeten vinden, wierp ik hem nog een laatste verbaasde blik toe en liep toen de door kaarsen verlichte woonkamer binnen. Ivy lag languit in haar zachte, suède stoel, met haar hoofd op de ene leuning en haar benen over de andere. Toen ik binnenkwam keek ze me aan met haar bruine ogen en nam de mooie, elegante lijnen van mijn kleren van top tot teen op.

'Je zit helemaal onder de sneeuw,' zei ze, zonder van uitdrukking of houding te veranderen.

'Ik, eh, ben uitgegleden,' loog ik en dat accepteerde ze, mijn nervositeit waarschijnlijk als schaamte opvattend. 'Waarom slapen de elfjes nog?'

Ze snoof en kwam overeind om haar voeten op de grond te zetten – en ik ging tegenover haar op de bijpassende bank zitten, met de salontafel tussen ons in. 'Jenks heeft ze opgehouden tot jij wegging zodat ze niet wakker zouden zijn wanneer je thuiskwam.'

Ik glimlachte dankbaar. 'Help me eraan herinneren dat ik wat honingcakejes voor hem bak,' zei ik, terwijl ik achteroverleunde en mijn benen over elkaar sloeg.

Ivy zakte onderuit in haar stoel en nam dezelfde houding aan. 'Zo... en hoe was je afspraakje?'

Ik keek haar aan. Me ervan bewust dat Kisten vanuit de keuken meeluisterde, haalde ik mijn schouders op. Ivy gedroeg zich vaak als een irritant ex-vriendje, wat eigenlijk toch wel heel, heel vreemd was. Maar nu ik wist dat het voortkwam uit haar behoefte om mijn vertrouwen te behouden, was het iets gemakkelijker te begrijpen, maar nog steeds wel vreemd.

Ze ademde langzaam in en uit en ik wist dat ze de lucht opsnoof om zich ervan te vergewissen dat niemand me bij Piscary's had gebeten. Haar schouders ontspanden zich en ik rolde geërgerd met mijn ogen.

'Hé, eh,' begon ik. 'Het spijt me echt van wat ik vanavond heb gezegd. Over Piscary's?' Ze keek me aan en ik voegde er snel aan toe: 'Heb je zin om er een keer naartoe te gaan? Samen, bedoel ik. Zolang ik beneden blijf, zal ik niet tegen de vlakte gaan, denk ik.' Ik kneep mijn ogen half dicht en wist eigenlijk niet waarom ik dit deed, behalve dan dat zij, als ze niet snel een manier vond om te ontspannen, zou breken. En als dat gebeurde, wilde ik niet in de buurt zijn. Ik zou me een stuk beter voelen als ik haar een beetje in de gaten kon houden. Ik had het gevoeld dat ze sneller plat zou gaan dan ik.

Ivy schoof heen en weer in haar stoel, terug naar de houding waarin ze had gezeten toen ik binnenkwam. 'Mij best,' zei ze en haar stem gaf me niet de geringste aanwijzing over wat er door haar heen ging. Ze keek naar het plafond en deed toen haar ogen dicht. 'We hebben al een tijdje geen meidenavondje meer gehouden.'

'Afgesproken.'

Ik leunde in de kussens om op Kisten te wachten. Op de radio kondigde een zwoele, sexy fluisterstem een nieuw nummer aan. Ik rook de geur van verse koffie. Ik glimlachte toen Takata's nieuwste single inzette. Zelfs op de jazzzenders werd hij dus gedraaid. Ivy deed haar ogen open. 'Backstagepasjes,' zei ze, glimlachend.

'He-e-e-elemaal achter de coulissen,' zei ik. Ze had al toegezegd met mij te willen samenwerken voor het concert en ik kon niet wachten om haar aan Takata voor te stellen. Maar toen dacht ik aan Nick. Die ging nu natuurlijk niet meer mee. Misschien kon ik Kisten vragen ons te helpen. En aangezien hij zich voordeed als Piscary's intimus, zou hij als afschrikmiddel dubbel zo effectief zijn. Zoiets als een politieauto die in de middenberm geparkeerd staat. Ik keek naar de donkere doorgang. Ik vroeg me af of hij ja zou zeggen als ik het hem vroeg, en of ik hem er wel bij wilde hebben.

'Luister,' zei Ivy, haar wijsvinger in de lucht stekend. 'Dit is mijn favoriete gedeelte. Dat lage getokkel voel ik helemaal in mijn buik. Hoor je het verdriet in haar stem? Dit is tot nu toe verreweg Takata's beste cd.'

Haar stem? dacht ik. Takata was de enige die zong.

'Op de een of andere manier ben je toch van mij,' fluisterde Ivy, met haar ogen dicht. De innerlijke pijn op haar gezicht bezorgde me een ongemakkelijk gevoel. 'Je bent van mij, ook al weet je dat niet. Je bent van mij, band geboren uit hartstocht...'

Mijn ogen werden groot van verbazing. Zij zong niet wat Takata zong. Haar woorden combineerden wel met de zijne, als een griezelige achtergrondtekst die mij kippenvel bezorgde. Dat was het refrein dat hij niet zou uitbrengen.

'Je bent van mij en toch helemaal jij,' fluisterde ze. 'Door middel van je wil – '

'Ivy!' riep ik uit en haar ogen schoten open. 'Hoe kom je aan die tekst?'

Ze keek me niet-begrijpend aan, terwijl Takata verder zong over afspraken die voortkwamen uit onwetendheid.

'Dat is het alternatieve refrein!' zei ik, naar het puntje van de bank schuivend. 'Dat wilde hij niet uitbrengen.'

'Alternatief refrein?' vroeg ze toen Kisten binnenkwam, het dienblad met drie kopjes koffie naast de dikke rode kaarsen zette en nadrukkelijk naast mij ging zitten.

'Die tekst!' Ik wees op de geluidsinstallatie. 'Je zong hem mee. Maar die tekst wilde hij helemaal niet uitbrengen. Dat heeft hij me zelf verteld. Hij wilde de andere tekst gebruiken.'

Ivy keek me aan alsof ik gek was geworden, maar Kisten kreunde en boog zich naar voren om zijn ellebogen op zijn knieën te zetten en zijn hoofd in zijn handen te leggen. 'Dat is de vamptrack,' zei hij op effen toon. 'Verdomme, ik dacht al dat er iets ontbrak.'

Stomverbaasd pakte ik mijn koffie. Ivy kwam overeind en deed hetzelfde. 'Vamptrack?' zei ik.

Kisten keek op. Met een berustende blik in zijn ogen streek hij zijn blonde haar naar achteren. 'Takata verwerkt altijd een soundtrack in zijn muziek die alleen de ondoden kunnen horen,' zei hij en ik verstijfde, met mijn kopje halverwege mijn mond. 'Ivy kan het horen omdat ze Piscary's intimus is.'

Ivy's gezicht werd lijkbleek. 'Kunnen jullie haar niet horen?'vroeg ze. 'Luister,' zei ze, naar de stereo kijkend toen het refrein weer begon. 'Kunnen jullie haar niet tussen Takata door horen zingen?'

Ik schudde mijn hoofd. 'Ik hoor alleen hem maar.'

'En die drums?' vroeg ze. 'Horen jullie die?'

Kisten knikte, en leunde met een gemelijke blik naar achteren met zijn koffie. 'Jawel, maar jij hoort heel wat meer dan wij.' Hij zette zijn kopje neer. 'Verdomme,' vloekte hij. 'Nu moet ik wachten tot ik dood ben en dan maar hopen dat ik ergens nog een oud cd'tje vind.' Hij slaakte een zucht van teleurstelling. 'Klinkt het goed, Ivy? Haar stem is de wonderlijkste die ik ooit heb gehoord. Ze staat op elke cd, maar ze wordt nooit genoemd bij de credits.' Hij zakte onderuit. 'Ik snap niet waarom ze haar eigen albums niet verbrandt.'

'Kunnen jullie haar niet horen?' vroeg Ivy nogmaals. Ze zette haar kopje zo hard neer dat de koffie over de rand klotste en ik staarde haar verrast aan.

Kisten trok een spottend gezicht en schudde zijn hoofd. 'Gefeliciteerd,' zei hij op wrange toon. 'Welkom bij de club. Ik wou dat ik er nog in zat.'

Mijn hart begon sneller te kloppen toen ik de woede in Ivy's ogen zag flitsen. 'Nee!' zei ze, terwijl ze opstond.

Kisten keek met grote ogen op. Kennelijk realiseerde hij zich nu pas dat Ivy niet blij was.

Ivy schudde met een strak gezicht haar hoofd. 'Nee,' zei ze onvermurwbaar. 'Ik wil het niet!'

Opeens begreep ik het en ik schoot overeind. Dat zij het kon horen betekende dat Piscary's greep op haar sterker werd. Ik keek naar Kisten en hij had een bezorgde uitdrukking op zijn gezicht. 'Wacht nu eens even, Ivy,' suste hij toen haar anders zo onverstoorbare gezicht opeens lelijk van woede werd.

'Niets is meer van mezelf!' riep ze uit en ik zag haar ogen zwart worden. 'Het was mooi en nu is het lelijk en dat komt allemaal door hem. Hij heeft me alles afgenomen, Kist!' riep ze. 'Alles!'

Kisten stond op en ik verstijfde toen hij om het tafeltje heen liep en zijn hand naar haar uitstak. 'Ivy...'

'Dit moet ophouden,' zei ze, met een snelle beweging zijn hand wegslaand voordat hij haar aan kon raken. 'En wel nu meteen.'

Mijn mond viel open toen ze met vampiersnelheid de kamer uit liep. De kaarsen flakkerden even op, maar brandden toen weer rustig verder. 'Ivy?' Ik zette mijn koffie neer en stond op, maar de kamer was leeg. Kisten was haar achternagerend. Ik was alleen. 'Waar ga je naartoe...?' fluisterde ik.

Ik hoorde de ronkende motor van Ivy's vierdeurs personenwagen, die ze voor de winter van haar moeder had geleend. Een tel later was ze weg. Ik liep de hal in en hoorde Kisten zachtjes de deur dichtdoen en over de hardhouten vloer lopen.

'Waar gaat ze naartoe?' vroeg ik, toen hij de hal in kwam.

Hij legde een hand op mijn schouder om me zwijgend terug naar de woonkamer te leiden. Op mijn kousenvoeten was ons lengteverschil nog opvallender. 'Met Piscary praten.'

'Piscary!' Ik schrok zo dat ik stokstijf bleef staan. Ik rukte me los uit zijn lichte greep. 'Maar ze kan toch niet in haar eentje met hem gaan praten!'

Maar Kisten wierp me een vreugdeloos glimlachje toe. 'Dat komt wel goed. Het werd hoog tijd dat ze eens met hem ging praten. Zodra ze dat doet, bedenkt hij zich wel. Daar was het hem allemaal om te doen. Het is juist goed dat dit nu gebeurt.'

Niet erg overtuigd, keerde ik terug naar de woonkamer. Ik was me er erg van bewust dat hij achter me liep, zwijgend en zo dichtbij dat ik hem had kunnen aanraken. We waren alleen, als je tenminste de zesenvijftig elfen in mijn bureau niet meetelde. 'Het komt wel goed,' zei hij binnensmonds terwijl hij achter me aan liep, zijn schoenen geruisloos op het grijze tapijt.

Ik wilde dat hij wegging. Ik was emotioneel totaal uitgeput en ik wilde dat hij wegging. Ik voelde dat hij naar me keek en begon de kaarsen uit te blazen. In de nieuwe duisternis verzamelde ik de koffiekopjes op het dienblad in de hoop dat hij de hint zou begrijpen. Maar toen ik naar de gang keek, kwam er plotseling een ijzingwekkende gedachte bij me op. 'Denk je dat Piscary haar kan dwingen mij te bijten? Hij heeft haar bijna Quen laten bijten.'

Kisten kwam in beweging en ik voelde zijn vingers langs de mijne strijken toen hij het dienblad van me overnam in de naar rook geurende lucht. 'Nee,' zei hij, duidelijk wachtend tot ik hem voor zou gaan naar de keuken.

'Waarom niet?' Ik liep de helder verlichte ruimte binnen.

Zijn ogen half dichtknijpend tegen het felle licht, zette Kisten het dienblad naast de gootsteen en goot de koffie in bruine plasjes in de witporseleinen gootsteen. 'Vanmiddag was Piscary in staat zoveel invloed op haar uit te oefenen omdat ze er niet op bedacht was. Bovendien wist ze nog niet wat ze ertegen moest beginnen. Ze verzet zich al tegen haar instincten om jou te bijten sinds jullie collega's waren bij de I.S.. Nee zeggen is gemakkelijk geworden. Piscary kan haar niet dwingen je te bijten zolang ze zich niet eerst gewonnen geeft en dat doet ze niet. Daarvoor heeft ze te veel respect voor je.'

Ik opende de vaatwasser en Kisten zette de kopjes in het bovenste rek. 'Zeker weten?' vroeg ik zacht, hoewel ik het maar al te graag wilde geloven.

'Ja.' Zijn sluwe glimlach maakte hem weer tot die stoute jongen in een veel te duur pak. 'Ivy is er trots op dat ze zichzelf dingen ontzegt. Ze hecht meer waarde aan haar onafhankelijkheid dan ik, en dat is de reden waarom ze zich tegen hem verzet. Opgeven zou een stuk gemakkelijker zijn. Dan zou hij niet langer proberen zijn dominantie aan haar op te dringen. Het is niet vernederend om Piscary door jouw ogen te laten kijken en te laten delen in jouw emoties en verlangens. Ik vond het juist verheffend.'

'Verheffend.' Ik leunde met een blik vol ongeloof tegen het aanrecht. 'Dus dat Piscary haar zijn wil oplegt en haar tegen haar wil dingen laat doen is "verheffend"?'

'Niet als je het zo stelt.' Hij trok het kastje onder de gootsteen open en haalde het vaatwasmiddel tevoorschijn. Even vroeg ik me af hoe hij wist waar dat stond. 'Maar Piscary valt haar alleen zo lastig omdat zij zich tegen hem verzet. Hij geniet ervan als ze dat doet.'

Ik pakte de flacon uit zijn hand en vulde het kleine kuipje in de deur van de vaatwasser.

'Ik probeer haar steeds duidelijk te maken dat ze er niet minder van wordt als ze Piscary's intimus wordt, maar juist meer,' zei hij. 'Ze raakt niets van zichzelf kwijt en wint er alleen maar bij. Zoals die vamptrack, en het feit dat ze bijna de volledige kracht van een ondode heeft zonder de nadelen die erbij horen.'

'Zoals een ziel die je vertelt dat het verkeerd is om mensen te zien als wandelende snackbars,' zei ik pinnig, terwijl ik de deur dichtklapte.

Hij zuchtte en de fijne stof van zijn kostuum spande om zijn schouders toen hij de flacon weer van me aanpakte en op het aanrecht zette. 'Zo werkt het niet,' zei hij. 'Schapen worden behandeld als schapen, gebruikers worden gebruikt en diegenen die meer verdienen krijgen alles.'

Met mijn armen voor mijn borst gekruist, zei ik: 'En wie ben jij om dat te kunnen beslissen?'

'Rachel.' Hij klonk vermoeid toen hij zijn handen om mijn ellebogen legde. 'Ze nemen hun eigen beslissingen.'

'Dat geloof ik niet.' Maar ik trok mijn armen niet weg en duwde hem ook niet van me af. 'En ook al doen ze dat wel, dan maken jullie daar toch misbruik van.'

Kisten kreeg een afwezige blik in zijn ogen en gleed van mij weg terwijl hij mijn armen voorzichtig in een minder agressieve houding trok. 'De meeste mensen,' zei hij, 'willen wanhopig graag nodig zijn. En als ze niet tevreden zijn met zichzelf of denken dat ze het niet verdienen te worden bemind, zullen sommigen zich vastbijten op de allerergste manier om aan die behoefte te voldoen om zichzelf te straffen. Dat zijn de verslaafden, de schaduwen die worden doorgegeven als de kwispelende schapen waarin zij zichzelf veranderen tijdens hun zoektocht naar een glimp van eigenwaarde, wetende dat het vals is, ook al smeken ze er zelf om. Ja, het is niet iets moois. En ja, wij maken misbruik van degenen die ons daar de kans toe geven. Maar wat is nu erger, iets nemen van iemand die dat zelf graag wil en diep vanbinnen weten dat je een monster bent, of iets nemen van iemand die dat niet wil en het bewijzen?'

Mijn hart ging als een razende tekeer. Ik wilde tegen hem ingaan, maar met alles wat hij zei was ik het eens.

'En dan heb je nog diegenen die zich koesteren in de macht die ze over ons hebben.' Kisten perste zijn lippen op elkaar van een oude woede en liet zijn handen langs zijn zijden vallen. 'De slimmeriken die weten dat onze behoefte om geaccepteerd en vertrouwd te worden zo diep zit dat het je kan verlammen. Diegenen die daar op inspelen, weten dat wij vrijwel alles over hebben voor een uitnodiging om het bloed te nemen waar wij zo wanhopig naar smachten. Degenen die uitblinken in de verborgen dominantie die een geliefde kan uitoefenen en het gevoel hebben dat die hun een bijna goddelijke status bezorgt. Dat zijn degenen die net zo willen zijn als wij en denken dat het hun macht zal bezorgen. En wij gebruiken ook hen en zetten ze met minder spijt aan de kant dan de schapen, tenzij we hen gaan haten en ze als een soort wrede wraakoefening tot een van de onzen maken.'

Hij nam mijn kin in zijn hand, die warm aanvoelde, en ik trok mijn hoofd niet weg. 'En dan heb je nog de zeldzamen die weten wat liefde is, die het begrijpen. Die zichzelf vrijwillig geven en daar alleen een beantwoording van die liefde, van dat vertrouwen voor terugverlangen.' Zijn blauwe ogen knipperden geen seconde en ik hield mijn adem in. 'Het kan zo mooi zijn, Rachel, wanneer er vertrouwen is en liefde. Niemand is gebonden. Niemand verliest zijn of haar wil. Niemand wordt er minder van. Samen staan ze sterker dan ze alleen zouden zijn. Maar het is zo zeldzaam, zo prachtig wanneer het gebeurt.'

Ik huiverde en vroeg me af of hij tegen me stond te liegen.

De zachte aanraking van zijn hand langs mijn kin toen hij me losliet deed mijn bloed sneller stromen. Maar hij merkte het niet, want hij keek uit het raam naar de ochtendschemering. 'Ik heb medelijden met Ivy,' fluisterde hij. 'Ze weigert haar behoefte om erbij te horen te accepteren, ook al beheerst het haar hele leven. Ze wil die volmaakte liefde, maar denkt dat ze hem niet verdient.'

'Ze houdt niet van Piscary,' fluisterde ik. 'Je zei dat er geen schoonheid kon zijn zonder liefde en vertrouwen.'

Kisten keek me aan. 'Ik had het niet over Piscary.'

Hij keek op de klok boven de gootsteen en toen hij een stap naar achteren deed, wist ik dat hij wegging. 'Het is al laat,' zei hij en zijn afwezige stem vertelde me dat hij in gedachten al heel ergens anders was. Toen lichtten zijn ogen op en was hij weer terug. 'Ik heb een leuke avond gehad,' zei hij. 'Maar de volgende keer wordt er geen limiet gesteld aan het bedrag dat ik mag uitgeven.'

'Dus je gaat ervan uit dat er een volgende keer komt?' zei ik, in een poging de sfeer wat luchtiger te maken.

Hij lachte terug en het licht viel op zijn nieuwe baardstoppels. 'Misschien.'

Kisten liep naar de voordeur en ik liep automatisch met hem mee om hem uit te laten. Op mijn kousen waren mijn voeten net zo geluidloos als de zijne op de hardhouten vloer. Het was doodstil in het sanctuarium en er klonk nog geen kik uit mijn bureau. Zonder iets te zeggen trok Kisten zijn wollen jas aan.

'Bedankt,' zei ik terwijl ik hem de lange leren jas die hij me had geleend aanreikte.

Zijn tanden glinsterden in de donkere hal. 'Graag gedaan.'

'Voor het avondje uit, niet voor de jas,' zei ik, terwijl ik voelde hoe mijn panty kletsnat werd van de gesmolten sneeuw op de grond. 'Nou ja, natuurlijk ook bedankt dat ik je jas mocht lenen,' stotterde ik.

Hij boog zich naar me toe. 'Nogmaals, graag gedaan,' zei hij, het flauwe lichtschijnsel een glinstering in zijn ogen. Ik keek hem aan en probeerde te zien of zijn ogen zwart waren van verlangen of van de schaduw. 'En nu ga ik je kussen,' zei hij, met een hese klank in zijn stem en mijn spieren spanden zich. 'Niet wegduiken.'

'Niet bijten,' zei ik, dodelijk serieus. Een intens gevoel van verwachting borrelde in mij omhoog. Maar het kwam van mezelf, niet van mijn demonenlitteken en dat accepteren was zowel een opluchting als een angst – ik kon niet meer net doen alsof het van het litteken kwam. Deze keer niet.

Hij nam mijn kin in zijn handen, die tegelijkertijd ruw en warm aanvoelden. Toen hij met gesloten ogen dichterbij kwam, hield ik mijn adem in. Ik rook een sterke geur van leer en zijde en een vleugje van iets diepers, iets primitievers, iets dat mijn instincten prikkelde maar er ook voor zorgde dat ik niet wist wat ik voelde. Met mijn ogen wijd open, zag ik hem naar mij toe buigen. Mijn hart bonkte in afwachting van zijn lippen op de mijne.

Zijn duimen verschoven en volgden mijn kaaklijn. Ik opende mijn lippen. Maar de hoek was verkeerd voor een volle kus en mijn schouders zakten omlaag toen ik me realiseerde dat hij mijn mondhoek ging kussen.

Ontspannen leunde ik naar voren, maar ik raakte bijna in paniek toen zijn vingers nog wat verder naar achteren gleden en zich in mijn haar begroeven. De adrenaline stroomde in een ijzige golf door me heen toen ik besefte dat hij helemaal niet op weg was naar mijn mond.

Hij ging mijn nek kussen! dacht ik, als aan de grond genageld.

Maar hij stopte net op tijd en zuchtte toen zijn lippen de zachte holte tussen mijn oor en mijn kaak vonden. Opluchting vermengde zich met angst en maakte mij volkomen machteloos. De restanten van de adrenaline lieten mijn hart als een razende tekeergaan. Zijn lippen waren heel teder, maar zijn handen om mijn gezicht waren ruw van ingehouden verlangen.

Toen hij even later zijn gezicht wegtrok, nam een koele warmte de plek in van zijn lippen, maar ik bleef zijn aanwezigheid voelen. Mijn hart bonsde en ik wist dat hij het kon voelen alsof het zijn eigen hart was. Hij ademde langzaam uit en ik volgde zijn voorbeeld.

Met een geluid van ruisende wol zette Kisten een stapje naar achteren. Zijn ogen vonden de mijne en ik realiseerde me dat mijn handen omhoog waren gegleden en nu om zijn middel lagen. Ik liet hem met tegenzin los en slikte moeizaam, geschokt als ik was. Hoewel hij mijn lippen of hals niet eens had aangeraakt, was het een van de meest opwindende kussen geweest die ik ooit had ervaren. De spanning van het niet weten wat hij zou gaan doen, had me een roes bezorgd die ik van een kus vol op de mond nooit zou hebben gekregen.

'Hier begrijp ik helemaal niets van,' zei hij zacht, met verbaasd opgetrokken wenkbrauwen.

'Waarvan?' vroeg ik ademloos, want ik was het gevoel nog steeds niet helemaal kwijt.

Hij schudde zijn hoofd. 'Ik ruik je helemaal niet. Ik vind het eigenlijk wel sexy.'

Ik knipperde met mijn ogen, niet in staat ook maar een woord uit te brengen.

'Trusten, Rachel.' Er verscheen een nieuwe glimlach op zijn gezicht terwijl hij nog een stap naar achteren deed.

'Welterusten,' fluisterde ik.

Toen draaide hij zich om en opende de deur. De koude lucht wekte me uit mijn roes. Mijn demonenlitteken had geen kik gegeven. *Dat*, dacht ik, *was beangstigend. Dat hij dit met me kon doen zonder zelfs maar met mijn litteken te spelen. Wat mankeerde mij in hemelsnaam?*

Kisten wierp me nog een laatste glimlach toe met de besneeuwde nacht als beeldschone achtergrond. Toen draaide hij zich om en liep de gladde treden af, zijn voetstappen knerpend over het strooizout.

Verbijsterd deed ik de deur achter hem dicht en vroeg me af wat er nu precies was gebeurd. Nog steeds met een onwerkelijk gevoel liet ik de balk voor de deur zakken, maar haalde hem weer weg toen ik me herinnerde dat Ivy niet thuis was.

Met mijn armen om mijn bovenlichaam geslagen, liep ik naar mijn slaapkamer. Mijn gedachten waren vol van wat Kisten me had verteld over hoe mensen hun eigen lot in handen namen wanneer ze zich door een vampier lieten binden. Dat mensen voor de extase van vampierhartstocht betaalden met verschillende maten van afhankelijkheid, variërend van voedsel tot gelijkheid. *Wat als hij loog?* dacht ik. *Wat als hij me op deze manier zover probeerde te krijgen dat ik me door hem liet binden?* Maar een nog angstaanjagender gedachte deed me stilstaan en ik voelde me helemaal koud worden.

Wat als hij de waarheid vertelde?

Mijn laarzen stampten door de gang toen ik achter Ivy aan naar de voordeur liep. Haar lange gestalte bewoog met een nonchalante gratie. Roofdierachtig als altijd in haar smaakvolle leren broek. Misschien dat zij ermee wegkwam om geheel in het leer zonnewende-inkopen te gaan doen, maar ik had gekozen voor een spijkerbroek en een rode trui. Toch zagen we er allebei goed uit. Winkelen met Ivy was altijd leuk. Ze trok altijd vreemde figuren aan en het afwijzen van aanbiedingen voor afspraakjes kreeg iets verrukkelijk gevaarlijks, omdat zij werkelijk alle mogelijke mensen aantrok.

'Ik moet om elf uur terug zijn,' zei ze, toen we het sanctuarium binnenliepen en zij haar lange haar naar achteren gooide. 'Ik heb vanavond een klus. Iemands minderjarige dochter is meegelokt naar een bloedhuis en ik ga haar eruit halen.'

'Heb je hulp nodig?' vroeg ik, tijdens het lopen mijn jas dichtknopend en mijn tas wat hoger op mijn schouder hijsend.

De elfjes hingen in groepjes voor de lichtere kleuren van de ge-

brandschilderde ramen en hadden pret om iets wat ze buiten zagen.
Ivy glimlachte verbitterd. 'Nee hoor. Dat is zo gepiept.'

De harde blik op haar bleke, ovale gezichtje baarde me zorgen. Ze was in een heel slechte bui teruggekomen van haar bezoek aan Piscary. Het was kennelijk niet goed gegaan en ik had het gevoel dat ze haar frustratie ging botvieren op degene die het meisje had ontvoerd. Ivy had geen mededogen met vampiers die het gemunt hadden op minderjarigen. Ergens liep nu iemand rond die de feestdagen in tractie ging doorbrengen.

De telefoon ging en Ivy en ik verstijfden en keken elkaar aan. 'Ik neem hem wel,' zei ik. 'Maar als het geen werk is, laat ik het antwoordapparaat opnemen.'

Zij knikte en liep met haar tas de deur uit. 'Ik laat de auto vast warmdraaien.'

Ik rende terug naar de achterkant van de kerk. Toen de telefoon voor de derde keer overging, trad het antwoordapparaat in werking. De boodschap werd afgedraaid en mijn gezicht verstrakte. Nick had hem voor me ingesproken – het leek me wel iets hebben als mensen dachten dat we een mannelijke secretaris in dienst hadden. Maar nu we kennelijk ook onder een andere beroepsgroep in de gouden gids waren opgenomen, maakte het de verwarring waarschijnlijk alleen maar groter.

Mijn frons werd dieper toen de boodschap was afgelopen en Nicks stem gewoon verder praatte. 'Hé, Rachel?' zei hij aarzelend. 'Ben je thuis? Neem dan alsjeblieft even op. Ik... ik hoopte dat je thuis zou zijn. Het is hier nu, even kijken, een uur of zes.'

Ik dwong mijn hand de telefoon op te nemen. *Zat hij in een andere tijdzone?* 'Hallo, Nick.'

'Rachel.' Ik hoorde de opluchting in zijn stem, in schril contrast met mijn eigen vlakke stem. 'Fijn. Ik ben blij dat ik je te pakken heb.'

Dat je me te pakken hebt. Mocht je willen. 'Hoe is het met je?' vroeg ik, terwijl ik mijn best deed niet sarcastisch te klinken. Ik was nog steeds verdrietig, gekwetst en in de war.

Op de achtergrond hoorde ik water en het gesis van iets dat stond te koken. Vervolgens hoorde ik ook het zachte gerinkel van glazen en het geroezemoes van conversatie. 'Goed hoor,' zei hij. 'Met mij gaat het goed. Ik heb vannacht heerlijk geslapen.'

'Fijn voor je.' *Waarom heb je me verdorie nooit verteld dat ik je wakker hield met mijn leylijnoefeningen? Je had hier ook lekker kunnen slapen.*

'En hoe is het met jou?' vroeg hij.

Mijn kaak deed pijn en ik trok met geweld mijn mond open. *Ik ben in de war. Ik ben gekwetst. Ik weet niet wat je wilt. Ik weet niet wat ik wil.* 'Prima,' zei ik, denkend aan Kisten. Van hem wist ik in elk geval wat hij wilde. 'Met mij gaat het prima.' Mijn keel deed pijn. 'Wil je dat ik je post ophaal, of kom je bijna naar huis?'

'Ik heb een buurman gevraagd mijn brievenbus leeg te maken. Maar bedankt.'

Je hebt geen antwoord gegeven op mijn vraag. 'Oké. Weet je al of je terug bent met de zonnewende, of zal ik je kaartje maar aan... iemand anders geven?' Het was niet mijn bedoeling om te aarzelen. Het gebeurde gewoon. Ik wist zeker dat Nick het ook had gehoord, gezien zijn zwijgzaamheid. Op de achtergrond hoorde ik een zeemeeuw krijsen. Zat hij op een strand? Hij zat in een bar op een strand en ik liep zwarte bezweringen te ontwijken in ijzige sneeuw?

'Doe dat maar,' zei hij ten slotte en ik had het gevoel alsof ik een stomp in mijn maag kreeg. 'Ik weet niet hoe lang ik hier nog ben.'

'Goed,' fluisterde ik

'Ik mis je, Rachel,' zei hij en ik deed mijn ogen dicht.

Zeg het niet, dacht ik. *Alsjeblieft.*

'Maar ik voel me al stukken beter en ik kom gauw naar huis.'

Het was exact wat Jenks had voorspeld dat hij zou gaan zeggen, en mijn keel werd dichtgeknepen. 'Ik mis jou ook,' zei ik en voelde me weer helemaal opnieuw verraden en verloren. Hij zei niets en na drie tellen, hakte ik de knoop maar door. 'Nou, Ivy en ik gaan winkelen. Ze zit al in de auto.'

'O.' Hij klonk opgelucht, de rotzak. 'Dan zal ik je niet langer ophouden. Eh, ik spreek je nog.'

Leugenaar. 'Oké. Doei.'

'Ik houd van je, Rachel,' fluisterde hij, maar ik hing op alsof ik het niet had gehoord. Ik wist niet of ik het nog terug kon zeggen. Met een ellendig gevoel legde ik de hoorn op de haak. Mijn rode nagellak stak fel af tegen het zwarte plastic. Mijn vingers beefden en mijn hoofd bonkte.

'Waarom ben je dan weggegaan in plaats van mij te vertellen wat er aan de hand is?' vroeg ik aan de lege kamer.

Ik haalde een paar keer diep en beheerst adem om de spanning te verdrijven. Ik ging winkelen met Ivy. Dat ging ik niet verpesten door over Nick te gaan lopen mokken. Hij was weg. Hij kwam niet meer terug. Hij voelde zich stukken beter wanneer hij zich in een andere tijdzone bevond dan ik; waarom zou hij dan terugkomen?

Mijn tas op mijn schouder hijsend, liep ik naar de voorkant van de kerk. De elfjes zaten nog steeds in kleine groepjes voor de ramen. Jenks was ergens anders, waarvoor ik dankbaar was. Als ik hem van mijn gesprek met Nick vertelde, zou hij alleen maar zeggen: 'Heb ik het niet gezegd?'

'Jenks! Ik draag het bevel over het schip aan jou over!' riep ik, terwijl ik de voordeur opende en toen er onmiddellijk een schel gefluit uit mijn bureau opsteeg, gleed er een glimlach, flauwtjes maar wel oprecht, over mijn gezicht.

Ivy zat al in de auto en ik keek naar de overkant van de straat, waar Keasley woonde en waar ik kinderen hoorde joelen en een hond hoorde blaffen. Ik vertraagde mijn tred. Ceri stond in zijn tuin, gekleed in de spijkerbroek die ik haar was gaan brengen en een oude jas van Ivy. Haar vuurrode wanten en bijpassende muts staken vrolijk af tegen de sneeuw. Samen met een stuk of zes kinderen, in leeftijd variërend van tien tot achttien, was ze sneeuwballen aan het rollen. In een hoekje van Keasleys kleine tuin lag al een flinke berg. In de tuin van de buren stonden vier kinderen hetzelfde te doen. Het zag ernaar uit dat er binnen niet al te lange tijd een sneeuwbalgevecht zou gaan losbarsten.

Ik zwaaide naar Ceri, en naar Keasley – die op zijn veranda stond toe te kijken en eruitzag alsof hij ook wel mee zou willen doen. Ze zwaaiden allebei terug en ik kreeg een warm gevoel vanbinnen. Hier had ik iets goeds gedaan.

Ik opende het portier van Ivy's geleende Mercedes en stapte in. Ik voelde meteen dat er nog steeds koude lucht naar binnen werd geblazen. Het duurde een eeuwigheid voordat de grote personenwagen was opgewarmd. Ik wist dat Ivy er niet graag in reed, maar haar moeder wilde haar geen andere auto lenen en fietsen in smeltsneeuw was vragen om hechtingen. 'Wie was het?' vroeg Ivy, terwijl ik mijn veiligheidsgordel vastmaakte. Ivy reed alsof ze niet dood kon, wat ik toch lichtelijk ironisch vond.

'Niemand.'

Ze wierp me een begrijpende blik toe. 'Nick?'

Met mijn lippen stijf op elkaar zette ik mijn tas op mijn schoot. 'Zoals ik al zei, niemand.'

Zonder achter zich te kijken, reed Ivy weg van de stoeprand. 'Ik vind het echt rot voor je, Rachel.'

De oprechte klank in haar zijdezachte stem deed me opkijken. 'Ik dacht dat je de pest aan hem had.'

'Dat is ook zo,' zei ze, in het geheel niet op verontschuldigende toon. 'Ik vind hem een intrigant en hij houdt informatie achter waardoor hij jou in gevaar brengt. Maar jij vond hem leuk. Misschien...' Ze aarzelde en ik zag haar kaak verstrakken. 'Misschien komt hij nog terug. Volgens mij... houdt hij wel van je.' Ze maakte een kokhalzend geluid. 'O, god, nu heb je me gedwongen het te zeggen.'

Ik begon te lachen. 'Nick valt best mee,' zei ik en zij keek me van opzij aan. Ik zag de truck waar ze bijna bovenop knalde en zette me schrap voor de klap.

'Ik zei dat hij van je hield. Ik zei niet dat hij je vertrouwde,' zei ze, terwijl ze mij bleef aankijken en intussen soepeltjes op de rem trapte en nog geen twintig centimeter achter zijn bumper tot stilstand kwam.

Mijn maag kromp ineen. 'Denk je dat hij me niet vertrouwt?'

'Rachel,' zei ze, langzaam optrekkend toen het licht op groen sprong, maar de vrachtwagen nog niet in beweging kwam. 'Hij gaat de stad uit zonder iets tegen je te zeggen? En vertelt je vervolgens niet wanneer hij weer terugkomt? Ik denk niet dat er íémand tussen jullie is gekomen, maar wel íéts. Je hebt hem de stuipen op het lijf gejaagd en hij is niet mans genoeg om dat toe te geven, het een plekje te geven en het achter zich te laten.'

Ik zei niets, blij toen we weer reden. Ik had hem niet zomaar bang gemaakt, ik had hem een toeval bezorgd. Het moest afschuwelijk voor hem zijn geweest. Geen wonder dat hij was vertrokken. Lekker, nu kon ik me de rest van de dag schuldig gaan lopen voelen.

Ivy gaf een ruk aan het stuur en veranderde van rijbaan. Iemand toeterde en zij keek de bestuurder in haar binnenspiegel aan. Langzaam liet hij wat meer ruimte tussen ons vallen, verdreven door de kracht van haar blik. 'Vind je het erg als we heel even langs het huis van mijn ouders gaan? Het ligt op de route.'

'Mij best.' Ik hield mijn adem in toen ze rechts afsloeg, rakelings voor de vrachtwagen langs die we zojuist waren gepasseerd. 'Ivy, jij mag dan bliksemsnelle reflexen hebben, maar je hebt die vrachtwagenchauffeur zojuist een beroerte bezorgd.'

Ze snoof verongelijkt en nam meteen flink afstand, wel bijna een méter, van de bumper van de wagen die nu voor ons reed.

Ivy deed zichtbaar moeite om op een normale manier door de drukke straten van de Hollows te rijden en langzaam voelde ik mijn wurggreep op mijn tas ontspannen. Het was voor het eerst sinds een week dat we samen waren en zonder Jenks en we hadden geen van beiden een idee wat we voor zijn zonnewende moesten kopen. Ivy neigde naar het verwarmde hondenhok dat ze in een catalogus had gezien; alles om hem en zijn kroost de kerk uit te krijgen. Ik dacht meer aan een dekenkist; daar konden we een kleedje over leggen en vervolgens net doen of het een bijzettafeltje was.

Langzaam maar zeker begonnen de tuinen die we passeerden groter te worden en de bomen hoger. De huizen stonden steeds verder van de straat, tot je ten slotte alleen hun daken nog maar boven de bomen uit zag komen. We bevonden ons nog net binnen de stadsgrenzen, pal naast de rivier. Het lag niet echt op de route naar het winkelcentrum, maar de snelweg was vlakbij en dus was je hier vandaan zo in de stad.

Zonder vaart te minderen, reed Ivy een oprijlaan op. Twee bandensporen vormden zwarte strepen in het dunne laagje sneeuw dat was gevallen sinds er voor het laatst sneeuw was geruimd. Ik keek belangstellend uit het raampje, want ik had het huis van haar ouders nog nooit gezien. De wagen kwam tot stilstand voor een oud, romantisch uitziend huis van twee verdiepingen. Het huis was wit geschilderd en had jagersgroene luiken. Aan de voorkant stond een kleine rode twoseater geparkeerd, droog en sneeuwvrij.

'Ben jij hier opgegroeid?' vroeg ik terwijl ik uitstapte. Bij het zien van de twee namen op de brievenbus keek ik even vreemd op, tot ik me herinnerde dat vampiers binnen het huwelijk altijd hun eigen naam behouden om de levende bloedlijnen in stand te houden. Ivy was een Tamwood, haar zus een Randal.

Ivy sloeg haar deur dicht en gooide haar sleuteltjes in haar zwarte handtas. 'Ja.' Ze keek naar de smaakvolle, niet overdreven feestverlichting. Het begon al te schemeren. De zon ging over een uur onder en ik hoopte dat we dan al weg zouden zijn. Ik voelde er weinig voor om haar moeder te ontmoeten.

'Kom mee naar binnen,' zei ze, terwijl ze de schoongeveegde treden op liep. Ik liep achter haar aan de overdekte veranda op. Ze opende de voordeur en riep: 'Hallo! Ik ben thuis!'

Ik stond nog even buiten om de sneeuw van mijn laarzen te stampen en glimlachte. Het was leuk om haar stem zo ontspannen te horen. Eenmaal binnen, deed ik de deur achter me dicht en ademde diep in. Kruidnagel en kaneel – er was iemand aan het bakken.

De ruime entree was een en al glanzend hout en subtiele tinten gebroken wit en wit.

Het was er net zo strak en elegant als onze woonkamer warm en nonchalant was. Een slinger van cedertakken liep in sierlijke windingen over de leuning van de trap. Het was warm en ik knoopte mijn jas open en propte mijn handschoenen in mijn zakken.

'Erica's auto staat voor de deur. Ze zal wel in de keuken zijn,' zei Ivy, haar tasje op het kleine tafeltje naast de deur gooiend. Het hout was zo glanzend gewreven dat het wel zwart plastic leek.

Ivy trok haar jas uit, hing hem over een arm en liep een gang in, maar bleef staan toen ze iemand de trap af hoorde stommelen. Toen Ivy opkeek zag ik haar gezichtsuitdrukking veranderen. Het duurde even voordat ik doorhad dat ze blij was. Ik volgde haar blik naar een jonge vrouw die de trap af kwam.

Ze zag eruit als een jaar of zeventien, en was gekleed in een kort zwart rokje dat haar middenrif bloot liet. Ze droeg zwarte nagellak en lippenstift. Terwijl ze de trap af kwam gehuppeld, zag ik dat ze helemaal behangen was met zilveren kettingen en hangers en meteen moest ik aan die pagina in mijn boek denken, waar Kisten een hoekje van had omgevouwen. Haar zwarte haar was kortgeknipt en was in woeste pieken gemodelleerd. Ze was nog niet helemaal volwassen, maar ik zag nu al dat ze sprekend op haar zuster zou gaan lijken, ook al was ze vijftien centimeter kleiner: slank, roofdierachtig en met precies genoeg van dat oriëntaalse tintje om haar exotisch te maken. Leuk om te weten dat zoiets in de familie zat. Hoewel ze er nu natuurlijk nog uitzag als een losgeslagen tienervamp.

'Hoi, Erica,' zei Ivy, op haar schreden terugkerend.

'O, god, Ivy,' zei Erica met een hoog stemmetje. 'Je móét met papa praten. Hij lijkt verdorie Big Brother wel. Ik bedoel, alsof ik het verschil niet zou weten tussen goed Hellevuur en slecht Hellevuur? Als je hem moet geloven, zou je denken dat ik nog in luiers rondkroop en de hond probeerde te bijten. God! Hij was in de keuken,' ging ze verder, terwijl ze mij tijdens het praten van top tot teen opnam, 'om voor mama een kopje van die biologisch verbouwde, milieuvriendelijke, politiek correcte, stínkend gore thee te zetten en ik mag niet eens één nachtje uit met mijn vriendinnen. Het is zo onéérlijk! Blijf je? Ze zal er zo wel uitkomen.'

'Nee.' Ivy draaide zich al half om. 'Ik kom alleen even om iets met papa te bespreken. Is hij in de keuken?'

'In de kelder,' zei Erica. Nu ze haar mond eindelijk dichthield, begon ik me er pas over te verbazen hoe snel ze praatte. 'Wie heb je meegenomen?'

Er verscheen een flauw glimlachje om Ivy's mond. 'Erica, dit is Rachel.'

'O!' riep de jonge vrouw uit en haar bruine ogen die bijna verborgen gingen onder dikke lagen mascara werden groot. Ze kwam naar voren, greep mijn hand en begon die enthousiast en met rinkelende sieraden te schudden. 'Ik had het kunnen weten! Hé, ik heb je gezien bij Piscary's,' zei ze, terwijl ze me een klap op mijn schouder gaf waarvan ik een stap naar voren schoot. 'Man, was jij even goed gesuikerd. Je was helemaal de weg kwijt. Ik herkende je niet.' Haar blik gleed over mijn spijkerbroek en winterjas. 'Je had toch een afspraakje met Kisten? Heeft hij je gebeten?'

Ik knipperde met mijn ogen en Ivy lachte nerveus. 'Natuurlijk niet. Rachel laat zich door niemand bijten.' Ze stapte op haar zusje af en omhelsde haar. Het was leuk om te zien hoe zorgeloos het meisje de knuffel beantwoordde. Kennelijk wist ze niet hoe zelden Ivy iemand aanraakte, of kon dat haar niet schelen. Toen de twee elkaar los lieten, zag ik Ivy's gezicht verstrakken. Ze sperde haar neusgaten open en snoof.

Erica grijnsde schuldbewust. 'Drie keer raden wie ik opgehaald heb van het vliegveld?'

Ivy rechtte haar rug. 'Skimmer is hier.'

Het was bijna een fluistering en Erica deinsde bijna een stap naar achteren. 'Vanmorgen vroeg aangekomen,' zei ze, zo trots alsof ze het vliegtuig hoogstpersoonlijk aan de grond had gezet.

Ik keek verbaasd naar Ivy. Ze was tot het uiterste gespannen. Ze draaide zich bliksemsnel om toen ergens achter haar een deur dichtviel. Een vrouwelijke stem riep: 'Erica? Is dat mijn taxi?'

'Skimmer!' Ivy zette een stap in de richting van de doorgang, maar bedacht zich. Ze keek mij aan, enthousiaster dan ik haar in tijden had meegemaakt. Een geluid in de gang trok haar aandacht. Ik zag hoe zij blij werd en overspoeld door emoties, hetgeen voor mij het bewijs was dat Skimmer een van de weinige mensen was bij wie Ivy zich op haar gemak voelde en bij wie ze zichzelf kon zijn.

Dus wij waren met ons tweeën, dacht ik. Toen ik me omdraaide zag ik een jonge vrouw op de drempel staan. Met opgetrokken wenkbrauwen bekeek ik degene die Skimmer moest zijn. Ze was gekleed in een vale spijkerbroek en een frisse, witte blouse, een mooie mix van nonchalant en chic. Eenvoudige zwarte laarzen brachten haar wat lengte betreft ongeveer op gelijke hoogte met mij. Verder was ze blond, slank en goed geproportioneerd en had ze die zelfverzekerde gratie die zo typerend is voor levende vampiers.

Ze droeg alleen een zilveren kettinkje om haar hals en haar blonde haar zat in een simpele paardenstaart, die een botstructuur accentueerde waarvoor fotomodellen een klein vermogen bij de plastisch chirurg moesten spenderen. Ik staarde naar haar ogen en vroeg me af of ze werkelijk zo blauw waren, of dat alleen maar leken door haar ongelooflijk lange wimpers. Ze had een klein wipneusje en haar glimlach straalde een bescheiden soort zelfvertrouwen uit.

'Wat doe jij hier?' vroeg Ivy, die met een blij gezicht naar haar toe liep om haar te begroeten. De twee vrouwen omhelsden elkaar langdurig. Mijn mond viel open bij het zien van de lange kus voordat zij elkaar weer loslieten. *Oké...*

Ivy keek mij even aan, maar draaide zich toen lachend weer om naar Skimmer, lachend, lachend, en nog steeds lachend. 'Ik kan gewoon niet geloven dat je er bent!' zei ze.

Skimmer keek ook even naar mij, maar richtte haar aandacht toen weer op Ivy. Ze zag eruit alsof ze slim en doortastend genoeg was om paarden af te richten, Australische inboorlingetjes les te geven en uit eten te gaan in een vijfsterrenrestaurant en dat allemaal op één dag. *En zij en Ivy hadden gezoend? Niet zomaar een kusje op de wang, maar een echte... zoen?*

'Ik ben hier voor zaken,' zei ze. 'Langetermijnzaken,' voegde ze eraan toe, met een vrolijke klank in haar prettige stem. 'Voor een jaar, denk ik zo.'

'Een jaar! Waarom heb je me niet gebeld? Dan was ik je op komen halen van het vliegveld!'

De vrouw deed een stapje terug en Ivy liet haar los. 'Ik wilde je verrassen,' zei ze, met een lach die ook haar blauwe ogen bereikte. 'Bovendien wist ik niet hoe de zaken er wat jou betreft voor stonden. Het is zo lang geleden,' besloot ze op zachte toon.

Ze keek naar mij en opeens kreeg ik het helemaal warm. *O, krijg nou toch helemaal de zenuwen. Hoe lang woonde ik nu al met Ivy samen? Hoe was het mogelijk dat ik dit nooit had gezien? Was ik stekeblind of gewoon oerstom?*

'Verdomme,' zei Ivy, nog steeds opgewonden. 'Wat fijn je weer te zien. Voor wat voor zaken ben je hier? Heb je een logeeradres nodig?'

Mijn hart begon sneller te kloppen en ik deed mijn best om niets van mijn bezorgdheid te laten merken. Twee vampiers bij elkaar in de kerk? Geen goed plan. Nog verontrustender was dat Skimmer blij leek te zijn met haar aanbod en meteen haar belangstelling voor mij verloor en zich alleen nog maar op Ivy richtte.

Naast mij stond Erica ondeugend te grijnzen. 'Skimmer is hier om voor Piscary te werken,' zei ze. Kennelijk vond zij dat zelf goed nieuws, maar mijn gezicht werd ijskoud. 'Het is allemaal geregeld. Zij gaat nu voor Piscary werken,' zei de jonge vampier stralend, terwijl ze haar kettingen liet rinkelen. 'Precies zoals ik altijd heb gezegd dat ze moest doen.'

Ivy hield haar adem in. Ik zag haar verbazing en ze legde even haar hand op Skimmers schouder, alsof ze niet kon geloven dat ze er werkelijk was. 'Ga jij voor Piscary werken?' fluisterde ze en ik vroeg me af wat daar zo bijzonder aan was. 'Wie of wat heeft hij voor je gegeven?'

Skimmer haalde haar schouders op. 'Nog niets. Ik probeer me al zes jaar in zijn hofkliek te werken en als ik dit goed aanpak, mag ik blijven.' Met een blik vol enthousiasme keek ze op. 'Ik logeer bij Piscary's,' zei ze, 'maar toch bedankt voor het aanbod om bij jou te komen.'

Piscary's, dacht ik, met groeiende bezorgdheid. Daar woonde Kisten ook. Dit begon steeds gekker te worden. Ook Ivy leek hier even over na te moeten denken. 'Heb je je woning met Natalie opgegeven om Piscary's restaurant te komen runnen?' vroeg ze en Skimmer begon te lachen. Haar lach klonk heel plezierig, maar ik voelde me toch niet helemaal lekker bij de dingen die ongezegd bleven.

'Nee. Dat mag Kist blijven doen,' zei ze op luchtige toon. 'Ik ben hier om Piscary uit de gevangenis te krijgen. Daar hangt mijn permanente plekje binnen Piscary's hofhouding helemaal van af. Als ik de zaak win, blijf ik. Verlies ik, dan ga ik weer naar huis.'

Ik verstijfde. *O, god. Ze was Piscary's advocaat.*

Skimmer aarzelde even toen Ivy niet meteen reageerde. Met een paniekerige blik op haar gezicht wendde Ivy zich tot mij. Ik zag de muur weer omlaag komen, en alles weer afsluiten. Haar vrolijkheid, haar vreugde, haar opwinding om het weerzien met een oude vriendin; het was allemaal verdwenen. Er gleed iets tussen ons in en ik voelde de spanning. Erica's sieraden rinkelden toen de jonge vampier zich blijkbaar realiseerde dat er iets niet in orde was, maar niet begreep wat. Shit zeg, ik begreep het zelf niet eens.

Plotseling op haar hoede, keek Skimmer van mij naar Ivy. 'En, wie is je vriendin?' verbrak zij de ongemakkelijke stilte. Ivy liet haar tong over haar lippen glijden en draaide zich half naar mij om. Ik deed een stap naar voren, niet precies wetend hoe ik moest reageren. 'Rachel,' zei Ivy, 'mag ik je voorstellen aan Skimmer. Wij hebben de laatste twee jaar van onze middelbareschooltijd aan de Westkust een kamer gedeeld. Skimmer, dit is Rachel, mijn partner.'

Ik probeerde te bedenken hoe ik dit moest aanpakken. Ik maakte aanstalten om haar een hand te geven, maar Skimmer negeerde mijn hand en sloeg haar armen om me heen in een innige omhelzing.

Ik probeerde niet te verstijven, vastbesloten me maar een beetje met de stroom mee te laten voeren tot ik de kans kreeg om samen met Ivy te bespreken wat we hieraan gingen doen. Piscary mocht niet vrijkomen; dan zou ik nooit meer een oog dichtdoen. Ik sloeg losjes mijn armen om haar heen en bevroor toen de vrouw haar lippen onder mijn oor hield en fluisterde: 'Wat leuk je te ontmoeten.'

De adrenaline schoot door me heen toen mijn demonenlitteken opgloeide in golven van warmte. Geschrokken, duwde ik haar weg en nam een defensieve houding aan. De levende vampier viel naar achteren en van verbazing werden haar lange wimpers en blauwe ogen nog groter. Anderhalve meter verder hervond ze haar evenwicht. Erica hapte naar adem en Ivy sprong als een zwarte tornado tussen ons in.

'Skimmer!' riep Ivy, met haar rug naar mij toe en paniek in haar stem.

Mijn hart bonkte en het zweet brak me uit. De vlammende belofte in mijn nek deed pijn, zo krachtig was hij, en ik bedekte hem met mijn hand. Ik voelde me geschokt en verraden.

'Ze is mijn zakenpartner!' riep Ivy uit. 'Niet mijn bloedpartner!'

De slanke vrouw staarde ons aan en kreeg een rode kleur van schaamte. 'O, god,' stamelde ze, een ietwat onderdanige houding aannemend. 'Het spijt me.' Ze hield een hand voor haar mond. 'Het spijt me echt heel, heel erg.' Ze keek naar Ivy, die zich weer een beetje begon te ontspannen. 'Ivy, ik dacht dat je een schaduw had genomen. Ze ruikt naar je. Ik wilde alleen maar beleefd zijn.' Skimmers blik schoot naar mij en ik probeerde intussen mijn hartslag weer onder controle te krijgen. 'Je vroeg of ik bij je wilde logeren. Ik dacht – god, het spijt me zo. Ik dacht echt dat zij je schaduw was. Ik wist niet dat ze je... vriendin was.'

'Het geeft niet,' loog ik, mezelf dwingend om met rechte rug te staan. De manier waarop ze 'vriendin' zei beviel me helemaal niet. Het suggereerde meer dan we in werkelijkheid waren. Maar ik had nog even geen zin een poging te doen Ivy's vroegere kamergenote uit te leggen dat wij geen bed of bloed deelden. Aan Ivy had ik ook niet veel. Die stond daar maar, met zo'n blik in haar ogen als dat van een hert dat 's avonds op de grote weg in een paar koplampen kijkt. Bovendien had ik het eigenaardige gevoel dat ik nog steeds iets over het hoofd zag. *God, wat deed ik hier in vredesnaam?*

Erica stond, met grote ogen en haar mond een eindje open, aan de voet van de trap. Skimmer wist nog steeds niet in welke bochten ze zich moest wringen om haar vergissing goed te maken. Ze veegde haar handen af aan haar broek en zat voortdurend aan haar haar. Ze zuchtte. Met een rode kleur op haar gezicht stak ze stijfjes haar hand uit en stapte op me af. 'Het spijt me,' zei ze, toen ze voor mij bleef staan. 'Mijn naam is Dorothy Claymor. Als je wilt mag je me zo noemen. Waarschijnlijk heb ik dat verdiend.'

Ik slaagde erin een geforceerd glimlachje op mijn gezicht te toveren. 'Rachel Morgan,' zei ik, haar de hand schuddend.

De vrouw verstijfde en ik trok snel mijn hand terug. Toen ze Ivy aankeek zag ik aan haar dat de puzzelstukjes op hun plaats vielen.

'De Rachel Morgan die Piscary achter de tralies heeft gekregen,' voegde ik eraan toe, gewoon om er zeker van te zijn dat ze wist wie ik was.

Ivy glimlachte ongemakkelijk. Skimmer keek van haar naar mij. Verwarring kleurde haar wangen vuurrood. Dit was echt een zooitje. Dit was een gore, stinkende bak bagger en het werd alleen maar erger.

Skimmer slikte moeizaam. 'Aangenaam kennis met je te maken.' Aarzelend voegde ze eraan toe: 'Jongens, wat is dit pijnlijk.'

Het deed me goed dat ze dit zelf ook toegaf. Zij ging doen wat ze moest doen, en ik ging doen wat ik moest doen. En Ivy? Ivy ging knettergek worden.

Erica kwam met luid rinkelende sieraden naar voren. 'Hé, eh, heeft er iemand trek in koekjes of zo?'

O jippie. Koekjes. Daar zou iedereen wel van opknappen. In een glas tequila gedoopt, misschien? Of nog beter, de hele fles. Ja, dat ging helemaal goed komen.

Skimmer glimlachte geforceerd. Ze zag er al niet meer zo fris uit als eerst, maar ze hield zich nog redelijk goed, in aanmerking nemend dat ze haar huis en meester had verlaten om een relatie met haar middelbareschoolvriendin nieuw leven in te blazen die tegenwoordig samenwoonde met de vrouw die haar nieuwe baas achter de tralies had gewerkt. *Kijk morgen ook weer naar* Goede Tijden met de Ondoden, *waarin Rachel te horen krijgt dat haar reeds lang verloren gewaande broer in werkelijkheid een kroonprins uit de ruimte is.* Wat was mijn leven toch een ongelooflijke puinhoop.

Skimmer keek op haar horloge – ik zag dat er geen cijfers op de wijzerplaat stonden, maar diamantjes. 'Ik moet nu weg. Ik heb over een uur een afspraak met – iemand.'

Ze had over een uur met iemand afgesproken. Vlak na zonsondergang. Waarom zei ze niet gewoon dat het Piscary was?

'Heb je soms een lift nodig?' vroeg Ivy, bijna op weemoedige toon, voor zover je Ivy ervan kon beschuldigen die emotie ooit te hebben getoond.

Skimmer keek van Ivy naar mij en toen weer naar Ivy. In haar ogen stonden verdriet en teleurstelling te lezen. 'Nee,' zei ze zacht. 'Ik heb een taxi besteld.' Ze slikte en probeerde zich weer een houding te geven. 'Volgens mij komt hij daar net aan.'

Ik hoorde niets, maar ik had dan ook niet het gehoor van een levende vampier.

Duidelijk niet op haar gemak liep Skimmer langzaam naar de deur. 'Het was leuk je te ontmoeten,' zei ze tegen mij en draaide zich toen om naar Ivy. 'Ik spreek je later wel, schattebout,' zei ze, terwijl ze haar met gesloten ogen innig omhelsde.

Ivy verkeerde nog steeds in een toestand van geschokte verwarring en retourneerde de omhelzing met een wezenloze blik.

'Skimmer,' zei ik, toen zij elkaar loslieten en de geschokte, timide vrouw een dun jasje uit de gangkast pakte en aantrok. 'Dit is niet wat je denkt.'

Met haar hand op de deurknop bleef ze even staan en keek met intense spijt in haar ogen nog een lang ogenblik naar Ivy. 'Het gaat er niet om wat ik denk,' zei ze, terwijl ze de deur opende. 'Het gaat erom wat Ivy wil.'

Ik deed mijn mond al open om te protesteren, maar ze liep naar buiten en trok de deur zachtjes achter zich dicht.

Skimmer liet met haar vertrek een pijnlijke stilte achter. Toen de taxi wegreed, keek ik naar Ivy, die in de steriele, witte entree stond, met zijn elegante decoraties die geen enkele warmte uitstraalden. Het schuldgevoel straalde van haar af. Ik wist dat het kwam doordat we nu allebei wisten dat zij nog steeds de overtuiging koesterde dat ik op een dag haar intimus zou worden – en dan kennelijk ook nog met een klein beetje extra. Het was een positie die Skimmer volgens mij graag had willen vervullen en waarvoor ze hier speciaal naartoe gekomen was.

Ik wist nog niet precies wat ik van dit alles moest denken. 'Waarom liet je haar in de waan dat wij geliefden zijn?' vroeg ik, inwendig trillend van woede. 'God, Ivy. We delen niet eens elkaars bloed, en zij denkt dat wij minnaars zijn.'

Ivy's gezicht verstrakte en toonde nauwelijks enige emotie. 'Dat denkt ze helemaal niet.' Ze liep weg. 'Wil je een sapje?' riep ze over haar schouder.

'Nee,' zei ik zacht, terwijl ik haar verder het huis in volgde. Ik wist dat ik nu beter niet kon aandringen, omdat ze zich anders nog verder voor me zou afsluiten. Dit gesprek was nog niet voorbij, maar het was niet zo'n goed idee om het te voeren met Erica erbij. Mijn hoofd deed pijn. Misschien kon ik haar tijdens het winkelen aan de praat krijgen bij een kopje koffie en een stuk kwarktaart. Misschien kon ik maar beter naar Timboektoe verhuizen, of naar de bergen van Tennessee, of ergens anders waar geen vampiers waren (Vraag maar niet. Het is heel raar, zelfs voor Inderlanders – en dat wil heel wat zeggen.)

Erica liep vlak achter mij aan, haar dwaze gebabbel duidelijk een poging om de kwesties die Skimmer aan de orde had gesteld te verbloemen. Haar vrolijke stem vulde het steriele huis met leven terwijl ze babbelend achter ons aan sjokte door grote, schemerige kamers vol hardhouten meubilair en koude tochtvlagen. Ik nam mezelf voor ervoor te zorgen dat Erica nooit met Jenks in één kamer terechtkwam. Geen wonder dat Ivy geen problemen had met Jenks. Haar zus was van hetzelfde laken een pak.

Ivy's laarzen gingen langzaam over de glimmend gewreven vloer toen we vanuit een donkerblauwe formele eetkamer een helder verlichte, ruime keuken binnenkwamen. Ik knipperde met mijn ogen. Ivy zag mijn stomverbaasde blik en haalde haar schouders op. Ik wist dat Ivy voordat ik bij haar introk een nieuwe keuken had laten plaatsen in de kerk en toen ik om me heen keek, zag ik dat zij die helemaal had gemodelleerd naar de keuken waarmee zij was opgegroeid.

De ruimte was bijna net zo groot en in het midden stond eenzelfde kookeiland. Daarboven hingen gietijzeren pannen en metalen keukenbenodigdheden, in plaats van mijn keramische lepels en koperen toverketels, maar het bood precies zo'n zelfde plekje om lekker tegenaan te leunen. Er stond een zware antieke tafel – identiek aan de onze – tegen een van de muren, precies op de plek waar ik hem zou verwachten. Zelfs de kasten waren in dezelfde stijl en de aanrechtbladen hadden dezelfde kleur. Alleen lag er geen linoleum op de vloer, maar lagen er plavuizen.

Boven de gootsteen, waar ik een enkel raam had met uitzicht over het kerkhof, bevond zich een hele rij ramen met uitzicht op een enorm sneeuwveld dat helemaal doorliep tot aan het grijze lint van de rivier de Ohio. Ivy's ouders bezaten heel veel grond. Je kon er hele kuddes koeien laten grazen.

Er stond een ketel op het vuur en terwijl Ivy hem van het fornuis pakte, gooide ik mijn tas op tafel, op de plek waar mijn stoel zou staan als ik thuis was. 'Leuk, joh,' zei ik licht spottend.

Ivy wierp me een behoedzame blik toe, duidelijk blij dat ik het gesprek over Skimmer nog even voor me uit schoof. 'Het was goedkoper om beide keukens tegelijk te verbouwen,' zei ze en ik knikte. Het was warm en ik trok mijn jas uit en hing hem over de stoel.

Erica ging op haar tenen staan om een glazen voorraadpot te pakken die nog halfvol zat met iets wat eruitzag als suikerkoekjes. Tegen het aanrecht leunend, at ze er eentje op en bood Ivy er ook eentje aan, maar mij niet. Ik had het gevoel dat het misschien toch geen suikerkoekjes waren, maar van die afschuwelijke, naar bordkarton smakende schijfjes waarmee Ivy me afgelopen voorjaar vol had lopen stoppen toen ik herstellende was van ernstig bloedverlies. Een soort vampieropkikkertje dat hen ondersteunde in hun – eh – levensstijl.

Ik hoorde een zacht gestommel en keek over mijn schouder naar wat ik eerder voor de deur van een voorraadkast had gehouden. De deur ging krakend open en ik zag een trap die naar beneden leidde. Er kwam een lange, magere man naar boven en uit de schaduwen. 'Ha, pap,' zei Ivy en ik richtte me op en glimlachte om de zachte klank in haar stem.

'Ivy...' Met een stralend gezicht zette de man een dienblad met twee kleine lege kopjes op de tafel. Hij had een knarsende stem en een ruwe, bobbelige huid. Ik herkende de littekens die de Ommekeer had achtergelaten. Sommigen hadden er meer last van gehad dan anderen en heksen, elfen en feeën helemaal niet. 'Skimmer is er,' zei hij op vriendelijke toon.

'Ik heb haar al gezien,' zei Ivy en hij aarzelde toen ze er verder niets over zei.

Hij zag er moe uit, maar er sprak blijdschap uit zijn bruine ogen toen hij Ivy een snelle knuffel gaf. Zacht golvend zwart haar omlijstte zijn ernstige gezicht, waarop de lichte rimpels eerder van zorgen leken te komen dan van ouderdom. Het was wel duidelijk dat Ivy haar lengte van hem had. De levende vampier was heel lang en toch maakte zijn broodmagere gestalte eerder een prettige indruk dan een onaantrekkelijke. Hij droeg een spijkerbroek en een gemakkelijk overhemd. In zijn nek zag ik dunne, bijna onzichtbare littekentjes en onder zijn opgerolde mouwen zag ik dezelfde lijntjes op de onderkant van zijn armen. Het kon niet meevallen om met een ondode getrouwd te zijn.

'Ik ben blij dat je weer thuis bent,' zei de man, met een korte blik op mij en het kruisje aan mijn bedelarmband alvorens zijn dochter weer liefdevol aan te kijken. 'Je moeder zal er zo wel uit komen. Ze wil je spreken. Skimmer heeft haar een zeldzaam goede bui bezorgd.'

'Nee.' Ivy maakte zich van hem los. 'Ik wilde jou iets vragen, dat is alles.'

Hij knikte en ik zag zijn dunne lippen berustend maar teleurgesteld omlaag zakken. Toen hij het kokende water in een tweede theepot schonk, voelde ik mijn demonenlitteken een heel klein beetje tintelen. De keuken vulde zich met de geluiden van rinkelend porselein. Met mijn armen voor mijn borst gekruist, leunde ik tegen de tafel om wat afstand te nemen. Ik hoopte dat de tinteling nog van Skimmer kwam en niet van Ivy's vader. Ik dacht niet dat hij het was. Hij zag er veel te kalm uit om op dit moment een gevecht te leveren tegen de drang om zijn honger te stillen.

'Pap,' zei Ivy, toen ze zag hoe ongemakkelijk ik me voelde. 'Dit is Rachel. Rachel, dit is mijn vader.'

Alsof hij wist dat mijn litteken tintelde, bleef Ivy's vader aan de andere kant van de keuken staan. Hij pakte Erica haar koekjes af en stopte ze weer in de koekjespot. Het meisje snoof verongelijkt, maar begon toen te lachen om haar vaders opgetrokken wenkbrauwen. 'Aangenaam kennis met je te maken,' zei hij, weer in mijn richting kijkend.

'Hallo, meneer Randal,' zei ik. De manier waarop hij naar Ivy en mij stond te kijken beviel me helemaal niet. Ik had opeens het gevoel alsof ik met mijn vriendje mee naar huis was gegaan om kennis te maken met zijn ouders, en ik kreeg een kleur. Zijn veelbetekenende glimlach beviel me ook al niet. Kennelijk gold voor Ivy hetzelfde.

'Hou op, pap.' Ivy trok een stoel naar achteren en ging zitten. 'Rachel is mijn huisgenote, geen vriendin met wie ik samenwoon.'

'Dan zou ik er maar voor zorgen dat Skimmer dat ook weet.' Zijn smalle borst kwam omhoog toen hij diep inademde om de emoties op te snuiven die in de lucht hingen. 'Ze is hier speciaal voor jou naartoe gekomen. Heeft alles achtergelaten. Denk goed na voordat je dat de rug toekeert. Ze komt uit een goede familie. Een ononderbroken millenniumlijn komt niet zo vaak voor.'

Ik voelde de spanning weer stijgen en verstijfde.

'O, god,' kreunde Erica, haar hand alweer in de koekjespot. 'Begin nou niet weer, pap. We hebben net een vervelende confrontatie gehad in de gang.'

Glimlachend nam hij een koekje van haar aan en nam er een hap van. 'Moet jij zo niet weer eens aan het werk?' vroeg hij, de hap doorslikkend.

De jonge vampier wiebelde een beetje heen en weer. 'Pap, ik wil naar het concert. Al mijn vriendinnen gaan.'

Ik fronste mijn wenkbrauwen. Ivy schudde nauwelijks zichtbaar haar hoofd, een heimelijk antwoord op mijn vraag of we hem moesten vertellen dat wij wel gingen en dat wij haar wel een beetje in de gaten zouden houden.

'Nee,' zei haar vader, de kruimels van zijn overhemd vegend.

'Maar, papa...'

Hij maakte de pot open en pakte er nog drie uit. 'Je hebt nog niet voldoende zelfbeheersing – '

Erica leunde boos met haar rug tegen het aanrecht. 'Er mankeert niks aan mijn zelfbeheersing,' zei ze stuurs.

Hij richtte zich op en ik zag de eerste aanwijzingen van een stalen blik op zijn gezicht verschijnen. 'Erica, je hormonen gieren op dit moment door je lijf. De ene avond kun je je misschien beheersen in een spannende situatie en de volgende avond ga je helemaal door het lint terwijl je tv zit te kijken. Je draagt je tandkapjes niet en ik wil niet dat je per ongeluk iemand aan je bindt.'

'Papa!' riep ze uit, met een kleur van verlegenheid.

Grinnikend pakte Ivy twee glazen uit de kast. Ik voelde me al iets beter op mijn gemak.

'Ik weet het...' zei haar vader, met gebogen hoofd en opgeheven hand. 'Veel van je vriendinnen hebben al schaduwen en het lijkt misschien heel leuk dat er constant iemand achter je aanloopt die je aandacht vraagt en er altijd is. Jij bent het middelpunt van hun wereld, en de enige die zij zien ben jij. Maar, Erica, gebonden schaduwen betekenen heel veel werk. Het zijn geen huisdieren die je weg kunt geven wanneer je er genoeg van hebt. Ze hebben heel veel aandacht nodig. Je bent veel te jong voor zoveel verantwoordelijkheid.'

'Papa, hou op!' zei Erica, kennelijk diep gekrenkt. Ik ging zitten terwijl Ivy een pak jus d'orange uit de koelkast ging pakken. Ik vroeg me af hoeveel van deze preek voor Erica bedoeld was en hoeveel voor mij, bij wijze van poging om mij weg te jagen bij zijn oudste dochter. Het werkte. Niet dat ik veel aanmoediging nodig had.

Er verscheen een strenge blik op het gezicht van de levende vampier. 'Je bent onvoorzichtig,' zei hij, met een ruwe klank in zijn barse stem. 'Je neemt risico's die je op een plek kunnen doen belanden waar je nog niet wilt zijn. Denk nu maar niet dat ik niet weet dat je je tandkapjes uitdoet zodra je dit huis verlaat. Je gaat niet naar dat concert!'

'Dat is niet eerlijk!' riep ze. 'Ik haal alleen maar hoge cijfers op school én ik werk ook nog eens parttime. Het is maar een *concert!* Er mag niet eens Hellevuur worden gebruikt!'

Hij schudde zijn hoofd terwijl zij bleef sputteren. 'Tot dat slechte Hellevuur van de straat is gehaald, blijf jij tot zonsopgang thuis, jongedame. Ik heb geen zin om naar de stadsgewelven te gaan en een lid van mijn gezin te moeten identificeren en mee naar huis te nemen. Dat heb ik één keer gedaan en dat wil ik geen tweede keer doen.'

'Papa!'

Ivy overhandigde haar vader een glaasje sap en ging toen met haar eigen glas in de stoel naast de mijne zitten. Toen sloeg ze haar benen over elkaar en zei: 'Ik ga ook naar het concert.'

Erica sprong met rinkelende sieraden op en neer. 'Papa!' riep ze uit. 'Ivy gaat ook. Ik neem geen Hellevuur en ik zal niemand bijten. Ik beloof het! O god! Laat me alsjeblieft gaan!'

Ivy's vader wierp Ivy een vragende blik toe. Zij haalde haar schouders op en Erica hield haar adem in. 'Als je moeder het goed vindt, mag het van mij ook,' zei hij uiteindelijk.

'Bedankt, papa!' gilde Erica. Ze wierp zich bijna boven op hem en duwde haar langere vader bijna omver. Toen rende ze naar de trap en denderde naar beneden. De deur viel dicht en Erica's kreten werden gedempt.

De man zuchtte en haalde zijn smalle schouders op. 'Hoe lang had je haar nog willen laten smeken voordat je mij ging vertellen dat je ook naar dat concert ging?' vroeg hij.

Ivy keek glimlachend naar haar glas. 'Lang genoeg om haar naar me te laten luisteren wanneer ik tegen haar zeg dat ze haar kapjes in moet doen omdat ik anders van gedachten verander.'

Hij grinnikte. 'Je bent een goede leerling, kleine sprinkhaan,' zei hij, met een zwaar accent.

Er klonk gestommel op de trap en Erica stormde binnen, ogen zwart van opwinding en rinkelende kettingen. 'Ze vindt het goed! Ik ga gauw! Hou van je, papa. Bedankt, Ivy!' Ze maakte een paar konijnenoortjes van haar vingers en hield ze krom terwijl ze zei: 'Kus, kus!', waarna ze de keuken uit rende.

'Heb je je kapjes?' riep haar vader haar na.

'Ja!' riep ze terug.

'En doe een paar van die kettingen af, jongedame!' voegde hij eraan toe, maar de deur sloeg al dicht. De stilte was een opluchting en ik beantwoordde Ivy's glimlach met een verbijsterde blik. Erica vulde met gemak een hele kamer.

Ivy's vader zette zijn glas neer. Zijn gezicht leek opeens nog gerimpelder en ik zag aan hem hoeveel moeite het zijn lichaam kostte om voortdurend maar het bloed te blijven leveren dat zijn ondode vrouw nodig had om niet krankzinnig te worden.

Ivy legde haar vingers om haar glas heen en draaide het om en om. Haar glimlach ebde langzaam weg. 'Is ze nog bij Piscary op bezoek geweest?' vroeg ze zacht en het viel me op hoe bezorgd ze klonk. Dit was de reden geweest waarom Ivy haar vader wilde spreken en bij de gedachte aan Erica's zorgeloze, wilde onschuld in Piscary's manipulatieve omhelzing, maakte ik me ook zorgen.

Ivy's vader leek er echter geen probleem mee te hebben en nam nog een slokje sap alvorens haar vraag te beantwoorden. 'Ja, ze bezoekt hem één keer in de twee weken. Zoals het hoort.' Ik fronste bij het horen van de doorschemerende vraag en het verbaasde me dan ook niet toen hij vervolgde met: 'En jij?'

Ivy hield de vingers om haar glas stil. Ik voelde me niet op mijn gemak en zocht wanhopig naar een excuus om weg te kunnen gaan en alvast in de auto te gaan zitten. Ivy keek eerst naar mij en toen naar haar vader. Hij leunde naar achteren en wachtte af. Buiten hoorden we Erica's auto wegrijden, zodat nu het gezoem van de ovenklok het enige geluid in de keuken was. Ivy zuchtte. 'Pap, ik heb me vergist.'

Ik voelde Ivy's vader naar mij kijken, ook al probeerde ik me van het gesprek te distantiëren door uit het raam te gaan zitten kijken. 'Dat kunnen we beter bespreken wanneer je moeder erbij is,' zei hij.

'Weet je,' zei ik, terwijl ik opstond. 'Ik denk dat ik maar beter in de auto op je kan wachten.'

'Ik wil er niet met mama over praten, ik wil er met jou over praten,' zei Ivy koppig. 'En ik zou niet weten waarom Rachel dit niet zou mogen horen.'

Ik herkende het verborgen verzoek in Ivy's woorden en ging weer zitten, zonder acht te slaan op de afkeurende blikken van haar vader. Dit beloofde geen pretje te worden. Misschien wilde ze dat ik achteraf mijn mening over het gesprek zou kunnen geven. Dat wilde ik wel voor haar doen.

'Ik heb me vergist,' zei Ivy zacht. 'Ik wil Piscary's intimus helemaal niet zijn.'

'Ivy...' Er klonk een grote vermoeidheid in dat ene woord. 'Het wordt toch echt tijd dat je je verantwoordelijkheden gaat nemen. Voor haar overlijden was je moeder zijn intimus. De voordelen – '

'Die wil ik niet!' zei Ivy en ik keek naar haar ogen, me afvragend of de bruine iris rond haar pupil al begon te krimpen. 'Misschien als hij niet aldoor in mijn hoofd zou zitten,' voegde ze eraan toe, haar sap wegschuivend. 'Maar ik kan er niet meer tegen. Hij blijft maar aandringen.'

'Dat zou hij niet doen als je gewoon bij hem langsging.'

Ivy richtte zich op en keek strak naar de tafel. 'Ik ben bij hem langs geweest. Ik heb hem verteld dat ik zijn intimus niet wilde zijn en dat hij uit mijn hoofd moest gaan. Hij lachte me uit. Hij zei dat ik er zelf voor had gekozen en dat ik er nu mee moest leren leven en sterven.'

'Je hebt er ook zelf voor gekozen.'

'En nu kies ik voor iets anders,' wierp ze tegen, haar oogleden onderdanig neergeslagen, maar haar stem vastberaden. 'Ik doe het niet. Ik wil Cincinnati's clandestiene activiteiten niet runnen en ik ga het niet doen ook.' Ze haalde diep adem en keek hem aan. 'Ik weet niet eens meer of ik iets wil omdat ík het wil, of omdat Piscary het wil. Pap, wil jij met hem gaan praten?'

Ik verbaasde me over haar smekende toon. Ik had die toon één keer eerder gehoord en dat was toen ze dacht dat ze dood was en mij smeekte haar te beschermen. Mijn gezicht verstrakte bij de herinnering. God, wat was dat afschuwelijk geweest. Toen ik opkeek omdat hij bleef zwijgen, zag ik tot mijn schrik dat Ivy's vader naar mij zat te kijken. Hij keek heel boos, alsof dit allemaal mijn schuld was.

'Je bent zijn intimus,' zei hij, terwijl hij mij intussen beschuldigend bleef aankijken. 'Je moet nu eens ophouden je aan je verantwoordelijkheden te onttrekken.'

Ivy snoof. Ik wilde hier echt niet zijn, maar als ik nu bewoog zou ik alleen de aandacht maar op mezelf vestigen. 'Ik heb me vergist,' zei ze boos. 'En ik ben bereid te boeten om er onderuit te komen, maar nu wil hij mensen pijn gaan doen om mij te dwingen om te doen wat hij wil. Dat is niet eerlijk.'

Hij lachte spottend en stond op. 'Had je iets anders verwacht, dan? Hij zal alles en iedereen gebruiken om jou te manipuleren. Hij is een meestervampier.' Met zijn handen plat op de tafel boog hij zich over Ivy heen. 'Dat doen meestervampiers nu eenmaal.'

Rillend keek ik naar de rivier. Het maakte niet uit of Piscary in de gevangenis zat of niet. Hij hoefde maar te kikken en zijn dienaren kwamen niet alleen Ivy een lesje leren, maar ruimden in één moeite door mij uit de weg. Duur, maar doeltreffend.

Maar Ivy keek hoofdschuddend op en keek haar vader toen met vochtige ogen aan. 'Pap, hij zegt dat hij een beroep wil gaan doen op Erica.'

De man werd lijkbleek, zodat de kleine koortslittekentjes donker afstaken. Opluchting dat Piscary het dus niet op mij gemunt had, veranderde onmiddellijk in schuldgevoel om het feit dat ik zoiets kon denken. 'Ik praat wel met hem,' fluisterde hij, duidelijk heel erg bezorgd om zijn onschuldige, o-zo-levende dochter.

Ik voelde me misselijk worden. In hun gesprek klonken de duistere, dreigende schaduwen door van de geheime verbonden die oudere kinderen met elkaar sloten om een jonger, onschuldig broertje of zusje tegen een misbruikende ouder te beschermen. Dit gevoel werd nog benadrukt toen haar vader zachtjes herhaalde: 'Ik praat wel met hem.'

'Dank je.'

Vervolgens vervielen wij alle drie in een ongemakkelijk stilzwijgen. Het was tijd om weg te gaan. Ivy stond als eerste op, haastig gevolgd door mij. Ik pakte mijn jas van de stoelleuning en trok hem aan. Ivy's vader stond langzaam op en leek opeens nog twee keer zo vermoeid als toen hij binnen was gekomen. 'Ivy,' zei hij, terwijl hij naar haar toe liep. 'Ik ben trots op je. Ik ben het niet eens met wat je doet, maar ik ben trots op je.'

'Dank je, pap.' Met een opgelucht glimlachje sloeg ze haar armen om hem heen. 'We moeten nu weg. Ik heb vanavond een klus.'

'Dat meisje van Darvan?' vroeg hij en zij knikte. 'Goed zo. Doe jij maar wat je moet doen. Ik ga met Piscary praten en kijken wat ik voor elkaar kan krijgen.'

'Bedankt.'

Toen wendde hij zich tot mij. 'Ik vond het prettig kennis met je te maken, Rachel.'

'Insgelijks, meneer Randal.' Ik was blij dat we al die vampierpraat achter de rug hadden. Nu konden we weer net doen alsof we heel normaal waren en alle narigheid onder het vloerkleed van vijfduizend dollar vegen.

'Wacht, Ivy. Hier.' De man stak zijn hand in zijn achterzak en haalde er een versleten portefeuille uit. Opeens veranderde de vampiervader in een doodnormale papa.

'Pap,' protesteerde Ivy. 'Ik heb mijn eigen geld.'

Hij liet een scheef glimlachje zien. 'Zie het maar als een bedankje voor het feit dat je Erica tijdens dat concert onder je hoede neemt. Ga maar lekker lunchen op mijn kosten.'

Ik zei niets toen hij Ivy een briefje van honderd in haar hand duwde en haar met één arm tegen zich aan trok. 'Ik bel je morgenochtend,' zei hij zacht.

Ivy liet haar schouders zakken. 'Ik kom wel langs. Ik wil het niet telefonisch bespreken.' Ze wierp mij een strak, geforceerd glimlachje toe. 'Ben jij klaar om te gaan?'

Ik knikte bevestigend en volgde haar met een laatste knikje naar Ivy's vader de eetkamer door naar de voordeur. Omdat ik wist hoe goed vampen kunnen horen, hield ik mijn lippen stijf op elkaar tot de elegant gebeeldhouwde deur achter ons dichtviel en wij weer met onze voeten in de sneeuw stonden. Het was schemerig geworden en de sneeuwvlokken leken te glinsteren in het gereflecteerde licht van de hemel.

Erica's auto was weg. Met rammelende sleuteltjes stond Ivy nog even te aarzelen. 'Wacht even,' zei ze, naar de plek lopend waar het rode wagentje had gestaan. 'Volgens mij heeft ze haar kapjes gedumpt.'

Ik stond al bij de open autodeur en wachtte tot Ivy bij het bandenspoor bleef staan. Met haar ogen dicht bewoog ze haar hand alsof ze iets weggooide en liep toen naar de andere kant van de oprit. Terwijl ik in niet-begrijpend stilzwijgen toekeek, begon zij in de sneeuw te zoeken. Nadat ze zich twee keer vergeefs had gebukt, raapte ze iets op. Toen kwam ze terug en stapte zonder iets te zeggen in de auto.

Ik volgde haar voorbeeld en maakte mijn gordel vast, wensend dat het al donkerder was zodat ik niet hoefde te zien hoe zij reed. In antwoord op mijn stilzwijgende vraag, stak Ivy haar hand uit en liet twee stukjes hol plastic in mijn hand vallen. Ze startte de wagen en ik richtte de airco op mezelf, in de hoop dat de motor nog een beetje warm was. 'Kapjes?' vroeg ik, naar de kleine, witte voorwerpjes in mijn hand kijkend. *Hoe had ze die in vredesnaam gevonden in de sneeuw?*

'Daarmee bijt je gegarandeerd niet door iemands huid,' zei Ivy met een strak gezicht. 'En zolang ze die draagt kan ze dus niet per ongeluk iemand aan zich binden. Ze wordt geacht ze te dragen tot papa zegt dat het niet meer hoeft. En als ze zo doorgaat is ze dertig voordat dat gebeurt. Ik weet waar ze werkt. Vind je het erg om ze even langs te brengen?'

Ik schudde mijn hoofd en gaf ze weer aan haar terug. Aan het einde van de oprit keek Ivy naar links en naar rechts alvorens vlak voor een blauwe stationwagon de weg op te rijden. Haar wielen slipten weg in de sneeuw. 'In mijn handtas zit een leeg doosje voor kapjes. Wil jij ze er misschien even in doen?'

'Natuurlijk.' Ik kwam niet graag met mijn handen in haar handtas, maar als ik het niet deed, zou ze het zelf al rijdend doen en mijn maag was al voldoende van streek. Het voelde vreemd om Ivy's tas op mijn schoot te nemen en open te maken. Hij was gruwelijk netjes. Niet één gebruikt papieren zakdoekje of snoeppapiertje met pluisjes.

'Die van mij is die met de gekleurde stukjes glas,' zei Ivy, haar aandacht maar half bij de weg. 'Maar er moet ook nog ergens een plastic doosje in zitten. Het desinfecterende middel zal nog wel goed zijn. Pap zou haar vermoorden als hij wist dat ze ze in de sneeuw had gegooid. Ze kosten net zoveel als haar zomerkamp in de Andes vorig jaar.'

'O.' Daar staken mijn drie zomerkampen in Kalamacks Doe-Een-Wenskamp voor terminaal zieke kinderen wel erg bleekjes bij af. Naast een klein doosje dat eruitzag als een decoratief pillendoosje, lag een wit buisje ter grootte van mijn duim. Ik draaide het dopje eraf en zag dat er een blauwige vloeistof in zat.

'Dat is hem,' zei Ivy en ik liet de kapjes erin vallen. Ze bleven drijven en toen ik ze met mijn pink omlaag wilde duwen, zei Ivy: 'Gewoon het dekseltje er weer op doen en even schudden. Dan zinken ze vanzelf.'

Ik deed wat ze zei, gooide het buisje weer in haar tas en zette die naast haar neer.

'Bedankt,' zei Ivy. 'De keer dat ik de mijne "was verloren", mocht ik een maand de deur niet uit.'

Ik glimlachte zwakjes en bedacht me dat het net zoiets was als je bril of je beugel verliezen... of zelfs je pessarium. *O, god. Wilde ik dit allemaal wel weten?*

'Draag jij nog steeds kapjes?' vroeg ik, omdat ik toch mijn nieuwsgierigheid niet kon bedwingen. Maar zij leek er niet mee te zitten. Misschien moest ik maar net doen of het heel normaal was.

Ivy schudde haar hoofd, een halve seconde voordat ze twee rijbanen opschoof om de afslag naar de grote weg te nemen haar richtingaanwijzer aanzettend. 'Nee,' zei ze, terwijl ik me vastgreep aan de deur. 'Al sinds mijn zeventiende niet meer. Maar ik heb ze altijd bij me voor het geval – ' Ze zweeg abrupt. 'Voor het geval dat.'

Voor het geval wat? vroeg ik me af, maar besloot toen dat ik het niet wilde weten. 'Eh, Ivy?' vroeg ik terwijl ik probeerde niet te letten op hoe zij zich door het verkeer bewoog. Toch hield ik mijn adem in toen we invoegden en er achter ons druk werd getoeterd. 'Wat betekenen in vredesnaam konijnenoortjes en "kus, kus"?'

Ze staarde me wezenloos aan en ik maakte een vredesteken met mijn vingers en kromde twee keer snel achter elkaar mijn vingers. Er verscheen een eigenaardig glimlachje om haar mond. 'Dat zijn geen konijnenoortjes,' zei ze. 'Dat zijn hoektanden.'

Ik dacht even na en kreeg een kleur. 'O.'

Ivy grinnikte. Ik keek haar een ogenblik aan en kwam toen tot de conclusie dat ik het net zo goed nu meteen kon doen. Ik haalde diep adem. 'Eh, wat Skimmer betreft...'

Haar goede bui verdween als sneeuw voor de zon. Ze keek me even aan en richtte haar aandacht toen weer op de weg. 'Wij waren vroeger kamergenoten.' Aan haar vage blos zag ik dat het wel wat meer was geweest dan dat. 'We waren heel intíéme kamergenoten,' voegde ze er voorzichtig aan toe, alsof ik dat zelf nog niet had kunnen verzinnen. Ivy trapte op de rem om een zwarte BMW te ontwijken die haar in probeerde te sluiten achter een minibusje. Snel gas gevend, schoot ze naar rechts en liet hem ver achter zich.

'Ze is speciaal voor jou hiernaartoe gekomen,' zei ik, terwijl mijn bloed sneller begon te stromen. 'Waarom heb je haar niet verteld dat wij niet zo zijn?'

Ze klemde haar handen om het stuur. 'Omdat...' Ze schoof een lok haar achter haar oor. Het was een zenuwtic die ik haar niet vaak zag gebruiken. 'Omdat ik dat niet wilde,' zei ze, en ging achter een rode Trans-Am rijden die vijfentwintig kilometer te hard reed.

Met een bezorgde blik in haar ogen keek ze me aan, zonder op het groene minibusje te letten waar zowel de Trans-Am als wij op af stormden. 'Ik heb geen zin om me te verontschuldigen, Rachel. De nacht dat jij besluit dat bloed geven niet hetzelfde is als seks, zal ik er voor je zijn. Intussen doe ik het met wat ik krijgen kan.'

Met een verschrikkelijk ongemakkelijk gevoel schoof ik heen en weer op mijn stoel. 'Ivy...'

'Niet doen,' zei ze luchtig, terwijl ze een ruk aan het stuur gaf en het gaspedaal intrapte om beide wagens rechts te passeren. 'Ik weet hoe je erover denkt. Ik kan je niet op andere gedachten brengen. Je zult er zelf achter moeten komen. Dat Skimmer hier nu is verandert daar niets aan.' Ze ging voor het busje rijden en schonk me een zachte glimlach die me alleen maar sterkte in mijn overtuiging dat bloed seks was. ‘En dan kan je jezelf de rest van je leven wel voor je kop slaan dat je er zo lang mee hebt gewacht om die kans te grijpen.’

Opeens begon het reclameblok en het geluid stond zo hard dat ik ervan schrok. Ik zat op de bank, trok met een diepe zucht mijn knieën naar mijn kin en sloeg mijn armen eromheen. Het was vroeg, even na tweeën in de ochtend, en ik probeerde de energie op te brengen om iets te eten klaar te maken. Ivy was nog niet thuis van haar klus en ondanks ons pijnlijke gesprek in de auto, hoopte ik dat ze een beetje bijtijds thuis zou komen zodat we samen nog een hapje konden gaan eten. In mijn eentje een kliekje opgewarmde hutspot gaan zitten eten leek me ongeveer net zo leuk als het vel van mijn schenen peuteren.

Ik greep de afstandsbediening en zette het geluid wat zachter. Je zou er depressief van worden. Hier zat ik dan op vrijdagavond *Die Hard* te kijken, in mijn uppie. Nick had hier naast me moeten zitten. Ik miste hem. Ik denk dat ik hem miste. Ik miste iets. Misschien miste ik alleen zijn sterke armen. Was ik zo oppervlakkig?

Toen ik de afstandsbediening weer neergooide, realiseerde ik me opeens dat ik een stem vanuit de voorkant van de kerk hoorde komen. Ik kwam overeind: het was een mannenstem. Verschrikt boorde ik de lijn achter de kerk aan. Van het ene moment op het andere voelde ik me vollopen met energie. Met de kracht van de lijn in mijn lichaam lukte het me om op te staan, maar ik liet me onmiddellijk terugzakken toen Jenks op ooghoogte de kamer binnen kwam vliegen. Het zachte gonzen van zijn vleugels vertelde me meteen dat degene die zich daar voor in de kerk bevond me niet kwam vermoorden en me ook geen geld kwam aanbieden.

Met grote ogen landde hij op de lampenkap. Het stof dat van hem af viel dreef naar boven met de warmte van het peertje. Meestal lag hij rond dit tijdstip lekker te slapen in mijn bureau; daarom had ik juist dit moment uitgekozen om fijn ongestoord medelijden met mezelf te gaan zitten hebben. 'Hé, Jenks,' zei ik, terwijl ik de lijn losliet en de ongeleide magie mij weer verliet. 'Hebben we visite?'

Hij keek me zorgelijk aan. 'Rachel, mogelijk hebben we een probleem.'

Ik wierp hem een narrige blik toe. Ik zat hier in mijn eentje *Die Hard* te kijken. Dat was pas een probleem, niet degene die zojuist via onze voordeur binnen was gekomen. 'Wie is het dan?' vroeg ik effen. 'Die Jehova's getuigen heb ik al van de deur gejaagd. We wonen hier nota bene in een kerk, dus je zou denken dat ze het wel een beetje moesten snappen, maar nee hoor.'

Jenks fronste. 'De een of andere Weer met een cowboyhoed. Hij wil mijn handtekening onder een document waarin staat dat ik die vis heb opgegeten die we voor de Howlers hadden gestolen.'

'David?' Ik sprong overeind en liep naar het sanctuarium.

Jenks vloog luid gonzend met me mee. 'Wie is David?'

'Een schade-expert voor de verzekering. Ik heb hem gisteren ontmoet.'

En ja hoor, daar stond David op me te wachten, een beetje ongemakkelijk in zijn lange jas en met zijn hoed over zijn ogen getrokken. De elfenkindertjes zaten door een kier in het cilinderbureau naar hem te kijken, hun mooie gezichtjes allemaal op een rij. Hij was aan het telefoneren, maar toen hij mij zag brak hij het gesprek af, klapte het mobieltje dicht en stopte het in zijn zak.

'Hallo, Rachel,' zei hij, schrikkend van de echo van zijn eigen stem. Hij liet zijn blik over mijn spijkerbroek en rode trui glijden en keek toen naar het plafond. Intussen stond hij van de ene voet op de andere te wiebelen. Je kon goed zien dat hij zich slecht op zijn gemak voelde in de kerk, net als de meeste Weren, maar dat was eerder psychologisch dan biologisch.

'Het spijt me dat ik je kom storen,' zei hij, terwijl hij zijn hoed afnam en in zijn hand klemde. 'Maar in deze zaak heb ik niet genoeg aan informatie uit de tweede hand. Ik heb een bevestiging van je partner nodig dat hij die wensvis echt heeft opgegeten.'

'Shit, hé! Het was dus echt een wensvis.' Uit het bureau klonk een heel koor van schrille kreten. Jenks maakte een boos geluid en onmiddellijk stoven de gezichtjes die voor de opening zaten alle kanten op.

David haalde een in drieën gevouwen document uit zijn zak en legde het opengevouwen op Ivy's piano. 'Als u hier zou willen tekenen?' zei hij, waarna hij argwanend opkeek. 'U heeft hem toch echt opgegeten?'

Jenks keek een beetje bang en zijn vleugels kleurden zo donkerblauw dat ze wel paars leken. 'Jazeker. Wij hebben hem opgegeten. Krijgen we daar problemen mee?'

Ik probeerde mijn glimlach te verbergen, maar David lachte voluit. Zijn tanden leken spierwit in het schemerige licht van het sanctuarium. 'Ik weet zeker dat het allemaal best in orde komt, meneer Jenks,' zei hij, een pen openklikkend en hem aan Jenks aanreikend.

Ik trok mijn wenkbrauwen hoog op. David aarzelde en keek van de pen naar de elf. De pen was de grootste van de twee. 'Eh,' zei hij, zijn gewicht op zijn andere voet verplaatsend.

'Wacht maar even.' Jenks schoot naar het bureau en kwam terug met een stukje potloodstift. Ik zag hem met grote zorgvuldigheid zijn naam opschrijven, terwijl intussen het ultrasone gebabbel vanuit het bureau pijn deed aan mijn ogen. Jenks steeg op, met achterlating van dwarrelend elfenstof. 'Hé, eh, we hebben nu toch geen probleem?'

Opeens kreeg ik de scherpe geur van inkt in mijn neus en ik zag dat David het document zojuist notarieel had bekrachtigd. 'Wat ons betreft niet, hoor. Hartelijk bedankt, meneer Jenks.' Hij keek naar mij. 'En Rachel.'

Op dat moment begonnen de ramen zachtjes te rammelen door het luchtdrukverschil dat werd veroorzaakt door het opengaan van de achterdeur. 'Rachel?' klonk een hoge stem en ik knipperde stomverbaasd met mijn ogen.

Was dat mijn moeder? Ik keek David aan. 'Eh, dat is mijn moeder. Misschien kan je nu beter gaan. Tenzij je je door haar wilt laten overhalen om mij mee uit te vragen.'

David schrok zichtbaar en borg het document op. 'Nee, ik ben hier helemaal klaar. Bedankt. Ik had beter eerst kunnen bellen, maar dit valt natuurlijk gewoon binnen de normale werktijden.'

Ik kreeg een kleur. Ik had zojuist, dank zij Quen en zijn 'probleempje', tienduizend dollar op mijn rekening kunnen storten. Ik kon het me best permitteren om een hele nacht op mijn kont te blijven zitten somberen. Na middernacht onder een wassende maan magie bedrijven was vragen om moeilijkheden. Bovendien had hij er niets mee te maken hoe ik mijn dag indeelde.

Een beetje van mijn stuk gebracht, keek ik naar de achterkant van de kerk. Ik wilde niet onbeleefd zijn, maar ik voelde er ook weinig voor om David door mijn moeder te laten uithoren. 'Ik kom eraan, mam!' riep ik, me omdraaiend naar Jenks. 'Wil jij hem even voor me uitlaten?'

'Natuurlijk, Rache.' Jenks steeg op tot ooghoogte om David naar de voordeur te begeleiden.

'Dag, David,' zei ik en hij stak zijn hand naar me op en zette zijn hoed weer op.

Waarom gebeurt nu opeens alles tegelijk? dacht ik, me naar de keuken haastend. Een onaangekondigd bezoekje van mijn moeder was wat mij betreft wel de bekroning van een tot nu toe toch al volmaakte dag. Doodmoe liep ik de keuken binnen en zag haar met haar hoofd in mijn koelkast staan. In de verte hoorde ik de voordeur met een klap dichtvallen.

'Mam,' zei ik, terwijl ik mijn best deed om vriendelijk te klinken. 'Ik vind het hartstikke leuk je te zien, maar je komt wel onder werktijd.' Ik dacht aan de badkamer en vroeg me af of mijn ondergoed nog op de droger lag.

Ze richtte zich glimlachend op en keek me om het hoekje van de koelkastdeur aan. Ze droeg een zonnebril, die helemaal niet paste bij haar strohoed en zomerjurkje. *Zomerjurkje? Droeg ze een zomerjurkje? Het vroor dat het kraakte.*

'Rachel!' Glimlachend deed ze de deur dicht en spreidde haar armen. 'Kom in mijn armen, lieverd.'

Ik wist niet wat ik ervan moest denken en liet me afwezig door haar omhelzen. Misschien moest ik haar psycholoog eens bellen om te vragen of ze haar afspraken nog wel nakwam. Ze rook vreemd en toen ik me van haar losmaakte, vroeg ik: 'Wat heb je voor luchtje op? Het ruikt naar gebrande amber.'

'Dat is het ook, lieverd.'

Geschokt keek ik naar haar gezicht. Haar stem was een paar octaven gezakt. De adrenaline schoot door me heen. Ik deinsde achteruit, maar een hand in een witte handschoen greep me bij mijn schouder. Ik verstijfde en kon geen vin bewegen toen een golf van hiernamaals over haar heen stroomde en haar in Algaliarept veranderde. *O, shit. Nu was ik dood.*

'Een goedenavond, familiaar,' zei de demon, mij zijn platte, vierkante tanden tonend. 'Zullen we samen eens een leylijn gaan zoeken om jou naar huis te brengen, hmm?'

'Jenks!' gilde ik, met een stem die schril klonk van doodsangst. Naar achteren leunend schopte ik mijn voet omhoog en trapte hem regelrecht in zijn ballen.

Al kreunde en zijn rode geitenogen werden groot van pijn. 'Kreng,' zei hij, mij bij mijn enkel grijpend.

Hij gaf een ruk aan mijn been en ik viel plat op mijn kont. Toen ik in paniek in het wilde weg naar hem begon te trappen, sleurde hij me de keuken uit en de hal in.

'Rachel!' gilde Jenks, terwijl zwart elfenstof van hem af dwarrelde.

'Haal een bezwering voor me!' riep ik, terwijl ik de deurstijl greep en me er wanhopig aan vastklemde. *O, god. Nu had hij me te pakken. Als hij me nu bij een lijn kon krijgen, kon hij me gewoon letterlijk meesleuren naar het hiernamaals, of ik nu nee zei of niet.*

Met trillende armspieren probeerde ik me aan de deur vast te blijven klampen tot Jenks mijn bezweringenkast had opengemaakt en er een had gepakt. Ik had geen vingerprikker nodig; mijn lip bloedde al van mijn val.

'Hier,' riep Jenks, op enkelhoogte naast me zwevend en me recht in de ogen kijkend. Hij had het touwtje van een slaapbezwering in zijn hand. Zijn ogen keken angstig en zijn vleugels waren rood.

'Ik dacht het niet, heks,' zei Al, weer een ruk aan mijn enkel gevend.

Een gemene pijn schoot door mijn schouder en ik moest de deurstijl loslaten. 'Rachel!' schreeuwde Jenks, terwijl mijn vingernagels over de hardhouten vloer krasten en vervolgens over het tapijt in de woonkamer.

Al mompelde iets in het Latijn en ik gilde het uit toen een explosie de achterdeur uit zijn scharnieren lichtte.

'Jenks! Maak dat je wegkomt! Breng je kinderen in veiligheid!' riep ik toen koude lucht de kerk binnenstroomde om de plaats in te nemen van de lucht die door de explosie was weggeblazen. Honden blaften terwijl ik op mijn buik van de trap werd gesleurd. Sneeuw, ijs en strooizout schraapten langs mijn middel en mijn kin. Toen ik omhoogkeek naar de verwoeste deur zag ik Davids silhouet zwart afgetekend tegen het licht. Ik stak mijn hand uit naar de bezwering die Jenks had laten vallen. 'De bezwering!' gilde ik, toen hij kennelijk geen idee had wat ik wilde. 'Gooi me die bezwering toe!'

Al bleef staan. Zijn Engelse rijlaarzen lieten afdrukken achter in de sneeuw. Hij draaide zich om en zei: *'Detrudo'*, kennelijk een vervloeking die hij zich opeens herinnerde.

Mijn adem stokte toen een zwartrode schaduw van hiernamaals David trof en tegen een muur smakte, waar ik hem niet langer kon zien. 'David!' riep ik, terwijl Al me weer verder begon te slepen.

Ik wist me zo om te draaien dat ik op mijn rug lag en niet meer op mijn buik. Ik trok een heel spoor door de sneeuw achter Al terwijl hij mij schoppend en trappend naar het houten tuinhek sleepte dat toegang gaf tot de straat. Om mij mee te sleuren naar het hiernamaals kon Al geen gebruikmaken van de leylijn op het kerkhof, want die was volledig omgeven door gewijde grond waarop hij zich niet kon begeven. De dichtstbijzijnde leylijn die ik kende lag acht straten verder. *Ik had nog een kans,* dacht ik, terwijl de koude sneeuw mijn spijkerbroek doorweekte.

'Laat me los!' zei ik op gebiedende toon, Al met mijn ene vrije voet in zijn knieholten trappend.

Hij zakte door zijn ene knie en bleef staan, zijn geërgerde blik duidelijk zichtbaar in het licht van de lantaarnpaal. Hij kon niet vernevelen om aan mijn trappende been te ontkomen, want dan kon ik me lostrekken. 'Wat ben je toch een canicula,' zei hij, terwijl hij met één hand mijn beide enkels omvatte en me verder sleepte.

'Ik wil niet!' riep ik, me vastklemmend aan het houten hek. We kwamen met een schok tot stilstand en Al slaakte een diepe zucht.

'Laat dat hek los,' zei hij, met een vermoeide klank in zijn stem.

'Nee!' Mijn spieren begonnen te trillen toen ik me inspande om vooral niet los te laten terwijl Al aan me stond te trekken. Ik had maar één leylijnbezwering paraat in mijn onderbewustzijn, maar ik had er niets aan om Al en mij vast te zetten in een cirkel. Daar kwam hij net zo makkelijk weer uit als ik, nu zijn aura hem kleurde.

Er ontsnapte mij een rauwe kreet toen Al ervan afzag mij verder voort te slepen en me in plaats daarvan optilde en over zijn schouder gooide. Alle lucht werd uit mijn longen geperst toen mijn middel op zijn keiharde schouderspieren plofte. Hij stonk naar gebrande amber en ik worstelde om los te komen.

'Dit zou een stuk gemakkelijker gaan,' zei hij, terwijl ik volkomen vergeefs mijn ellebogen tussen zijn schouderbladen beukte, 'als je nu eens gewoon accepteert dat ik je heb. Zeg dat je vrijwillig met me meegaat en ik breng ons hier vandaan in een lijn, zodat jij jezelf niet verder in verlegenheid hoeft te brengen.'

'Dat is wel het laatste waar ik me zorgen om maak!' Ik rekte me uit om de tak van een boom te grijpen en ik slaakte een zucht van verlichting toen ik er eentje te pakken had. Al schoot naar achteren en verloor bijna zijn evenwicht.

'O, kijk,' zei hij, terwijl hij mijn bloedende, geschaafde handen losrukte. 'Je wolvenvriendje wil spelen.'

David, dacht ik, mijn hoofd optillend om over Als schouder te kunnen kijken. Happend naar adem zag ik een enorme schaduw in het midden van de door lantaarnpalen verlichte, besneeuwde straat staan. Mijn mond viel open. Hij had Geweerd. Hij had in minder dan drie minuten Geweerd. God, wat moest dat een pijn hebben gedaan.

En hij was reusachtig, want hij had zijn volledige menselijke massa behouden. Ik schat dat zijn hoofd ongeveer tot mijn schouder zou komen. Zijn zwarte, zijdeachtige vacht, die meer weg had van mensenhaar, bewoog in de koude wind. Zijn oren lagen plat tegen zijn hoofd en er steeg een onmogelijk diep, waarschuwend gegrom uit hem op. Voeten zo groot als mijn gespreide handen stonden in de sneeuw geplant en versperden ons de weg. Hij liet een onbeschrijflijk diep angstaanjagend gejank horen en Al grinnikte alleen maar. In huizen om ons heen gingen lichten aan en werden gordijnen opzijgeschoven. 'Ze is wettelijk van mij,' zei Al luchtig. 'Ik neem haar mee naar huis. Dus waag het niet.'

Al liep verder de straat in en ik wist niet wat ik moest doen: om hulp schreeuwen of toegeven dat ik de pineut was. Er kwam een auto aan, waarvan de koplampen alles in een helder licht zetten. 'Brave hond,' mompelde Al in het voorbijgaan tegen David, die ongeveer drie meter bij ons vandaan in het felle schijnsel van de koplampen stond. Hij boog zijn hoofd en ik vroeg me af of hij het had opgegeven, in de wetenschap dat hij toch niets kon uitrichten. Maar opeens kwam zijn hoofd omhoog en kwam hij ons achterna.

'David, je kunt niks doen! David, nee!' gilde ik toen hij eerst langzaam, maar toen steeds sneller op ons af kwam rennen. Met een moordzuchtige blik in zijn ogen stormde hij regelrecht op mij af. Natuurlijk wilde ik niet mee naar het hiernamaals, maar ik wilde ook nog niet dood.

Vloekend draaide Al zich om. '*Vacuefacio,*' zei hij, met gestrekte hand.

Ik draaide me om om te kijken. En zwarte bol van kracht schoot uit zijn hand en stopte Davids aanval nog geen meter bij ons vandaan. Davids enorme voeten gleden weg, maar hij rende er middenin. Jankend rolde hij weg in een sneeuwhoop. Even rook ik de geur van geschroeid haar, maar het was meteen weer verdwenen.

'David!' riep ik uit, zonder erg te hebben in de kou. 'Ben je er nog?'

Ik gilde toen Al me op de grond smeet en met zijn grote hand in mijn schouder kneep tot ik het uitschreeuwde van pijn. De dikke laag aangestampte sneeuw op het trottoir smolt onder me weg en mijn achterkant werd gevoelloos van pijn en kou. 'Idioot,' mompelde Al bij zichzelf. 'Je hebt een familiaar, dus bij de as van je moeder, waarom gebruik je haar dan niet?'

Hij keek me lachend aan en trok zijn zware wenkbrauwen hoog op. 'Klaar om aan het werk te gaan, Rachel, liefje?'

Mijn adem bevroor in mijn longen. Ik keek in paniek naar hem op en voelde mijn gezicht lijkbleek worden en mijn ogen zo groot als schoteltjes. 'Niet doen, alsjeblieft,' fluisterde ik.

Zijn grijns werd alleen maar breder. 'Hou dit eens voor me vast,' zei hij.

Ik slaakte een kreet van pijn toen Al een lijn aanboorde en de kracht met donderend geweld bij mij binnen liet komen. Mijn spieren verkrampten en mijn hele lichaam schokte tot mijn gezicht het trottoir raakte. Ik stond in brand en trok mezelf in foetushouding, met mijn handen tegen mijn oren. Ik werd overspoeld door oorverdovend geschreeuw. Ik kon het geluid niet uitbannen. Het beukte op me in, het enige wat nog echt was naast de helse pijn in mijn hoofd. De kracht van de lijn schoot als een explosie door me heen, zette zich in mij vast en zette mijn ledematen in vuur en vlam. Mijn hersenen voelden alsof ze in zuur waren gedoopt en al die tijd martelde dat afgrijselijke geschreeuw mijn oren. Ik stond in de fik. Ik brandde.

Plotseling drong het tot me door dat het geschreeuw van mezelf afkomstig was. Toen ik erin slaagde ermee op te houden, maakte het plaats voor langgerekte, gepijnigde snikken. Daarna hoorde ik een griezelig, jammerend geweeklaag, maar ook dat wist ik te stoppen. Hijgend opende ik mijn ogen. Mijn handen waren bleek en trilden in het licht van de auto. Ze waren niet verkoold. De stank van verbrande amber was niet die van mijn brandende huid. Het zat allemaal in mijn hoofd.

O god. Mijn hoofd voelde alsof het op drie plekken tegelijk was. Ik hoorde alles dubbel, rook alles dubbel en had geen eigen gedachten meer. Al wist alles wat ik voelde, alles wat ik dacht. Ik kon alleen maar bidden dat ik Nick ditzelfde niet had aangedaan.

'Zo beter?' vroeg Al en ik schrok op alsof hij me had geslagen. Ik hoorde zijn stem zowel in mijn hoofd als in mijn oren. 'Niet slecht,' zei hij, en toen hij mij overeind trok kon ik me niet eens verzetten. 'Ceri raakte van de helft al buiten westen en ze heeft er drie maanden over gedaan voordat ze op kon houden met die verschrikkelijke herrie.'

Als verdoofd voelde ik het speeksel zo uit mijn mond druppelen. Ik wist niet meer hoe ik het weg moest vegen. Mijn keel deed pijn en de koude lucht die ik naar binnen zoog leek te branden. Ik hoorde blaffende honden en de ronkende motor van een auto. Het schijnsel van de koplampen bewoog niet en de sneeuw glinsterde. Ik hing losjes in Als greep en toen hij begon te lopen probeerde ik mijn voeten te bewegen. Hij sleepte me voor de auto vandaan, die in een glibberig geknerp van sneeuw en ijs wegreed.

'Kom maar mee, Rachel, liefje,' zei Al in de nieuwe duisternis, duidelijk in een goede bui toen hij me over een besneeuwd heuveltje op de schoongeveegde stoep trok. 'Je wolfje heeft het opgegeven en tenzij je je gewonnen geeft, hebben we nog een fikse wandeling door de stad voor de boeg voordat ik je bij een leylijn heb.'

Ik strompelde achter Al aan. Mijn voeten in mijn sokken waren al lang ijskoud en gevoelloos. Zijn hand omklemde mijn pols in een greep die sterker was dan ijzer. Als schaduw strekte zich achter ons uit naar de plek waar David stond te hijgen en met zijn hoofd stond te schudden om alles weer helder te krijgen. Ik kon niets doen en voelde ook niets toen Davids lippen zich terugtrokken van zijn tanden. Hij viel geruisloos aan. Verdoofd en onverschillig keek ik als van een afstandje toe. Maar Al had hem wel degelijk in de gaten.

'*Celero fervefacio!*' riep hij boos, en ik gilde toen de vervloeking zich gloeiend een weg door mij heen baande. De kracht van Als magie explodeerde uit zijn gestrekte hand en trof David. In een flits was alle sneeuw onder de Weer gesmolten en lag hij in een zwarte cirkel van plaveisel te kronkelen. Ik gilde van de pijn, maar ving het op en smoorde het en hoorde het veranderen in het gejammer van een wilde heks.

'Alsjeblieft... niet meer,' fluisterde ik, terwijl mijn speeksel een gat in de sneeuw smolt. Ik staarde naar het grauwe wit en dacht dat het mijn ziel was, bevuild en vol gaten, die betaalde voor Als zwarte magie. Ik kon niet meer denken. De pijn brandde nog steeds door me heen en begon al een beetje vertrouwd te worden.

Bij het geluid van angstige mensen keek ik met een wazige blik op. De hele buurt stond vanuit deuropeningen en achter ramen mee te kijken. Ik zou waarschijnlijk het nieuws wel halen. Een harde klap trok mijn aandacht naar het huis dat wij net waren gepasseerd. In een hoek van de tuin stond een prachtig sneeuwkasteel, compleet met kantelen en torentjes. Het licht uit de geopende deur viel over de aangestampte sneeuw, bijna helemaal tot aan Al en mij. Mijn adem stokte toen ik Ceri op de drempel zag staan, met Ivy's crucifix om haar hals. Haar witte nachtpon waaide op. Haar losse haren vielen bijna tot op haar middel. Haar houding was stijf van woede. 'Jij daar,' zei ze en haar heldere stem galmde luid en duidelijk over de sneeuw.

Achter mij klonk een waarschuwend gekef en ik voelde iets trekken. Door Als kennis wist ik instinctief dat Ceri een cirkel om Al en mij had getrokken. Er ontsnapte me een zachte snik, maar ik klampte me aan het gevoel vast als een uitgehongerde straathond aan een vuilnisbak. Ik had iets gevoeld dat niet van Al kwam. Mijn eigen gevoelens werden gesmoord door Als ergernis. Van Al wist ik dat de cirkel zinloos was. Je kunt een cirkel maken zonder hem eerst te trekken, maar alleen een getrokken cirkel is sterk genoeg om een demon vast te houden.

Al hield niet eens zijn pas in en sleepte me mee naar de muur van hiernamaals.

Ik hield mijn adem in toen de kracht die Ceri in de cirkel had gestopt in mij stroomde. Ik gilde het uit toen een nieuwe golf van vuur mijn huid bedekte. Het liep van waar ik het veld voor het eerst had aangeraakt en stroomde als een vloeistof over me heen tot ik helemaal bedekt was. Pijn zocht mijn middelpunt en vond het en ik begon opnieuw te schreeuwen, me uit Als greep losrukkend toen het binnendrong in mijn chi. Het hiernamaals kaatste terug en brandde dwars door mij heen tot het de enige plek vond waar het zich kon vastzetten: mijn hoofd. Op een gegeven moment zou het opeens te veel zijn en zou ik mijn verstand verliezen.

Ik trok me in mezelf terug. Ik kromp ineen en het ruwe trottoir schuurde langs mijn been en mijn schouder. Langzaam werd het draaglijk en slaagde ik erin op te houden met schreeuwen. De laatste schreeuw ebde weg in een gejammer waar de honden stil van werden. *O god, ik ging dood. Ik ging van binnenuit dood.*

'Alsjeblieft,' smeekte ik Ceri, wetend dat ze mij niet kon horen. 'Doe dat niet nog een keer.'

Al trok me overeind. 'Jij bent een uitstékende familiaar,' zei hij bemoedigend, met een grote grijns op zijn gezicht. 'Ik ben heel trots op je. Het is je weer gelukt om op te houden met schreeuwen. Ik denk dat ik een kopje thee voor je ga zetten zodra we thuis zijn en je nog even een dutje laat doen voordat ik met je ga pronken bij mijn vrienden.'

'Nee...' fluisterde ik en nog voor het woord eruit was, moest Al al lachen om mijn niet-aflatende verzet. Ik kon geen gedachten hebben zonder dat hij ze als eerste kende. Nu begreep ik waarom Ceri haar gevoelens had onderdrukt en ze liever niet had dan ze met Al te moeten delen.

'Wacht,' zei Ceri met heldere stem, terwijl ze de veranda af rende en in de tuin ging staan, vlak voor ons.

Toen Al bleef staan om naar haar te kijken, hing ik slap in zijn greep. Haar stem vloeide over me heen en verzachtte zowel mijn huid als mijn geest. Mijn ogen begonnen te prikken bij het vooruitzicht van verlichting van de pijn en ik snikte het bijna uit van opluchting. Ze leek wel een godin. Ze bood verlossing van pijn.

'Ceri,' zei Al op warme toon, zijn aandacht slechts gedeeltelijk op David gevestigd, die met rechtop staande nekharen en een angstaanjagende woestheid in zijn blik om ons heen cirkelde. 'Je ziet er goed uit, liefje.' Hij keek naar het prachtige sneeuwkasteel achter haar. 'Mis je je vaderland?'

'Ik ben Ceridwen Merriam Dulciate,' zei ze, met een stem die klonk als een zweepslag. 'Ik ben jouw familiaar niet. Ik heb een ziel. Toon me het respect dat ik verdien.'

Al gniffelde. 'Ik zie dat je je ego hebt gevonden. Hoe voelt het om weer ouder te worden?'

Ik zag haar verstijven. Toen ze voor ons kwam staan zag ik haar schuldgevoel. 'Ik ben er niet meer bang voor,' zei ze zacht en ik vroeg me af of een leven zonder ouder worden het lokmiddel was waarmee Al haar had overgehaald zijn familiaar te worden. 'Zo is het leven. Laat Rachel Mariana Morgan gaan.'

Al wierp zijn hoofd in zijn nek en schaterde het uit, zijn dikke, platte tanden tonend aan de bewolkte hemel. 'Ze is van mij. Maar jij ziet er goed uit. Zin om terug te komen? Dan kunnen jullie zusjes zijn. Lijkt je dat niet leuk?'

Haar mond vertrok. 'Ze heeft een ziel. Je kunt haar niet dwingen.'

Naar adem happend, bungelde ik in Als greep. Als hij me in de buurt van een lijn kreeg, zou het niet uitmaken of ik een ziel had of niet. 'Nou en of ik dat kan,' zei Al, dit feit nog eens extra benadrukkend. Hij fronste zijn voorhoofd en hij richtte zijn aandacht op David. Ik had hem in een grote boog om ons heen zien cirkelen, in een poging met zijn voetstappen een fysieke cirkel te vormen waarmee hij Al kon binden. De demon kneep zijn ogen tot spleetjes. '*Detrudo,*' zei hij, gebarend.

Ik hield geschokken mijn adem in toen een streng hiernamaals uit mijn lichaam vloeide om Als bezwering te bewerkstelligen. Met opgeheven hoofd slikte ik alle afschuwelijke geluiden die eventueel uit mijn rauwe keel zouden kunnen komen in. Ik slaagde erin geen kik te geven, maar al mijn pogingen om rustig te blijven werden tenietgedaan toen een hele golf hiernamaals uit een lijn stroomde om de energie te vervangen die Al had gebruikt. Opnieuw brandde ik vanbinnen, leek mijn huid te verschroeien en kwamen de vlammen ten slotte in mijn gedachten tot rust. Ik kon niet meer denken. Ik voelde alleen nog maar pijn. Ik stond in brand. Mijn gedachten, mijn ziel, brandden.

Ik viel op mijn knieën en een kreet van ellende ontsnapte aan mijn lippen. De pijn van het ijskoude trottoir onder mijn knieën ging vrijwel geheel onopgemerkt aan mij voorbij. Ik had mijn ogen wijd open en zag Ceri, op haar blote voeten voor ons in de sneeuw, ineenkrimpen. In haar ogen zag ik een gedeelde pijn en probeerde ze vast te houden en rust te vinden in hun groene dieptes. Zij had dit overleefd. Dan kon ik het ook. Ik zou dit overleven. *God, help me een manier te vinden om dit te overleven.*

Al begon te lachen toen hij mijn voornemen voelde. 'Goed zo,' moedigde hij me aan. 'Ik waardeer je inspanningen om stil te zijn. Jij komt er wel. Die god van je kan je niet helpen, maar roep hem toch maar aan. Ik zou hem wel eens willen ontmoeten.'

Ik haalde bevend adem. Enkele meters van de plek waar hij zo-even nog had gestaan was David een bibberend hoopje zijdezacht bont in de sneeuw. Ik had staan gillen toen de bezwering hem trof en daarna had ik hem niet meer gezien. Toen hij overeind krabbelde ging Ceri naar hem toe. Ze greep zijn snuit met beide handen vast en keek hem recht in de ogen. Ze leek wel heel erg klein naast hem, maar op de een of andere manier ging zijn gitzwarte uiterlijk, waardoor hij er levensgevaarlijk uitzag, heel goed samen met haar tengere, in het wit geklede lijfje. 'Geef het aan mij,' fluisterde ze terwijl ze onbevreesd in zijn ogen keek en David spitste zijn oren.

Zijn gezicht loslatend, kwam ze naar voren tot ze op de plek stond waar Davids pootafdrukken ophielden. Keasley voegde zich bij haar, zijn dikke jas dichtknopend terwijl hij aan haar zijde ging staan. Hij pakte haar hand en mompelde: 'Het is van jou.' Daarna liet hij haar weer los en deden zij allebei een stap naar achteren.

Ik wilde wel huilen, maar had de kracht er niet voor. Ze konden mij niet helpen. Ik bewonderde Ceri's vastberadenheid, haar trotse en bezielde houding, maar het had allemaal geen zin. Ik was zo goed als dood.

'Demon,' zei ze, met een stem die galmde door de stille lucht. 'Ik bind jou.'

Al schrok en een gordijn van rokerig blauw hiernamaals daalde over ons neer en zijn gezicht werd vuurrood. *'Es scortum obscenus impurua!'* riep hij, mij loslatend. Ik viel onmiddellijk op de grond, wetend dat hij me nooit zou hebben losgelaten als ik had kunnen ontsnappen. 'Hoe haal je het in je hoofd wat ik je heb geleerd te gebruiken om mij te binden!'

Hijgend keek ik op en begon het me te dagen waarom zij eerst David en daarna Keasley had aangeraakt. David was de cirkel begonnen, Ceri had het tweede gedeelte gemaakt, en Keasley het derde. Zij hadden haar toestemming gegeven om de paden die zij met hun voetstappen hadden gevormd tot één geheel te binden. De cirkel was gemaakt; hij zat gevangen. En toen ik hem naar de rand van de koepel en een triomfantelijke Ceri zag lopen, bedacht ik me dat er maar weinig hoefde te gebeuren of hij zou me puur uit wraak vermoorden.

'Moecha putida!' riep hij, op de kracht die tussen hen in hing hamerend. 'Ceri, ik ruk je ziel weer uit je lijf, ik zweer het!'

'Et de!' zei zij, haar smalle kinnetje hoog opgeheven en een glinstering in haar ogen, *'acervus excerementum.* Je kunt hier vandaan naar een lijn springen. Verlaat deze plek voordat de zon opkomt zodat wij allemaal weer naar bed kunnen.'

Algaliarept zuchtte langzaam en ik huiverde bij de gebonden woede die hij uitstraalde. 'Nee,' zei hij. 'Ik ga Rachels horizon verbreden en jij zult haar horen schreeuwen wanneer ze de volle omvang begrijpt van wat ik van haar verlang.'

Kon hij nog meer energie door me trekken? dacht ik, terwijl mijn longen verkrampten en ik tijdelijk de wil om door te ademen verloor. *Bestond er nog iets ergers dan dit?*

Ceri's zelfvertrouwen wankelde. 'Nee,' zei ze. 'Ze weet niet hoe ze het op een goede manier moet opslaan. Als je verdergaat, zal haar geest breken. Dan is ze krankzinnig voordat je haar kunt leren een kopje thee voor je te zetten.'

'Je hoeft niet bij je gezonde verstand te zijn om thee voor me te zetten of een boterhammetje voor me te roosteren,' snauwde hij. Hij greep mijn arm en trok me zonder dat ik me verzette overeind.

Ceri schudde haar hoofd. Ze stond daar in de sneeuw alsof het hoogzomer was. 'Je moet niet zo kinderachtig doen. Je bent haar kwijt. Ze is je te slim af geweest. Je kunt niet tegen je verlies.'

Al kneep in mijn schouder en ik zette mijn tanden op elkaar, weigerend om het uit te gillen. Het was maar pijn. Het was niets vergeleken met het brandende hiernamaals dat ik voor hem moest vasthouden. 'Natuurlijk kan ik wel tegen mijn verlies,' riep hij en ik hoorde vanuit de schaduwen angstkreten van omstanders. 'Ze kan zich niet eeuwig op gewijde grond voor mij verborgen houden. Als ze het probeert, zal ik een manier vinden om haar door de lijnen heen te gebruiken.'

Ceri keek naar David en ik sloot wanhopig mijn ogen. Zij dacht dat hij het kon. God, help me toch. Het was slechts een kwestie van tijd voordat hij erachter kwam hoe hij het moest aanpakken. Mijn gok om mijn ziel te redden ging mislukken. 'Ga weg,' zei zij, haar aandacht van David losrukkend. 'Keer terug naar het hiernamaals en laat Rachel Mariana Morgan met rust. Niemand hier heeft je opgeroepen.'

'Je kunt mij niet verbannen, Ceri!' riep hij ziedend van woede, mij tegen zich aan trekkend. 'Mijn familiaar heeft een oproeppad voor me geopend toen ze een lijn aanboorde. Verbreek deze cirkel en laat mij haar meenemen. Ik sta volledig in mijn recht.'

Ceri slaakte een jubelkreet. 'Rachel! Hij geeft toe dat jij hem hebt opgeroepen. Verban hem!'

Ik zette grote ogen op.

'Nee!' schreeuwde Algaliarept, een stroom van hiernamaals naar mij toe sturend. Ik ging bijna tegen de vlakte. De golven van pijn die mij overspoelden groeiden en groeiden tot er niets anders meer was dan pijn. Maar ik rook de stank van mijn verbrande ziel en haalde diep adem.

'Algaliarept,' bracht ik moeizaam en met schorre stem uit.' Keer terug naar het hiernamaals.'

'Klein vuil kreng,' snauwde hij, mij met zijn vlakke hand een klap in mijn gezicht gevend. Ik verloor mijn evenwicht en werd tegen Ceri's muur gesmeten. Ik landde als een hoopje ellende op de grond, niet in staat om te denken. Mijn hoofd bonkte en mijn keel was rauw. De sneeuw onder mij was ijskoud. Ik kroop er verder in weg, want ik brandde.

'Ga weg. Ga nu weg,' fluisterde ik.

Het overweldigende gegons van hiernamaals in mijn hersenen was van het ene moment op het andere verdwenen. Ik jammerde om de stilte. Ik hoorde mijn hart kloppen, even wachten, en opnieuw kloppen. Het enige wat ik nog kon was ademen. Mijn hoofd was helemaal leeg, op mijn eigen gedachten na. Het was weg. Het vuur was weg.

'Haal haar uit de sneeuw,' hoorde ik Ceri op dringende toon zeggen. Haar stem voelde als ijswater. Ik probeerde vergeefs mijn ogen te openen. Iemand tilde me op en ik voelde iemands lichaamswarmte. Het was Keasley, besloot ik ergens diep vanbinnen, de geur herkennend van roodhout en goedkope koffie. Mijn hoofd viel tegen hem aan en mijn kin zakte op mijn borst. Ik voelde kleine, koele handen op mijn voorhoofd, en terwijl Ceri voor me zong, voelde ik dat ik werd weggedragen.

'O, god,' fluisterde ik en mijn woorden klonken al even rauw als mijn keel aanvoelde. Het was een schor geluid dat meer weg had van grind in een aluminium emmer dan van een stem. Mijn hoofd deed pijn en er lag een nat, naar Ivoryzeep geurend washandje over mijn ogen. 'Ik voel me niet zo lekker.'

Ceri legde een koele hand op mijn wang. 'Dat verbaast me niets,' zei ze op wrange toon. 'Houd je ogen maar dicht. Ik ga je kompressen verwisselen.'

Om mij heen klonk de zachte ademhaling van twee mensen en een heel grote hond. Ik herinnerde me vaag dat ik naar binnen was gedragen en voortdurend op het punt had gestaan om flauw te vallen, zonder dat me dat ooit was gelukt, al had ik er nog zo mijn best voor gedaan. Ik rook mijn eigen luchtjes en leidde daaruit af dat Keasley me in mijn kamer had neergelegd. Het kussen onder mijn hoofd voelde lekker vertrouwd aan. De zware sprei die altijd aan het voeteneinde van mijn bed lag, lag over me heen. *Ik leefde nog. Hoe was het mogelijk.*

Ceri haalde het vochtige washandje van mijn ogen en ondanks haar waarschuwing opende ik mijn oogleden een heel klein stukje. 'Au...' jammerde ik toen het schijnsel van de kaars op de kaptafel in mijn ogen leek te steken, helemaal tot aan mijn achterhoofd, waar het weer terugkaatste. Mijn hoofdpijn verdrievoudigde.

'Ze zei toch dat je je ogen dicht moest houden,' zei Jenks op sardonische toon, maar de opluchting in zijn stem was duidelijk te horen. Toen hoorde ik het geklik van Davids nagels over de vloer, onmiddellijk gevolgd door een warm gesnuffel in mijn oor.

'Het gaat goed met haar,' zei Ceri zacht, waarop hij zich terugtrok.

Goed? Dacht ik, me op mijn ademhaling concentrerend tot de lichtflitsen in mijn hoofd langzaam wegstierven. *Was dit goed?*

Het gebonk in mijn hoofd veranderde in een enigszins draaglijke pijn en toen ik een zachte ademhaling hoorde en de scherpe geur van een uitgeblazen kaars mijn neusgaten bereikte, deed ik mijn ogen weer open.

In het schijnsel van de straatverlichting dat langs mijn gordijnen naar binnen viel, zag ik Ceri op een keukenstoel naast mijn bed zitten. Ze had een kom water op haar schoot en ik kromp ineen toen ze hem boven op Ivy's vampierhandleiding zette, die precies op een plek lag waar iedereen hem kon zien. Aan de andere kant van mijn bed stond de gebogen schaduw van Keasley. Op de rand van het bed verspreidde Jenks een amberkleurige gloed en op de achtergrond stond David, die met zijn wolvengedaante het halve vloeroppervlak in beslag nam.

'We zijn weer thuis,' mompelde ik en Keasley schraapte zijn keel.

Mijn gezicht voelde koud en vochtig aan en door de kapotte deur blies een tochtvlaag naar binnen die zich vermengde met de muffe geur van de verwarming. 'Jenks!' bracht ik krakend uit, toen ik me opeens de vlaag winterse kou herinnerde die hen had getroffen. 'Is alles goed met je kinderen?'

'Ja hoor, die mankeren niets,' zei hij, en ik zakte weer terug in het kussen. Ik bracht mijn hand naar mijn keel. Die voelde alsof hij vanbinnen bloedde.

'David?' vroeg ik iets zachter. 'Hoe is het met jou?'

Hij begon wat sneller te hijgen en duwde Keasley opzij om een warme vochtige snuit tegen mijn oor te drukken. Hij opende zijn kaken. Ceri verstijfde toen David mijn gehele gezicht in zijn bek nam.

Een adrenalinestoot verdrong de pijn. 'Hé!' riep ik uit, worstelend tot hij me even zachtjes door elkaar schudde en toen losliet. Met bonzend hart bleef ik doodstil liggen terwijl hij zacht grommend een natte neus tegen mijn wang drukte. Vervolgens liep hij hijgend als een hond de gang in.

'Wat betekent dat in vredesnaam?' vroeg ik. Mijn hart bonkte in mijn lijf.

Jenks steeg op in een wolk van elfenstof, waartegen ik mijn ogen dichtkneep. Niet dat het zo schitterde, maar zoveel pijn deden mijn ogen. 'Hij is blij dat je je beter voelt,' zei hij, met een ernstige blik op zijn kleine gezichtje.

'Is dit beter?' zei ik en vanuit het sanctuarium ging een eigenaardig blaffend gelach op.

Mijn keel deed pijn en toen ik overeind kwam hield ik mijn hand ertegen. Er zat Werenkwijl op mijn gezicht en ik veegde het af met het natte washandje, dat ik netjes terughing over de rand van de schaal. Al mijn spieren deden pijn. Godallemachtig, alles deed pijn. En ik had het helemaal niet prettig gevonden om met mijn hoofd in Davids bek te zitten.

Het geluid van keurig onderhouden nagels op de houten vloer trok mijn aandacht naar de donkere gang, waar hij net langsliep, op weg naar de achterkant van de kerk. Hij droeg zijn rugzak en kleren in zijn bek en zijn jas sleepte er achteraan als een aangeschoten dier.

'Jenks,' zei Ceri zachtjes. 'Ga eens vragen of hij hier weer terug wil veranderen of dat hij misschien hulp nodig heeft om zijn spullen in zijn tas te stoppen.'

Jenks steeg op, maar schrok terug van een kort, ontkennend geblaf vanuit de woonkamer.

Mijn kaken stijf opeengeklemd tegen een hoofdpijn ter grootte van de staat Texas, bedacht ik me dat hij hoogstwaarschijnlijk eerst wilde veranderen alvorens weg te gaan. Het was verboden om, buiten de drie dagen rond volle maan, in het openbaar te veranderen. Vroeger was die beperking alleen maar een traditie geweest, maar nu was het opgenomen in de wet zodat mensen zich veiliger zouden voelen. Wat Weren in de beslotenheid van hun eigen huis deden moesten ze zelf weten. Ik wist zeker dat niemand hier zou gaan rondbazuinen dat hij was veranderd om mij uit de klauwen van een demon te redden, maar hij kon in deze gedaante niet autorijden, en op de bus stappen was ook al geen optie.

'Zo,' zei Keasley, terwijl hij op de rand van mijn bed kwam zitten, 'laat eens even naar je kijken.'

'Au...' riep ik uit toen hij mijn schouder aanraakte en de verrekte spier een steek van pijn door mijn lijf liet gaan. Ik duwde zijn hand weg en hij schoof wat dichter naar me toe.

'Ik was even vergeten wat een ontzettend lastige patiënte jij bent,' zei hij, opnieuw zijn hand uitstekend. 'Vertel me eens waar je allemaal pijn hebt.'

'Houd op,' riep ik schor, trachtend zijn knobbelige, jichtige handen weg te meppen. 'Mijn schouder doet pijn waar Al erin heeft geknepen. Mijn handen doen pijn waar ik ze geschaafd heb; mijn kin en maag doen pijn waar hij me over de trappen heeft gesleurd. Mijn knieën doen pijn van...' Ik aarzelde even. '... van mijn val op straat. En mijn gezicht doet pijn waar Al me geslagen heeft.' Ik keek naar Ceri. 'Heb ik een blauw oog?'

'Morgenochtend zeker,' zei ze zacht, haar gezicht vertrekkend van medelijden.

'En ik heb een kapotte lip,' besloot ik, aan mijn mond voelend. De vage geur van wolfskers vermengde zich met de geur van sneeuw. David begon, heel voorzichtig en langzaam, weer terug te komen. Dat moest wel, na de pijn die hij moest hebben doorstaan van zijn veel te snelle verandering eerder vannacht. Ik was blij dat hij wat wolfskers bij zich had. Het kruid was een milde pijnstiller en kalmerend middel om het proces te vergemakkelijken. Jammer dat het alleen bij Weren werkte.

Keasley stond kreunend op. 'Ik zal een pijnamulet voor je halen,' zei hij, de gang in schuifelend. 'Vind je het goed als ik wat koffie zet? Ik blijf hier tot je huisgenote thuiskomt.'

'Doe maar twee amuletten,' zei ik, niet wetend of ze ook tegen mijn hoofdpijn zouden helpen. Pijnamuletten werkten alleen bij fysieke pijn en ik had het gevoel dat dit meer het gevolg was van het moeten verwerken van zoveel leylijnkracht. *Was dit wat ik Nick had aangedaan?* Geen wonder dat hij ervandoor was gegaan.

Ik kneep mijn ogen dicht toen in de keuken het licht aanging en een deel ervan mijn kamer verlichtte. Ceri keek me ongerust aan en ik knikte dat het wel ging. Nadat ze een klopje op mijn hand had gegeven die op de sprei lag, zei ze: 'Thee is veel beter voor je maag dan koffie.' Haar ernstige ogen gingen naar Jenks. 'Blijf jij even bij haar?'

'Ja hoor.' Zijn vleugels kwamen met een flits in beweging. 'Op Rachel passen is mijn op twee na grootste talent.'

Ik grijnsde naar hem en Ceri aarzelde. 'Ik ben zo terug,' zei ze, waarna ze opstond om weg te lopen. Ik hoorde het geluid van haar blote voeten over de houten vloer.

Vanuit de keuken kwamen de geruststellende geluiden van een gesprek en ik trok met onhandige bewegingen de sprei tot over mijn schouders. Al mijn spieren deden pijn, alsof ik hoge koorts had gehad. Mijn voeten waren ijskoud in mijn doorweekte sokken en ik lag waarschijnlijk een grote vochtvlek op mijn matras te maken in mijn kleren die kletsnat waren van de sneeuw. Somber keek ik naar Jenks, die aan mijn voeteneind zat.

'Bedankt dat je probeerde te helpen,' zei ik. 'Weet je zeker dat je niets mankeert? Hij heeft de hele deur eruit geblazen.'

'Ik had sneller moeten zijn met die amulet.' Zijn vleugels kregen een berouwvolle blauwe kleur.

Ik haalde mijn schouders op, maar wenste onmiddellijk dat ik het niet had gedaan toen mijn ene schouder begon te kloppen van de pijn. *Waar bleef Keasley met mijn amuletten?* 'Misschien werken ze niet eens op demonen.'

Jenks fladderde dichterbij en landde op mijn knie. 'Verdomme, Rache. Je ziet er belazerd uit.'

'Bedankt.'

Een verrukkelijke koffiegeur begon zich met de muffe warme lucht te vermengen. Een schaduw nam het licht vanuit de gang weg en toen ik omkeek zag ik Ceri staan. 'Eet deze maar vast op terwijl je thee staat te trekken,' zei ze, een bordje met drie van Ivy's koekjes voor me neerzettend.

Mijn gezicht vertrok van afkeer. 'Moet dat?' vroeg ik klaaglijk. 'Waar is mijn amulet?'

'Waar is mijn amulet?' deed Jenks mij met een hoog stemmetje na. 'God, Rachel. Houd je een beetje in.'

'Houd je mond,' mompelde ik. 'Probeer jij maar eens de leylijn van een demon in banen te leiden, dan zullen we zien of je het ook overleeft. Ik wed dat je zou exploderen in een wolk van elfenstof, suffe elf.'

Hij begon te lachen en Ceri keek ons aan alsof we kleine kinderen waren. 'Die heb ik hier,' zei ze, en ik stak mijn hoofd naar voren zodat zij het koordje om mijn hals kon hangen. Het was een verademing om te voelen hoe de pijn in mijn spieren werd verlicht – waarschijnlijk had Keasley hem voor me geactiveerd – maar mijn hoofdpijn bleef, nog erger zelfs, nu ik niet langer werd afgeleid door andere pijnen.

'Het spijt me,' zei Ceri. 'Dat gaat wel een dag duren.' Toen ik niets zei, liep ze naar de deur en voegde eraan toe: 'Ik ga even je thee halen.'

'Neem me niet kwalijk,' hoorde ik haar fluisteren, toen ze op de gang bijna tegen David op botste. De Weer zag er moe en ouder uit en trok de revers van zijn jas recht. Zijn stoppels waren dikker en hij rook heel erg naar wolfskers. 'Wil je misschien ook een kopje thee?' vroeg zij en ik trok mijn wenkbrauwen op toen haar gebruikelijke zelfvertrouwen opeens veranderde in deemoedig ontzag.

David schudde zijn hoofd en accepteerde haar nederige houding met een vanzelfsprekendheid die hem iets edels gaf. Met gebogen hoofd schuifelde zij langs hem heen naar de keuken. Jenks en ik wisselden verbaasde blikken uit toen hij mijn kamer binnenkwam en zijn rugzak op de grond gooide. Met een knikje naar Jenks trok hij de keukenstoel een eindje bij mij vandaan en ging zitten. Naar achteren leunend en met zijn armen over elkaar keek hij mij van onder zijn cowboyhoed beschouwend aan.

'Wil je me, voordat ik ga, nog vertellen wat dat allemaal te betekenen had?' vroeg hij. 'Ik begin het idee te krijgen dat er een heel goede reden is waarom niemand jou wil verzekeren.'

Ik trok een verlegen gezicht en nam een koekje. 'Herinner je je die demon die een verklaring aflegde om Piscary achter de tralies te krijgen?'

Hij zette grote ogen op. 'Krijg nou wat!'

Ik keek naar Davids geschokte blik: deels bezorgdheid, deels pijn, deels ongeloof. 'Hij kwam zijn betaling voor verleende diensten incasseren,' zei ik. 'En die heeft hij gekregen. Ik ben zijn familiaar, maar mijn ziel heb ik nog, dus hij kan me alleen maar meenemen naar het hiernamaals als ik hem daar toestemming voor geef.' Ik keek naar het plafond, me afvragend wat voor agent ik nog kon zijn als ik na zonsondergang niet eens meer een lijn kon aanboren zonder allerlei demonen op mijn nek te krijgen.

David floot zachtjes. 'Geen enkele arrestatie is dat waard.'

Ik keek hem aan. 'Normaal gesproken zou ik het met je eens zijn, maar destijds deed Piscary verwoede pogingen mij te vermoorden en leek het toch wel een goed idee.'

'Goed idee, m'n reet. Het was een ongelooflijke stommiteit,' mompelde Jenks, duidelijk van mening dat als hij erbij was geweest alles niet zo ver had hoeven komen. En misschien had hij daar wel gelijk in.

Met een gevoel alsof ik een kater had, nam ik een hap van het koekje. De droge krengen maakten me hongerig en misselijk tegelijkertijd.

'Bedankt voor je hulp,' zei ik, de kruimels wegvegend. 'Als jij niets had gedaan, had hij me zeker te pakken gehad. Gaat het weer een beetje? Ik heb nog nooit iemand zo snel zien Weren.'

Hij leunde naar voren en schoof zijn rugzak tussen zijn voeten. Ik zag zijn blik naar de deur gaan en wist dat hij weg wilde. 'Mijn schouder doet pijn, maar dat komt wel weer goed.'

'Het spijt me.' Ik at het eerste koekje op en begon aan het tweede. Ik had het gevoel alsof ik het al een beetje begon te voelen. 'Als ik ooit iets voor je kan doen, laat het me dan weten. Ik sta bij je in het krijt. Ik weet hoe pijnlijk het is. Vorig jaar ben ik in drie seconden van heks in nerts veranderd. Twee keer in één week.'

Hij zoog zijn adem sissend naar binnen en fronste zijn voorhoofd. 'Au,' zei hij, een respectvolle blik in zijn ogen.

Ik glimlachte en voelde een nieuwe warmte in me groeien. 'Het was geen grapje. Maar weet je, het is waarschijnlijk de enige keer geweest dat ik ooit zo mager zal zijn en mijn eigen bontjas zal dragen.'

Hij glimlachte. 'Waar gaat de overtollige massa dan eigenlijk heen?'

Er was nog maar één koekje over en ik dwong mezelf het langzaam op te eten. 'Terug naar de leylijn.'

Hij knikte. 'Dat kunnen wij niet.'

'Dat zag ik. Jij bent bepaald een wolf van formaat, David.'

Zijn glimlach werd breder. 'Weet je wat? Ik ben van gedachten veranderd. Zelfs als je ooit in verzekeringen wilt gaan, bel mij maar niet.'

Jenks sprong op het lege bordje, zodat ik niet telkens mijn hoofd hoefde om te draaien om hen allebei te zien. 'Ik zie het al gebeuren,' grinnikte hij. 'Rachel in een grijs mantelpakje met een aktetas, met haar haar in een knotje en een bril op haar neus.'

Ik schoot in de lach, die onmiddellijk veranderde in een flinke hoestbui. Ik sloeg mijn armen om mezelf heen en lag te schudden van het hoesten. Mijn keel voelde alsof hij in brand stond, maar die pijn verbleekte bij de bonzende pijn in mijn hoofd die explodeerde door de plotselinge beweging. De pijnamulet om mijn nek haalde niet veel uit.

David klopte me bezorgd op mijn rug. De pijn in mijn schouder brak door de amulet heen en mijn maag draaide om. Met tranen in mijn ogen duwde ik hem weg. Ceri kwam binnen en begon me vermanend toe te spreken terwijl ze een kop thee neerzette en een hand op mijn schouder legde. Haar aanraking leek de pijn te kalmeren en ik liet me door haar in de kussens duwen die ze eerst achter mij opschudde. Na een tijdje hield ik eindelijk op met hoesten en keek haar aan.

Ze had een ongeruste blik op haar gezicht. Achter haar keken Jenks en David toe. Ik vond het niet prettig dat David mij zo zag, maar ik had niet veel keus. 'Drink je thee op,' zei ze, mij de beker aanreikend en mijn hand erom klemmend.

'Mijn hoofd doet zo'n pijn,' klaagde ik, terwijl ik een slok van het slappe goedje nam. Het was geen echte thee, maar iets met bloemen en kruiden erin. Wat ik wilde was een kop van die koffie, maar ik wilde Ceri's gevoelens niet kwetsen. 'Ik heb het gevoel dat ik onder een vrachtwagen heb gelegen,' klaagde ik.

'Zo zie je er ook uit,' zei Jenks. 'Drink die thee op.'

Het smaakte nergens naar, maar werkte wel kalmerend. Ik nam nog een slok en schraapte een glimlach bij elkaar voor Ceri. 'Mmm. Lekker,' jokte ik.

Met een tevreden blik pakte zij de waskom. 'Helemaal opdrinken, hoor. Vind je het goed als Keasley een deken voor je deur hangt tegen de tocht?'

'Dat zou geweldig zijn. Bedankt,' zei ik, maar ze ging niet weg voordat ik nog een slok had genomen.

Haar schaduw verdween in de hal en mijn glimlach veranderde in een grimas. 'Dit spul smaakt nergens naar,' fluisterde ik. 'Waarom moet alles wat goed voor me is zo smakeloos zijn?'

David keek naar de lege deuropening waar het licht door naar binnen viel. Toen de Weer zijn rugzak openritste, landde Jenks op zijn schouder. 'Ik heb iets waar je misschien iets aan hebt,' zei David. 'Mijn vroegere partner zwoer erbij. Hij smeekte me er altijd om wanneer hij een beetje te enthousiast had gefeest.'

'Wauw!' Met zijn hand voor zijn neus fladderde Jenks omhoog. 'Hoeveel wolfskers zit daarin?'

David glimlachte sluw. 'Wat nou?' zei hij, met een onschuldige blik in zijn bruine ogen. 'Het is heus niet illegaal. En het is nog biologisch ook. Er zitten niet eens koolhydraten in.'

Zijn inmiddels vertrouwde, kruidige geur van wolfskers werd sterker in de kleine kamer en het verbaasde me niet eens toen David een cellofaan zakje met een schuifsluiting tevoorschijn haalde. Ik herkende het merk: *Wolfskop Biologisch*. 'Hier,' zei hij, terwijl hij de beker uit mijn hand pakte en op mijn nachtkastje zette.

Met zijn rug naar de deuropening, zodat niemand kon zien wat hij deed, strooide hij een flinke eetlepel van het spul in mijn thee. Toen keek hij me even aan en gooide er nog wat bij. 'Proef nu maar eens,' zei hij, de beker aan mij gevend.

Ik zuchtte. Waarom probeerde iedereen me van alles op te dringen? Het enige wat ik wilde was een slaapamulet of misschien een van Kapitein Eddens eigenaardige aspirientjes. Maar David keek zo hoopvol en de geur van wolfskers was zoveel lekkerder dan die van rozenbottels, dat ik de thee met mijn pink omroerde. De gedroogde blaadjes zonken naar de bodem van de beker en gaven de thee meteen al een warmere kleur. 'Wat gaat dit met me doen?' vroeg ik terwijl ik een slokje nam. 'Ik ben geen Weer.'

David gooide het zakje weer in zijn rugzak en ritste hem dicht. 'Niet veel. Jouw heksenstofwisseling is te traag om er veel van te merken. Maar mijn oude partner was ook een heks en volgens hem hielp het bij katers. Het zal op z'n minst je thee een lekkerder smaakje geven.'

Hij stond op om weg te gaan en nadat ik nog een slokje had genomen, moest ik het met hem eens zijn. Mijn kaken ontspanden zich en ik had niet eens geweten dat ik ze aanspande. De wolfskersthee gleed warm en verzachtend door mijn keel met een gecombineerde smaak van vleesbouillon en appels. Al mijn spieren ontspanden zich, alsof ik een glas tequila achterover had geslagen. Ik zuchtte diep en toen ik Jenks zachtjes op mijn arm voelde neerkomen keek ik hem aan. 'Hé, Rache? Alles kits?'

Ik glimlachte en nam nog een slokje. 'Hoi, Jenks. Je glinstert helemaal.'

Jenks keek me verbaasd aan en David keek op van het dichtknopen van zijn jas. Zijn bruine ogen keken me vragend aan.

'Bedankt, David,' zei ik en ik hoorde hoe langzaam, precies en laag mijn stem klonk. 'Je hebt wat van me tegoed, oké?'

'Goed hoor.' Hij tilde zijn rugzak op. 'Pas goed op jezelf.'

'Zal ik doen.' Ik klokte de helft van mijn thee achterover en het gleed naar binnen en maakte me lekker warm. 'Ik voel me eigenlijk best goed. Wat goed uitkomt, want ik heb morgen een afspraak met Trent en als ik niet ga, komt zijn beveiligingsman me vermoorden.'

Op de drempel bleef David staan. Achter hem klonk het *tik-tik-tik* van Keasley die bezig was een deken voor de deur te spijkeren. 'Trent Kalamack?' vroeg de Weer.

'Ja.' Ik nam nog een slok en roerde met mijn pink door de thee totdat de wolfskers een draaikolkje vormde en het brouwsel nog donkerder kleurde. 'Hij heeft een gesprek met Saladan. Zijn beveiligingsman wil per se dat ik met hem meega.' Ik keek David met half dichtgeknepen ogen aan. Het licht vanuit de gang was wel fel, maar niet meer pijnlijk. Ik vroeg me af waar Davids tatoeages zaten. Weren hadden altijd tatoeages; vraag me niet waarom.

'Heb je Trent wel eens ontmoet?' vroeg ik.

'Meneer Kalamack?' David kwam de kamer weer in. 'Nee.'

Ik kroop lekker weg onder mijn sprei en concentreerde me op mijn beker. Davids partner had gelijk. Dit spul was geweldig. Ik had nergens meer pijn. 'Trent is een lul,' zei ik, toen ik me opeens herinnerde waarover we het hadden. 'Ik weet iets van hem en hij weet iets van mij. Maar zijn beveiligingsman kan ik nergens mee chanteren, en als ik dit niet doe, dan gaat hij het rondbazuinen.'

Jenks zweefde boven me en vloog van David naar de deur en weer terug naar mij. David keek even naar hem en vroeg toen: 'Wat rondbazuinen?'

Ik boog me naar hem toe en schrok toen ik bijna met mijn thee morste omdat ik sneller bewoog dan ik had verwacht. Fronsend dronk ik het laatste restje op, en ik vond het niet eens erg dat er een paar theeblaadjes meekwamen. Glimlachend boog ik me naar hem toe, de geur van muskus en wolfskers verzaligd opsnuivend. 'Mijn geheimpje,' fluisterde ik, me afvragend wat David zou zeggen als ik hem vroeg of ik zijn tatoeages mocht zoeken. Hij zag er fantastisch uit voor een oudere man. 'Ik heb een geheimpje, maar dat ga ik jou niet aan je neus hangen.'

'Ik ben zo terug,' zei Jenks, vlak boven mij zwevend. 'Ik wil weten wat ze in die thee heeft gedaan.'

Hij schoot naar buiten en ik knipperde met mijn ogen tegen zijn neerdwarrelende elfenstof. Er zaten meer schitteringen in dan ik ooit eerder had gezien en ze hadden alle kleuren van de regenboog. Kennelijk maakte Jenks zich zorgen.

'Geheimpje?' drong David aan, maar ik schudde mijn hoofd.

'Ik zeg niks. Ik houd niet van de kou.'

David legde zijn handen op mijn schouders en duwde me in de kussens. Ik keek lachend naar hem op en was helemaal blij toen ik Jenks weer naar binnen zag vliegen. 'Jenks,' zei David zacht. 'Is zij wel eens gebeten door een Weer?'

'Nee!' protesteerde hij. 'Tenzij het is gebeurd voordat ik haar leerde kennen.'

Mijn ogen waren dichtgevallen, maar gingen weer open toen David me door elkaar schudde. 'Wat?' protesteerde ik, hem wegduwend toen hij me van veel te dichtbij strak in mijn ogen keek. Opeens deed hij me aan mijn vader denken en ik lachte naar hem.

'Rachel, kindje,' zei hij. 'Ben jij wel eens door een Weer gebeten?'

Ik zuchtte diep. 'Nee hoor. Nog nooit door jou en nog nooit door Ivy. De enigen die mij bijten zijn muggen en die sla ik dood. Rotbeesten.'

Jenks zweefde naar achteren en David trok zich van mij terug. Ik deed mijn ogen dicht en luisterde naar hun ademhaling. Het klonk verschrikkelijk hard. 'Sssst,' zei ik. 'Stil een beetje.'

'Misschien heb ik haar te veel gegeven,' zei David.

Ceri's zachte voetjes maakten een enorm lawaai op de vloer. 'Wat... Wat heb je met haar gedaan?' vroeg zij met een scherpe klank in haar stem, waarvan mijn ogen meteen weer opengingen.

'Niets!' protesteerde David met opgetrokken schouders. 'Ik heb haar een beetje wolfskers gegeven. Dat had ik niet moeten doen. Ik heb nog nooit meegemaakt dat een heks er zo op reageerde!'

'Ceri,' zei ik. 'Ik heb zo'n slaap. Mag ik nu gaan slapen?'

Ze tuitte haar lippen, maar ik zag dat ze niet boos op mij was. 'Ja hoor.' Ze trok de sprei op tot onder mijn kin. 'Ga jij maar lekker slapen.'

Ik zakte weg in mijn kussens en merkte niet eens meer dat ik natte kleren aanhad. Ik was echt ontzettend moe. En ik had het warm. En mijn huid tintelde. En ik had het gevoel dat ik wel een week kon slapen.

'Waarom heb je mij niet eerst gevraagd of je haar wolfskers kon geven?' vroeg Ceri boos, gefluisterd maar heel duidelijk. 'Ze heeft al Hellevuur gebruikt. Dat zat in de koekjes!'

Ik wist het! dacht ik, terwijl ik een poging deed mijn ogen te openen. *Sjonge, dat zou Ivy weten wanneer ze thuiskwam.* Maar ze was nog niet thuis, en ik was moe, dus ik deed helemaal niets. Ik had het helemaal gehad met mensen die me dronken probeerden te voeren. Echt, ik zou nooit meer iets eten wat ik niet eigenhandig had klaargemaakt.

Het geluid van Davids gegrinnik liet mijn huid tintelen op alle plekken die niet door de sprei bedekt waren. 'Nu snap ik het,' zei hij. 'Het Hellevuur heeft haar stofwisseling op een niveau gebracht waar de wolfskers wel degelijk zijn werk kan doen. Ik denk dat ze nu wel drie dagen zal slapen. Ik heb haar genoeg gegeven om een Weer een hele volle maan onder zeil te houden.'

Ik schrok. Mijn ogen schoten open. 'Nee!' zei ik, terwijl ik probeerde overeind te komen en Ceri mij weer terugduwde in de kussens. 'Ik moet naar dat feestje. Als ik dat niet doe gaat Quen het vertellen!'

David schoot Ceri te hulp en samen hielden ze mijn hoofd op het kussen en mijn benen onder de sprei. 'Rustig nu maar, Rachel,' suste hij en ik haatte het dat hij sterker was dan ik. 'Je moet je er niet tegen verzetten, anders krijg je er last van. Wees nu maar een brave kleine heks en laat het kruid zijn werk doen.'

'Als ik niet ga, vertelt hij het!' zei ik, en ik hoorde het bloed in mijn oren gonzen. 'Het enige belastende feit dat ik van Trent weet is dat ik weet wat hij is en als ik dat vertel, dan vermoordt Quen me!'

'Wat!' gilde Jenks, terwijl hij met ruisende vleugels opvloog.

Te laat realiseerde ik me wat ik had gezegd. *Shit.*

Ik staarde Jenks aan en voelde mijn gezicht wit wegtrekken. Het werd doodstil in de kamer. Ceri keek me met grote, vragende ogen aan en David keek ongelovig. Ik kon mijn woorden niet terugnemen.

'Jij weet het!' riep Jenks. 'Jij weet wat hij is en dat heb je mij niet verteld? Ellendige heks! Wist je het? Je wist het! Rachel! Jij... jij...'

Ik zag de afkeurende blik in Davids ogen en Ceri keek angstig. Elfenkinderen gluurden om het hoekje van de deur. 'Jij wist het!' gilde Jenks, en het elfenstof dwarrelde als een gouden zonnestraal van hem af. Zijn kinderen schoten met een angstig tinkelend geluid alle kanten op.

Ik kwam moeizaam overeind. 'Jenks – ' zei ik, ineenkrimpend toen mijn maag verkrampte.

'Houd je mond!' riep hij. 'Houd verdomme je kop! Wij worden geacht partners te zijn!'

'Jenks...' Ik stak mijn hand uit. Ik had geen slaap meer, maar wel hevige krampen in mijn ingewanden.

'Nee!' zei hij, en een uitbarsting van elfenstof verlichtte mijn schemerige kamer. 'Vertrouw je me niet? Ook goed. Dan ben ik hier weg. Ik moet even iemand gaan bellen. David, kan ik met mijn gezin een lift van je krijgen?'

'Jenks!' Ik gooide de dekens van me af. 'Het spijt me! Ik kon het je niet vertellen.' *O god, ik had Jenks moeten vertrouwen.*

'Houd je kop!' riep hij uit, waarna hij in een wolk van rood elfenstof wegvloog.

Ik stond op om achter hem aan te gaan. Ik zette een stap en reikte toen naar de deurpost. Ik liet mijn hoofd zakken. Mijn blik werd troebel en ik slaagde er niet in mijn evenwicht te bewaren. Ik drukte een hand tegen mijn maag. 'Ik moet overgeven,' hijgde ik. 'O, god, ik moet overgeven.'

David legde een hand op mijn schouder. Met snelle, efficiënte bewegingen trok hij me mee naar de gang. 'Ik zei toch dat je er last van zou krijgen,' mompelde hij, terwijl hij me het toilet binnenduwde en met zijn elleboog het lichtknopje indrukte. 'Je had niet overeind moeten komen. Wat mankeert jullie heksen toch? Jullie denken altijd maar de wijsheid in pacht te hebben en luisteren nooit naar goede raad.'

Natuurlijk had hij gelijk. Met mijn hand voor mijn mond haalde ik het toilet nog maar net. Alles kwam eruit: de koekjes, de thee, maaltijden van twee weken geleden. Nadat de eerste golf eruit was, liet David me verder alleen om de rest eruit te gooien.

Eindelijk kreeg ik weer wat controle over mezelf. Met knikkende knieën kwam ik overeind en spoelde het toilet door. Niet in staat om in de spiegel te kijken, spoelde ik mijn mond en dronk wat water uit de kraan. Ik had mijn hele amulet ondergekotst en deed hem af om hem af te spoelen onder de kraan en naast de wasbak neer te leggen. Alle pijn kwam ogenblikkelijk weer terug en ik had het gevoel dat ik dat verdiende.

Met bonkend hart en een slap gevoel plensde ik koud water in mijn gezicht en keek toen op. Achter mijn uitgeputte, grauwe spiegelbeeld, zag ik Ceri in de deuropening staan, met haar armen om zich heen geslagen. Het was griezelig stil in de kerk. 'Waar is Jenks?' bracht ik met hese stem uit.

Ze wendde haar blik af en ik draaide me om. 'Het spijt me, Rachel. Hij is samen met David weggegaan.'

Weggegaan? Hij kon niet weggaan. Het vroor dat het kraakte.

Ik hoorde een zacht geschuifel en Keasley verscheen naast haar.

'Waar is hij naartoe?' vroeg ik, een rilling onderdrukkend toen de resterende wolfskers en Hellevuur zich in mijn maag begonnen te roeren.

Ceri keek naar de grond. 'Hij heeft David gevraagd hem naar het huis van een vriend te brengen, en de hele *sídh* is vertrokken in een doos. Hij zei dat hij zijn gezin niet langer in gevaar wilde brengen...' Ze keek naar Keasley en ik zag het tl-licht weerkaatsen in haar groene ogen. 'Hij zei dat hij ontslag nam.'

Ontslag nam? Ik kwam in beweging en ging op weg naar de telefoon. Hij wilde zijn gezin niet langer in gevaar brengen, m'n reet. Hij had dit voorjaar twee feeënmoordenaars om zeep geholpen en een derde in leven gelaten als waarschuwing voor de rest. En aan de kou lag het ook niet. Die deur zou weer worden gerepareerd en tot die tijd konden ze altijd in Ivy's kamer of in de mijne blijven. Hij was weggegaan omdat ik tegen hem had gelogen. En toen ik achter Ceri Keasleys gerimpelde, sombere gezicht zag, wist ik dat ik gelijk had. Er waren dingen gezegd die ik niet had gehoord.

De woonkamer binnenstrompelend, zocht ik de telefoon. Er was maar één plek waar hij naartoe kon: de Weer die vorig najaar mijn spullen had schoongemaakt nadat ze waren vervloekt. Ik moest met Jenks praten. Ik moest hem vertellen dat het me speet. Dat ik een stommeling was geweest. Dat ik hem had moeten vertrouwen. Dat hij gelijk had om kwaad op me te zijn en dat het me echt heel erg speet.

Maar Keasley hield mijn hand tegen en ik keek hem aan, rillend onder de dunne deken die ik om mezelf heen had geslagen om me te beschermen tegen de koude nacht. 'Rachel...' zei hij en in de hal bleef Ceri met een weemoedige blik staan. 'Ik denk... ik denk dat je hem op z'n minst een dag de tijd moet gunnen.'

Ceri schrok op en keek de gang in. In de verte hoorde ik de voordeur opengaan en de deken waaide op in de tochtvlagen.

'Rachel?' klonk Ivy's stem. 'Waar is Jenks? En waarom staat er een vrachtwagen van een doe-het-zelfzaak voor onze voordeur platen triplex uit te laden?'

Ik kon nog net op een stoel gaan zitten voordat ik in elkaar zakte. Mijn ellebogen zakten op mijn knieën en mijn hoofd in mijn handen. De wolfskers en het Hellevuur waren nog steeds niet uitgewerkt en maakten me slap en bibberig. Verdomme. Wat moest ik Ivy vertellen?

De koffie in mijn grote beker was koud, maar ik had geen zin om naar de keuken te gaan om verse te halen. Ivy was in de keuken nog meer van die smerige koekjes aan het bakken, ondanks dat ik haar heel duidelijk had gemaakt dat ik ze niet zou eten en dat ik pissiger was dan een trol met een kater omdat ze me op een slinkse manier Hellevuur had toegediend.

Toen ik mijn beker wegzette en mijn hand uitstak naar de bureaulamp hoorde ik mijn pijnamulet tegen de huidbezwering rinkelen die mijn blauwe oog moest verbergen. Terwijl Ceri probeerde mij te leren hoe ik leylijnenergie moest opslaan, was het gaan schemeren. De lamp verspreidde een vrolijk schijnsel over de planten op mijn bureau en bereikte ook Ceri, die op een kussen zat dat ze van Keasley had meegenomen. We hadden dit ook in de meer comfortabele woonkamer kunnen doen, maar ondanks het feit dat de zon nog aan de hemel stond had Ceri er toch op gestaan dat het op gewijde grond moest gebeuren. Bovendien was het stil in het sanctuarium. Zo stil dat je er akelig van werd.

Ceri zat in kleermakerszit op de vloer, als een klein figuurtje in een spijkerbroek en een bloesje onder de schaduw van het kruis. Naast haar stond een pot thee te dampen, hoewel mijn eigen beker al lang koud was. Ik had het gevoel dat ze magie gebruikte om de pot warm te houden, hoewel ik haar er nog niet op had kunnen betrappen. In haar slanke handen hield ze een kopje van ragfijn porselein – dat ze ook van Keasley had meegenomen – en om haar hals glansde Ivy's crucifix. Haar handen waren er nooit ver vandaan. Haar blonde haar was die ochtend gevlochten door Jenks' oudste dochter en ze zag er heel sereen uit. Ik vond het heerlijk om haar zo te zien, vooral omdat ik wist wat zij allemaal had meegemaakt.

In de keuken klonk een bons, gevolgd door het geluid van de ovendeur die werd dichtgedaan. Ik fronste en keek naar Ceri die onmiddellijk vroeg: 'Ben je er klaar voor om het nog een keer te proberen?'

Ik zette mijn in sokken gestoken voeten stevig op de grond en knikte. Ik tastte om me heen met mijn bewustzijn en raakte de lijn die achter de kerk liep. Mijn chi vulde zich, niet meer of minder tot zich nemend dan anders. De energie vloeide door me heen zoals een rivier door een vijver. Ik kon dit al sinds mijn twaalfde, toen ik geheel per ongeluk Trent tegen een boom had gesmeten in zijn vaders Doe-Een-Wenskamp. Het enige wat ik hoefde te doen was, laten we zeggen, een beetje van die energie uit de vijver halen en overhevelen naar een reservoir in mijn geest. Of je nu een mens, een Inderlander of een demon was, je chi kon maar een bepaalde hoeveelheid bevatten. Familiaars fungeerden als extra chi, die een magische gebruiker kon benutten alsof het van hem of haar zelf was.

Ceri wachtte tot ik een teken gaf dat ik er klaar voor was voordat zij dezelfde lijn aanboorde en meer in mij overhevelde. Het was, vergeleken bij Algaliarepts stortvloed, een bescheiden stroompje, maar niettemin begon mijn huid te branden toen mijn chi overliep en de kracht door mij heen druppelde, op zoek naar een plek om zich te verzamelen. Om nog even terug te keren bij de vijver-en-rivieranalogie: de oevers waren overstroomd en de vallei liep onder water.

Mijn gedachten waren de enige plek waar het naartoe kon, en tegen de tijd dat de energie die had gevonden, had ik in gedachten de kleine driedimensionale cirkels gevormd die Ceri mij vanmiddag had leren maken. Ik ontspande mijn schouders en voelde hoe het stroompje mijn cirkel vond. Meteen verdween het warme gevoel op mijn huid terwijl de energie die mijn chi niet langer vast kon houden ernaartoe werd getrokken als druppels kwik. De cirkel werd groter en er verscheen een rode vlek die de kleur aannam van mijn en Als aura. Jakkes.

'Zeg je sleutelwoord,' zei Ceri en mijn gezicht vertrok. Het was al te laat. Ik keek haar aan en haar lippen bewogen. 'Je bent het vergeten,' zei ze verwijtend en ik haalde mijn schouders op, Ze hield onmiddellijk op met het doorsluizen van energie en de overtollige energie keerde in een korte opgloeiende flits terug naar de lijn. 'Zeg het nu dan,' zei ze met een strak gezicht. Ceri was lief, maar ze was beslist geen geduldige lerares.

Opnieuw liet ze de leylijnenergie mijn chi overstromen. Mijn huid werd warm en de blauwe plek waar Algaliarept mij had geslagen begon te kloppen. De stroomsterkte, zoals je het misschien zou kunnen noemen, was iets krachtiger dan normaal en ik beschouwde het maar als Ceri's niet al te subtiele aansporing om het nu eens een keertje goed te doen.

'Tulpa,' fluisterde ik, en ik hoorde het woord zowel in gedachten als in mijn oor. De keuze van het woord was niet belangrijk. Wat belangrijk was, was het opbouwen van een associatie tussen het woord en de handelingen. Meestal werd er iets Latijns gebruikt, en het was hoogstonwaarschijnlijk dat ik het een keer per ongeluk zou zeggen en daarmee ongewild de bezwering in werking zou zetten. Het proces was identiek aan toen ik had geleerd een instantcirkel te maken. Het woord tulpa was geen Latijn – je kon het nauwelijks Engels noemen – maar hoe vaak gebruikte je het in een gesprek?

Iets sneller dit keer vond de energie uit de lijn mijn cirkel en vulde die. Ik keek naar Ceri en knikte om meer. Met een ernstige blik in haar groene ogen deed ze wat ik vroeg. Mijn adem verdween sissend tussen mijn lippen en mijn blik vertroebelde toen Ceri het nog iets verder opvoerde en ik een gloeiende warmte over mijn huid voelde tintelen. 'Tulpa,' fluisterde ik, terwijl mijn hart sneller begon te kloppen.

De nieuwe kracht vond de eerste. De bolvormige beschermingscirkel in mijn onderbewustzijn zette uit om alles op te kunnen nemen. Mijn blik werd weer helder en ik knikte naar Ceri. Toen ik om meer vroeg knipperde ze even met haar ogen, maar ik voelde er weinig voor Al nogmaals de kans te geven me tegen de vlakte te krijgen met een te grote hoeveelheid energie. 'Het gaat goed,' zei ik, maar verstijfde toen de beurse huid rond mijn oog, dwars door de pijnamulet heen, begon te kloppen en te gloeien alsof ik te lang in de zon had gezeten.

'Tulpa,' zei ik, in elkaar zakkend toen de hitte verdween. *Zie je wel*, zei ik tegen mijn verwarde brein. *Het is een illusie. Ik sta niet werkelijk in brand.*

'Zo is het genoeg,' zei Ceri ongerust en ik tilde mijn kin op van mijn borst. Het vuur was uit mijn aderen verdwenen, maar ik was volkomen uitgeput en mijn vingers trilden.

'Ik ga vanavond niet slapen voordat ik de hoeveelheid vast kan houden die hij in me heeft gestopt,' antwoordde ik.

'Maar, Rachel...' protesteerde zij en ik stak langzaam mijn hand op om haar de mond te snoeren.

'Ik weet zeker dat hij terugkomt,' zei ik. 'Ik kan niet tegen hem vechten als ik lig te kronkelen van de pijn.'

Ze knikte bleekjes en ik verstarde toen zij nog meer energie in mij overbracht. 'O, god,' fluisterde ik en zei, voordat Ceri ermee op kon houden, snel mijn sleutelwoord. Ditmaal voelde ik de energie als zoutzuur door me heen stromen en nieuwe kanalen volgen, eerder meegetrokken door mijn woord, dan bij toeval mijn cirkel vindend. Ik keek op. Met grote ogen staarde ik Ceri aan terwijl de pijn wegtrok.

'Het is je gelukt,' zei ze, met een bijna angstige blik op haar gezicht, terwijl ze met gekruiste benen tegenover mij zat.

Ik slikte moeizaam en trok mijn benen onder me zodat ze mijn knieën niet zou zien trillen. 'Zeg dat wel.'

Zonder met haar ogen te knipperen, hield ze haar kopje in haar schoot. 'Laat het los. Je moet je nu weer concentreren.'

Ik merkte dat ik onwillekeurig mijn armen om mijn bovenlichaam had geslagen. Ik duwde ze omlaag en ademde uit. De energie die in mijn hoofd zat weer loslaten, klonk gemakkelijker dan het was. Ik had nu voldoende kracht in me om Ivy naar de aangrenzende staat te smijten. Als het nu niet, gebruikmakend van de voorzichtig ingebrande kanalen die Ceri in mijn zenuwstelsel had aangebracht, terugstroomde naar mijn chi en vervolgens naar de lijn, zou dat heel erg veel pijn gaan doen.

Ik zette me schrap, legde mijn wil om de cirkel en kneep. Met ingehouden adem wachtte ik de pijn af, maar de leylijnenergie keerde gemakkelijk terug naar mijn chi en vervolgens weer naar de lijn, mij bevend van de adrenaline achterlatend. Reusachtig opgelucht veegde ik mijn haar uit mijn ogen en keek Ceri aan. Ik voelde me hondsberoerd: moe, uitgeput, bezweet en bibberig – maar tevreden.

'Je gaat vooruit,' zei ze en er gleed een glimlachje over mijn gezicht.

'Bedankt.' Ik pakte mijn beker en nam een slok koude koffie. Waarschijnlijk ging ze me nu vragen het zelf van de lijn te halen, maar daar was ik nog niet klaar voor. 'Ceri,' zei ik, met trillende handen. 'Als je ziet wat je ervoor terugkrijgt is dit eigenlijk niet eens zo heel erg moeilijk. Waarom weten niet veel meer mensen hoe dit moet?'

Zij glimlachte en haar schemerige gestalte in de schaduw van de lamp zag er heel wijs uit. 'In het hiernamaals weten ze het allemaal. Het is het allereerste – nee, het tweede – wat aan een familiaar wordt geleerd.'

'Wat is het eerste?' vroeg ik, voor ik eraan dacht dat ik dat eigenlijk niet wilde weten.

'De dood van je eigen wil,' zei ze, en mijn uitdrukking verstarde om de nonchalante manier waarop ze zoiets verschrikkelijk zei. 'Mij laten ontkomen, in de wetenschap hoe ik mijn eigen familiaar moet zijn, was een vergissing,' zei ze. 'Als hij de kans kreeg zou Al me vermoorden om die vergissing goed te maken.'

'Kan hij dat niet dan?' vroeg ik, opeens bang dat de demon het zou proberen.

Ceri haalde haar schouders op. 'Misschien. Maar ik heb mijn ziel, hoe zwart hij ook is. Dat is het allerbelangrijkste.'

'Dat zal wel, ja.' Ik begreep niets van haar nonchalante houding, maar ik was niet duizend jaar lang Als familiaar geweest. 'Ik wil geen familiaar,' zei ik, blij dat Nick zo ver weg was dat hij niets van dit alles kon voelen. Als hij dichterbij was geweest, had hij me zeker gebeld om te vragen hoe het met me ging. Denk ik.

'Je doet het heel goed.' Ceri nam een slokje van haar thee en keek naar de donkere ramen. 'Al zei dat het mij drie maanden kostte om het punt te bereiken waar jij nu bent.'

Ik keek haar geschokt aan. Het bestond gewoon niet dat ik beter was dan zij. 'Dat meen je niet.'

'Ik verzette me tegen hem,' zei ze. 'Ik wilde niet leren en hij moest me er dan ook toe dwingen. Hij gebruikte het wegnemen van pijn als positieve stimulans.'

'Heb je drie maanden lang pijn geleden?' vroeg ik vol afschuw.

Haar blik rustte op haar slanke handen, die ze om haar theekopje geklemd hield. 'Dat weet ik niet meer. Het is allemaal al heel lang geleden. Ik herinner me wel dat ik elke avond aan zijn voeten zat en dat hij dan zijn hand zachtjes op mijn hoofd legde en helemaal tot rust kwam terwijl ik zat te huilen om de lucht en de bomen.'

De gedachte dat deze mooie kleine vrouw aan Algaliarepts voeten had gezeten en zich zijn aanrakingen had moeten laten welgevallen, was bijna ondraaglijk. 'Wat vind ik dat erg, Ceri,' fluisterde ik.

Zij schrok op, alsof ze nu pas besefte dat ze hardop had gesproken. 'Laat je niet door hem meevoeren,' zei ze, met een serieuze blik in haar ogen. 'Hij was wel dol op mij, en hoewel hij mij precies zo gebruikte als ze daar allemaal hun familiaar gebruiken, mocht hij me ergens toch wel. Ik was een gekoesterde edelsteen in zijn kroon en hij behandelde me goed, zodat hij langer plezier van me zou hebben. Maar jij...' Ze boog haar hoofd en verbrak ons oogcontact, terwijl ze haar vlecht over haar schouder trok. 'Hij zal je zo verschrikkelijk kwellen, en zo vaak, dat je nauwelijks de tijd zult hebben om tussendoor even adem te halen. Laat je niet meenemen.'

Ik slikte en kreeg het ijskoud. 'Dat was ik niet van plan.'

Haar smalle kinnetje beefde. 'Je begrijpt niet wat ik bedoel. Als hij je komt halen en je kunt niet aan hem ontkomen, maak hem dan zo kwaad dat hij je doodt.'

Haar oprechtheid trof me tot in het diepst van mijn ziel. 'Hij zal het niet opgeven, is het wel?' zei ik.

'Nee. Hij heeft een familiaar nodig om zijn stand op te houden. Hij zal het niet opgeven, tenzij hij iemand vindt die geschikter is. Al is hebberig en ongeduldig. Hij zal genoegen nemen met het beste wat hij vinden kan.'

'Dus al dat oefenen maakt me eigenlijk alleen maar aantrekkelijker voor hem?' vroeg ik, met een misselijk gevoel in mijn maag.

Ceri keek me verontschuldigend aan. 'Je hebt het nodig om te voorkomen dat hij je met een enorme dosis leylijnenergie verdooft en meesleurt naar een lijn.'

Ik staarde naar de donkere ramen. 'Verdomme,' fluisterde ik, omdat ik daar nog niet zo bij had stilgestaan.

'Maar in jouw beroep is het ook handig om je eigen familiaar te zijn,' trachtte Ceri mij alsnog te overtuigen. 'Je zult de kracht van een familiaar hebben, zonder de verplichtingen die erbij horen.'

'Je zult wel gelijk hebben.' Ik zette mijn beker weg en staarde voor me uit. De duisternis begon in te vallen en ik wist dat ze voor zonsondergang thuis wilde zijn. 'Wil je dat ik het nu alleen probeer?' vroeg ik aarzelend.

Zij keek naar mijn handen. 'Ik raad je een korte rustpauze aan. Je handen trillen nog steeds.'

Ik keek naar mijn vingers en zag tot mijn verlegenheid dat ze gelijk had. Ik maakte een vuist en glimlachte schaapachtig naar haar. Zij nam nog een slokje thee, zichzelf kennelijk dwingend geduld te betrachten omdat ik er ook niets aan kon doen. Ik schrok op toen zij fluisterde: '*Consimilis calefacio.*'

Ze had iets gedaan; ik had een daling in de lijn gevoeld, ook al was ik er niet mee verbonden. Ze wierp me in elk geval een geamuseerde blik toe. 'Voelde je dat?' vroeg ze met haar mooie lach. 'Je begint een grote verbondenheid met je lijn te ontwikkelen, Rachel Mariana Morgan. Hij is van de hele straat, ook al ligt hij in jouw achtertuin.'

'Wat heb je gedaan?' vroeg ik. Ik had geen zin om dieper in te gaan op wat zij daarmee bedoelde. Bij wijze van uitleg hield ze even haar theekopje omhoog en ik glimlachte. 'Je hebt het opgewarmd,' zei ik en zij knikte. Mijn glimlach ebde langzaam weg. 'Dat was toch geen zwarte bezwering, of wel?'

Ceri's gezicht werd uitdrukkingsloos. 'Nee. Het is doodgewone leylijnmagie die reageert op water. Het zal de smet op mijn ziel niet groter maken, Rachel. Het zal me al moeite genoeg kosten om daar weer vanaf te komen.'

'Maar Al heeft hem wel op David gebruikt. Hij heeft hem bijna gekookt,' voegde ik eraan toe, met een akelig gevoel in mijn maag. Mensen bestonden voor het grootste deel uit water. Warm dat op en je kon ze van binnenuit koken. *God, ik werd al misselijk als ik er alleen maar aan dacht.*

'Nee,' stelde ze mij gerust. 'Die was anders. Deze werkt alleen op dingen zonder aura. De bezwering die krachtig genoeg is om door een aura heen te breken is zwart en heeft en druppel demonenbloed nodig om te werken. De reden waarom David nog leeft is dat Al een lijn gebruikte die via jou liep, en hij wist dat jij de dodelijke dosis niet aankon – nog niet.'

Daar moest ik even over nadenken. Als het geen zwarte bezwering was, school er dus geen kwaad in. En Ivy zou niet weten wat ze zag als ik mijn koffie op kon warmen zonder behulp van de magnetron. 'Is hij erg moeilijk?'

Ceri glimlachte. 'We doen het gewoon samen. Even wachten; ik moet even goed nadenken hoe de lange versie ook weer ging,' zei ze, haar hand uitstekend naar mijn beker.

O ja, laten we het vooral langzaam aan doen, anders snapt de heks het niet, dacht ik, naar voren leunend en haar de beker aanreikend. Maar aangezien het waarschijnlijk de bezwering was die zij drie keer per dag had gebruikt om Als maaltijden klaar te maken, kon ze hem waarschijnlijk zelfs slapend uitvoeren.

'Het is sympathetische magie,' legde zij uit. 'Er hoort een rijmpje bij om je te helpen de gebaren te onthouden, maar de enige twee woorden die je moet uitspreken zijn in het Latijn. En het heeft een focusvoorwerp nodig om de magie te wijzen waar hij naartoe moet,' vertelde zij, en nam een slok van mijn koude koffie, waarop ze een vies gezicht trok. 'Dit is niet te drinken,' mompelde ze, moeilijk verstaanbaar omdat ze om de druppel op haar tong heen praatte. 'Barbaars gewoon.'

'Warm is het veel lekkerder,' protesteerde ik. Ik had niet geweten dat je een focusvoorwerp in je mond kon houden en dat het dan toch werkte. Zij kon de bezwering ook zonder zo'n voorwerp uitvoeren, maar dan zou ze hem naar mijn beker moeten gooien. Dit was veel makkelijker en bovendien was er minder kans dat mijn koffie eroverheen ging.

Nog steeds met een vieze blik op haar gezicht, hief zij haar slanke, expressieve handen in de lucht. 'Van brandende kaarsen en draaiende planeten,' zei ze, en ik bewoog mijn vingers net als de hare – als je je fantasie gebruikte leek het een beetje op het aansteken van een kaars, maar wat haar plotseling neervallende hand met een draaiende planeet te maken had was mij een raadsel. 'Wrijving is hoe het eindigt en begint, moet je weten.'

Ik schrok toen ze vervolgens één keer hard in haar handen klapte en tegelijkertijd zei: '*Consimilis.*'

Gelijksoortig, dacht ik. Misschien was het een leuze voor sympathetische magie. Misschien was de klap wel een hoorbare verbeelding van luchtmoleculen die wrijving ondergingen. Bij sympathetische magie maakte het niet uit hoe zweverig de relatie was, als het maar echt was.

'Van koud naar heet, en dan maar zweten,' vervolgde ze, waarbij ze nog een onbekend gebaar maakte. De volgende vingerbeweging herkende ik echter van toen ik een leylijnbezwering had gebruikt om tijdens een oefenwedstrijd het slaghout van de Howlers te breken. Misschien was het de beweging die het focusvoorwerp activeerde om de richting aan te geven. Goh. Misschien zat er dan toch nog wel wat zinnigs in die leylijnmagie.

'*Calefacio!*' zei ze vrolijk, de bezwering activerend en het hele proces in beweging zettend.

Ik voelde een mild, vallend gevoel vanbinnen toen de bezwering energie aan de lijn onttrok om de watermoleculen in de beker in beweging te brengen en de koffie op te warmen. 'Wauw,' fluisterde ik, toen ze mij mijn dampende beker teruggaf. 'Bedankt.'

'Graag gedaan,' zei ze. 'De eindtemperatuur kun je zelf regelen aan de hand van hoeveel lijnenergie je erin stopt.'

Hoe meer energie, hoe heter het wordt?' Ik nam voorzichtig een slokje, maar het was perfect. Ze moest er jaren over hebben gedaan om hier zo handig in te worden.

'Het is afhankelijk van de hoeveelheid die je op wilt warmen,' fluisterde Ceri, met een wazige blik in het niets starend. Er kwamen ongetwijfeld allerlei herinneringen bij haar op. 'Dus wees vooralsnog voorzichtig met je badwater.' Zichzelf weer terugbrengend naar het heden, wendde ze zich tot mij. 'Ben je alweer een beetje uitgerust?'

De adrenaline zinderde door me heen en ik zette mijn warme koffie neer. *Ik kan dit best. Als Ceri haar thee kan verwarmen en lijnenergie in haar hoofd kan opslaan, dan kan ik het ook.*

'Vul je midden,' spoorde ze me aan. 'En onttrek er dan een kleine hoeveelheid aan alsof je een bezwering gaat uitvoeren terwijl je je sleutelwoord zegt.'

Ik streek een krul achter mijn oor en ging er eens goed voor zitten. Ik ademde uit, deed mijn ogen dicht en boorde de lijn aan. De druk werd vrijwel ogenblikkelijk gelijk verdeeld. Op het moment dat ik de beheerste kalmte probeerde te vinden die ik betrachtte wanneer ik een leylijnspreuk uitsprak, ging er een eigenaardige, nieuwe tinteling door me heen. Ik voelde energie binnenstromen vanuit de lijn, om de plaats in te nemen van wat ik onbewust aan mijn chi had onttrokken. *Tulpa,* dacht ik hoopvol.

Mijn ogen vlogen open toen een golf van energie van de lijn binnenstroomde om de plek te vullen van datgene wat er van mijn chi naar mijn hoofd was geschoten. In een wilde stortvloed, bewoog de lijn door me heen en zette zich vast in mijn gedachten. Mijn cirkel zette uit om het te omvatten. Ik schrok er zo van, dat ik niets deed om het tegen te houden.

'Genoeg!' riep Ceri, terwijl ze op haar knieën ging zitten. 'Rachel, laat de lijn los!'

Ik verkrampte en trok mijn concentratie van de leylijn. Een korte golf van warmte trok door me heen toen een dun straaltje kracht uit mijn gedachten terugstroomde naar mijn chi, en die tot de rand toe vulde. Met ingehouden adem zat ik als vastgenageld in mijn stoel en staarde haar aan. Ik durfde me niet te bewegen, zoveel energie zat er in mijn hoofd.

'Gaat het wel?' vroeg ze en ik knikte.

Vanuit de keuken klonk een zacht: 'Alles in orde daarbinnen?'

'Ja, hoor!' riep ik voorzichtig terug en keek toen naar Ceri. 'Dat is toch zo, of niet?'

Zij knikte, zonder haar grote groene ogen ook maar een ogenblik van mij af te wenden. 'Je houdt heel veel energie buiten je middelpunt vast,' zei ze. 'Maar het is me opgevallen dat je chi niet zoveel inhoud heeft als de mijne. Volgens mij...' Ze aarzelde. 'Volgens mij kan de chi van een kobold meer hebben dan die van een heks, maar heksen schijnen weer meer in hun gedachten vast te kunnen houden.'

Ik kon de energie gewoon proeven; het smaakte als aluminiumfolie op mijn tong. 'Dus heksen zijn betere batterijen?' grapte ik zwakjes.

Zij lachte en haar heldere stemgeluid steeg op naar de donkere balken. Ik wilde maar dat daar elfjes stonden te dansen te midden van het geluid. 'Misschien dat heksen daarom altijd eerder uit het hiernamaals verdwenen dan kobolden,' zei zij. 'Demonen schijnen liever heksen als familiaar te hebben dan kobolden of mensen. Ik dacht altijd dat dat kwam omdat er van ons veel minder waren, maar misschien is dat niet zo.'

'Misschien,' zei ik, me afvragend hoe lang ik al deze kracht binnen kon houden zonder dat ik overstroomde. Mijn neus kriebelde. Ik wilde beslist niet niezen.

Wij werden gestoord door Ivy's voetstappen in de hal en keken allebei om toen ze binnenkwam met haar tas over haar schouder en een schaal met koekjes in haar hand. 'Ik ga,' zei ze op luchtige toon, haar haar naar achteren gooiend. 'Zal ik je even thuisbrengen, Ceri?'

Ceri stond meteen op. 'Dat hoeft niet.'

Ik zag de irritatie in Ivy's ogen. 'Ik weet ook wel dat dat niet hoeft.'

Met een klap zette Ivy de schaal met gloeiend hete koekjes voor mij op het bureau. Ik trok mijn wenkbrauwen op en zwaaide mijn voeten op de grond. Ivy wilde Ceri alleen spreken – over mij. Geërgerd tikte ik met mijn vingernagels op het bureau. 'Ik eet die dingen niet,' zei ik op effen toon.

'Het is medicinaal, Rachel,' zei ze, met een dreigende klank in haar stem.

'Het is Hellevuur, Ivy,' kaatste ik terug. Ceri wipte ongemakkelijk van de ene voet op de andere, maar het kon me niet schelen. 'Ik kan nog steeds niet geloven dat je me Hellevuur hebt gegeven,' voegde ik eraan toe. 'Ik arresteer mensen die Hellevuur gebruiken; ik deel niet de huur met hen.' *Natuurlijk ging ik Ivy niet aangeven. Al overtrad ze alle wetten in het handboek van de I.S. – het zou me een zorg zijn.*

Ivy nam een agressieve houding aan, haar heup een beetje naar voren en haar lippen vrijwel bloedeloos. 'Het is medicinaal,' zei ze op scherpe toon. 'Het wordt hier speciaal voor gemaakt en de hoeveelheid stimulerende middelen die erin zit is zo gering dat je het niet eens kunt ruiken. Zeg op, ruik jij Hellevuur? Nou? Nou?'

De bruine kring rond haar pupillen was geslonken en ik sloeg mijn blik neer, want ik voelde er weinig voor haar dusdanig te prikkelen dat ze een aura trok. Niet nu de zon bijna onderging. 'Er zat anders genoeg in om die wolfskers te activeren,' zei ik koppig.

Ivy werd iets kalmer. Ze wist dat ze haar grenzen had bereikt. 'Daar kon ik niks aan doen,' zei ze zacht. 'Ik heb je nooit genoeg gegeven om een Hellevuurhond zelfs maar te alarmeren.'

Ceri tilde haar smalle kinnetje op. Ik zag geen berouw in haar groene ogen. 'Daar heb ik mijn excuses al voor aangeboden,' zei ze op effen toon. 'Ik wist niet dat het illegaal was. De vorige keer dat ik het aan iemand gaf was dat nog niet het geval.'

'Zie je nu wel?' zei Ivy, met een gebaar naar Ceri. 'Zij wist het niet en die verzekeringsman probeerde ook alleen maar te helpen. Dus houd nu je mond, eet die koekjes op en houd op met ons een schuldgevoel aanpraten. Je moet morgen werken en dan heb je al je krachten nodig.'

Achteroverleunend in mijn draaistoel schoof ik het schaaltje vampierkoekjes weg. Ik was absoluut niet van plan ze op te eten. Het kon me niet schelen dat wat ik gisteren binnen had weten te houden mijn stofwisseling had versneld, zodat mijn blauwe oog nu al geel begon te worden en mijn kapotte lip al was genezen. 'Ik voel me prima.'

Er verscheen een donkere blik op Ivy's anders zo serene gezicht. 'Best,' zei ze scherp.

'Best,' kaatste ik terug, terwijl ik mijn benen over elkaar sloeg en haar een zijdelingse blik toewierp.

Ivy klemde haar kaken op elkaar. 'Ceri, ik loop wel even met je mee.'

Ceri keek van mij naar haar. Met een uitdrukkingsloos gezicht bukte ze zich om haar kopje en theepot op te pakken. 'Ik wil eerst nog even afwassen,' zei ze.

'Dat doe ik wel,' zei ik snel, maar Ceri schudde haar hoofd. En liep naar de keuken. Ik fronste, want ik hield er niet van haar huishoudelijk werk te laten doen. Het leek te veel op wat Algaliarept haar had laten doen. Dat stelde ik me althans zo voor.

'Laat haar toch haar gang gaan,' zei Ivy toen het geluid van Ceri's voetstappen ophield. 'Ze maakt zich graag nuttig.'

'Ze is van koninklijke afkomst,' zei ik. 'Dat weet je toch wel?'

Bij het horen van stromend water keek Ivy de donkere gang in. 'Duizend jaar geleden misschien. Nu stelt ze niets meer voor en dat weet zij ook.'

Ik maakte een blazend geluidje. 'Heb je dan helemaal niet met haar te doen? Mijn afwas doen is vernederend.'

'Ik heb heel erg met haar te doen.' Ivy trok haar wenkbrauwen hoog op en keek me kwaad aan. 'Maar de laatste keer dat ik de personeelsadvertenties heb bekeken, zaten er geen vacatures bij voor prinsessen. Wat moet ze doen om haar leven een beetje zin te geven? Ze kan hier geen verdragen sluiten of uitspraken doen en haar belangrijkste beslissing is elke ochtend of ze wafels of eieren wil voor haar ontbijt. Er valt hier totaal geen eer voor haar te behalen aan die koninklijke onzin. En de afwas doen is helemaal niet vernederend.'

Ik leunde naar achteren in mijn stoel, ten teken dat ik me erbij neerlegde. Ze had natuurlijk gelijk, maar dat beviel me niets. 'Dus jij hebt een klus?' zei ik, toen de stilte maar bleef voortduren.

Ivy trok één schouder op. 'Ik ga met Jenks praten.'

'Mooi.' Ik keek haar opgelucht aan. *Eindelijk iets waarover we konden praten zonder ruzie te maken.* 'Ik ben vanmiddag bij die Weer langs geweest. De arme man wilde me niet binnenlaten. De elfenmeisjes hadden hem te grazen genomen. Ze hadden zijn haar helemaal ingevlochten.' Zelf was ik op een ochtend wakker geworden met mijn haar in de franjes van mijn sprei gevlochten. Matalina had hem hun excuses aan laten bieden, maar ik was veertig minuten bezig geweest om los te komen. Ik zou er alles voor over hebben om weer zo wakker te worden.

'Ja, ik heb hem gezien,' zei Ivy en ik ging wat rechter zitten.

'Ben je al langs geweest?' vroeg ik, terwijl ik toekeek hoe Ivy haar jas uit de gang haalde en weer terugkwam. Ze trok hem aan en de voering van het leren jasje maakte het zachte geluid van zijde op zijde.

'Ik ben al twee keer geweest,' zei ze. 'Die Weer laat mij ook niet binnen, maar een van mijn vriendinnen neemt hem mee voor een avondje uit, zodat Jenks open zal moeten doen, de kleine rotzak. Typerend voor zo'n klein mannetje. Hij heeft een ego ter grootte van de Grand Canyon.'

Ik grinnikte en op dat moment kwam Ceri uit de keuken. Ze had haar geleende jas en de schoenen die Keasley voor haar had gekocht bij zich. Ik was niet van plan haar te vertellen dat ze ze aan moest trekken. Wat mij betreft mocht ze op haar blote voeten door de sneeuw lopen. Maar Ivy wierp haar een scherpe blik toe.

'Denk je dat je het wel even redt in je eentje?' vroeg Ivy, terwijl Ceri haar schoenen op de grond zette en haar voeten erin schoof.

'Goeie god,' mompelde ik, terwijl ik mijn stoel liet draaien. 'Wat dacht je dán?'

'Blijf op gewijde grond,' voegde ze eraan toe. 'Geen lijnen gebruiken en eet je koekjes op.'

'Vergeet het maar, Ivy,' zei ik. *Pasta. Ik wilde pasta met room en kaas.* De vorige keer dat Ivy me die krengen door mijn strot had proberen te duwen, had Nick dat voor me klaargemaakt. Ik kon nog steeds niet geloven dat ze me Hellevuur had toegediend. *Ja, natuurlijk kon ik dat geloven.*

'Ik bel je over een uurtje om te kijken of alles goed gaat.'

'Dan neem ik toch niet op,' zei ik, geïrriteerd. 'Ik ga een dutje doen.' Ik stond op en rekte me uit tot mijn trui en haltertopje boven mijn navel uit kwamen. Van Jenks zou ik nu onmiddellijk een fluitconcert hebben gekregen, en de stilte onder de dakbalken was gewoon deprimerend.

Ceri kwam naar me toe om gedag te zeggen en sloeg haar armen om me heen. Ik schrok ervan en gaf haar aarzelend een knuffel terug. 'Rachel kan heel goed op zichzelf passen,' zei ze trots. 'Ze houdt al vijf minuten genoeg hiernamaals vast om een gat in het dak te slaan en ze heeft er helemaal niet meer aan gedacht.'

'Krijg nou wat!' riep ik uit, en voelde mijn gezicht warm worden. 'Je hebt gelijk!'

Ivy liep zuchtend naar de voordeur van de kerk. 'Blijf maar niet op,' riep ze over haar schouder. 'Ik ga bij mijn ouders eten en ben pas na zonsopgang thuis.'

'Laat het nu maar los,' zei Ceri, terwijl ze achter Ivy aan schuifelde. 'In elk geval zolang de zon onder is. Stel dat iemand anders hem oproept en hem niet op de juiste manier weer terugstuurt, dan kan hij jou op komen zoeken. Hij zou kunnen proberen je bewusteloos te krijgen door nog meer toe te voegen aan wat je nu al in je hebt.' Ze haalde op een heel moderne manier haar schouders op. 'Maar zolang je op gewijde grond blijft, kan je niet veel gebeuren.'

'Ik laat het wel los,' zei ik afwezig, met mijn gedachten heel ergens anders.

Ceri glimlachte verlegen. 'Bedankt, Rachel,' zei ze zacht. 'Het is fijn om je nuttig te voelen.'

Ik keek haar weer aan. 'Graag gedaan.'

Ik rook de geur van koude sneeuw. Toen ik opkeek stond Ivy al ongeduldig te wachten in de open deur. Het verdwijnende licht maakte haar een dreigend silhouet in strak leer. 'Da-a-a-ag, Rachel,' zei ze spottend en Ceri zuchtte.

Het kleine vrouwtje draaide zich om, liep zonder enige haast naar de deur en schopte op het laatste moment haar schoenen uit om op blote voeten de ijskoude treden af te lopen.

'Hoe kan je die kou verdragen?' hoorde ik Ivy nog net zeggen voordat de deur achter hen dichtviel.

Ik liet de stilte en de schemering even op me inwerken. Toen ik de bureaulamp uit deed leek het buiten iets lichter te worden. Ik was, waarschijnlijk voor het allereerst, helemaal alleen in mijn kerk. Geen huisgenote, geen vriendje, geen elfen. Alleen. Met mijn ogen dicht, ging ik op de verhoging zitten en ademde diep in. Behalve de amandelgeur van die stomme koekjes van Ivy rook ik multiplex. Een zachte druk achter mijn ogen herinnerde me eraan dat ik nog steeds die bol hiernamaals vasthield en met een kleine aansporing van mijn wil verbrak ik de driedimensionale cirkel in mijn gedachten en vloeide de energie in een warme golf terug naar de lijn.

Toen deed ik mijn ogen weer open en liep op mijn sokken naar de keuken. Ik ging geen dutje doen; ik ging brownies bakken, om Ivy cadeau te doen voor haar zonnewende. Tegen een parfum van duizend dollar kon ik toch niet op: dus moest ik het maar in de zelfgemaakte lekkernijen zoeken.

Ik maakte een omweg door de woonkamer om de afstandsbediening te zoeken. De geur van multiplex was hier wel heel sterk en ik keek naar het raam dat Ivy op het paneel had getekend. Ik zette de stereo aan en meteen klonk Offsprings 'Come Out and Play' uit de boxen. Met een brede grijns zette ik hem keihard. 'Maak de doden maar wakker,' zei ik, de afstandsbediening neergooiend en naar de keuken dansend.

Terwijl de opzwepende muziek me een beter humeur bezorgde, haalde ik mijn gedeukte toverketel tevoorschijn, die ik toch niet meer voor mijn bezweringen kon gebruiken, en het kookboek dat ik van mijn moeder had meegepikt. Ik bladerde er net zo lang doorheen tot ik oma's browniesrecept had gevonden, dat ze met potlood naast het fijnproeversrecept had gekrabbeld dat naar karton smaakte. Mijn bewegingen afstemmend op de muziek, pakte ik de eieren, suiker en vanille en zette alles op het aanrecht. De chocola stond te smelten op het vuur en ik had de juiste hoeveelheid gecondenseerde melk al klaargezet toen ik opeens de voordeur hoorde dichtvallen. Het ei dat ik in mijn hand hield viel op het aanrecht en brak.

'Iets vergeten, Ivy?' riep ik. De adrenaline schoot door me heen toen mijn blik van het kapotte ei naar alle andere spullen gleed die door de keuken verspreid lagen. Dat kon ik nooit meer verstoppen voordat ze hier was. *Kon dat mens dan niet eens een uurtje wegblijven?*

Maar het was Kistens stem die antwoordde.

'Ik ben het, Rachel,' riep Kisten, zijn stem nauwelijks hoorbaar boven de muziek in de woonkamer. Ik verstijfde bij de herinnering aan de kus die hij me had gegeven. Ik moet een belachelijke aanblik hebben geboden toen hij de hoek omkwam en over de drempel stapte.

'Is Ivy er niet?' vroeg hij, mij van top tot teen opnemend. 'Chips.'

Ik haalde een keer diep adem om kalm te worden. 'Chips?' vroeg ik, het gebroken ei van het aanrecht in de kom schuivend. *Volgens mij zei niemand dat meer.*

'Mag ik shit zeggen?'

'Van mij wel.'

'Shit, dan.' Hij keek van mij naar de keuken en legde zijn handen op zijn rug toen ik de grootste stukken eierschaal uit de kom probeerde te vissen.

'Hé, zou je, eh, de muziek iets zachter willen zetten?' vroeg ik en hij knikte en liep weg. Het was zaterdag en hij zag er nonchalant uit in zijn leren laarzen en lekkere strakke vale spijkerbroek. Zijn korte leren jas hing open en een donkerrood zijden overhemd liet een heel klein plukje borsthaar zien. *Net genoeg,* dacht ik, toen de muziek zachter werd gezet. Ik kon zijn jas ruiken. Ik was dol op de geur van leer. *Dit kon wel eens een probleem worden.*

'Weet je zeker dat Ivy je niet heeft gestuurd om te babysitten?' vroeg ik, toen hij terugkwam en ik het slijmerige eiwit afveegde aan een vochtig keukendoekje.

Hij ging grinnikend in Ivy's stoel zitten. 'Natuurlijk niet.' Hij aarzelde. 'Blijft ze lang weg, of kan ik op haar wachten?'

Ik keek niet op van mijn recept. De manier waarop hij dat vroeg beviel me niet. Zijn stem had vragender geklonken dan nodig was. 'Ivy is met Jenks gaan praten.' Zonder naar de woorden te kijken liet ik mijn vinger over de pagina glijden. 'En daarna gaat ze bij haar ouders eten.'

'Dat wordt wel zonsopgang,' mompelde hij en onmiddellijk gingen al mijn waarschuwingssignalen af. Allemaal.

De klok boven de gootsteen tikte en ik pakte de gesmolten chocolade van het fornuis. Ik wilde liever niet met mijn rug naar hem toe staan, dus zette ik het pannetje op het aanrecht tussen ons in, kruiste mijn armen voor mijn borst en leunde met mijn rug tegen de gootsteen. Hij keek me aan en streek het haar uit zijn ogen. Ik wilde net zeggen dat hij beter weg kon gaan, toen hij me voor was.

'Gaat het wel goed met je?'

Ik staarde hem niet-begrijpend aan, maar herinnerde me toen wat hij bedoelde. 'O! Dat gedoe met de demon,' mompelde ik, beschaamd toen ik onwillekeurig de pijnamuletten om mijn hals aanraakte. 'Dat heb je dus gehoord?'

Hij glimlachte met de helft van zijn mond. 'Je hebt het nieuws gehaald. En ik heb drie uur lang Ivy's gezeur aan moeten horen over het feit dat ze er niet bij was geweest.'

Ik keek weer naar mijn recept en rolde met mijn ogen. 'Sorry. Ja hoor, met mij gaat het prima. Een paar schaafwonden en blauwe plekken. Niks ernstigs. Ik kan alleen na zonsondergang geen lijn meer aanboren.' Ik wilde hem niet vertellen dat het overdag ook niet helemaal veilig was, tenzij ik me op gewijde grond bevond... wat de keuken en de woonkamer dus niet waren. 'Ik denk wel dat ik er last van zal hebben bij mijn werk,' zei ik met een zure blik, me afvragend hoe ik dit laatste probleem nu weer moest oplossen. Nou ja. Ik was niet volledig afhankelijk van leylijnmagie. Ik was per slot van rekening een aardheks.

Aan Kistens nonchalante schouderophalen te zien, zag hij het probleem er ook niet van in. 'Het spijt me te horen dat Jenks is vertrokken,' zei hij, zijn benen strekkend en zijn enkels over elkaar slaand. 'Hij was toch wel een belangrijke schakel in jullie bedrijf. En bovendien een goede vriend.'

Mijn gezicht vertrok. 'Ik had hem meteen moeten vertellen wat Trent was toen ik erachter kwam.'

Er verscheen een verraste blik op zijn gezicht. 'Weet jij wat Trent Kalamack is? Meen je dat nou?'

Met opeengeklemde kaken keek ik weer in mijn kookboek en knikte, in afwachting van zijn volgende vraag.

'Wat is hij dan?'

Ik hield mijn blik strak op de bladzijde gericht en zei niets. Hij maakte een zacht geluidje, en ik keek op.

'Laat maar,' zei hij. 'Het doet er ook niet toe.'

Opgelucht roerde ik met de wijzers van de klok mee in de chocolade. 'Voor Jenks doet het er wel toe. Ik had hem moeten vertrouwen.'

'Niet iedereen hoeft alles te weten.'

'Wel wanneer je tien centimeter lang bent en vleugels hebt.'

Hij stond op en trok mijn aandacht door zich uit te rekken. Met een zacht, tevreden geluidje ontspande hij zich weer. Toen trok hij zijn jas uit en liep naar de koelkast.

Ik tikte met de lepel op de rand van de kom om de meeste chocolade eraf te krijgen. Ik fronste mijn voorhoofd. Soms was het gemakkelijker om met een vreemde te praten. 'Wat doe ik verkeerd, Kisten?' vroeg ik. 'Waarom jaag ik de mensen die me lief zijn altijd weg?'

Hij kwam achter de koelkastdeur vandaan met een zak amandelen die ik vorige week had gekocht. 'Ivy gaat niet weg.'

'Die zijn van mij,' zei ik en hij wachtte even tot ik uiteindelijk gebaarde dat hij ze wel mocht hebben.

'Ik ga niet weg,' voegde hij er zachtjes kauwend aan toe. Ik voegde de afgewogen suiker aan de chocolade toe. Hij zag er goed uit zoals hij daar zat en ik moest er telkens aan denken hoe wij in onze mooie kleren een leuke avond hadden gehad, de schok die zijn zwarte ogen me hadden bezorgd toen Saladans zware jongens buiten westen op straat lagen, hoe ik me in Piscary's lift op hem had geworpen en had gewild dat hij alles van me zou nemen wat ik had...

De suikerkorrels knarsten luidruchtig tegen de zijkant van de kom terwijl ik stond te roeren. *Verrekte vampferomonen.*

'Ik ben blij dat Nick is vertrokken,' zei Kisten. 'Hij was geen goede man voor je.'

Ik bleef in mijn kom kijken, maar mijn schouders spanden zich. 'Wat weet jij daar nou van?' vroeg ik, een lange, rode krul achter mijn oor duwend. Toen ik weer opkeek, zat hij op zijn dooie gemak mijn amandelen op te eten. 'Ik voelde me prettig bij Nick. En hij voelde zich fijn bij mij. We hadden veel plezier samen. We hielden van dezelfde films, dezelfde restaurantjes. Hij kon me bijhouden wanneer we gingen hardlopen in de dierentuin. Nick was een goeie vent en jij hebt het recht niet om over hem te oordelen.' Ik pakte een vochtige theedoek, veegde er mijn gemorste suiker mee op en schudde hem uit boven de gootsteen.

'Misschien heb je gelijk,' zei hij, terwijl hij een handjevol noten in zijn hand schudde en het zakje toen dichtvouwde. 'Maar één ding valt me toch wel op.' Hij nam een noot tussen zijn tanden en beet hem luidruchtig door. 'Je hebt het alleen maar over hem in de verleden tijd.'

Mijn mond viel open. Verscheurd tussen boosheid en schrik, voelde ik mijn wangen koud worden. In de woonkamer begon een snel en swingend nummer – dat absoluut niet bij de situatie paste.

Kisten trok de koelkast open, legde de nootjes terug en deed hem weer dicht. 'Ik wacht nog even op Ivy. Misschien brengt ze Jenks wel mee naar huis – als je geluk hebt. Jij hebt de neiging meer van een persoon te verlangen dan de meesten bereid zijn te geven.' Terwijl ik tegensputterde schudde hij de nootjes die hij nog in zijn hand hield op en neer. 'Eigenlijk net als een vampier,' zei hij, terwijl hij zijn jas oppakte en de keuken uit liep.

Mijn hand was kletsnat en opeens besefte ik dat ik zo hard in de theedoek stond te knijpen dat het vocht eruit droop. Ik smeet hem in de gootsteen, kwaad en gedeprimeerd. Een slechte combinatie. Uit de woonkamer kwam vrolijke popmuziek. 'Wil je dat alsjeblieft afzetten!' riep ik. Mijn kaken deden pijn van het dichtklemmen en toen de muziek ophield kostte het me bijna moeite mijn mond weer open te doen. Woedend woog ik de suiker af en gooide het in de kom. Ik pakte de lepel en slaakte een zucht van frustratie toen ik me opeens herinnerde dat ik de suiker er al in had gedaan. 'Verdomme, loop toch terug naar de Ommekeer,' mompelde ik binnensmonds. Nu moest ik een dubbele hoeveelheid bakken.

Met de lepel stijf in mijn hand geklemd, probeerde ik te roeren. De suiker vloog alle kanten op. Met mijn tanden op elkaar liep ik met grote stappen terug naar de gootsteen om de theedoek te pakken.

'Jij weet er toevallig helemaal niks van,' fluisterde ik, terwijl ik de gemorste suiker op een klein hoopje veegde. 'Nick kan nog best terugkomen. Hij heeft zelf gezegd dat hij terug zou komen. Ik heb zijn sleutel.'

Ik veegde de verzamelde suiker in mijn hand en aarzelde even alvorens het bij de rest in de kom te gooien. De laatste korrels van mijn handen vegend, keek ik de donkere hal in. Nick zou me nooit zijn sleutel hebben gegeven als hij niet van plan was geweest om terug te komen.

Er klonk weer muziek, zacht en met een lekker ritme. Ik kneep mijn ogen tot spleetjes. Ik had niet gezegd dat hij iets anders op mocht zetten. Boos zette ik een stap in de richting van de woonkamer, maar toen bleef ik staan. Kisten was midden in een gesprek weggelopen. Hij had iets te eten meegenomen. Iets knapperigs. Volgens Ivy's vampiergids was dat een vampirische uitnodiging. Hem naar binnen volgen zou betekenen dat ik geïnteresseerd was. En wat nog erger was, was dat hij wist dat ik het wist.

Ik stond nog steeds voor me uit te staren, toen Kisten langs kwam lopen. Hij hield zijn pas in toen hij mijn wezenloze blik zag.

'Ik wacht wel in het sanctuarium,' zei hij. 'Vind je dat goed?'

'Ik vind het best,' fluisterde ik.

Hij trok zijn wenkbrauwen op en met datzelfde kleine glimlachje stak hij een amandel in zijn mond. 'Oké.' Kisten liep de donkere gang in, zijn voetstappen geruisloos op de hardhouten vloer.

Ik draaide me om en keek naar het donkere raam. Ik telde tot tien. Ik telde nog een keer tot tien. Ik telde een derde keer tot tien, maar tegen de tijd dat ik bij zeven was liep ik hem al achterna. *Ik ga naar binnen, zeg wat ik te zeggen heb en ga weer weg,* nam ik mezelf voor. Hij zat met zijn rug naar me toe aan de piano. Ik rechtte mijn rug en bleef achter hem staan.

'Nick is een goeie vent,' zei ik, met trillende stem.

'Nick is een goeie vent,' beaamde hij, zonder zich om te draaien.

'Hij geeft me het gevoel dat hij om me geeft, dat hij me nodig heeft.'

Langzaam draaide Kisten zich om. Het licht dat vanaf de straat naar binnen filterde, viel op zijn stoppels. De omtrekken van zijn brede schouders gingen omlaag naar zijn smalle middel en ik stelde vast dat hij er erg goed uitzag. 'Vroeger.' Zijn diepe, warme stem bezorgde me een huivering.

'Ik wil niet meer dat je over hem praat,' zei ik.

Hij keek me een ogenblik aan en zei toen: 'Oké.'

'Mooi zo.' Ik haalde snel adem, draaide me om en liep weg.

Mijn knieën bibberden en terwijl ik luisterde of er voetstappen achter me aan kwamen, liep ik mijn kamer in. Met bonkend hart wilde ik mijn parfum pakken. Het parfum dat mijn geur verborg.

'Niet doen.'

Mijn adem inhoudend, draaide ik me om en zag Kisten voor me staan. Ivy's flesje gleed uit mijn vingers. Hij stak bliksemsnel zijn hand uit en ik schrok toen hij de mijne omvatte en daarmee ook het kostbare flesje. Ik verstijfde. 'Je ruikt juist zo lekker,' fluisterde hij, veel, veel te dichtbij.

Mijn maag verkrampte. Ik kon de komst van Al riskeren door een lijn aan te boren om hem uit te schakelen, maar dat wilde ik niet. 'Je moet echt mijn slaapkamer verlaten,' zei ik.

Zijn blauwe ogen leken wel zwart in het schemerige licht. De flauwe gloed vanuit de keuken veranderde hem in een aantrekkelijke, gevaarlijke schaduw. Mijn schouders waren zo strakgespannen dat het pijn deed toen hij mijn hand openvouwde en het flesje eruit nam. De tik waarmee hij het op mijn kaptafel zette deed me opkijken. 'Nick komt niet terug,' zei hij, kortaf en zonder een oordeel te vellen.

Ik ademde uit en deed mijn ogen dicht. *O, god.* 'Ik weet het.'

Mijn ogen vlogen open toen hij mijn ellebogen pakte. Ik verstijfde, wachtend op het gevoel in mijn litteken, maar er gebeurde niets. Hij probeerde me niet in zijn ban te krijgen. Ergens had ik daar respect voor en vervolgens was ik zo stom om niets te doen, in plaats van hem te vertellen dat hij op moest rotten uit mijn kerk, zover mogelijk bij mij vandaan.

'Jij hebt het nodig om je nodig te voelen, Rachel,' zei hij, slechts enkele centimeters bij mijn gezicht vandaan, zodat ik zijn adem in mijn haar voelde. 'Je leeft zo stralend, zo eerlijk, dat je dat gevoel nodig hebt. Je voelt je gekwetst. Ik voel het.'

'Ik weet het.'

Er verscheen een medelijdende blik in zijn ernstige ogen. 'Nick is een mens. Hoe hard hij het ook probeert, hij zal je nooit helemaal begrijpen.'

'Ik weet het.' Ik slikte moeizaam. Ik voelde een vochtige warmte in mijn ogen. Ik klemde mijn kiezen zo hard op elkaar dat mijn hoofd er pijn van deed. *Ik ga niet huilen.*

'Hij kan je niet geven wat je nodig hebt.' Kistens handen gleden naar mijn middel. 'Hij zal altijd een heel klein beetje bang voor je blijven.'

Ik weet het. Ik sloot mijn ogen en opende ze weer toen ik me door hem tegen zich aan liet trekken.

'En zelfs als Nick met zijn angst leert leven,' zei hij ernstig, mij met zijn ogen vragend naar hem te luisteren, 'zal hij je nooit vergeven dat jij sterker bent dan hij.'

Ik kreeg een brok in mijn keel. 'Ik... ik moet weg,' zei ik. 'Neem me niet kwalijk.'

Hij liet me los en ik liep langs hem heen de hal in. Ik liep in verwarring de keuken in en het liefst had ik het uit willen schreeuwen. Toen ik bleef staan, zag ik tussen de pannen en al die ingrediënten een enorme, pijnlijke leegte die er nooit eerder was geweest. Met mijn armen om mezelf heen geslagen, wankelde ik de woonkamer in. Die muziek moest uit. Het was mooie muziek. Ik haatte het. Ik haatte alles.

Ik greep de afstandsbediening en richtte hem op de cd-speler. Jeff Buckley. In mijn huidige gemoedstoestand kon ik Jeff absoluut niet hebben. Wie had trouwens Jeff Buckley in mijn cd-speler gedaan? Ik zette hem uit en smeet de afstandsbediening naar de bank. Ik schrok me een ongeluk toen hij niet Ivy's suède bank raakte, maar iemands hand.

'Kisten!' stamelde ik, toen hij de muziek weer aanzette en mij met half geloken oogleden aankeek. 'Wat doe je?'

'Ik luister naar muziek.'

Hij was kalm en tot het uiterste gespannen en bij het zien van zijn berekenende, zelfverzekerde manier van doen, sloeg opeens de paniek toe. 'Je moet me niet zo besluipen,' zei ik, naar adem happend. 'Dat doet Ivy ook nooit.'

'Ivy is niet blij met wie ze is.' Hij knipperde geen enkele keer met zijn ogen. 'Ik wel.'

Hij stak zijn hand uit en ik sloeg in een snelle beweging zijn arm weg. De spanning zinderde door mijn lijf toen hij me naar voren en tegen zich aan trok. Een flits van paniek en daarna woede. Er kwam geen enkel gevoel van mijn litteken. 'Kisten!' riep ik uit, terwijl ik me los probeerde te rukken. 'Laat me los!'

'Ik probeer je heus niet te bijten,' zei hij zacht, met zijn lippen mijn oor strelend. 'Houd op met vechten.'

Zijn stem klonk streng, maar sussend. Er klonk geen enkele bloeddorst in. Ik dacht terug aan het moment waarop ik in zijn auto wakker was geworden op de muziek van zingende monniken. 'Laat me los!' zei ik op dwingende toon. Of ik ging hem slaan, óf ik zou in huilen uitbarsten.

'Dat wil ik niet. Je hebt zoveel verdriet. Hoe lang is het geleden sinds iemand je heeft vastgehouden? Je heeft aangeraakt?'

Er druppelde een traan uit mijn oog en ik vond het vreselijk dat hij dat zag. Zoals ik het ook vreselijk vond dat hij zag dat ik mijn adem inhield.

'Je moet weer voelen, Rachel.' Zijn zachte stem kreeg een smekende klank. 'Hier ga je heel langzaam dood aan.'

Ik slikte de brok in mijn keel weg. Hij probeerde me te verleiden. Ik was heus niet zo onschuldig dat ik niet begreep dat hij dat zou proberen. Maar zijn handen op mijn armen voelden warm aan. En hij had gelijk. Ik wilde graag aangeraakt worden, ik hunkerde ernaar, verdomme. Ik was bijna vergeten hoe het voelde wanneer iemand anders naar je verlangde. Nick had mij dat gevoel teruggegeven, die kleine prikkeling van opwinding omdat je wist dat iemand je graag wilde aanraken en dat hij ernaar verlangde door jou, en alleen door jou, te worden aangeraakt.

Ik had meer kortstondige relaties gehad dan een vrouw van de wereld schoenen bezat. Misschien lag het aan mijn baantje bij de i.s., of aan mijn gestoorde moeder die bijna rijp was voor een gesticht, of aan het feit dat ik griezels aantrok die een roodharig meisje alleen maar zagen als een potentieel kerfje op hun bezemsteel. Misschien was ik wel een dom wijf dat wel vertrouwen eiste, maar zelf niet in staat was het te schenken. Ik wilde niet nóg zo'n eenzijdige relatie, maar Nick was weg en Kisten rook lekker. Hij zorgde ervoor dat ik de pijn niet zo erg meer voelde.

Ik liet mijn schouders zakken en hij liet zijn adem ontsnappen toen hij voelde dat ik mijn verzet opgaf. Ik deed mijn ogen dicht en liet mijn voorhoofd tegen zijn schouder zakken, terwijl mijn gekruiste armen nog een klein beetje ruimte tussen ons bewaarden. De muziek was zacht en langzaam. Ik was niet gek. Ik kon best vertrouwen schenken. Ik had vertrouwen. Ik had Nick vertrouwd en hij was weggegaan.

'Je gaat toch weer weg,' fluisterde ik. 'Dat doen ze allemaal. Ze krijgen wat ze willen en dan gaan ze weer weg. Of ze komen erachter wat ik allemaal kan, en dan gaan ze alsnog weg.'

Hij hield me even wat steviger vast en ontspande toen zijn spieren. 'Ik ga helemaal nergens naartoe. Je hebt me al een keer de stuipen op het lijf gejaagd toen je Piscary uitschakelde.' Hij begroef zijn neus in mijn haar en snoof mijn geur op. 'En ik ben er nog steeds.'

Gekalmeerd door zijn lichaamswarmte en zijn aanraking, voelde ik mijn spanning wegebben. Kisten duwde zachtjes tegen me aan – en ik bewoog met hem mee. Je kon het nauwelijks een beweging noemen hoe de langzame muziek mij ertoe verleidde zachtjes met hem mee te wiegen.

'Je kunt mijn trots niet kwetsen,' fluisterde Kisten, terwijl hij zijn vingers langs mijn ruggengraat liet glijden. 'Ik leef mijn hele leven al tussen mensen die sterker zijn dan ik. Dat vind ik juist prettig en ik geneer me er niet voor de zwakkere te zijn. Ik zal nooit in staat zijn een bezwering uit te spreken en het interesseert me geen reet dat jij iets kunt wat ik niet kan.'

De muziek en ons bijna-niet-bewegen bezorgde me een warm plekje. Terwijl ik mijn tong langs mijn lippen liet glijden, trok ik mijn armen tussen ons uit en legde ze op een heel natuurlijke manier om zijn middel. Mijn hart begon sneller te kloppen en ik staarde met grote ogen naar de muur, terwijl ik op een onwerkelijk regelmatige manier in- en uitademde. 'Kisten...'

'Ik zal er altijd zijn,' zei hij zacht. 'Je zult mijn verlangen nooit vervullen en me nooit van je af kunnen stoten, hoeveel je me ook geeft. Goed of slecht. Ik zal altijd blijven hunkeren naar emotie, altijd en eeuwig, en ik voel jouw pijn. Die kan ik in vreugde veranderen. Als je me de kans geeft.'

Ik slikte en hij stond stil. Hij leunde een beetje naar achteren en met een tedere aanraking op mijn wang hield hij mijn hoofd zó dat hij me in de ogen kon kijken. Het ritme van de muziek klonk door in mijn brein, verdovend en kalmerend. Ik werd duizelig van zijn blik. 'Laat mij dit doen,' fluisterde hij, intens gevaarlijk. Maar tegelijkertijd gaven zijn woorden mij een machtspositie. Ik kon nee zeggen.

Dat wilde ik niet.

Er ging van alles door me heen, te snel om logische gedachten te vormen. Zijn handen voelden goed en ik las de hartstocht in zijn ogen. Ik wilde wat hij me kon geven – wat hij beloofde. 'Waarom?' fluisterde ik.

Zijn lippen weken vaneen en hij fluisterde: 'Omdat ik het wil. En omdat jij wilt dat ik het doe.'

Ik bleef hem aankijken. Zijn pupillen veranderden niet van grootte of van kleur. Ik greep me steviger aan hem vast. 'Er kan tussen ons geen sprake zijn van bloed delen, Kisten. Nooit.'

Hij zuchtte en trok me tegen zich aan. Met ogen die donker waren in de wetenschap van wat er komen ging, boog hij zich naar me toe. 'Stap,' zei hij, terwijl hij mijn mondhoek kuste. 'Voor.' Hij kuste de andere kant. 'Stap,' vervolgde hij, terwijl hij me heel teder kuste, zo teder dat ik naar meer verlangde. 'Lieveling,' besloot hij.

Ik voelde een steek van verlangen door me heen gaan. Ik deed mijn ogen dicht. *O god. Bescherm me tegen mezelf.*

'Ik beloof niets,' fluisterde ik.

'Ik vraag ook geen beloftes,' zei hij. 'Waar gaan we naartoe?'

'Ik weet het niet.' Mijn handen gleden omlaag van zijn middel. We wiegden weer op de maat van de muziek. Ik voelde me vol leven en terwijl wij bijna-dansten, voelde ik opeens een gloeiende vonk in mijn demonenlitteken.

'Mag ik dit doen?' vroeg Kisten en kwam zo dichtbij dat onze lichamen elkaar raakten. Ik wist dat hij toestemming vroeg om met mijn litteken te spelen, me vrijwillig door hem te laten verleiden. Dat hij dit vroeg bezorgde me een gevoel van veiligheid waarvan ik wist dat het waarschijnlijk een schijnveiligheid was.

'Nee. Ja. Ik weet het niet.' *Verscheurd.* Het voelde zo heerlijk, mijn lichaam tegen het zijne, zijn armen om mijn middel, een nieuwe hunkering in hun kracht. 'Ik weet het niet...'

'Dan doe ik het niet.' *Waar gingen we naartoe?* Hij liet zijn handen langs mijn armen glijden en verstrengelde zijn vingers met de mijne. Voorzichtig trok hij mijn handen naar zijn rug en hield ze daar terwijl wij bleven wiegen op de langzame, sensuele muziek.

Ik voelde een huivering opkomen. De geur van leer werd opeens heel warm en zwaar. Waar hij me aanraakte liep een lint van warmte als een tinteling naar mijn vingers. Ik legde mijn hoofd in de holte tussen zijn nek en zijn schouder. Ik wilde mijn lippen daar ook leggen, wetend wat hij zou voelen, wetend hoe hij zou smaken als ik het durfde. Maar ik deed het niet en stelde mezelf er tevreden mee een beetje in zijn nek te ademen, bang voor wat hij zou doen als mijn lippen hem aanraakten.

Met bonkend hart bracht ik zijn handen naar mijn onderrug en liet ze daar. Hij begon mijn rug te strelen en te masseren. Ik bracht mijn handen omhoog en legde ze achter zijn hoofd. Ik dacht aan die keer in de lift, toen ik dacht dat Piscary mij ging vermoorden. Het was te veel om nog weerstand aan te kunnen bieden. De herinnering aan mijn demonenlitteken stond me nog veel te helder voor de geest.

'Alsjeblieft,' fluisterde ik, terwijl mijn lippen zijn hals streelden en er een huivering door hem heen ging. Zijn ingescheurde oorlelletje bevond zich op slechts enkele centimeters afstand. 'Ik wil het.' Ik tilde mijn gezicht op om hem aan te kijken en zag de kleiner wordende blauwe rand rond zijn pupil. Toch was ik niet bang. 'Ik vertrouw je. Alleen je instincten vertrouw ik niet.'

Ik zag het begrip en de opluchting in zijn ogen. Hij liet zijn handen nog wat lager zakken, waar ze al strelend mijn bovenbenen vonden en bracht ze toen weer naar boven, bewegend, nog steeds bewegend op het ritme van de muziek. 'Ik vertrouw ze ook niet,' zei hij en zijn nepaccent was nu helemaal verdwenen. 'Niet bij jou.'

Ik hield mijn adem in toen zijn vingers van mijn rug naar voren gleden, een fluistering tegen mijn jeans. Ze trokken aan het knoopje. Een en al belofte. 'Ik heb kapjes in,' zei hij. 'De vampier is van zijn slagtanden ontdaan.'

Ik keek verschrikt op toen hij lachte, zodat ik kon zien dat er inderdaad kapjes over zijn scherpe hoektanden zaten. Er ging een golf van hitte door me heen, verontrustend en verwarrend. Hij mocht niet aan mijn bloed komen, maar verder zou ik hem heel wat meer van mijn lichaam laten verkennen. En dat wist hij. Maar veilig? Nee. Hij was nu zo mogelijk nog gevaarlijker dan zonder kapjes op zijn tanden.

'O, god,' fluisterde ik, wetend dat ik verloren was toen hij zijn gezicht in de holte van mijn nek legde en me teder kuste. Mijn ogen vielen dicht en ik liet mijn vingers door zijn haar glijden, het vastgrijpend toen zijn kus opschoof naar het randje van mijn sleutelbeen waar mijn litteken begon.

Het litteken straalde golven van verlangen uit en mijn knieën knikten.

'Sorry,' fluisterde Kisten hees, terwijl hij mijn ellebogen greep om me overeind te houden. 'Ik wist niet dat het zo gevoelig was. Hoeveel speeksel heb je eigenlijk binnengekregen?'

Zijn lippen lagen nu bij mijn oor. Bijna hijgend leunde ik tegen hem aan. Het bloed in mij kolkte in mijn aderen en wilde dat ik iets deed. 'Ik ben er bijna aan doodgegaan,' zei ik. 'Kisten...'

'Ik zal heel voorzichtig zijn,' zei hij. Zijn tederheid raakte me diep in mijn ziel en ik werkte gewillig mee toen hij me in het hoekje van de bank duwde. Ik pakte zijn handen en trok Kisten naast me. Mijn litteken tintelde en ik werd verschroeid door golven van belofte. *Waar gingen we naartoe?*

'Rachel?'

'Ik hoorde dezelfde vraag in zijn stem, maar wilde niet antwoorden. Glimlachend trok ik hem over de bank naar me toe. 'Je praat te veel,' fluisterde ik en bedekte mijn mond met de zijne.

Met een zacht geluidje kuste hij me terug en ik voelde zijn baardstoppels schuren. Hij legde zijn hand met gespreide vingers tegen mijn wang en hield me stil toen ik probeerde zijn gewicht verder op me te trekken. Mijn heup wegduwend, maakte hij ruimte voor zijn knie tussen mij en de rugleuning van de bank.

Mijn huid tintelde waar zijn vingers mijn wang hadden aangeraakt. Aarzelend liet ik mijn tong tussen zijn lippen glijden en ik begon sneller te ademen toen hij zijn tong diep in mijn mond stak. Hij smaakte vaag naar amandelen en toen hij zich terug wilde trekken, legde ik mijn vingers in zijn nek om hem nog een ogenblik langer bij me te houden. Hij maakte een verbaasd geluidje en zijn kus werd agressiever. Nu was ik degene die me terugtrok en mijn tong nog even over zijn gladde tanden liet glijden.

Kisten huiverde, een beweging die ik goed voelde omdat hij boven op me lag. Ik wist niet hoe ver ik wilde gaan. Maar dit? Dit was verrukkelijk. Ik wilde hem geen valse hoop geven door meer te beloven dan ik waar kon maken. 'Wacht...' zei ik met tegenzin, hem aankijkend.

Maar toen ik hem boven me zag, ademloos van de ingehouden hartstocht, aarzelde ik weer. Zijn ogen waren zwart, troebel van verlangen en genot. Ik zocht en vond een zorgvuldig in toom gehouden bloeddorst. Zijn schouderspieren waren strakgespannen onder zijn overhemd, terwijl hij met zijn duim de huid onder mijn hemdje masseerde. De begeerte in zijn ogen bezorgde mij een adrenalinestoot, die me nog meer opwond dan zijn beurtelings ruwe en zachte aanraking die steeds hoger gleed om mijn borst te zoeken. *O, wat heerlijk als iemand zo naar je verlangde.*

'Wat?' vroeg hij, gespannen wachtend.

Ach, wat donderde het ook allemaal. 'Laat maar,' zei ik, met het haar naast zijn oor spelend.

Zijn zachte hand onder mijn hemdje stopte. 'Wil je dat ik ophoud?'

Een tweede golf van verlangen stroomde door me heen. Ik voelde mijn ogen dichtvallen. 'Nee,' fluisterde ik, en hoorde in dat ene woordje wel honderd weloverwogen overtuigingen wegsterven. Met bonzend hart deed ik mijn amuletten af en liet ze op het kleed vallen – ik wilde alles voelen – maar pas toen ik mijn hand uitstak naar de gesp van zijn riem begreep hij het.

Een bijna dierlijk gegrom ontsnapte hem en hij bracht zijn gezicht dicht bij het mijne. Zijn gewicht was een welkome warmte op mijn lichaam en zijn lippen vonden mijn demonenlitteken en kusten het voorzichtig.

Een vlammend vuur verspreidde zich als gesmolten steen door mijn onderbuik en mijn adem stokte toen het gevoel zich vermenigvuldigde. De doffe pijn van mijn recente demonenaanval veranderde in genot, dank zij het oude vampierspeeksel waar hij mee speelde. Ik kon niet denken. Ik kon niet ademen. Ik trok mijn handen weg van de plek waar ik had geprobeerd zijn broek open te maken en ik greep zijn schouder. 'Kisten,' hijgde ik, toen ik er eindelijk weer in slaagde bevend adem te halen.

Maar hij hield niet op. Hij duwde me omlaag tot mijn hoofd op de armleuning van de bank lag. Ik greep hem vast toen voorzichtige tanden de plaats innamen van lippen. Ik kreunde en hij bleef werk maken van het litteken, zijn tanden zacht en zijn adem hijgend. Ik wilde hem. Ik wilde hem helemaal.

'Kisten...' Ik duwde hem van me af. Ik moest het eerst vragen. Ik moest het weten.

'Wat?' vroeg hij terwijl hij mijn shirt en hemdje omhoogschoof en zijn vingers mijn borst vonden en begonnen te bewegen, met de belofte aan meer.

In de opening die tussen ons was ontstaan, slaagde ik er eindelijk in zijn riem los te maken. Ik gaf er een ruk aan en hoorde de gesp breken. Voordat hij mijn nek weer had gevonden en me opnieuw in extase kon brengen, maakte ik zijn rits open en liet mijn handen de rest doen. *God bewaar me*, dacht ik toen ik hem vond, de gladde huid strak onder mijn verkennende vingers. 'Heb je het al eens eerder met een heks gedaan?' fluisterde ik, zijn spijkerbroek omlaag trekkend en met mijn hand zijn billen strelend.

'Ik weet waar ik aan begin,' antwoordde hij hees.

Mijn gedachten en schouders ontspanden zich en ik voelde mezelf in de bank smelten. Mijn handen vonden hem opnieuw en hij zuchtte diep. 'Ik wilde niet de indruk wekken – ' zei ik en hield mijn adem in toen hij zijn bovenlichaam opdrukte en mijn shirt omhoogtrok. 'Ik wilde niet dat je raar zou opkijken... O, god. Kisten,' hijgde ik, bijna gek van verlangen toen zijn lippen van onder mijn kaak naar mijn sleutelbeen gleden en vervolgens naar mijn borst. Golven van verlangen rezen hoog op en ik kromde mijn rug terwijl hij zoog, zijn handen warm op mijn huid. *Waar was hij? Ik kon er niet meer bij.*

Hij legde mij het zwijgen op door zijn gezicht op te tillen en mijn mond te kussen. Nu kon ik erbij en ik slaakte een zucht van verrukking toen ik hem in mijn hand nam en mijn vingers nog verder omlaag liet glijden. 'Kisten...'

'Je praat te veel,' zei hij, met zijn lippen tegen mijn huid. 'Heb jij het wel eens met een vamp gedaan?' vroeg hij, mij met half gesloten ogen aankijkend.

Vervolgens richtte hij zijn aandacht weer op mijn hals. Zijn vingers streelden de weg die zijn lippen gingen volgen en golven van genot gingen door mijn hele lichaam. 'Nee,' hijgde ik, terwijl ik zijn broek helemaal omlaag trok. Ik zou hem nooit over zijn laarzen krijgen. 'Moet ik nog iets bijzonders weten?'

Hij liet zijn handen onder mijn borst glijden, opnieuw het pad volgend dat zijn lippen gingen volgen. Met gekromde rug probeerde ik niet te kreunen van verlangen terwijl ik hem opnieuw probeerde te vinden. 'Wij bijten,' zei hij en ik gaf een gil toen hij de daad bij het woord voegde en voorzichtig mijn vel tussen zijn tanden nam.

'Trek mijn broek uit voordat ik je vermoord,' hijgde ik, bijna krankzinnig van verlangen.

'Komt in orde, mevrouw,' gromde hij en zijn stoppels schuurden langs mijn huid.

Ik haalde een keer diep adem, waar ik intussen ernstig aan toe was, kwam met hem mee omhoog en duwde hem naar achteren om boven op hem te klimmen. Zijn handen trokken aan mijn rits terwijl ik de knoopjes van zijn overhemd open probeerde te krijgen. Na het laatste knoopje slaakte ik een diepe zucht en liet mijn handen over zijn buik en borst glijden. Ik boog me over hem heen en liet mijn haar verbergen wat ik deed terwijl mijn lippen van zijn middel naar de holte van zijn nek gleden. Daar aarzelde ik even voordat ik het waagde mijn tanden langs zijn huid te laten glijden en er heel zachtjes wat druk op uit te oefenen. Hij huiverde onder mij en zijn handen, waarmee hij mijn spijkerbroek van mijn heupen stroopte, beefden.

Met wijd open ogen trok ik me terug, in de overtuiging dat ik te ver was gegaan.

'Nee,' fluisterde hij, met zijn handen om mijn middel om me daar te houden. Zijn gezicht was strak van emotie. 'Niet ophouden. Het is... Ik zal je niet bijten.' Zijn ogen schoten open. 'O, god, Rachel. Ik beloof je dat ik je niet zal bijten.'

De hartstocht in zijn stem trof me diep. Me nu helemaal overgevend, drukte ik hem tegen de bank, mijn knieën aan weerskanten van zijn lichaam. Mijn lippen zochten en vonden zijn hals en ik begon hem harder te zoenen. Zijn zware ademhaling en lichte handen dreven me tot waanzin en mijn bloed bonsde door mijn aderen op het ritme van mijn hartslag. Toen ik mijn tanden gebruikte, werd zijn ademhaling onregelmatig.

Zijn handen grepen mijn middel en ik werd net genoeg opgetild om mijn spijkerbroek omlaag te kunnen duwen. De pijpen bleven om mijn sokken hangen en met een kreet van ongeduld haalde ik mijn lippen even van hem weg om hem uit te trappen. Toen was ik weer terug, mijn huid warm waar ik de zijne raakte. Ik boog me over hem heen, hield zijn nek stil en gebruikte mijn tanden op zijn huid in plaats van mijn lippen.

Kistens ademhaling beefde. 'Rachel,' fluisterde hij, terwijl hij een van zijn handen van mijn middel omlaag liet glijden, zoekend.

Een zacht, nauwelijks hoorbaar, gekreun steeg uit mij op toen zijn vingers langs mij heen streken. In zijn aanraking voelde ik zijn verlangen veranderen in iets dwingenders. Ik sloot mijn ogen en liet mijn hand omlaag glijden om hem te vinden.

Op het moment dat ik hem tegen me aan voelde, schoof ik naar voren en weer terug. Onze ademhaling paste zich aan elkaar aan toen wij samen kwamen. Hij gleed diep in mij. *Snel, o god, als het niet snel gebeurde, overleefde ik dit niet.* Zijn zachte ademhaling zond golven van mijn nek naar mijn onderbuik.

Mijn hart ging als een bezetene tekeer en zijn vingers streelden mijn hals en bleven even liggen op mijn kloppende huid. We bewogen samen, in een ritme dat bol stond van belofte. Hij sloeg zijn vrije arm om me heen en trok me dichter tegen zich aan, een gevoel dat zowel benauwend was als veilig.

'Geef me dit,' fluisterde hij, mijn hoofd naar zich toe trekkend en ik liet hem gewillig zijn gang gaan en liet zijn lippen mijn demonenlitteken vinden.

Ik hield mijn adem hoorbaar in. Ik huiverde en ons ritme veranderde. Langzaam rolden de golven van verlangen over elkaar heen. Zijn lippen op mijn nek werden tanden, hongerig, veeleisend. Er was geen pijn en ik moedigde hem aan te doen wat hij wilde. Diep vanbinnen wist ik wel dat hij me, als hij zijn kapjes niet had gedragen, zou hebben gebeten. Het voegde alleen maar toe aan mijn wilde verlangen. Ik hoorde mezelf een kreet slaken en zijn armen trilden en omklemden me nog steviger.

Wild van hartstocht greep ik zijn schouders vast. Het was daar ergens en ik hoefde het alleen maar te grijpen. Ik hijgde in zijn nek. Er bestond niets anders meer dan hij, en ik, en de bewegingen van onze lichamen. Zijn ritme veranderde en toen ik voelde dat hij naar een hoogtepunt toe werkte, zocht ik zijn hals en zette er opnieuw mijn tanden in.

'Harder,' fluisterde hij. 'Je kunt me geen pijn doen. Ik zweer je dat je me geen pijn kunt doen.'

Het was het laatste zetje dat ik nodig had en zonder aan de gevolgen te denken wierp ik me op mijn vampier.

Kisten kreunde en klemde me tegen zich aan. Zijn hoofd duwde het mijne weg en met een bijna dierlijk geluid begroef hij zijn gezicht in mijn hals.

Ik slaakte een kreet toen zijn lippen mijn litteken vonden. Mijn lichaam stond in vuur en vlam. Op dat moment werd ik gegrepen door een diep gevoel van vervulling en bereikte ik mijn hoogtepunt. Golf na golf, de een nog hoger dan de andere. Kisten huiverde onder mij en hield op met bewegen terwijl ook zijn hartstocht nog geen seconde later een hoogtepunt bereikte. Ik hijgde en beefde, niet in staat me te bewegen, bang voor maar ook verlangend naar die laatste tintelende schokken. 'Kisten?' wist ik uit te brengen toen ze uiteindelijk wegebden en ik tegen hem aan lag uit te hijgen.

Zijn handen aarzelden even en gleden toen weg. Ik liet mijn voorhoofd op zijn borst zakken en haalde bevend adem, doodmoe en uitgeput. Ik lag boven op hem en was helemaal nergens meer toe in staat. Langzaam begon ik me te realiseren dat mijn rug koud was en dat Kistens hand hem warm wreef. Ik voelde zijn hartslag en rook onze geuren. Met spieren die trilden van uitputting tilde ik mijn hoofd op en zag hem met zijn ogen dicht en een tevreden glimlach op zijn gezicht onder me liggen.

Mijn adem stokte. *Shit. Wat had ik zojuist gedaan?*

Kisten opende zijn ogen en keek me aan. Zijn ogen waren helder en blauw en het zwart van zijn pupillen normaal en rustig. 'Ben je nu opeens bang?' vroeg hij. 'Daar is het nu een beetje laat voor.'

Zijn blik bleef rusten op mijn blauwe oog – dat hij nu pas zag omdat ik mijn amuletten op de grond had gegooid. Ik richtte me een eindje op, maar liet me onmiddellijk terugvallen, want het was koud. Ik begon te bibberen. 'Eh, dat was leuk,' zei ik en hij begon te lachen.

'Leuk,' zei hij, met een vinger langs mijn kaaklijn strijkend. 'Mijn boze heksje vond het léúk.' Hij bleef lachen. 'Nick was gek dat hij jou heeft laten lopen.'

'Wat bedoel je?' vroeg ik en ik wilde van hem afrollen, maar zijn handen hielden me tegen.

'Ik bedoel,' zei hij zacht, 'dat jij de meest erotische vrouw bent die ik ooit heb aangeraakt. Dat je tegelijkertijd de onschuld zelve en een ervaren slet bent.'

Ik verstijfde. 'Als dit jouw idee van romantiek is, dan sla je de plank wel ongelooflijk mis.'

'Rachel,' zei hij en de lome blik van tevreden tederheid was het enige wat me hield waar ik was. *Dat en het feit dat ik waarschijnlijk nog niet op mijn benen kon staan.* 'Je hebt geen idee hoe opwindend het is om jouw kleine tandjes op mijn lijf te voelen, vechtend om er doorheen te komen, proevend zonder te proeven. Onschuldig, ervaren en hongerig tegelijk.'

Ik trok mijn wenkbrauwen op en blies een lok haar uit mijn ogen. 'Je had dit allemaal zo gepland, hè?' zei ik op beschuldigende toon. 'Je dacht dat je hier zomaar binnen kon komen vallen en mij kon verleiden zoals je dat bij al die anderen ook doet?' Het was lastig om boos op hem te worden terwijl ik zo boven op hem lag, maar ik deed mijn best.

'Nee. Niet zoals bij al die anderen,' zei hij en hij keek me doordringen aan. 'En ja, ik kwam hier inderdaad met de bedoeling je te verleiden.' Hij tilde zijn hoofd op en fluisterde in mijn oor: 'Dat is nu eenmaal waar ik goed in ben. Zoals jij goed bent in het ontkomen aan demonen en een potje knokken.'

'Knokken?' vroeg ik, terwijl hij zijn hoofd terug liet zakken op de leuning van de bank. Zijn hand was alweer op zoek en ik wilde niet bewegen.

'Ja,' zei hij en ik schrok op toen hij een kietelplekje had gevonden. 'Ik houd van een vrouw die voor zichzelf kan zorgen.'

'Je bent niet echt het type van de ridder op het witte paard, wel?'

Hij trok één wenkbrauw op. 'O, dat zou ik wel kunnen,' zei hij. 'Maar ik ben nu eenmaal een luie sodemieter.'

Ik schoot in de lach en hij deed met me mee, terwijl hij zijn handen om mijn middel legde. Zonder al te veel inspanning tilde hij me van zich af. 'Houd je vast,' zei hij, terwijl hij opstond en mij als een zak suiker in zijn armen nam. Met zijn vampierkracht, hield hij mij met één arm vast en hees met zijn andere arm zijn broek losjes over zijn heupen. 'Douchen?'

Ik sloeg mijn armen om zijn nek en controleerde hem op bijtafdrukken. Ik zag er niet één, hoewel ik zeker wist dat ik hard genoeg had gebeten om een plek achter te laten. Ook wist ik zonder te kijken dat hij, ondanks zijn ruwheid, geen zichtbare afdrukken op mij had achtergelaten. 'Klinkt goed,' zei ik, terwijl hij naar de badkamer schuifelde, zijn broek nog steeds los om zijn heupen hangend.

'Ik zet je onder de douche,' zei hij en toen ik omkeek zag ik mijn amuletten, broek en één van mijn sokken op de grond liggen. 'En daarna zetten we alle ramen tegen elkaar open om de kerk eens goed te luchten. Ik zal je ook helpen die toffees te maken. Dat zal ook een stuk helpen.'

'Het zijn brownies.'

'Nog beter. Daar heb je de oven voor nodig.' Hij aarzelde even voor mijn badkamerdeur en omdat ik me begeerd en bemind voelde in zijn armen, duwde ik hem met mijn voet open. De man was sterk. Dat moest ik hem nageven. Dit was net zo fijn als seks. Nou ja, bijna.

'Je hebt toch wel geurkaarsen in huis?' vroeg hij toen ik met mijn teen het licht aanknipte.

'Ik heb twee x-chromosomen,' antwoordde ik droogjes terwijl hij me boven op de wasmachine zette en mijn laatste sok uittrok. 'Ik heb wel een paar kaarsen.' *Ging hij me in de douche helpen? Wat schattig.*

'Mooi. Dan steek ik er vast één aan in het sanctuarium. Zeg maar tegen Ivy dat je hem voor het raam hebt gezet voor Jenks, en laat hem minstens tot zonsopgang branden.'

Ik begon een ongemakkelijk gevoel te krijgen en mijn bewegingen werden traag toen ik mijn trui over mijn hoofd trok en hem in de wasmachine gooide. 'Ivy?' vroeg ik.

Kisten leunde tegen de muur en trok zijn laarzen uit. 'Vind jij het niet erg het haar te vertellen?'

Zijn laars raakte de andere muur en mijn gezicht werd ijskoud. *Ivy. Geurkaarsen. De kerk luchten. Brownies bakken om de keuken lekker te laten ruiken. Zijn geur van me afspoelen. Fijn.*

Gewapend met zijn kwajongensglimlach kwam Kisten op zijn sokken en in zijn open hangende jeans naar me toe. Zijn grote hand omvatte mijn kin en hij boog zich naar me toe. 'Ik vind het niet erg als ze het weet,' zei hij en ik verroerde me niet, genietend van de warmte. 'Ze komt er uiteindelijk toch wel achter. Maar ik zou het als ik jou was wel heel voorzichtig brengen en haar er niet mee overvallen.' Hij kuste zacht mijn mondhoek. Toen liet hij me met duidelijke tegenzin los en trok de douchedeur open.

Shit, ik had helemaal niet meer aan Ivy gedacht. 'Ja,' zei ik afwezig, denkend aan haar jaloezie, haar afkeer van verrassingen en hoe slecht ze op beide reageerde. 'Denk je dat ze er erg mee zal zitten?'

Kisten draaide zich om. Hij had zijn hemd uitgetrokken en voelde met zijn hand hoe warm het water was. 'Of ze ermee zal zitten? Ze zal zo jaloers zijn als een groene appel dat jij en ik een fysieke manier hebben om ons gevoel voor elkaar tot uitdrukking te brengen en zij niet.'

Ik kreeg nu aardig de pest in. 'Verdomme, Kisten. Ik ga me niet door haar laten bijten om haar duidelijk te maken dat ik haar graag mag. Seks en bloed. Bloed en seks. Het is allemaal één pot nat en ik kan dat niet met Ivy. Zo zit ik niet in elkaar!'

Hij schudde droevig zijn hoofd. 'Je kunt niet zeggen dat bloed en seks hetzelfde zijn. Jij hebt nog nooit bloed aan een ander gegeven. Je kunt je mening nergens op baseren.'

Ik fronste. 'Iedere keer dat een vampier zijn oog op mij laat vallen omdat hij op zoek is naar een lekker hapje, voelt dat seksueel.'

Hij kwam naar me toe en duwde zich tussen mijn knieën, tegen de wasmachine aan. Hij streek mijn haar over mijn schouder. 'De meeste levende vampiers die op zoek zijn naar een snelle hap, vinden sneller een gewillige partner wanneer ze hen eerst seksueel opwinden. Maar, Rachel, de bedoeling achter het geven en nemen van bloed hoort niet gebaseerd te zijn op seks, maar op respect en liefde. Dat jij niet gevoelig bent voor de belofte van geweldige seks is de reden waarom Ivy het bij jou al snel over een andere boeg heeft gegooid. Maar ze maakt nog steeds jacht op je.'

Ik dacht aan alle facetten van Ivy die Skimmers plotselinge verschijning mij onder de neus had gewreven. 'Dat weet ik.'

'Zodra ze over haar eerste boosheid heen is, denk ik dat ze er verder niet meer zo'n moeite meer mee zal hebben dat jij en ik met elkaar gaan.'

'Ik heb nooit gezegd dat ik met je wilde gaan.'

Hij glimlachte veelbetekenend en raakte even mijn wang aan. 'Maar als ik je bloed zou nemen, ook al was het per ongeluk of in een ogenblik van wilde hartstocht?' Kistens blauwe ogen kregen iets zorgelijks. 'Eén schrammetje en ze zou me vermoorden. De hele stad weet dat ze jou claimt en God sta de vamp bij die haar een strobreed in de weg legt. Ik heb je lichaam genomen. Als ik je bloed neem, ben ik twee keer dood.'

Ik kreeg het ijskoud. 'Kisten, je maakt me bang.'

'Je doet er verstandig aan om bang te zijn, kleine heks. Ooit zal ze de machtigste vampier van heel Cincinnati zijn en zij wil jóúw vriendin zijn. Zij wil dat jij haar verlósser wordt. Ze is ervan overtuigd dat jij een manier zult vinden om het vampvirus in haar te doden, zodat zij kan sterven met haar ziel intact, of dat je haar intimus zult worden zodat ze kan sterven in de wetenschap dat jij voor haar zult zorgen.'

'Kisten. Hou op.'

Lachend kuste hij mijn voorhoofd. 'Maak je geen zorgen. Er is sinds gisteren niets veranderd. Morgen is alles ook nog hetzelfde. Zij is je vriendin en ze zal niets van je vragen wat je haar niet kunt geven.'

'Daar heb ik wat aan.'

Hij haalde zijn schouders op en deed na een laatste aanraking een stap naar achteren. De stoom walmde al uit de douche toen Kisten zijn jeans uittrok en de temperatuur nog even bijstelde. Mijn ogen gleden van zijn welgevormde kuiten naar zijn strakke kontje en zijn brede, licht gespierde rug. Elke gedachte aan Ivy's aanstaande woede verdween als sneeuw voor de zon. *Verdomme.*

Alsof hij het voelde, draaide hij zich om en betrapte mij erop dat ik me aan hem zat te verlustigen.

De stoom omgaf hem. Er hingen waterdruppels in zijn baardstoppels. 'Laat me je helpen je hemdje uit te trekken,' zei hij en ik hoorde iets veranderen in zijn stem.

Ik nam hem opnieuw van boven tot onder op en keek hem vervolgens grijnzend aan. *Verdomme en nog eens verdomme.*

Hij legde zijn handen achter mijn rug en met een klein beetje hulp van mijn kant trok hij me naar voren tot op de rand van de wasmachine en trok mijn hemdje uit. Ik sloeg mijn benen om hem heen, en legde mijn kin in de holte van zijn nek. God, wat was hij mooi. 'Kisten?' vroeg ik, toen hij mijn haar uit de weg blies en een kietelplekje achter mijn oor vond. Ik kreeg een warm gevoel vanbinnen, een gevoel dat verlangde dat ik er iets mee deed. Accepteer het. Aanvaard het als iets moois.

'Heb je nog steeds dat strakke leren motorpak?' vroeg ik, een beetje verlegen.

Lachend tilde hij me van de wasmachine en droeg me de douche in.

Ik glimlachte toen de muziek was afgelopen en een comfortabele stilte achterliet. Het tikken van de klok boven de gootsteen klonk luid in de door kaarsen verlichte keuken. Ik keek naar de wijzer die schokkerig over de wijzerplaat gleed. Het liep tegen vier uur in de ochtend en ik had niets anders te doen dan zitten dagdromen over Kisten. Hij was om een uur of drie weggegaan om een handje te gaan helpen bij Piscary's en had mij met een warm, tevreden en gelukkig gevoel achtergelaten.

Wij hadden de hele vooravond met z'n tweetjes sandwiches en allerlei junkfood zitten eten en hadden ons door Ivy's en mijn cd-verzameling heen gewerkt, waarna we haar computer hadden gebruikt om een cd van onze favorieten te branden. Achteraf gezien denk ik dat het de gezelligste avond van mijn hele volwassen leven was geweest. We hadden gelachen om elkaars herinneringen en ik realiseerde me dat ik meer met hem wilde delen dan mijn lichaam.

Elke kaars die ik bezat was aangestoken om er zeker van te zijn dat ik zelf het moment kon uitkiezen om Ivy van mijn nieuwe regeling met Kisten te vertellen, en hun gloed versterkte de sfeer van rust die werd teweeggebracht door het zachte gepruttel van de potpourri op het fornuis en het lome gevoel van de pijnamulet om mijn nek. De lucht rook naar gember, popcorn en brownies en terwijl ik met mijn ellebogen op tafel in Ivy's stoel zat, speelde ik wat met mijn amuletten en vroeg me af wat Kisten nu aan het doen was.

Ook al gaf ik het niet graag toe, ik vond hem echt erg leuk en het idee dat ik in nog geen jaar van angst naar afkeer naar aantrekkingskracht was gegaan, was bepaald zorgwekkend en enigszins gênant. Het was niets voor mij om mijn gezonde wantrouwen ten opzichte van vampiers overboord te zetten voor een strak kontje en charmant gedrag.

Wellicht had het feit dat ik met een vampier samenwoonde er iets mee te maken, dacht ik, mijn hand in een schaal popcorn stekend en er een hap van nemend omdat het er nu eenmaal stond, niet omdat ik zo'n honger had. Ik dacht niet dat mijn nieuwe houding aan mijn litteken te wijten was; ik had Kisten vóór de seks al leuk gevonden, anders was het er niet van gekomen – en hij had het litteken ook niet gebruikt om mij te beïnvloeden.

Ik veegde het zout van mijn vingers en staarde niets ziend voor me uit. Ik was heel anders over Kisten gaan denken nadat hij mijn kleren voor me had uitgezocht en me een leuke avond had bezorgd. Misschíén, dacht ik, nog een stukje popcorn pakkend. Misschien kon ik bij een vampier iets vinden wat ik bij een heks, tovenaar of mens nooit had kunnen vasthouden.

Met mijn kin op mijn hand geleund, liet ik mijn vingers over het demonenlitteken glijden en dacht intussen aan zijn liefdevolle aandacht toen hij mijn haar waste en mijn rug inzeepte en hoe heerlijk het voelde om hetzelfde voor hem te doen. Hij had mij bijna de hele tijd de douchekop in beslag laten nemen. Zulke dingen waren belangrijk.

Bij het geluid van de voordeur die openging, keek ik op de klok. *Ivy thuis? Nu al?* Ik had lekker in bed willen liggen en net willen doen alsof ik sliep.

'Ben je nog op, Rachel?' zei ze, hard genoeg om gehoord te worden en zacht genoeg om mij niet wakker te maken.

'Keuken,' riep ik terug. Zenuwachtig keek ik naar de potpourri. Het was genoeg. Volgens Kisten was het genoeg. Ik stond op om het grote licht aan te doen en ging snel weer zitten. Terwijl de tl-verlichting flikkerend aan ging, stopte ik mijn amuletten onder mijn trui en luisterde hoe zij rondstommelde in haar kamer. Daarna klonken haar snelle voetstappen in de hal.

'Hoi,' zei ik, toen ze binnenkwam, een en al strak leer en hoge laarzen. Er hing een zwarte tas over haar arm en in haar hand hield ze een in zijde verpakt pakket ter grootte van een gebroken vishengel. Ik fronste mijn wenkbrauwen toen ik zag dat ze zich had opgemaakt. Ze zag er tegelijkertijd professioneel en sexy uit. Waar ging ze zo laat nog naartoe? En zo gekleed?

'Ben je niet bij je ouders gaan eten?' vroeg ik.

'De plannen zijn veranderd.' Terwijl ze haar spullen naast mij op tafel zette, bukte ze zich om iets uit een lade te pakken. 'Ik kom even een paar dingen halen en dan ben ik weer weg.' Nog steeds op kniehoogte keek ze me glimlachend aan. 'Ik ben over een paar uur terug.'

'Oké,' zei ik, enigszins in de war. Ze zag er zowaar vrolijk uit.

'Het is hier koud,' zei ze, terwijl ze drie van mijn houten staken tevoorschijn haalde en op het aanrecht naast de gootsteen gooide. 'Het ruikt hier alsof je de ramen open hebt gehad.'

'Eh, dat zal die triplex deur wel zijn.' Ze kwam overeind, trok de onderkant van haar leren jasje omlaag, liep bijna griezelig snel de keuken door, ritste de schoudertas open en stopte de staken erin. Ik keek verbaasd en zwijgend toe.

Ivy aarzelde even. 'Mag ik ze gebruiken?' vroeg ze, mijn stilzwijgen als afkeuring opvattend.

'Natuurlijk. Houd ze maar,' zei ik, me afvragend wat er aan de hand was. Ik had haar niet meer zoveel leer zien dragen sinds die klus waarbij ze een vampkind moest bevrijden bij een jaloerse ex. En als ze zo'n staak eenmaal had gebruikt, hoefde ik hem echt niet meer terug.

'Bedankt.' Met tikkende hakken op het linoleum, liep ze naar het koffiezetapparaat. Er verscheen een geërgerde blik op haar ovale gezicht toen ze de lege pot zag.

'Heb je een opdracht?' vroeg ik.

'Zoiets.' Haar enthousiasme nam al iets af en ik keek hoe ze het oude koffiedik weggooide.

Ik kon mijn nieuwsgierigheid niet langer bedwingen en trok de lap zijde weg om te zien wat erin zat. 'Godallemachtig!' riep ik uit toen ik een lang stuk staal zag liggen dat vaag naar olie rook. 'Hoe kom je aan een zwaard?'

'Mooi, hè?' Zonder om te kijken schepte ze drie lepels koffie in de filter en zette het apparaat aan. 'En zo'n ding valt niet te traceren, zoals kogels of amuletten.'

O, wat een warme, positieve gedachte. 'Kun je ermee overweg?'

Ivy kwam naar de tafel. Ik leunde naar achteren in mijn stoel terwijl zij de zijden lap eraf haalde, het gevest van het smalle zwaard vastpakte en het uit de schede trok. Het schoof eruit met de fluistering van galmend staal dat in mijn oor kriebelde. Haar houding versmolt, als vallende zijde, in een klassieke houding, haar vrije arm gebogen boven haar hoofd en haar zwaardarm uitgestoken. Met een lege blik keek ze naar de muur terwijl haar zwarte haar langzaam stil bleef hangen.

Mijn huisgenote was een vampiersamoeraikrijger. Het moest niet gekker worden. 'En je kunt er nog aardig mee uit de voeten ook,' zei ik zwakjes.

Met een brede glimlach stak ze het wapen terug in de schede. 'Ik heb vanaf de derde klas lagere school les gehad en ook mijn hele middelbareschooltijd,' zei ze terwijl ze het op tafel legde. 'Maar ik groeide zo hard dat ik problemen kreeg met mijn balans. Ik liep de hele dag overal tegen aan. Vooral tegen mensen die me irriteerden. De adolescentie is de tijd dat je reflexen sneller worden. Ik heb ook heel veel geoefend en dat ben ik eigenlijk altijd blijven doen.'

Ik likte het zout van mijn vingers en duwde de popcorn weg. Ik wilde wedden dat een groot deel van die lessen over zelfbeheersing ging. Aangezien de kaarsen hun werk leken te doen, voelde ik me wat relaxter en strekte mijn benen uit onder de tafel. Ik had zin in die koffie. Ivy rommelde in een van de bovenkastjes om een thermoskan te zoeken. Ik hield met een schuin oog de druppelende koffie in de gaten, hopend dat ze niet alles mee zou nemen.

'Nou,' zei ze, terwijl ze de metalen thermosfles met heet water vulde om hem voor te verwarmen. 'Je ziet eruit als een vamp die een lekker slokje op heeft.'

'Pardon?' zei ik, terwijl mijn maag ineenkromp.

Ze draaide zich om en droogde haar handen af aan een theedoek. 'Heeft Nick gebeld?'

'Nee,' zei ik op effen toon.

Haar glimlach werd breder. Haar haren uit haar gezicht strijkend, zei ze: 'Mooi.' Toen zei ze het nog een keer, heel zachtjes: 'Dat is mooi.'

Dit was niet de kant die ik met dit gesprek op wilde gaan. Ik stond op, veegde mijn handen af aan mijn spijkerbroek en liep op mijn blote voeten naar het gasfornuis om het vuur onder de potpourri wat hoger te draaien. Ivy trok de koelkast open en haalde er smeerkaas en een zak bagels uit. Dat mens at alsof calorieën geen vat op haar hadden. 'Geen Jenks?' vroeg ik, hoewel het antwoord wel voor de hand lag.

'Geen Jenks. Maar ik heb hem wel gesproken.' Er verscheen een geërgerde blik op haar gezicht. 'Ik heb hem verteld dat ik ook wist wat Trent was, en dat hij zich niet zo moest aanstellen. Nu wil hij mij ook niet meer zien.' Ze maakte de smeerkaas open en besmeerde er haar bagel mee. 'Wat denk je, zullen we een advertentie in de krant zetten?'

Ik keek op. 'Om een vervanger voor hem te zoeken?' stamelde ik.

Ivy nam een hap en schudde haar hoofd. 'Om hem een beetje aan het schrikken te maken,' zei ze met volle mond. 'Als hij een advertentie ziet staan voor elfenhulp, wil hij ons misschien wel weer te woord staan.'

Fronsend ging ik weer zitten en zakte onderuit op mijn stoel. Ik strekte mijn benen uit en legde mijn blote voeten op haar ongebruikte stoel. 'Ik betwijfel het. Net iets voor hem om ons te vertellen dat we de boom in kunnen.'

Ivy haalde haar schouders op. 'Nou ja, voordat de lente begint kunnen we toch weinig doen.'

'Dat is ook weer zo.' God, dit was om depressief van te worden. Ik moest een manier bedenken om Jenks mijn verontschuldigingen aan te bieden. Misschien kon ik hem door zo'n clown een telegram laten bezorgen. Ja, misschien als ik de clown was. 'Ik ga het nog wel eens proberen,' zei ik. 'Dan neem ik wat honing voor hem mee. Als ik hem eerst dronken voer, vergeeft hij me misschien wel dat ik zo'n sukkel ben geweest.'

'Ik haal wel meteen wat honing,' bood zij aan. 'Ik heb speciale honing van Japanse kersenbloesem zien staan.' Ze goot het water uit de thermosfles en schonk er vervolgens de hele pot koffie in, de hemelse geur opsluitend in metaal en glas.

Mijn teleurstelling verbijtend haalde ik mijn voeten van haar stoel. Kennelijk had zij er ook over nagedacht hoe we Jenks' gekrenkte trots konden verzachten. 'En waar ga jij zo laat nog naartoe met een thermoskan koffie, een tas vol houten staken en dat zwaard?' vroeg ik.

Ivy leunde met de soepele gratie van een zwarte panter tegen het aanrecht, de half opgegeten bagel balancerend op haar vingertoppen. 'Ik moet een paar eigengereide vampen een beetje onder druk zetten. Zorgen dat ze niet zo lekker slapen. Het zwaard is voor de show, de staken zodat ze me niet zullen vergeten, en de koffie is gewoon voor mij.'

Mijn gezicht vertrok bij de gedachte aan hoe vervelend het kon zijn om door Ivy uit je slaap gehouden te worden. Vooral als ze er echt haar best voor deed. Maar toen begreep ik opeens waar ze het over had. 'Doe je dat voor Piscary?' zei ik, ervan overtuigd dat ik gelijk had toen ze zich omdraaide en uit het raam keek.

'Inderdaad.'

Ik zei niets en hoopte dat zij iets zou zeggen. Maar dat deed ze niet. Ik bekeek haar aandachtig en zag haar gesloten houding. 'Heeft je vader iets kunnen regelen?' vroeg ik voorzichtig.

Ze draaide zich met een zucht naar mij om. 'Zolang ik Piscary's belangen behartig, blijft die rotzak uit mijn hoofd.' Ze keek naar haar half verorberde bagel. Toen liep ze met klikkende hakken naar de afvalbak en gooide hem weg.

Ik zei niets, verbaasd dat ze zich zo gemakkelijk gewonnen had gegeven. Kennelijk hoorde zij een verwijt in mijn stilzwijgen dat er echt niet was, want ze keek me beschaamd aan. 'Piscary vindt het goed dat ik Kisten als mijn plaatsvervanger blijf gebruiken,' zei ze. 'Hij geniet van de bekendheid en iedereen die ertoe doet weet toch wel dat wat hij zegt eigenlijk van mij – ik bedoel, Piscary – afkomstig is. Ik hoef niets te doen, tenzij Kisten ergens tegenaan loopt wat hij niet aankan. Dan haal ik hem uit de nesten.'

Ik dacht weer aan Kisten en hoe hij zeven heksen had uitgeschakeld met het gemak en de nonchalance van het openmaken van een chocoladereep. Ik kon me niets voorstellen dat hij niet zou aankunnen, maar goed, hij kon natuurlijk ook niet tegen ondode vampiers op zonder op Piscary's macht te leunen. 'En jij hebt daar geen probleem mee?' vroeg ik stompzinnig.

'Jawel,' zei ze, terwijl ze haar armen over elkaar sloeg. 'Maar dit is wat mijn vader voor elkaar heeft gekregen en als ik niet kan accepteren hoe hij me heeft geholpen, dan had ik hem er niet om moeten vragen.'

'Sorry,' mompelde ik, wensend dat ik mijn mond had gehouden.

Ogenschijnlijk tot bedaren gebracht, liep Ivy de keuken door en stopte de thermosfles bij de houten staken. 'Ik wil Piscary niet in mijn hoofd,' zei ze, de schoudertas door elkaar schuddend om alles op zijn plek te krijgen alvorens hem dicht te ritsen. 'Zolang ik doe wat hij zegt, laat hij me met rust; en laat hij Erica met rust. Kisten hoort zijn intimus te zijn, niet ik,' mompelde zij. 'Hij zou het maar wat graag willen.'

Ik knikte afwezig en op haar gezicht zag ik een schaduw van de pijn die ik herkende van de nacht waarop Piscary haar in meerdere opzichten had verkracht. Er ging een rilling door me heen toen ze haar neusgaten opensperde en een troebele blik in haar ogen kreeg. 'Kisten is hier geweest,' zei ze zacht.

Ik verstarde. *Verdomme. Ik had het niet eens één nacht voor haar verborgen kunnen houden.* 'Hij wilde jou spreken.' *Een halve dag geleden.* Ik kreeg het zo mogelijk nog kouder toen zij mij aandachtig opnam en mijn onrust bespeurde. Ze keek naar de potpourri die op het fornuis stond te pruttelen. *Verdomme, verdomme.*

Met haar lippen stijf op elkaar geklemd, liep ze weg.

De houten stoel kraste luidruchtig over de vloer toen ik opstond. 'Eh, Ivy?' riep ik, achter haar aan lopend.

Mijn adem stokte en ik bleef stokstijf staan toen ik in de donkere hal bijna tegen haar op liep. Ze kwam net terug uit het sanctuarium. 'Sorry,' mompelde ze, met de snelheid van een vamp om mij heen lopend. Haar houding was gespannen en in het licht dat vanuit de keuken binnenviel, zag ik dat haar pupillen verwijd waren. *Shit. Ze was aan het vampen.*

'Ivy,' zei ik tegen de verlaten hal, terwijl zij de woonkamer binnenliep. 'Nog even over Kisten – '

De woorden stierven weg in mijn keel en ik bleef staan op de rand van het grijze tapijt in de door kaarsen verlichte woonkamer. Ivy stond kaarsrecht en als verstijfd voor de bank. De bank waarop Kisten en ik de liefde hadden bedreven. Ik zag allerlei gevoelens in een angstaanjagend hoog tempo de revue passeren: verbijstering, angst, woede, verraad. Ik schrok toen zij plotseling in beweging kwam en op een knopje van de cd-speler drukte.

De vijf cd's schoven half uit het apparaat. Ivy keek ernaar en verstijfde. 'Ik vermoord hem,' zei ze, haar vingers op Jeff Buckley leggend.

Geschrokken deed ik mijn mond al open om te protesteren, maar bij het zien van de woede, zwart en duister, in haar strakke uitdrukking, kon ik geen woord uitbrengen.

'Ik vermoord hem twee keer,' zei ze. Ze wist het. Op de een of andere manier wist ze het.

Mijn hart bonkte in mijn keel. 'Ivy,' begon ik, zelf ook de angst in mijn eigen stem horend. Op dat moment speelden haar instincten op. Met ingehouden adem deinsde ik naar achteren, maar niet snel genoeg.

'Waar zit het?' siste zij, terwijl ze met grote, wilde ogen haar hand naar mij uitstak.

'Ivy...' Mijn rug raakte de muur van de hal en ik sloeg haar hand weg. 'Hij heeft me niet gebeten.'

'Waar zit het?'

De adrenaline stroomde door mijn aderen. Toen ze dat rook stak ze opnieuw haar hand uit. Haar ogen waren pikzwart en leeg. Ik had het aan onze vroegere bokstraining te danken dat ze mij niet kon grijpen, want ik hield haar hand tegen en dook onder haar arm door, zodat ik midden in de door kaarsen verlichte woonkamer kwam te staan.

'Ga weg, Ivy!' riep ik uit, terwijl ik mijn best deed geen defensieve vechthouding aan te nemen. 'Hij heeft me niet gebeten!' Maar ik kreeg niet eens de tijd om op adem te komen voordat ze me besprong en de kraag van mijn sweater vastgreep.

'Waar heeft hij je gebeten?' zei ze met trillende stem. 'Ik vermoord hem. Ik zweer je dat ik hem vermoord! Je ruikt helemaal naar hem!'

Haar hand schoot naar de onderkant van mijn sweater.

Dit was voldoende om mij in paniek te laten raken. Mijn intuïtie nam het van me over. 'Ivy! Niet doen!' gilde ik. Doodsbang boorde ik de lijn aan. Met een van woede verwrongen gezicht probeerde ze me te pakken. De lijn vulde mijn chi, wild en onbeheerst. De energie schoot uit mijn handen en verbrandde ze, omdat ik het niet had beveiligd met een bezwering.

Wij gilden het allebei uit toen een zwart met gouden golf hiernamaals uit mij tevoorschijn kwam en Ivy met haar rug tegen de multiplex deur smeet. Ze gleed in een ongelukkig hoopje op de grond, haar armen boven haar hoofd en haar benen helemaal scheef. De ramen trilden van de klap. Ik viel naar achteren, maar hervond meteen mijn evenwicht. Mijn angst maakte plaats voor woede. Het kon me niet meer schelen of ze gewond was of niet.

'Hij heeft me niet gebeten!' schreeuwde ik, terwijl ik boven haar ging staan en mijn haar uit mijn mond spuugde. 'Oké? We hebben seks gehad. Goed? God in de hemel, Ivy. Het was maar seks!'

Ivy begon te hoesten. Met een roodaangelopen gezicht kwam ze langzaam weer op adem. De multiplex plaat achter haar was gebarsten. Wild met haar hoofd schuddend, keek ze naar me op. Kennelijk zag ze nog een beetje wazig. Ze stond niet op. 'Heeft hij je niet gebeten?' hijgde ze, haar gezicht schaduwachtig in het kaarslicht.

Mijn benen trilden van de adrenaline. 'Nee!' riep ik uit. 'Denk je dat ik achterlijk ben?'

Duidelijk van haar stuk gebracht, keek ze schuin naar mij op. Ze haalde langzaam adem en veegde met de rug van haar hand langs haar onderlip. Ik schrok toen haar hand rood van het bloed bleek te zijn. Ivy keek ernaar, trok haar benen toen onder zich en stond op. Ik haalde opgelucht adem toen zij een tissue pakte, haar hand ermee afveegde en het tot een propje verfrommelde.

Ze stak haar hand uit en ik sprong naar achteren. 'Raak me niet aan!' zei ik en zij hief bezwerend haar handen in de lucht.

'Sorry.' Ze keek naar het gebarsten multiplex en voelde met een van pijn vertrokken gezicht aan haar rug. Voorzichtig trok ze haar jas omlaag. Terwijl ze mij recht in de ogen keek, slaakte ze een diepe zucht. Het bonzen van mijn hart hield gelijke tred met de pijn in mijn hoofd. 'Je hebt met Kisten geslapen en hij heeft je niet gebeten?' vroeg ze.

'Ja. En nee, hij heeft me niet gebeten. En als je mij ooit nog eens met één vinger aanraakt, dan loop ik regelrecht de voordeur uit, om nooit meer terug te komen. Verdomme, Ivy, ik dacht dat we hier duidelijk afspraken over hadden gemaakt!'

Ik verwachtte een verontschuldiging of iets dergelijks, maar het enige wat zij deed was mij aandachtig aankijken en vragen: 'Weet je dat zeker? Als hij in de binnenkant van je lip heeft gebeten heb je het misschien niet eens gemerkt.'

Ik kreeg kippenvel en liet mijn tong langs de binnenkant van mijn mond glijden. 'Hij droeg kapjes,' zei ik en vond het nu toch een beetje griezelig hoe gemakkelijk hij mij erin had kunnen laten lopen. Maar dat had hij niet gedaan.

Ivy knipperde met haar ogen. Langzaam ging ze op het puntje van de bank zitten, haar ellebogen op haar knieën en haar voorhoofd in haar handen. Haar tengere lichaam zag er kwetsbaar uit in het schijnsel van de drie kaarsen op tafel. Shit. Opeens bedacht ik me dat zij niet alleen een intiemere relatie met mij wilde, maar dat Kisten haar oude vriendje was. 'Ivy? Gaat het wel?'

'Nee.'

Ik ging behoedzaam op de stoel tegenover haar zitten, met de punt van de tafel tussen ons in. Hoe je het ook bekeek, dit was echt een ongelofelijke puinzooi. Ik vloekte binnensmonds en stak mijn hand naar haar uit. 'Ivy. God, wat een toestand.'

Ze schrok op van het gewicht van mijn hand op haar arm en keek me met angstaanjagend droge ogen aan. Ik trok mijn hand terug en legde hem als een dood vogeltje in mijn schoot. Ik wist dat ik haar niet moest aanraken wanneer ze verlangde naar meer. Maar om hier te zitten en helemaal niets te doen was ook zo kil.

'Het gebeurde gewoon.'

Ivy voelde aan haar lip om te zien of hij nog bloedde. 'Was het alleen seks? Je hebt hem geen bloed gegeven?'

De kwetsbaarheid van haar stem raakte mij. Ik knikte. Ik voelde me net een lappenpop, met grote ogen en zaagsel in mijn hoofd. 'Het spijt me,' zei ik. 'Ik had er niet aan gedacht dat jij en Kisten...' Ik aarzelde. Dit ging niet om de seks, maar om het bloed dat ze dacht dat ik hem had gegeven. 'Ik dacht eigenlijk dat jullie officieel geen relatie meer hadden,' stamelde ik, niet zeker wetend of ik het wel goed zei.

'Ik deel normaal gesproken geen bloed met Kisten, alleen wanneer iemand hem gedumpt heeft en hij wat liefde en tederheid nodig heeft,' zei ze, met haar zijdezachte stem. Ze wilde me nog steeds niet aankijken. 'Bloed is geen seks, Rachel. Het is een manier om te tonen dat je om iemand geeft. Een manier om te tonen... dat je van iemand houdt.'

Het was nauwelijks een fluistering. Ik begon sneller te ademen. Ik voelde dat we op het scherp van de snede balanceerden en dat maakte me verschrikkelijk bang. 'Hoe kun je zeggen dat seks geen bloed is, wanneer je met iedereen seks kunt hebben?' zei ik, met een stem die door de adrenaline ruwer klonk dan ik bedoelde. 'Goeie god, Ivy, wanneer was de laatste keer dat jij seks hebt gehad zónder bloed?'

Nu pas keek ze me aan en ik schrok van de angst in haar ogen. Ze was bang en niet omdat ze dacht dat ik mijn bloed aan Kisten had gegeven. Ze was bang voor de antwoorden die ik van haar verlangde. Ik geloof niet dat ze ooit eerder voor deze vragen was gesteld, zelfs niet in de chaos die haar verlangens bij haar teweegbrachten. Ik had het afwisselend bloedheet en koud. Ik trok mijn knieën naar mijn kin en trok mijn blote voeten dicht tegen me aan.

'Oké,' zei ze, met het laatste beetje uitgeblazen adem en ik wist meteen dat wat zij nu ging zeggen de naakte waarheid was.' Daar zit wel wat in. Bij mij gaat seks meestal samen met bloed. Dat vind ik prettig. Het is een roes, Rachel, al zou je maar één keer...' zei ze, haar handen optillend van haar knieën.

Ik verbleekte. Ik schudde mijn hoofd en zij veranderde van gedachten over wat ze wilde zeggen. Alle spanning leek uit haar te lopen als de lucht uit een ballon. 'Het is niet hetzelfde, Rachel,' besloot ze zwakjes, met een smekende blik in haar bruine ogen.

Mijn gedachten gingen naar Kist. De tinteling in mijn litteken dook naar mijn buik en maakte mijn ademhaling nog sneller. Ik slikte en trachtte het gevoel te verdringen. Ik was blij dat de tafel tussen ons in stond. 'Dat zegt Kisten ook, maar ik kan het niet scheiden. En volgens mij kan jij dat ook niet.'

Ivy kreeg een kleur en ik wist dat ik gelijk had.

'Verdomme, Ivy. Ik zeg niet dat het verkeerd is,' zei ik. 'Ik woon al zeven maanden met je onder één dak. Denk je niet dat je het inmiddels wel zou weten als ik dat wel dacht? Maar ik zit zo niet in elkaar. Jij bent de beste vriendin die ik ooit heb gehad, maar ik zal nooit een kussen met je delen en nooit iemand mijn bloed laten proeven.' Ik haalde diep adem. 'Zo zit ik dus ook niet in elkaar. En ik kan niet mijn leven lang een echte relatie met iemand uit de weg gaan omdat ik jouw gevoelens er misschien mee zal kwetsen. Ik heb je verteld dat er nooit iets tussen ons zal zijn en daar blijf ik bij. Misschien...' Ik voelde me misselijk worden. 'Misschien kan ik maar beter ergens anders gaan wonen.'

'Ergens anders gaan wonen?'

Ik hoorde de ontzetting in haar stem en voelde meteen warme tranen in mijn ogen prikken. Met mijn kaken stijf op elkaar staarde ik naar de muur. De afgelopen zeven maanden waren de meest angstaanjagende, enge en beste maanden van mijn leven geweest. Ik wilde hier niet weg – en niet alleen omdat ze ervoor zorgden dat andere vampiers me niet beten en opeisten – maar als ze dit niet los kon laten was het tegenover ons allebei niet eerlijk om hier te blijven.

'Jenks is weg,' zei ik, terwijl ik mijn uiterste beste deed om mijn stem niet te laten trillen. 'Ik ben zojuist met je oude vriendje naar bed geweest. Het is niet eerlijk om hier te blijven als er nooit iets meer dan vriendschap tussen ons zal zijn. Vooral nu Skimmer terug is.' Ik keek naar de kapotte deur en haatte mezelf. 'We kunnen er beter een punt achter zetten.'

God, waarom zat ik nu bijna te huilen? Ik kon haar niet meer geven, terwijl zij dat juist zo nodig had. Skimmer wel; Skimmer wilde het zelf. Ik kon beter weggaan. Maar toen ik opkeek zag ik tot mijn verbijstering het kaarslicht in een straaltje vocht onder haar oog glinsteren.

'Ik wil niet dat je weggaat,' zei ze en de brok in mijn keel werd groter. 'Een goede vriendschap is toch zeker wel genoeg reden om te blijven?' fluisterde ze, haar ogen zo vol verdriet dat ik zelf een traan uit mijn oog voelde druppelen.

'Verdomme,' zei ik, met een vinger onder mijn oog wrijvend. 'Kijk nu eens wat je me laat doen.'

Ik schrok op toen ze over de tafel reikte en mijn pols pakte. Ik keek haar aan toen ze mijn hand naar zich toe trok en mijn vingers, die vochtig waren van de tranen, naar haar lippen bracht. Ze deed haar ogen dicht en haar wimpers knipperden. Een golf van adrenaline ging door me heen. Mijn hartslag versnelde bij de herinnering aan de vampirische extase die ik had ervaren. 'Ivy?' zei ik zwakjes, mijn hand weg trekkend.

Ze liet me los. Mijn hart bonkte toen zij langzaam inademde, de lucht proefde met haar zintuigen, mijn emoties door dat ongelooflijke brein van haar liet gaan en inschatte van wat ik wel en niet zou doen. Ik wilde niet weten wat haar conclusie was.

'Ik ga mijn spullen pakken,' zei ik, bang dat ze meer van mij wist dan ikzelf.

Ze opende haar ogen. Ik meende een vage schittering van kracht te herkennen. 'Nee,' zei ze, waarmee ik de eerste hint van haar ijzeren wil terug zag keren. 'We zijn allebei niks waard wanneer we alleen zijn, en dan heb ik het niet alleen over dat stomme bedrijfje van ons. Ik beloof je dat ik niet meer van je zal vragen dan je vriendschap. Alsjeblieft...' Ze zuchtte. 'Laat dit geen reden voor je zijn om weg te gaan, Rachel. Doe wat je wilt met Kist. Hij is een goeie vent en ik weet dat hij je geen verdriet zal doen. Maar...' Ze hield haar adem in en ik zag haar vastberadenheid wankelen. 'Maar wees alsjeblieft hier wanneer ik vannacht thuiskom?'

Ik knikte. Ik wist dat ze het niet alleen voor vannacht vroeg. En bovendien wilde ik helemaal niet weg. Ik vond het hier heerlijk: de keuken, de heksentuin, hoe cool het was om in een kerk te wonen. Dat zij onze vriendschap zo waardeerde betekende heel veel voor me en na jarenlang echte vriendschappen uit de weg te zijn gegaan vanwege wat mijn vader was overkomen, betekende het ook heel veel voor me om een beste vriendin te hebben. Ze had ooit eens gedreigd haar voor mij zo broodnodige bescherming in te trekken als ik wegging. Dit keer had ze dat niet gedaan. Ik durfde niet naar de reden te gissen, bang dat het voortkwam uit dat moment van spanning dat ik had gevoeld toen ze mijn tranen proefde.

'Dank je,' zei ze en ik verstarde toen ze zich over de tafel boog en mij kort omhelsde. Mijn zintuigen werden overspoeld door de geur van amandelen en leer. 'Als Kisten je ervan kan overtuigen dat bloed niet hetzelfde is als seks,' zei ze, 'wil je dan beloven me dat te vertellen?'

Ik staarde haar aan. Even flitste de herinnering van Skimmer die haar kuste door me heen.

Toen liet ze me los, stond op en liep de keuken in.

'Ivy,' fluisterde ik, te verdoofd en uitgeput om harder te praten, maar wetend dat ze mij kon horen. 'Hoeveel regels overtreden wij?'

Aarzelend verscheen ze in de deuropening, met haar tas en haar zwaard in haar handen, van de ene voet op de andere wiebelend zonder mijn vraag te beantwoorden. 'Ik ben pas na zonsopgang thuis. Misschien kunnen we dan samen eten? Over Kisten roddelen met een bord lasagne? Hij is echt heel aardig – hij zal je goed behandelen.' Met een ongemakkelijke glimlachje vertrok ze.

In haar stem had ik toch nog iets van spijt gehoord, maar ik wist niet of dat kwam door het feit dat ze mij kwijt was of Kisten. Ik wilde het ook niet weten. Zonder de kaarsen te zien of de geur van was en parfum te ruiken, zat ik naar het kleed te staren toen ik in de verte de voordeur hoorde dichtvallen. Hoe was mijn leven zo'n puinhoop geworden? Het enige wat ik had gewild was bij de I.S. weggaan, een paar mensen helpen en mezelf en mijn diploma's nuttig maken. Sindsdien had ik mijn eerste echte vriend sinds jaren gevonden en weer weggejaagd, een hele elfenclan beledigd, was ik Ivy's beste vriendin geworden en had ik seks gehad met een levende vampier. En dan rekende ik niet eens de twee doodsbedreigingen mee die ik had overleefd of de penibele situatie met Trent. Waar was ik in hemelsnaam mee bezig?

Ik stond op en strompelde naar de keuken. Mijn gezicht voelde ijskoud aan en mijn benen leken wel van rubber. Bij het horen van stromend water keek ik op en bevroor. Bij de gootsteen stond Algaliarept de theepot te vullen.

'Goedenavond, Rachel,' zei hij, mij door middel van een glimlach zijn platte tanden tonend. 'Ik hoop dat je het niet erg vindt dat ik een pot thee zet. We hebben nog heel veel te doen voordat de zon opkomt.'

O, god. Dat was ik helemaal vergeten.

'Verdomme!' vloekte ik, achteruitdeinzend. Het sanctuarium. Als ik gewijde grond kon bereiken, kon hij me niets maken. Ik slaakte een gil toen een zware hand op mijn schouder viel. Ik draaide me om en klauwde naar zijn gezicht. Hij vernevelde en toen zijn greep verdween nam ik een sprong. Eén tel later had hij mijn enkel te pakken en trok me omver. 'Laat me los!' riep ik toen ik op de grond viel en hem begon te schoppen.

Hij smeet me glijdend tegen de koelkast. Zijn lange gezicht werd wit en boven zijn donkere bril verscheen een hongerige blik in zijn rode geitenogen. Ik krabbelde overeind en hij greep me weer vast met zijn witgehandschoende hand en schudde me zo hard door elkaar dat mijn tanden klapperden. Hij gaf me een duw en ik viel als een lappenpop tegen het kookeiland. Ik draaide me om en ging er met mijn rug tegenaan staan. Mijn hart ging als een bezetene tekeer. Wat was ik stom geweest. Wat was ik *ontzettend stom* geweest!

'Als je nu nog een keer wegloopt, zal ik dat beschouwen als een schending van onze overeenkomst,' zei hij heel rustig. 'Zo, dat was je waarschuwing. En loop nu maar weg. Dat maakt alles zo-o-o-o veel eenvoudiger.'

Trillend op mijn benen, hield ik me aan het aanrecht vast om niet om te vallen. 'Ga weg,' zei ik. 'Ik heb je niet opgeroepen.'

'Zo eenvoudig ligt het niet meer,' zei hij. 'Ik heb er een hele dag voor in de bibliotheek moeten zitten, maar ik heb een precedent gevonden.' Zijn keurige accent werd zo mogelijk nog formeler en hij zette de achterkant van zijn knokkels op zijn groenfluwelen vest vast en citeerde: "Indien voornoemde familiaar zich op een andere locatie bevindt in geval van bruikleen of een vergelijkbare situatie, is het de meester toegestaan de familiaar op te zoeken voor het uitvoeren van taken." Jij hebt de deur daarvoor opengezet door een lijn aan te boren,' voegde hij eraan toe. 'En aangezien ik een taak voor je heb, blijf ik hier tot jij ermee klaar bent.'

Ik voelde me misselijk worden. 'Wat wil je van me?' Op mijn aanrecht stond een toverketel die was gevuld met een amberkleurige vloeistof die naar geraniums rook. Ik had er niet op gerekend dat hij zijn werk naar me toe zou brengen.

'Wat wenst u van mij – meester,' verbeterde Al, glimlachend om mij zijn grote, vierkante tanden te laten zien.

Ik stopte mijn haar achter mijn oor. 'Ik wil dat je oprot uit mijn keuken.'

Nog steeds glimlachend gaf hij me, met een onverwachte beweging, met zijn vlakke hand een klap in mijn gezicht. Ik onderdrukte een kreet en het kostte me moeite om overeind te blijven. De adrenaline stroomde door mijn aderen toen hij mijn schouder greep.

'Malle, malle meid,' fluisterde hij en er verscheen een harde blik op zijn knappe gezicht. 'Zeg het.'

Ik proefde de scherpe smaak van bloed op mijn tong. Mijn rug drukte pijnlijk tegen de rand van het aanrecht. 'Wat wil je van me, o nobele meester uit mijn reet.'

Het lukte me niet meer om weg te duiken toen hij nogmaals uitschoot met zijn vlakke hand. De pijn schoot door mijn wang en ik viel op de grond. Vanuit mijn ooghoeken zag ik de zilveren gespen van Als laarzen. Hij droeg witte kousen met een rand van kant waar zij de onderkant van zijn broekspijpen raakten.

Mijn maaginhoud kwam omhoog. Ik voelde aan mijn gloeiende wang en wist dat ik hem haatte. Ik probeerde op te staan, wat niet lukte omdat hij een voet op mijn schouder zette en me omlaag duwde. Ik haatte hem er des te meer om en streek mijn haar opzij zodat ik hem kon zien. Wat maakte het ook uit? 'Wat wenst u, meester?'

Ik ging bijna over mijn nek.

Zijn dunne lippen krulden zich in een glimlach. Nadat hij zijn kanten manchetten uit zijn mouwen had getrokken, bukte hij zich behulpzaam om mij overeind te helpen. Ik weigerde, maar hij sleurde me zo snel overeind dat ik van het ene moment op het andere tegen hem aangedrukt stond en de geur van fluweel en verbrande amber inademde. 'Dit wil ik,' fluisterde hij, een zoekende hand onder mijn sweater stekend.

Mijn hart bonkte bijna uit mijn lijf. Ik verstijfde en klemde mijn kaken op elkaar. *Ik vermoord hem. Op de een of andere manier vermoord ik hem.*

'Wat een ontroerende conversatie met je huisgenote,' zei hij en ik schrok toen zijn stem opeens die van Ivy was geworden. Hiernamaals zinderde door mij heen terwijl hij een compleet andere gedaante aannam. Rode geitenogen staarden me aan uit Ivy's perfecte gezichtje. Slank en strak drukte hij het beeld van haar geheel in leer gehulde lichaam dicht tegen mij aan en perste me tegen het aanrecht. De vorige keer had hij me gebeten. *O god. Niet nog een keer.*

'Maar misschien wil je dit liever,' zei hij met haar zijdezachte stem en ik voelde de zweetdruppels op mijn onderrug. Haar lange zwarte haar streek langs mijn wang en de zijdezachte fluistering bezorgde me een onstuitbare huivering. Hij voelde het en boog zich zo dicht over mij heen dat ik ineenkromp.

'Niet wegtrekken,' zei hij met haar stem en mijn voornemen nam steeds vastere vormen aan. Hij was slijm. Hij was een ellendeling. Hiervoor zou ik hem vermoorden. 'Het spijt me, Rachel...' hijgde hij, met zijn lange vingers een gloeiende tinteling teweegbrengend van mijn schouder naar mijn heup. 'Ik ben niet boos. Ik begrijp best dat je bang bent. Maar de dingen die ik je zou kunnen leren – als je wist welke hoogtes onze hartstocht zou kunnen bereiken.' Zijn adem trilde. Ivy's armen waren koel en licht – en trokken mij tegen mijn wil tegen hem aan. Ik rook haar warme geur van donkere wierook en as. Hij deed haar perfect na.

'Zal ik het je laten zien?' fluisterde het visioen van Ivy en ik deed mijn ogen dicht. 'Een klein voorproefje maar... ik weet zeker dat ik je op andere gedachten kan brengen.'

Haar stem klonk smekend, hees van haar subtiele verlangens. Het was alles wat zij niet had uitgesproken, alles wat zij niet wilde uitspreken. Mijn ogen schoten open toen er opeens een schok door mijn litteken ging. *God, nee.* Een gloeiend gevoel verspreidde zich door mijn onderbuik. Met knikkende knieën probeerde ik hem weg te duwen. Demonenrode ogen veranderden in vloeibaar bruin en zijn greep verstevigde en trok mij dichter naar zich toe tot ik hem in mijn nek voelde hijgen. 'Teder, Rachel,' fluisterde haar stem. 'Ik kan zo teder zijn. Ik zou alles voor je kunnen zijn wat je in een man niet kunt vinden. Alles wat je wilt. Eén woord is genoeg, Rachel. Zeg dat je het wilt.'

Ik kon het niet... ik kon hier op dit moment niet mee omgaan. 'Je had toch iets voor me te doen?' zei ik. 'De zon komt bijna op en ik wil naar bed.'

'Rustig aan,' zong hij zachtjes, met Ivy's adem die naar sinaasappels rook. 'Er is maar één eerste keer.'

'Laat me los,' zei ik kortaf. 'Jij bent Ivy niet en ik ben niet geïnteresseerd.'

Ivy's met hartstocht gevulde zwarte ogen vernauwden zich, maar Al keek over mijn schouder en volgens mij niet om iets wat ik had gezegd. Plotseling liet hij me los en ik verloor bijna mijn evenwicht. Een gloed van hiernamaals stroomde over hem heen en versmolt zijn trekken weer tot zijn gebruikelijke gedaante van een jonge Britse lord uit de achttiende eeuw. Hij had zijn bril weer op om zijn ogen te verbergen en hij schoof hem even recht op zijn smalle neus. 'Fantastisch,' zei hij, met bijpassende stem en accent. 'Ceri.'

Op dat moment hoorde ik in de verte de voordeur met een harde klap opengaan. 'Rachel!' klonk haar stem, hoog en angstig. 'Hij is aan deze kant van de lijnen!'

Ik draaide me om. Ik deed mijn mond open om haar te waarschuwen, maar het was al te laat. Mijn uitgestrekte hand zakte omlaag toen zij de kamer binnen kwam rennen, en haar eenvoudige witte jurk om haar blote voeten draaide toen ze in de deuropening stokstijf bleef staan. Haar groene ogen groot en angstig, bracht ze een hand naar haar borst om Ivy's crucifix aan te raken. 'Rachel...' hijgde ze ontzet, terwijl ze haar schouders liet zakken.

Al zette een stap in haar richting en zij maakte een pirouette, haar voet en tenen gestrekt en haar loshangende haar om haar heen wervelend. Ze reciteerde een onbekend gedicht vol duistere ondertonen en opeens liep er een rimpelend lint van lijnenergie tussen ons. Met een wit gezichtje en haar armen om zich heen geslagen, staarde ze hem aan, bevend in haar kleine cirkel.

De rijzige demon straalde en verschikte iets aan zijn kanten kraag. 'Ceri. Wat heerlijk je te zien. Ik mis je, liefje,' zei hij, bijna spinnend als een kat.

De kin van de jonge vrouw trilde. 'Verjaag hem, Rachel,' zei ze, met angst in haar stem.

Ik probeerde te slikken, maar slaagde daar niet in. 'Ik heb een lijn aangeboord. Hij heeft er een precedent voor gevonden. Hij heeft een taak voor me.'

Haar ogen werden groot. 'Nee...'

Al fronste. 'Ik ben al in geen duizend jaar meer in de bibliotheek geweest. Ze stonden achter mijn rug te fluisteren, Ceri. Ik moest mijn lidmaatschap vernieuwen. Het was werkelijk erg gênant. Iedereen weet dat je weg bent. Zoë zet tegenwoordig thee voor me. De smerigste thee die je je voor kunt stellen – met twee vingers kan ze het suikerlepeltje ook niet vasthouden. Kom alsjeblieft terug.' Er verscheen een glimlach op zijn vriendelijke gezicht. 'Ik zal het je je ziel waard maken.'

Ceri's gezicht vertrok. Met haar kin in de lucht zei ze even later uit de hoogte: 'Mijn naam is Ceridwen Merriam Dulciate.'

Hij maakte een vrolijk geluid, zette zijn bril af en leunde tegen het aanrecht. Mij een spottende blik toewerpend, zei hij: 'Ceri, wees eens lief en zet een kopje thee voor me.'

Mijn gezicht verslapte toen Ceri haar hoofd liet zakken en een stap naar voren zette. Al grinnikte toen zij zichzelf boos toesprak en aan de rand van haar cirkel bleef staan. Ze balde haar kleine vuisten en keek hem woedend aan.

'De macht der gewoonte,' zei hij spottend.

Ik voelde maagzuur opborrelen. Ze was nog steeds van hem, zelfs nu nog. 'Laat haar met rust,' beet ik hem toe.

Ogenschijnlijk vanuit het niets kreeg ik een klap van een hand met een witte handschoen. Met een gloeiende kaak draaide ik me om naar het aanrecht. Naar adem happend, boog ik me eroverheen, terwijl mijn haar langs mijn gezicht viel. Ik begon hier nu echt genoeg van te krijgen.

'Je mag haar niet slaan!' zei Ceri, haar stem hoog en venijnig.

'Heb je er last van?' vroeg hij op luchtige toon. 'Met pijn kom ik bij haar verder dan met angst. En dat is juist goed – pijn houdt een mens langer in leven dan angst.'

Mijn pijn veranderde in woede. Met opgetrokken wenkbrauwen daagde hij me uit om, zodra ik weer wat lucht kreeg, tegen hem in te gaan. Zijn geitenogen gleden naar de grote ketel die hij had meegebracht. 'Zullen we dan maar eens beginnen?'

Ik keek naar de ketel en herkende het brouwsel aan de geur. Het was het drankje waarmee je van iemand een familiaar kon maken. Angst greep me bij de keel en ik sloeg mijn armen om mijn bovenlichaam. 'Ik ben al helemaal bedekt onder een laagje van jouw aura,' zei ik. 'Me nog meer laten nemen maakt geen enkel verschil.'

'Ik had je niet naar je mening gevraagd.'

Hij maakte een beweging en ik deinsde onmiddellijk naar achteren. Grijnzend stak hij me het mandje toe dat in zijn hand was verschenen. Ik rook was. 'Zet de kaarsen klaar,' zei hij op bevelende toon, blij met mijn snelle reactie.

'Rachel...' fluisterde Ceri, maar ik kon haar niet aankijken. Ik had hem beloofd zijn familiaar te worden en nu ging dat gebeuren. Terwijl ik de zachtgroene kaarsen op de plekken neerzette die waren gemarkeerd met zwarte nagellak, dacht ik aan Ivy. Waarom kon ik nooit goede keuzes maken?

Ik hield de laatste kaars in mijn trillende hand. Er zaten groeven in, alsof iemand had geprobeerd de cirkel te doorbreken door er dwars doorheen te gaan. Iets met grote, gemene klauwen.

'Rachel!' snauwde Al en ik schrok op. 'Je hebt ze niet bij hun plaatsnamen gezet.'

Nog steeds met die laatste kaars in mijn hand, staarde ik hem nietbegrijpend aan. Achter hem zag ik Ceri nerveus haar lippen likken.

'Je kent hun plaatsnamen natuurlijk niet,' voegde Al eraan toe en ik schudde mijn hoofd. Ik wilde niet nog een keer geslagen worden, maar Al zuchtte alleen maar. 'Ik zet ze zelf wel goed neer wanneer ik ze aansteek,' mopperde hij. 'Ik had meer van je verwacht. Kennelijk heb je je meeste tijd met aardmagie verknoeid en heb je de leylijnkunsten verwaarloosd.'

'Ik ben een aardheks,' zei ik. 'Waarom zou ik mijn tijd verdoen met leylijnen?'

Ceri kromp ineen toen Al dreigde mij nogmaals te slaan en ik zag haar bijna doorschijnende haar golven. 'Laat haar gaan, Algaliarept. Je wilt haar niet als familiaar.'

'Bied je jezelf in haar plaats aan?' vroeg hij spottend en even hield ik mijn adem in uit angst dat ze ja zou zeggen.

'Nee!' riep ik en hij begon te lachen.

'Maak je niet druk, Rachel, liefje,' zei hij en mijn gezicht vertrok toen hij een vinger langs mijn kaaklijn liet glijden en daarna via mijn arm omlaag naar mijn hand om de laatste kaars te pakken. 'Ik houd mijn familiaars altijd net zolang bij me tot ik iets beters tegenkom en ook al ben je zo onwetend als een kikvors, je bent wel in staat bijna twee keer zoveel lijnenergie te bevatten dan zij.' Hij lachte smalend. 'Bof jij even.'

In zijn in witte handschoenen gestoken handen klappend, draaide hij zich om. 'Welnu. Kijk goed, Rachel. Morgen moet jij mijn kaarsen aansteken. Dit zijn woorden die zowel goden als stervelingen raken, die iedereen aan elkaar gelijkmaken en in staat zijn mijn cirkel in stand te houden.'

Lekker was dat.

'Salax,' zei hij, de eerste kaars aanstekend met de dunne, rode kaars die als bij toverslag in zijn hand was verschenen. *'Aemulatio,'* zei hij, terwijl de tweede aanstak. *'Adfictatio, cupidus*, en mijn favoriet, *inscitia,'* zei hij bij het aansteken van de laatste. Met een glimlach, liet hij de nog smeulende rode kaars verdwijnen. Ik voelde hem een lijn aanboren en met een doorschijnende werveling van rood en zwart steeg zijn cirkel op naar de koepel boven onze hoofden. Mijn huid prikte van zijn kracht en ik sloeg mijn armen om me heen.

Dit zijn de dingen waar ik zo van hou, hoorde ik in gedachten zingen, en ik onderdrukte een hysterisch gegiechel. Ik stond op het punt een demonenfamiliaar te worden. Ik kon er niet meer onderuit.

Al keek op bij het horen van het akelige, gesmoorde geluid en Ceri's gezicht verstrakte. 'Algaliarept,' smeekte ze. 'Je zet haar te veel onder druk. Haar wil is te sterk om zo gemakkelijk voor jou te buigen.'

'Ik richt mijn familiaars af zoals mij dat goeddunkt,' zei hij rustig. 'Een klein grondlaagje en het gaat helemaal goed komen met haar.' Met één hand op zijn heup en de ander onder zijn kin, stond hij me een ogenblik peinzend aan te kijken. 'Tijd voor je bad, liefje.'

Met de flair van een showartiest knipte Algaliarept met zijn vingers. Zijn hand ging open en zo te zien hing er een cederhouten emmer aan. Mijn ogen werden groot toen hij de inhoud naar me toe gooide.

IJskoud water plensde over me heen. Mijn adem stokte en ik slaakte een boze kreet. Het was zout water, dat in mijn ogen prikte en in mijn mond druppelde. De werkelijkheid drong nu pas goed tot me door en bezorgde me een helder gevoel in mijn hoofd. Hij verzekerde zich ervan dat ik geen drankjes in me had om straks de bezwering te besmetten. 'Ik gebruik geen toverdrankjes, vieze groene drol!' riep ik uit, mijn doorweekte armen en mouwen uitschuddend.

'Zie je nu wel?' Al was duidelijk tevreden. 'Het gaat meteen al een stuk beter.'

De pijn in mijn ribben speelde meteen op toen mijn pijnamulet brak. Het grootste deel van het water doorweekte mijn verzameling toverboeken. Als ik dit overleefde, zou ik ze allemaal moeten drogen. Wat een zák.

'Oooo, je oog ziet er al beter uit,' zei hij, zijn hand uitstekend om het even aan te raken. 'Je snoept zeker van het Hellevuur van je huisgenote? Wacht maar tot je het echte spul kunt proberen. Je zult niet weten wat je meemaakt.'

Ik deinsde terug toen zijn gehandschoende hand naar lavendel geurend langs mijn wang streek, maar Al liet zijn hand zakken en greep mijn haar vast. Ik gilde en schopte naar hem met mijn voet. Hij was veel te snel voor mij en kreeg mijn voet te pakken. Ceri keek vol medelijden toe hoe ik me vergeefs tegen hem verzette. Mijn voet hoog optillend, duwde hij me tegen het aanrecht aan. Zijn bril stond scheef op zijn hoofd en hij grijnsde me toe met een soort verrukte dominantie. 'Je geeft je niet zomaar gewonnen,' fluisterde hij. 'Heerlijk.'

'Nee!' riep ik toen ik opeens een grote schaar in zijn hand zag verschijnen.

'Houd je hoofd stil,' zei hij, terwijl hij mijn voet losliet en me tegen het aanrecht drukte.

Ik kronkelde en spuwde naar hem, maar ik kon niets tegen hem beginnen. In paniek hoorde ik het geluid van metaal tegen metaal toen hij de schaar opende. Hij liet me los door te vernevelen en ik viel op de grond.

Ik greep naar mijn haar en krabbelde overeind. 'Hou op! Hou alsjeblieft op!' riep ik, mijn aandacht verdelend tussen zijn lachende gezicht en de pluk die hij van mijn haar had geknipt. Verdomme, hij was zeker tien centimeter lang. 'Heb je enig idee hoe lang het duurt om mijn haar te laten groeien!'

Al wierp een zijdelingse blik op Ceri, terwijl de schaar verdween en hij mijn haar in het drankje gooide. 'Maakt ze zich nu echt druk om haar haar?'

Ik keek naar de rode lokken die boven op Als brouwsel dreven en ik kreeg het steeds kouder in mijn kletsnatte sweater. De ketel toverdrank was niet bedoeld om mij meer van zijn aura te geven, maar om hem de mijne te geven. 'Vergeet het maar!' riep ik uit, achteruit schuivend. 'Ik geef jou mijn aura niet!'

Al pakte een keramische lepel van het rek boven het kookeiland en duwde er de haarlokken mee naar de bodem. Hij had een verfijnde elegantie in zijn kant en fluweel en zag er in alle opzichten zo charmant en welgemanierd uit als naar onmenselijke maatstaven mogelijk was. 'Hoor ik daar een weigering, Rachel?' fluisterde hij. 'Zeg alsjeblieft dat ik het goed heb gehoord.'

'Nee,' fluisterde ik. Ik kon niets doen. Helemaal niets.

Zijn glimlach werd breder. 'En nu je bloed om het te activeren, liefje.'

Met wild bonkend hart keek ik van de naald tussen zijn duim en wijsvinger naar de ketel. Als ik op de vlucht sloeg, was ik van hem. Als ik hieraan meewerkte, kon hij me door de lijnen heen gebruiken. Verdomme, verdomme en nog eens verdomme.

Ik zette mijn verstand op nul en pakte de matzilveren naald. Mijn mond werd droog en het gewicht ervan vulde mijn hele hand. Hij was zo lang als mijn handpalm en prachtig bewerkt. De punt was van koper, zodat het zilver de bezwering niet zou beïnvloeden. Toen ik hem van wat dichterbij bekeek, voelde ik mijn maag omdraaien. Een naakt lichaam kronkelde zich om het staafje heen. 'God bewaar me,' fluisterde ik.

'Hij luistert toch niet. Hij heeft het veel te druk.'

Ik verstijfde. Al was achter me komen staan en fluisterde in mijn oor.

'Maak het drankje af, Rachel.' Zijn adem voelde gloeiend aan tegen mijn wang en ik kon me niet bewegen omdat hij mijn haar vasthield. Er ging een rilling door me heen toen hij zijn hoofd boog en nog dichterbij kwam. 'Maak het af...' fluisterde hij, met zijn lippen mijn huid strelend. Ik rook stijfsel en lavendel.

Ik zette mijn tanden op elkaar, greep de naald stevig vast en stak hem in mezelf. Ik blies mijn ingehouden adem uit en hield hem opnieuw in. Ik dacht Ceri te horen huilen.

'Drie druppels,' fluisterde Al, zijn neus in mijn nek stekend.

Mijn hoofd deed pijn. Met bonzend hart hield ik mijn vinger boven de ketel en masseerde er drie druppels in. Onmiddellijk steeg de geur van roodhout op, die heel even de doordringende stank van verbrande amber overstemde.

'Mmmm, veel lekkerder zo.' Hij legde zijn hand op de mijne en nam de naald terug. Die verdween in een wolk hiernamaals en zijn greep verschoof naar mijn bloedende vinger. 'Laat eens proeven?'

Met mijn uitgestrekte arm tussen ons in deinsde ik zo ver mogelijk naar achteren. 'Nee.'

'Laat haar met rust!' smeekte Ceri.

Langzaam werd Als greep losser. Hij keek me aan en ik zag een nieuwe spanning in hem opkomen.

Ik rukte mijn hand los en deed nog een stap naar achteren. Ondanks de verwarming had ik het ijskoud.

'Ga op de spiegel staan,' zei hij, zijn gezicht uitdrukkingsloos achter zijn donkere brillenglazen.

Ik keek naar de spiegel die op de grond op me lag te wachten. 'Ik – ik kan het niet,' fluisterde ik.

Hij perste zijn smalle lippen op elkaar en ik zette mijn tanden op elkaar om geen geluid te maken toen hij me optilde en op de spiegel zette. Ik ademde diep in en schrok toen ik het gevoel kreeg minstens vijf centimeter in de spiegel weg te zakken. 'O, god. O, god,' kreunde ik. Ik wilde me vastgrijpen aan het aanrecht, maar Al stond grijnzend in de weg.

'Stroop je aura af,' zei hij.

'Dat kan ik niet,' hijgde ik, hyperventilerend.

Al schoof zijn bril omlaag over zijn smalle neus en keek me over de glazen aan. 'Maakt niet uit. Hij lost vanzelf op als suiker in de regen.'

'Nee,' fluisterde ik. Mijn knieën begonnen te bibberen en mijn hoofd bonkte steeds harder. Ik voelde mijn aura wegglijden en Als greep op mij sterker worden.

'Geweldig,' zei Al, met zijn geitenogen op de spiegel.

Ik volgde zijn blik en drukte mijn handen tegen mijn maag. Mijn gezicht was bedekt door Als aura, zwart en leeg. Je zag alleen mijn ogen, met een flauwe gloed eromheen. Dat was mijn ziel, die voldoende aura probeerde aan te maken om tussen Als aura en het mijne te plaatsen. Het was niet genoeg, want de spiegel zoog alles op en ik voelde Als aanwezigheid in mij wegzinken.

Ik stond te hijgen en stelde me voor hoe het voor Ceri moest zijn geweest, toen haar ziel helemaal weg was en zij Als aura, zo onmenselijk en helemaal verkeerd, de hele dag door in zich voelde.

Ik trilde over mijn hele lichaam. Met mijn handen voor mijn mond geslagen, zocht ik wanhopig om me heen naar iets om in over te geven. Kokhalzend sprong ik van de spiegel. Ik wilde niet spugen. Ik wilde het niet.

'Fantastisch,' zei Al, terwijl ik bijna dubbelgevouwen stond, met mijn tanden op elkaar en het maagzuur in mijn mond. 'Dat is hem helemaal. Hier. Ik zal hem voor je in de ketel doen.'

Zijn stem klonk vrolijk en opgewekt en terwijl ik van achter mijn haar naar hem stond te kijken, gooide Al de spiegel in het brouwsel. Het werd onmiddellijk helder, precies zoals ik al had geweten dat het zou doen.

Ceri zat op de grond met haar hoofd op haar knieën te huilen. Toen ze opkeek, vond ik haar met al die tranen nog mooier dan eerst. Ik werd alleen maar lelijker van huilen.

Ik schrok me een ongeluk toen er een dik, vergeeld boek naast mij op het aanrecht werd gelegd. Buiten begon het al wat lichter te worden, maar op de klok zag ik dat het pas vijf uur was. Nog bijna drie uur te gaan voordat de zon opkwam om een einde te maken aan deze nachtmerrie, tenzij Al er eerder een einde aan maakte.

'Lees.'

Ik herkende het. Het was het boek dat ik op zolder had gevonden, het boek dat volgens Ivy niet tot de boeken had gehoord die daar speciaal voor mij waren neergelegd, hetzelfde boek dat ik bij Nick in bewaring had gegeven nadat ik het per ongeluk had gebruikt om een familiaar van hem te maken en hetzelfde boek dat Algaliarept ons vervolgens had weten te ontfutselen. Het boek dat Algaliarept had geschreven om van mensen demonenfamiliaars te maken. *Shit.*

Ik slikte moeizaam. Ik legde mijn bleke vingers op de tekst, op zoek naar de bezwering. Hij was in het Latijn, maar ik kende de vertaling. 'Een deel naar jou, maar alles naar mij,' fluisterde ik. 'Gebonden door banden, die door afsmeking zijn ontstaan.'

'Pars tibi, totum mihi,' zei Al grijnzend. *'Vinctus vinculuis, prece factis.'*

Mijn vingers begonnen te beven. 'Maan gespaard, schitterend licht bedaard. Chaos bevolen, vloek verloochend.'

'Luna servata, lux sanata. Chaos statutum, pejus minutum. Ga door. Maak het maar af.'

Er resteerde nog één regel. Eén regel en de bezwering zou compleet zijn. Negen woorden en mijn leven zou een levende hel worden, of ik me nu aan deze zijde van de lijnen bevond of niet. Ik haalde diep adem. En nog een keer. 'Bedekker van geest, drager van pijn. Slaaf tot 's werelds eind...'

Al lachte nog wat breder en zijn ogen werden zwart. *'Mentem tegens, malum ferens,'* zei hij op zangerige toon. *'Semper servus. Dum duret – mundus.'*

Vol ongeduld trok Al zijn handschoenen uit en stak zijn handen in de ketel. Ik kromp ineen. Er ging een vreemde trilling door me heen, gevolgd door een misselijkmakende duizeligheid. De bezwering die, zwart en verstikkend, mijn ziel omklemde en mij verdoofde.

Met druipende handen hield Al zich vast aan de rand van het aanrecht. Er kwam een rode gloed over hem heen en zijn gedaante vertroebelde even, alvorens vaste vorm aan te nemen. Hij knipperde met zijn ogen.

Ik slaakte een diepe zucht. Het was gebeurd. Hij had nu voorgoed mijn aura – het enige wat mij nog resteerde, was wat mijn ziel wanhopig aan probeerde te brengen tussen mijn wezen en Als aura die mij bedekte. Misschien zou het ooit nog iets beter worden, maar ik betwijfelde het.

'Goed,' zei hij, zijn manchetten omlaag trekkend en zijn handen afdrogend aan een zwarte handdoek die hij opeens in zijn hand hield. Daar waren de witte handschoenen weer, om zijn handen te bedekken. 'Goed gedaan. Fantastisch.'

Ceri zat zachtjes te huilen, maar ik was te uitgeput om zelfs maar in haar richting te kijken.

In mijn tas op het andere aanrecht ging mijn mobieltje af. Een absurde gewaarwording.

Als laatste restje onrust was nu ook verdwenen. 'O, laat mij maar opnemen,' zei hij, de cirkel verbrekend toen hij ernaartoe liep.

Ik huiverde van het trekkerige gevoel vanuit mijn lege middelpunt toen de energie via Al terugstroomde naar de lijn waaruit hij afkomstig was. Al wierp mij een verrukte blik toe toen hij zich omdraaide met mijn mobieltje in zijn hand. 'Wie zou het zijn?' grijnsde hij.

Niet in staat nog een seconde langer op mijn benen te blijven staan, liet ik me op de grond zakken, tot ik met mijn rug tegen het aanrecht zat. Ik sloeg mijn armen om mijn knieën. Ik voelde de warme lucht van de verwarming tegen mijn voeten, maar mijn natte spijkerbroek zoog de kou op. Ik was Als familiaar. Waarom deed ik eigenlijk nog moeite om lucht in mijn longen te zuigen en weer uit te ademen?

'Daarom nemen ze je je ziel af,' fluisterde Ceri. 'Je kunt geen zelfmoord plegen als zij over je wil beschikken.'

Ik staarde haar aan. Nu begreep ik het pas.

'Hallo-o-o-o?' vroeg Al, tegen het aanrecht geleund. Het roze mobieltje zag er vreemd uit bij zijn achttiende-eeuwse charme. 'Nicholas Gregory Sparagmos! Welk een uitzonderlijk genoegen!'

Ik keek op. 'Nick?' fluisterde ik.

Al legde een hand op mijn mobieltje en grijnsde. 'Het is je vriendje. Ik neem wel even voor je waar. Je ziet er moe uit.' Snuivend richtte hij zijn aandacht weer op de telefoon. 'Die heb je zeker wel goed gevoeld?' informeerde hij opgewekt. 'O, mis je iets? Ik zou maar uitkijken wat je wenst, tovenaartje.'

'Waar is Rachel!' klonk Nicks stem, schril en blikkerig. Hij klonk paniekerig en de moed zonk me in de schoenen. Ik stak mijn hand uit, ook al wist ik best dat Al mij de telefoon niet zou geven.

'Ze zit hier toevallig aan mijn voeten,' zei Al, lachend. 'Helemaal van mij. Ze heeft een foutje gemaakt en nu is ze van mij. Stuur maar bloemen voor haar graf. Meer kun je niet doen.'

De demon luisterde even en ik zag de emoties over zijn gezicht glijden. 'Nooit dingen beloven die je niet waar kunt maken. Dat is zo-o-o-o ordinair. Ik heb op dit moment geen familiaar meer nodig, dus zal ik niet ingaan op je verzoek. Je hoeft me niet te bellen. Zij heeft je ziel gered, mannetje. Jammer dat je haar nooit hebt verteld hoeveel je van haar hield. Wat zijn mensen toch dom.'

Hij verbrak de verbinding terwijl Nick nog volop aan het protesteren was. Het mobieltje dichtklappend, gooide hij het terug in mijn tas. Het ging onmiddellijk weer af en hij drukte op een knopje. Mijn telefoontje liet zijn afschuwelijke afscheidsdeuntje horen en schakelde zichzelf uit.

'Ziezo.' Al klapte in zijn handen. 'Waar waren we gebleven? O, ja. Ik ben zo terug. Ik wil het even in werking zien.' Met een verheugde blik in zijn rode ogen verdween hij.

'Rachel!' riep Ceri. Ze stormde op me af en sleurde me uit de cirkel. Ik duwde haar weg, te moe om nog te proberen weg te komen. Het kwam eraan. Al zou me gaan vullen met zijn krachten, me zijn gedachten laten voelen, mij in een robot veranderen die zijn thee kon zetten en zijn afwas kon doen. De eerste tranen van machteloosheid begonnen te vloeien, maar ik kon niet eens de energie opbrengen om het mezelf kwalijk te nemen dat ik huilde. Ik wist dat ik reden had tot huilen. Ik had mijn leven in de waagschaal gesteld om Piscary achter slot en grendel te krijgen en ik had verloren.

'Rachel! Toe nou!' smeekte Ceri. Ze probeerde me mee te slepen en haar greep op mijn arm deed me pijn. Mijn natte voeten maakten een piepend geluid en ik probeerde haar weg te duwen en op te laten houden.

Een rode luchtbel van hiernamaals verscheen op de plek waar Al was verdwenen. Er vond een dramatische verandering van luchtdruk plaats en Ceri en ik hielden onze handen voor onze oren.

'Hel en verdoemenis!' riep Al, zijn groenfluwelen vest open en scheef om zijn lijf hangend. Zijn haar zat in de war en zijn bril was verdwenen. 'Je hebt alles goed gedaan!' riep hij, wild gebarend. 'Ik heb jouw aura. Jij hebt de mijne. Waarom kan ik dan niet bij je komen door de lijnen?'

Ceri knielde achter mij en sloeg een beschermende arm om mij heen. 'Werkt het niet?' vroeg ze met bevende stem, mij nog iets verder naar achteren trekkend. Met haar vochtige vinger trok ze snel een cirkel om ons heen.

'Zie ik eruit alsof dat wel zo is?' riep hij uit. 'Zie ik er blij en gelukkig uit?'

'Nee,' fluisterde ze en om ons heen breidde haar cirkel zich uit, vol zwarte vegen, maar sterk. 'Rachel,' zei ze, met een zacht kneepje in mijn arm. 'Het komt weer helemaal goed.'

Al zweeg. In doodse stilte draaide hij zich om. Alleen zijn laarzen maakten een zacht geluidje op de houten vloer. 'Helemaal niet.'

Ik schok van zijn ingehouden woede. *O, god, Niet nog een keer.*

Ik verstijfde toen hij een lijn aanboorde en op mij afstuurde. Tegelijkertijd ving ik een glimp op van wat hij voelde. Een gevoel van tevredenheid en gespannen verwachting. Het leek of ik in brand stond en ik gilde het uit en duwde Ceri weg.

Opgekruld in foetushouding dacht ik wanhopig aan het woord, *Tulpa*, en slaakte een zucht van verlichting toen de wervelstorm door mij heen raasde en zich ten slotte concentreerde in de bol in mijn hoofd. Hijgend tilde ik mijn hoofd op. Als verwarring en frustratie vulden mij. Mijn woede zwol aan tot hij zijn emoties overschaduwde.

Als gedachten in de mijne veranderden in stomme verbazing. Mijn blik werd wazig en wat ik zag was volkomen in tegenspraak met wat mijn verstand me zei dat de waarheid was. Ik krabbelde overeind. De meeste kaarsen waren gedoofd, omgegooid in plasjes kaarsvet en de lucht vervullend met rook. Al voelde mijn verzet door onze band en kreeg een angstaanjagende blik op zijn gezicht toen mijn trots om het feit dat ik zoveel energie had leren opslaan tot hem doordrong. 'Ceri...'

zei hij op waarschuwende toon, zijn geitenogen nauwelijks meer dan spleetjes.

'Het is niet gelukt,' zei ik met zachte stem terwijl ik hem van onder mijn natte haar aankeek. 'Maak dat je wegkomt uit mijn keuken.'

'Ik krijg je nog wel, Morgan,' snauwde Al. 'En als het dan niet goedschiks kan, dan zal ik je nederigheid leren en je bloedend en met gebroken botten meeslepen.'

'O, ja?' was het enige wat ik terug wist te zeggen. Ik keek naar de ketel waar mijn aura in had gezeten. Zijn ogen werden groot van verbazing toen hij ogenblikkelijk wist wat ik dacht. Het was nu tweerichtingsverkeer geworden. Hij had een foutje gemaakt.

'En nu mijn keuken uit!' riep ik, hem bestokend met de lijnenergie die ik van hem vast had moeten houden door onze gedeelde band. Ik richtte me op terwijl alles uit mij vloeide en in hem. Al struikelde geschokt achteruit.

'Vuile *canicula*!' riep hij uit, terwijl zijn gestalte vervaagde.

Wankelend boorde hij de lijn aan om nog meer kracht toe te voegen.

Ik zette me schrap om het weer regelrecht naar hem terug te kaatsen. Alles wat hij op me af stuurde, kon hij per ommegaande weer terugverwachten.

Al bleef er bijna in toen hij begreep wat ik van plan was. Opeens voelde ik iets verdraaien in mijn buik en ik wankelde. Me aan de tafel vastgrijpend toen hij de liveverbinding tussen ons verbrak. Zwaar hijgend stond ik hem vanaf de andere kant van de keuken aan te kijken. Dit gingen we hier ter plekke uitvechten en wel nu. Een van ons werd de verliezer. En ik zou dat niet zijn. Niet in mijn eigen keuken. Niet vanavond.

Al zette één voet achter zich en nam een misleidend ontspannen houding aan. Met één hand streek hij zijn haar glad. Zijn ronde, donkere bril was weer terug en hij knoopte zijn vest dicht. 'Dit werkt niet,' zei hij op effen toon.

'Nee,' zei ik hees. 'Dat denk ik ook.'

Veilig binnen haar cirkel, lachte Ceri smalend. 'Je krijgt haar niet, Algaliarept, stomme idioot,' zei ze spottend. 'Toen je haar dwong haar aura aan jou te geven heb je de familiaarpoort naar twee kanten opengezet. Jij bent nu net zo goed haar familiaar als zij de jouwe.'

Als zo-even nog zo kalme gezicht werd rood van woede. 'Ik heb deze bezwering wel duizend keer gebruikt om aura's af te nemen en dit is me nog nooit overkomen. En ik ben níét haar familiaar.'

Terwijl ik gespannen toekeek verscheen er opeens een driepotig krukje achter Al. Het zag eruit als iets wat Attila de Hun kon hebben gebruikt, met een roodleren kussentje en paardenharen franjes die tot op de grond hingen. Zonder te kijken of het wel achter hem stond, ging hij zitten, een verbaasde uitdrukking op zijn gezicht.

'Daarom belde Nick natuurlijk,' zei ik, en Al wierp me een hooghartige blik toe. Toen hij me mijn aura afnam, verbrak dat de band die ik had met Nick. Dat had hij gevoeld. *O, shit. Was Al nu mijn familiaar?*

Ceri wenkte me om me bij haar te voegen in haar cirkel, maar ik wilde niet het risico lopen dat Al haar iets aan kon doen op het moment dat zij hem weer zou sluiten. Maar Al had het veel te druk met zijn eigen gedachten.

'Hier klopt iets niet,' mompelde hij. 'Ik heb dit in het verleden met honderden heksen met een ziel gedaan en er is nog nooit zo'n sterke band uit voortgekomen. Wat is er zo anders aan...'

Mijn hart stond stil toen opeens alle zichtbare emotie uit hem wegtrok. Hij keek naar de klok boven de gootsteen en toen naar mij. 'Kom hier, kleine heks.'

'Nee.'

Hij perste zijn lippen op elkaar en stond op.

Met ingehouden adem deinsde ik achteruit, maar hij had mijn pols al gegrepen en trok me naar het kookeiland. 'Jij hebt deze bezwering eerder uitgesproken,' zei hij, terwijl hij in mijn aangeprikte vinger kneep om er nog wat bloed uit te krijgen. 'Toen je Nicholas Gregory Sparagmos tot je familiaar maakte. Was het ook jouw bloed, kleine heks, die het brouwsel activeerde?'

'Dat weet je best.' Ik was te uitgeput om nog bang te zijn. 'Je was er zelf bij.' Ik kon zijn ogen niet zien, maar mijn weerspiegeling in zijn brillenglazen liet zien dat ik er afschuwelijk uitzag, bleek en met een hoofd vol natte slierten.

'En toen werkte het wel,' zei hij bedachtzaam. 'Het bond jullie niet alleen, maar het bond jullie stevig genoeg voor jou om een lijn door hem te kunnen trekken?'

'Daarom is hij weggegaan,' zei ik, verbaasd dat ik er nog steeds verdriet om voelde.

'Jouw bloed heeft de bezwering in werking gezet...' Hij trok mijn hand omhoog en hoewel ik mijn best deed om me los te rukken, likte hij het bloed van mijn vinger. Het bezorgde me een ijskoud, tintelend gevoel. 'Zo subtiel geparfumeerd,' fluisterde hij, zonder zijn blik ook maar een ogenblik van mij af te wenden. 'Als geparfumeerde lucht waar je geliefde doorheen is gelopen.'

'Laat me los,' zei ik, hem wegduwend.

'Je zou dood moeten zijn,' zei hij, een en al verwondering in zijn stem. 'Hoe kan het dat je nog leeft?'

Met opeengeklemde kaken probeerde ik mijn vingers tussen zijn hand en mijn pols te wrikken. 'Ik doe mijn best.' Met een kreet viel ik achteruit toen hij opeens mijn pols losliet.

'Je doet je best.' Glimlachend deed hij een stapje terug en nam mij van top tot teen op. 'De gekken onder ons bezitten toch wel een eigen charme. Ik moet een studiegroepje gaan beginnen.'

Angstig boog ik me over mijn pols en hield hem vast.

'En reken maar dat ik jou nog zal krijgen, Rachel Mariana Morgan.'

'Ik ga niet naar het hiernamaals,' zei ik op effen toon. 'Dan zul je me toch eerst moeten doden.'

'Je hebt geen keus,' zei hij, mij een ijskoude rilling bezorgend. 'Zodra je na zonsondergang een lijn aanboort, weet ik je te vinden. Jij kunt geen cirkel maken waar ik niet doorheen kom. Als je je niet op gewijde grond bevindt, sla ik je helemaal in elkaar en sleep je mee naar het hiernamaals. En daaruit is geen ontsnapping mogelijk.'

'Probeer het maar eens,' dreigde ik, achter mijn rug naar de vleeshamer reikend die aan het rek boven mijn hoofd hing. 'Om mij aan te kunnen raken zal je een vaste vorm moeten aannemen en reken maar dat dat pijn gaat doen, rode man.'

Al aarzelde, een diepe frons in zijn voorhoofd. De gedachte schoot door me heen dat het zoiets moest zijn als een wesp doodslaan. Een goede timing is het allerbelangrijkste.

Ceri glimlachte op een manier die ik niet begreep. 'Algaliarept,' zei ze zacht. 'Je hebt een fout gemaakt. Zij heeft een zwakke plek in je contract gevonden, en nu ga je dat accepteren en Rachel Mariana Morgan met rust laten. Als je dat niet doet, ga ik een school beginnen voor het vasthouden van leylijnenergie.'

Er verscheen een niet-begrijpende uitdrukking op het gezicht van de demon. 'Eh, Ceri? Wacht eens even, liefje.'

Met de hamer in mijn hand liep ik achteruit totdat ik haar bol koud in mijn rug voelde. Zij stak haar hand uit en ik sprong op het moment dat zij mij naar binnen trok. Haar cirkel schoot alweer omhoog voordat ik zag dat hij gevallen was. Toen ik het zwarte schijnsel tussen ons en Al zag, ontspande ik me. Door de zwarte laag die Al op haar had achtergelaten was slechts een vage, lichtblauwe schittering te zien van haar beschadigde aura. Ik klopte op haar hand terwijl zij me opgelucht omhelsde. 'Is dat een probleem?' vroeg ik, niet begrijpend waarom Al zo ontdaan was.

Ceri wierp me een vergenoegde blik toe. 'Ik ben aan hem ontsnapt omdat ik wist hoe dat moest. Daar gaat hij problemen mee krijgen. Grote problemen. Het verbaast me eigenlijk dat hij er nog niet voor op het matje is geroepen. Aan de andere kant, niemand weet het natuurlijk.' Ze richtte haar spottende groene ogen op Al. 'Nog niet.'

Ik schrok even toen ik de meedogenloosheid in haar ogen zag. Ze had dit aldoor al geweten en gewoon rustig het moment afgewacht waarop zij de informatie het beste kon gebruiken. Deze vrouw was een nog grotere intrigante dan Trent en ze leek er geen probleem mee te hebben om mensenlevens op het spel te zetten, inclusief het mijne. Godzijdank stond ze aan mijn kant. *Dat was toch zo, of niet soms?*

Al hief protesterend een hand op. 'Ceri, we kunnen hier toch over praten?'

'Over een week,' zei ze, 'zal er in heel Cincinnati geen leylijnheks meer te vinden zijn die niet weet hoe ze haar eigen familiaar moet zijn. Over een jaar zal deze hele wereld gesloten zijn voor jou en je soortgenoten en zal jíj daarop aangekeken worden.'

'Is het zo belangrijk?' vroeg ik, terwijl Al zijn bril rechtzette en van de ene voet op de andere wiebelde. Het was koud, bij de verwarming vandaan, en ik rilde in mijn vochtige kleren.

'Het is veel moeilijker iemand over te halen een domme beslissing te nemen als hij terug kan vechten,' zei Ceri. 'Als dit bekend wordt, zal hun voorraad potentiële familiaars binnen enkele jaren ernstig verzwakt zijn.'

Mijn mond viel open. 'O.'

'Ik luister,' zei Al, terwijl hij stijf en ongemakkelijk weer ging zitten.

Een hoop die zo sterk was dat het bijna pijn deed flitste door me heen. 'Neem je demonenlitteken weg, verbreek de familiaarband, beloof me met rust te laten en ik zeg niks.'

Al snoof verongelijkt. 'Je bent niet erg bescheiden in wat je wilt, wel?'

Ceri gaf een waarschuwend kneepje in mijn arm en liet me toen los. 'Laat dit maar aan mij over. Ik heb de afgelopen zevenhonderd jaar bijna al zijn nonverbale contracten opgesteld. Mag ik namens jou het woord doen?'

Ik keek haar aan en zag haar ogen gloeien van wraakzucht. Langzaam legde ik de hamer neer. 'Natuurlijk,' zei ik, me afvragend wat ik eigenlijk precies uit het hiernamaals had gered.

Ze richtte zich op en nam een officiële houding aan. 'Ik stel voor dat Al zijn merkteken van je weg zal nemen en de familiaarbanden tussen jullie zal verbreken, in ruil voor jouw plechtige belofte niemand de kunst van het vasthouden van leylijnen te leren. Verder zullen jij en je naasten verschoond blijven van elke vorm van vergelding van de demon die bekendstaat als Algaliarept en zijn representanten in deze wereld of het hiernamaals, van nu totdat de twee werelden met elkaar in botsing komen.'

Ik probeerde vergeefs voldoende speeksel te vinden om te slikken. Daar zou ik nou nooit aan hebben gedacht.

'Nee,' zei Al vastbesloten. 'Dat zijn drie dingen voor haar en maar eentje voor mij, en ik ben niet van plan haar helemaal los te laten. Ik wil een manier om mijn verlies te compenseren. En als ze de lijnen overschrijdt, dan kan het me niet schelen wat voor overeenkomst we hebben, dan is ze van mij.'

'Kunnen we hem dwingen?' vroeg ik zachtjes. 'Ik bedoel, hij kan toch geen kant meer op?'

Al grinnikte. 'Als je dat wilt zou ik Newt erbij kunnen halen om te bemiddelen...'

Ceri verbleekte. 'Nee.' Ze haalde een keer diep adem en keek mij aan. Haar zelfvertrouwen was beschadigd, maar niet gebroken. 'Welke van de drie ben je bereid op te geven?'

Ik dacht aan mijn moeder en mijn broer, Robbie. Nick. 'Ik wil dat hij de familiaarbanden verbreekt,' zei ik, 'en ik wil dat hij mijn beminden en bloedverwanten met rust laat. Het demonenlitteken houd ik dan wel. Dat komt later nog wel eens.'

Algaliarept tilde zijn voet op en legde zijn enkel op zijn knie. 'Slimme, slimme heks,' zei hij. 'Als ze haar woord breekt, verspeelt ze haar ziel.'

Ceri keek me ernstig aan. 'Rachel, als je ook maar iemand leert leylijnenergie vast te houden, behoort je ziel Algaliarept toe. Dan kan hij je op elk gewenst moment naar het hiernamaals halen en ben je van hem. Begrijp je dat?'

Ik knikte, voor het eerst echt gelovend dat ik de zon weer zou zien opkomen. 'Wat gebeurt er als hij zijn woord breekt?'

'Als hij jou of je naasten kwaad doet – uit zijn eigen vrije wil – zal

Newt Algaliarept in een fles stoppen en heb jij een geest. Dat is gewoon standaard, maar ik ben blij dat je er nog even naar vroeg.'

Mijn ogen werden groot. Ik keek van Al naar haar. 'Echt en eerlijk waar?'

Ze streek glimlachend een pluk haar achter haar oor. 'Echt en eerlijk waar.'

Al schraapte zijn keel en wij keken allebei tegelijk naar hem. 'En jij?' zei hij, duidelijk geërgerd. 'Wat wil jij ervoor hebben om je mond te houden?'

Ik zag aan Ceri's ogen dat het heel bevredigend voor haar was iets terug te krijgen van haar voormalige meester en kwelgeest. 'Je neemt de smet weg die ik namens jou op mijn ziel heb gekregen, en je onthoudt je van elke vorm van vergelding tegen mij of mijn bloedverwanten en beminden van nu totdat de twee werelden met elkaar in botsing komen.'

'Ik neem echt geen duizend jaar aan onevenwichtige vervloekingen terug,' zei Al verontwaardigd. 'Daarom was je verdomme mijn familiaar.' Hij zette beide voeten op de grond en leunde naar voren. 'Maar je zult niet van mij kunnen zeggen dat ik niet inschikkelijk ben. Je behoudt de smet, maar dan mag je één persoon leren lijnenergie vast te houden.' Zijn goddeloze ogen glimlachten, berekenend en tevreden. 'Een kind. Een meisje. Je dochter. En als zij het ook maar aan iemand vertelt, verspeelt ze haar ziel aan mij. Onmiddellijk.'

Ceri verbleekte en ik begreep er niets van. 'En zij mag het weer aan een van haar dochters doorgeven enzovoort,' wierp zij tegen en Al glimlachte.

'Akkoord.' Hij stond op. De gloed van hiernamaalsenergie hing als een schaduw om hem heen. Hij verstrengelde zijn vingers en liet zijn gewrichten kraken. 'O, dit is geweldig. Dit is fantastisch.'

Ik keek Ceri verbaasd aan. 'Ik dacht dat hij helemaal van zijn stuk zou zijn,' zei ik zacht.

Zij schudde haar hoofd, duidelijk bezorgd. 'Hij heeft je nog steeds gedeeltelijk in zijn macht. En hij rekent op een van mijn bloedverwanten om het serieuze karakter van de overeenkomst te vergeten en een fout te maken.'

'De familiaarbanden,' drong ik aan, met een blik op het donkere raam. 'Verbreekt hij die nu?'

'Er is niet gesproken over het tijdstip waarop ik dat zal doen,' zei Al. Hij raakte een voor een de dingen aan die hij mijn keuken had binnengebracht en liet ze verdwijnen in een waas van hiernamaals.

Ceri richtte zich op. 'Dat is stilzwijgend geïmpliceerd. Verbreek de band, Algaliarept.'

Hij keek haar over zijn bril aan en glimlachte terwijl hij een hand vóór zich en een hand achter zich hield en een spottende buiging maakte. 'Het is maar een kleinigheid, Ceridwen Merriam Dulciate. Maar je kunt het me niet kwalijk nemen dat ik het probeer.'

Neuriënd trok hij zijn vest recht. Op het aanrecht verscheen een schaal met flessen en zilveren instrumenten. Hier bovenop lag een klein boekje met een handgeschreven titel. Het handschrift was elegant en zwierig. 'Waarom is hij zo vrolijk?' fluisterde ik.

Ceri schudde haar hoofd en toen ze haar hoofd stilhield gingen de punten van haar haar nog steeds heen en weer. 'Zo heb ik hem in het verleden alleen maar meegemaakt wanneer hij een geheim had ontdekt. Het spijt me, Rachel. Jij weet iets wat hem erg gelukkig maakt.'

Nou, dat was lekker.

Het boekje op leeshoogte houdend, bladerde hij het door. 'Zelf breek ik een familiaarband net zo gemakkelijk als jouw nek. Maar voor jou wordt het een stuk lastiger; ik ben niet van plan een vervloeking aan je te verspillen. En aangezien ik jou niet ga vertellen hoe je zo'n band moet verbreken, zullen we er iets aan toevoegen... Hier heb ik het. Seringenwijn. Het begint met seringenwijn.' Hij wierp mij over het boek heen een blik toe. 'Voor jou.'

Er ging een koude rilling door me heen toen hij me uit de cirkel wenkte en een klein, ondoorzichtig paars flesje achter zijn vingers vandaan toverde.

Ik hield mijn adem in. 'Verbreek je de banden en ga je dan weg?' vroeg ik. 'En verder niks?'

'Rachel Mariana Morgan,' sprak hij mij vermanend toe. 'Wat denk je wel niet van me?'

Ik keek naar Ceri en zij knikte dat ik moest gaan. Omdat ik Al niet vertrouwde, maar haar wel, deed ik een stap naar voren. Tegelijkertijd verbrak zij de cirkel en plaatste hem pal achter mij.

Hij ontkurkte de fles en schonk een glinsterende druppel amethist in een piepklein glaasje van geslepen kristal ter grootte van mijn duim. Een witte handschoenvinger naar zijn smalle lippen brengend, overhandigde hij mij het glaasje. Met een vies gezicht nam ik het aan. Mijn hart bonkte. Ik had geen keus.

Dichterbij komend met een gretigheid die ik niet vertrouwde, liet hij me het opengeslagen boek zien. De tekst was in het Latijn en hij wees me op een aantal handgeschreven instructies. 'Zie je dit woord?' vroeg hij.

Ik zuchtte. *'Umb – '*

'Nog niet!' riep Al, mij de stuipen op het lijf jagend. 'Pas wanneer de wijn je hele tong bedekt, stom wicht. Mijn god, je zou denken dat je nog nooit eerder een vervloeking had gesponnen!'

'Ik ben geen leylijnheks!' riep ik uit, mijn stem feller dan hij waarschijnlijk had moeten zijn.

Al trok zijn wenkbrauwen op. 'Je zou het best kunnen zijn.' Hij keek naar het glaasje in mijn hand. 'Drink op.'

Ik keek Ceri aan. Aangemoedigd door haar, liet ik de kleine hoeveelheid drank over mijn lippen glijden. Het was zoet en tintelde op mijn tong. Ik voelde hoe het mijn spieren ontspande. Al tikte op het boek en ik keek omlaag. *'Umbra,'* zei ik, de druppel op mijn tong houdend.

De intense zoetheid werd opeens zuur. 'Getver!' zei ik, me naar voren buigend om het uit te spugen.

'Doorslikken...' waarschuwde Al zacht en ik schrok toen hij een hand onder mijn kin legde en mijn hoofd naar achteren duwde zodat ik mijn mond niet meer open kon doen.

Met tranen in mijn ogen slikte ik het goedje door. Mijn bonzende hart galmde in mijn oren. Al boog zich naar mij toe en zijn ogen werden zwart toen hij me losliet en ik mijn hoofd liet zakken. Mijn spieren voelden los en slap en toen hij me losliet, viel ik.

Hij probeerde me niet eens op te vangen en ik kwam in een pijnlijke houding op de grond terecht. Mijn hoofd raakte de vloer en ik hield mijn adem in. Toen deed ik mijn ogen dicht, vermande me, bracht mijn handen onder me en duwde mezelf in zithouding. 'Fijn dat je me even waarschuwde,' zei ik boos, terwijl ik opkeek, maar hem niet meer zag.

Een beetje in de war, stond ik op en zag Ceri met haar hoofd in haar handen en met haar blote voeten onder zich getrokken aan tafel zitten. De tl-verlichting was uit en één enkele witte kaars verspreidde een zachte gloed in het sombere ochtendlicht. Ik keek naar het raam. *Was de zon al op? Dan moest ik even weg zijn geweest.* 'Waar is hij?' fluisterde ik, verblekend toen ik zag dat het al tegen achten liep.

Ze keek op en ik schrok van haar vermoeide gezicht. 'Weet je het niet meer?'

Mijn maag rommelde en voelde akelig leeg. 'Nee. Is hij weg?'

Ze draaide zich om, om mij recht in de ogen te kijken. 'Hij heeft zijn aura teruggenomen. Jij hebt de jouwe teruggenomen. Je hebt de band met hem verbroken. Toen begon je te huilen en noemde hem een vuile klootzak en riep dat hij weg moest gaan. Dat deed hij – nadat hij je zo'n harde klap had gegeven dat je buiten bewustzijn raakte.'

Ik voelde aan mijn kaak en toen aan mijn achterhoofd. Die voelden ongeveer hetzelfde: heel, heel pijnlijk. Ik voelde me klam en koud, stond op en sloeg mijn armen om mezelf heen. 'Oké.' Ik controleerde mijn ribben, maar kwam tot de conclusie dat er niets gebroken was. 'Verder nog iets wat ik zou moeten weten?'

'Je hebt in pakweg twintig minuten een hele pot koffie gedronken.'

Dat kon wel eens de oorzaak van het trillen zijn. Dat kon bijna niet anders. Demonen te slim af zijn begon een beetje oude koek te worden. Ik ging naast Ceri zitten en slaakte een diepe zucht. Straks kwam Ivy thuis. 'Houd je van lasagne?'

Er verscheen een glimlach op haar gezicht. 'O ja, heerlijk.'

Mijn gympen maakten nauwelijks geluid op het laagpolige tapijt in Trents gangen. Ik werd vergezeld door zowel Quen als Jonathan, die het aan mij zelf overlieten om te beslissen of zij mijn begeleiders of mijn cipiers waren. We waren eerst door de zondagstille openbare ruimtes van de kantoren en vergaderzalen gelopen waarachter Trent zijn illegale activiteiten verborg. Officieel controleerde Trent een groot deel van alle vervoerssystemen in Cincinnati die overal vandaan kwamen en ook weer overal naartoe leidden: spoorwegen, autowegen en zelfs een klein vliegveldje.

In werkelijkheid controleerde hij nog heel wat meer, waarbij hij van diezelfde vervoerssystemen gebruikmaakte om zijn illegale genetische producten de stad uit te krijgen en zijn Hellevuurdistributie uit te breiden. Dat Saladan nu in zijn eigen stad voet aan de grond probeerde te krijgen zat de man waarschijnlijk ongelofelijk dwars. Het was op z'n minst een waarschuwend vingertje in de lucht. En vanavond zouden we meer te weten komen als Trent óf die vinger afbrak om hem in een van Saladans lichaamsopeningen te proppen, óf het slachtoffer zou worden van een aanslag. Ik mocht Trent absoluut niet, maar in dit laatste geval zou ik hem in leven houden.

Ook al weet ik niet waarom, dacht ik terwijl ik achter Quen aan liep. Het was hier een kale boel en zelfs de standaardversieringen voor de feestdagen, die aan de voorkant van het gebouw wel te zien waren, ontbraken. De man was een schoft. De keer dat hij me had betrapt op het stelen van bewijsmateriaal uit zijn privékantoor, had hij me opgejaagd als een beest en ik kreeg het helemaal warm toen ik me realiseerde dat we in de gang liepen die juist naar dat kantoor leidde.

Een halve stap vóór mij liep Quen, tot het uiterste gespannen en gekleed in zijn zwarte bodystocking die me altijd vaag aan een uniform deed denken. Vandaag droeg hij er een strak zwart met groen jasje overheen en zag hij er dus helemaal uit alsof Scotty hem elk moment kon '*upbeamen*'. Ik voelde mijn haar in mijn nek en schudde opzettelijk even mijn hoofd om te voelen hoe de punten langs mijn schouders kriebelden. Ik had het die middag laten knippen, vanwege het stuk dat Al eraf had geknipt, en de crèmespoeling die de kapster had gebruikt deed niet veel om het te temmen.

De kledingzak met de kleren die Kisten voor me had uitgekozen hing over mijn schouder, net terug van de stomerij. Ik had zelfs aan de sieraden en de laarzen gedacht. Ik was niet van plan ze aan te trekken voordat ik zeker wist dat ik deze opdracht kreeg. Ik had zo'n donkerbruin vermoeden dat Trent heel andere ideeën had – en mijn spijkerbroek en sweatshirt met het logo van de Howlers staken een beetje armoedig af bij Jonathans maatkostuum.

De weerzinwekkende man bleef heel irritant zo'n drie passen achter ons lopen. Hij had op ons staan wachten bij de trap van Trents hoofdgebouw en was sindsdien een zwijgende, verwijtende, professioneel kille aanwezigheid gebleven. De man was minstens twee meter lang en had smalle, scherpe trekken. Een aristocratische haviksneus wekte de indruk dat hij voortdurend iets smerigs rook. Zijn ogen waren kil en blauw en zijn zorgvuldig geknipte haar begon grijs te worden. Ik haatte hem en moest echt heel erg mijn best doen om niet steeds te denken aan de kwellingen die hij me had laten doorstaan toen ik als nerts drie hele, onwerkelijke dagen in Trents kantoor opgesloten had gezeten.

Ik kreeg het er helemaal warm van en trok tijdens het lopen mijn jas uit, wat nog een hele worsteling was, aangezien geen van beide mannen aanbood mijn kledingzak even vast te houden. Hoe dieper we het gebouw in gingen, hoe meer er een bepaalde vochtigheid in de lucht leek te hangen. Ergens heel ver weg klonk vaag het geluid van stromend water, aangevoerd van weet ik veel waar. Toen ik de deur van Trents privékantoor herkende, begon ik langzamer te lopen. Achter mij bleef Jonathan staan. Quen liep stug door en ik haastte me achter hem aan.

Hier was Jonathan duidelijk niet blij mee. 'Waar breng je haar naartoe?' vroeg hij op agressieve toon.

Quens tred verstijfde. 'Naar Trenton.' Hij keek niet om en vertraagde geen moment zijn pas.

'Quen...' Jonathans stem klonk dreigend. Ik keek spottend op, blij te zien dat de blik op zijn lange, verweerde gezicht eerder bezorgd leek dan arrogant, zoals gewoonlijk. Met een diepe frons in zijn voorhoofd kwam Jonathan naar voren toen wij aan het einde van de gang voor een gewelfde, houten deur bleven staan. De overdreven lange man drong langs ons heen en legde, precies op het moment dat Quen zijn hand ernaar uitstak, een hand op de zware metalen deurkruk. 'Je neemt haar hier niet mee naar binnen,' waarschuwde Jonathan.

Ik hing mijn kledingzak over mijn andere schouder, terwijl ik van de een naar de ander keek en zag dat er van alles tussen hen speelde. Dat betekende dat wat er zich achter die deur bevond interessant was.

De kleinere, maar gevaarlijker man kneep zijn ogen half dicht, en zijn pokkenlittekens werden wit in zijn plotseling rood aanlopende gezicht. 'Zij gaat hem vanavond in leven houden,' zei hij. 'Dan hoeft ze zich dus niet als een betaalde hoer in een privékantoor om te kleden en daar te wachten.'

Ik zag de vastberadenheid in Jonathans blauwe ogen alleen maar groeien. Mijn hart begon sneller te kloppen en ik stapte tussen hen vandaan. 'Ga uit de weg,' zei Quen en ik voelde zijn verrassend diepe stem door me heen trillen.

Met een rood gezicht ging Jonathan opzij. Quen trok de deur open en ik zag hoe zijn rugspieren zich aanspanden. 'Dank je,' zei hij niet bepaald oprecht terwijl de deur langzaam en log openzwaaide.

Mijn mond viel open: die deur was verdomme vijftien centimeter dik! Het geluid van stromend water klonk nu duidelijker en werd vergezeld van de geur van natte sneeuw. Het was echter niet koud en toen ik langs Quens smalle schouders gluurde, zag ik zacht gemarmerd tapijt en een muur met donkere houten panelen die in de olie waren gezet en opgewreven tot ze diep goudkleurig glansden. *Dit*, dacht ik, terwijl ik achter Quen aan naar binnen liep, *moesten Trents privéverblijven zijn.*

De korte hal kwam uit op een verbindingsgang op de eerste verdieping. Toen ik bleef staan keek ik uit over de grote kamer onder ons. Het was een indrukwekkende ruimte, misschien wel veertig meter diep, half zo breed en zes meter hoog. We waren uitgekomen op de eerste verdieping, vlak onder het plafond. Beneden te midden van warme tapijten en houtsoorten, stonden hier en daar wat zitgroepen bestaande uit banken, stoelen en salontafels. Alles was uitgevoerd in zachte aardetinten, met kastanjebruine en zwarte accenten. Eén wand werd in beslag genomen door een open haard zo groot als een brandweerwagen, maar wat met name mijn aandacht trok was het raam in de muur tegenover mij, dat van de vloer tot aan het plafond reikte en de hele lengte van de muur in beslag nam, zodat het schemerige licht van de vroege avond binnenviel.

Quen legde een hand achter mijn elleboog en ik liep de brede, met vloerbedekking beklede trap af. Ik hield één hand op de trapleuning, want ik kon mijn ogen niet van het raam afhouden, zo fascinerend vond ik het. Raam, geen ramen, want zo te zien bestond het uit één glasplaat. Ik dacht altijd dat zulke grote glazen oppervlakken niet voldoende stevigheid hadden, maar nu stond ik er toch echt naar te kijken. Het leek maar een paar millimeter dik en je zag geen enkele vervorming. Net alsof er helemaal niets was.

'Het is geen plastic,' zei Quen zacht, met zijn groene ogen naar het uitzicht kijkend. 'Het is leylijnenergie.'

Ik keek hem aan en zag in zijn ogen dat het waar was. Toen hij mijn verbazing zag, gleed er een flauwe glimlach over zijn door de Ommekeer getekende trekken. 'Het is wat iedereen het eerst vraagt,' zei hij, tonend dat hij precies wist wat ik dacht. 'Het enige wat erdoorheen komt zijn geluid en lucht.'

'Het moet een vermogen hebben gekost,' zei ik, me afvragend hoe ze die gebruikelijke rode waas hiernamaals eruit hadden gekregen. Het raam bood een spectaculair uitzicht over Trents besneeuwde privétuinen. Een stenen rots kwam bijna tot aan het dak en daaroverheen stroomde een waterval, die ijslaagjes op de rotsen achterliet die glinsterden in het laatste daglicht. Het water stortte in een natuurlijk uitziende vijver, die dat volgens mij niet was, en veranderde daar in een beek die tussen de keurig onderhouden altijd groen blijvende bomen en struiken door stroomde tot hij in de verte verdween.

Een houten veranda die grijs was verkleurd van ouderdom en geheel sneeuwvrij was geveegd, strekte zich uit tussen het raam en het park. Terwijl ik langzaam afdaalde naar de begane grond, kwam ik tot de conclusie dat de ronde plaat van cederhout, die in de veranda was aangebracht en waar stoom uit kwam, waarschijnlijk een jacuzzi was. Een eindje verderop bevond zich een verzonken gedeelte met zitplaatsen voor tuinfeesten. Ik had Ivy's grill met zijn glanzende roestvrij staal en enorme branders altijd al overdreven gevonden, maar wat Trent hier had was gewoon obsceen.

Toen ik beneden stond en omlaag keek naar mijn voeten, zag ik dat ik opeens op leem liep, in plaats van op tapijt. 'Mooi,' fluisterde ik en Quen verzocht me bij de dichtstbijzijnde zitgroep te gaan zitten wachten.

'Ik zal het hem vertellen,' zei de beveiligingsman. Na Jonathan een volgens mij waarschuwende blik te hebben toegeworpen, liep hij weer naar boven en verdween in een onbekend gedeelte van het huis.

Ik legde mijn jas en kledingzak op een leren bank en draaide langzaam om mijn as. Nu ik beneden was, leek de open haard zo mogelijk nog groter. Hij brandde niet en ik dacht wel dat ik er rechtop in kon staan zonder mijn hoofd te stoten. Aan de andere kant van de kamer stond een laag podium met ingebouwde versterkers en een lichtinstallatie. Ervoor lag een flinke dansvloer, omringd door canapétafeltjes.

Gezellig verborgen onder het overhangende gedeelte van de eerste verdieping stond een lange bar van glanzend gewreven hout en glimmend chroom. Hier stonden nog meer tafeltjes, groter en lager. Enorme plantenbakken vol donkergroene planten die het goed deden op donkere plekken waren eromheen gezet om een zekere mate van privacy te creëren die in de rest van de grote, open ruimte ontbrak.

Het geluid van de waterval was al snel veranderd in een gekabbel op de achtergrond waar je nauwelijks iets van merkte, en ik liet de stilte in de kamer op me inwerken. Er liep geen personeel rond en nergens was ook maar één feestelijke kaars of schaaltje zoetigheid te vinden. Het leek alsof de kamer in een soort sprookjesslaap was getoverd en wachtte tot iemand hem kwam wekken. Ik had niet het idee dat de kamer sinds het overlijden van Trents vader ooit nog was gebruikt waarvoor hij bedoeld was. Elf jaar was een lange tijd om te slapen.

Ik voelde de rust en de stilte in de kamer en zuchtte eens diep. Toen ik me omdraaide zag ik dat Jonathan vol afkeer naar me stond te kijken. Bij het zien van zijn vaag gespannen kaaklijn, keek ik in de richting waarin Quen verdwenen was. Er verscheen een flauw glimlachje op mijn gezicht. 'Trent heeft geen idee dat jullie dit bekokstoofd hebben, wel?' vroeg ik. 'Hij denkt dat Quen vanavond met hem meegaat.'

Jonathan zei niets, maar het trillen van zijn oog verraadde dat ik het bij het rechte eind had. Grijnzend liet ik mijn schoudertas naast de bank op de grond vallen. 'Ik wed dat Trent hier behoorlijke feesten kan geven,' zei ik, in de hoop dat hij zou reageren. Jonathan zweeg en ik liep langs een lage salontafel en ging met mijn handen op mijn heupen uit het 'raam' staan kijken.

Mijn adem bracht een rimpeling teweeg in de laag hiernamaals. Ik kon de verleiding niet weerstaan en raakte het even aan. Verschrikt trok ik mijn hand terug. Er ging een vreemd, trekkerig gevoel door me heen en ik greep mijn hand in de andere alsof ik me had gebrand. Het was koud. De energielaag was zo koud dat het brandde. Ik keek achterom naar Jonathan, in de verwachting een spottend lachje op zijn gezicht te zien, maar in plaats daarvan stond hij met een verbaasde blik naar het raam te staren.

Ik volgde zijn blik en zag tot mijn schrik dat het raam niet meer helder was, maar dat er amber- en goudtinten in dwarrelden. Verdomme. Het had de kleur van mijn aura aangenomen. Dit had Jonathan kennelijk niet verwacht. Ik streek met mijn hand door mijn korte haar. 'Eh... Oeps.'

'Wat heb je met het raam gedaan?' riep hij uit.

'Niks.' Met een schuldbewuste blik deed ik snel een stap naar achteren. 'Ik raakte het alleen maar aan, meer niet. Sorry.'

Jonathans haviksgezicht werd zo mogelijk nog lelijker. Met lange, houterige passen kwam hij op me af. 'Stom wijf. Kijk nu eens wat je met het raam hebt gedaan! Ik zal Quen niet toestaan meneer Kalamacks veiligheid vanavond aan jou toe te vertrouwen.'

Mijn wangen begonnen te gloeien. Zijn woorden gebruikend als gemakkelijke uitlaat voor mijn gevoel van schaamte, besloot ik boos te worden. 'Dit was niet mijn idee,' beet ik hem toe. 'En ik had al gezegd dat het me speet van dat raam. Je mag blij zijn dat ik je niet aanklaag voor mishandeling.'

Jonathan hield zijn adem in. 'Als hem iets overkomt door jou, dan zal ik...'

Mijn woede werd gevoed door de herinnering aan drie dagen in de hel, waarin hij mijn kwelgeest was geweest. 'Houd je mond,' siste ik.

Omdat ik de pest in had dat hij langer was dan ik, ging ik boven op een salontafel staan. 'Ik zit niet meer in een kooi,' zei ik, voldoende tegenwoordigheid van geest behoudend om niet met een wijsvinger tegen zijn borst te prikken. Zijn gezichtsuitdrukking ging van geschrokken naar stoïcijns. 'Het enige wat op dit moment nog een uitzonderlijk persoonlijke relatie tussen mijn voet en jouw hoofd weet te voorkomen is mijn twijfelachtige beroepseer. En als je het óóit nog eens waagt mij te bedreigen, dan ram ik je deze halve kamer door voordat je piep kunt zeggen. Gesnopen, lamlendig gedrocht?'

Woedend balde hij zijn lange dunne handen tot vuisten.

'Toe maar, koboldjong,' zei ik, ziedend van woede, terwijl ik de lijnenergie die ik eerder in mijn hoofd had opgeslagen bijna liet overlopen in mijn lichaam. 'Geef me een goede reden.'

Het geluid van een dichtvallende deur trok onze aandacht naar de eerste verdieping. Jonathan had zichtbaar moeite om zijn woede te verbijten en deed een stap naar achteren. Ik voelde me opeens behoorlijk belachelijk zo boven op die salontafel. Boven ons bleef Trent, gekleed in een chic overhemd en pantalon, geschrokken staan en knipperde ongelovig met zijn ogen. 'Rachel Morgan?' vroeg hij zachtjes aan Quen, die naast en een klein stukje achter hem stond 'Nee. Dit kan werkelijk niet.'

In een poging nog iets van de situatie te redden, stak ik één hand uitbundig in de lucht. Met de andere hand op mijn heup, poseerde ik als zo'n ingehuurd meisje dat een nieuw model auto mag versieren. 'Tada!' zei ik vrolijk, me heel erg bewust van mijn jeans en mijn sweatshirt en mijn nieuwe kapsel waar ik niet bepaald blij mee was. 'Ha, Trent. Ik ben vanavond je babysitter. Waar verstoppen je ouders altijd de dure drankjes?'

Trent fronste zijn wenkbrauwen. 'Ik wil haar er niet bij hebben. Ga je omkleden. We vertrekken over een uur.'

'Nee, Sa'han.'

Trent had zich al omgedraaid om weg te lopen, maar bleef nu staan. 'Kan ik je even onder vier ogen spreken?' zei hij zacht.

'Jazeker, Sa'han,' fluisterde de kleinere man onderdanig, zonder echter in beweging te komen.

Ik sprong van het tafeltje. Wist ik even een goede eerste indruk te maken, of niet soms?

Trent fronste en keek van een absoluut niet berouwvolle Quen naar een nerveuze Jonathan. 'Jullie zitten allebei in het complot,' zei hij.

Jonathan hield zijn handen achter zijn rug en schoof subtiel nog een stapje bij mij vandaan. 'Ik heb alle vertrouwen in Quens oordeel, Sa'han,' zei hij, zijn zware stem duidelijk opklinkend in de lege kamer. 'Dat van juffrouw Morgan vertrouw ik echter absoluut niet.'

Ik snoof verongelijkt. 'Ga jij lekker op een paardenbloem sabbelen, Jon.'

Zijn gezicht vertrok. Ik wist dat hij het vreselijk vond als iemand hem zo noemde. Trent keek ook al niet gelukkig. Met een blik op Quen kwam hij snel de trap af, nog maar half gekleed in zijn donkere merkkostuum. Hij zag eruit alsof hij zo op de cover van GQ kon. Zijn dunne blonde haar was naar achteren gekamd en zijn overhemd trok een beetje bij zijn schouders. Zijn veerkrachtige tred en de glinstering in zijn ogen maakten duidelijk dat kobolden op hun best waren in de vier uur rond zonsopgang en zonsondergang. Om zijn nek bungelde een diepgroene stropdas die hij nog niet had gestrikt. God, wat zag hij er goed uit. Hij was alles wat iemand van de vrouwelijke overtuiging zich maar kon wensen: jong, knap, machtig, zelfverzekerd. Ik vond het niet prettig dat ik hem zo aantrekkelijk vond, maar zo was het nu eenmaal.

Met een vragende blik in zijn ogen kwam Trent de trap af, terwijl hij intussen zijn mouwen omlaag schudde en zijn manchetten dichtknoopte. De twee bovenste knoopjes van zijn overhemd stonden nog open, wat voor een intrigerend schouwspel zorgde. Eenmaal beneden keek hij op en bleef een ogenblik staan toen hij het raam zag.

'Wat is er met de afweer gebeurd?' vroeg hij.

'Juffrouw Morgan heeft het aangeraakt.' Jonathan had de zelfvoldane grijns op zijn gezicht van een jongetje van zes dat zijn oudere broertje verklikt. 'Ik zou u willen afraden met Quens plannen in te stemmen. Morgan is onvoorspelbaar en gevaarlijk.'

Quen wierp hem een duistere blik toe, die Trent miste omdat hij net bezig was de bovenste knoopjes van zijn overhemd dicht te maken. 'Lichten voluit,' zei Trent en ik kneep mijn ogen half dicht toen er in het plafond grote lampen aan gingen die een helder licht verspreidden. Het leek wel dag. Mijn maag kromp ineen toen ik naar het raam keek. Shit. Ik had het flink gemold. Zelfs mijn rode vlekjes zaten erin en ik wilde helemaal niet dat deze drie mannen wisten dat ik in het verleden nogal wat tragische gebeurtenissen had meegemaakt. Maar Als zwart was tenminste verdwenen. *Godzijdank.*

Trent kwam dichterbij, met een ondoorgrondelijke uitdrukking op zijn gladgeschoren gezicht. Toen hij bleef staan rook ik de frisse geur van aftershave. 'Gebeurde dit toen je het aanraakte?' vroeg hij, van mijn nieuwe kapsel naar het raam kijkend.

'Ik, eh, ja. Quen zei dat het een laag hiernamaals was. Ik dacht dat het een gemodificeerde beschermende cirkel was.'

Quen boog zijn hoofd en kwam bij ons staan. 'Het is geen beschermende cirkel, maar een afweer. Jouw aura en de aura van degene die het heeft geplaatst moeten ongeveer op dezelfde golflengte zitten.'

Met een bezorgde blik op zijn jonge gezicht bleef Trent er even naar staan kijken. Opeens leek hij zich iets te bedenken, want ik zag zijn vingers bewegen. Ik wist dat hij het meer dan vreemd vond en veelzeggend. Het was een gedachte die vaste vorm aannam toen Trent Quen aankeek met een blik die een vraag leek te stellen over de beveiliging. Quen haalde zijn schouders op, en Trent zuchtte.

'Laat iemand van onderhoud ernaar kijken,' zei Trent. Toen gaf hij een rukje aan zijn kraag en voegde er op luide toon aan toe: 'Lichten dimmen.' Ik verstijfde toen het felle licht verdween en mijn ogen zich weer probeerden aan te passen.

'Ik ben het hier niet mee eens,' zei Trent in de rustgevende schemering en Jonathan glimlachte.

'Goed, Sa'han,' zei Quen zacht. 'Maar u neemt Morgan mee of u gaat helemaal niet.'

Nou, nou, dacht ik, toen ik de randjes van Trents oren rood zag worden. Ik had niet geweten dat Quen de autoriteit bezat om Trent te kunnen vertellen wat hij moest doen. Zo te zien, maakte hij echter zelden gebruik van dit recht, en nooit zonder consequenties. Naast mij, zag Jonathan bijkans groen.

'Quen...' begon Trent.

De beveiligingsman nam een stevige houding aan en staarde met zijn handen op zijn rug over Trents schouders in het niets. 'Mijn vampierbeet maakt mij onbetrouwbaar, Sa'han,' zei hij en ik kon bijna voelen hoe vreselijk hij het vond om dit openlijk toe te geven. 'Ik ben niet langer zeker van mijn effectiviteit.'

'Verdomme, Quen,' riep Trent uit. 'Morgan is ook gebeten. Wat maakt haar dan betrouwbaarder dan jou?'

'Juffrouw Morgan woont al zeven maanden onder één dak met een vampier en is nog steeds niet bezweken,' zei Quen stijfjes. 'Zij heeft een hele reeks verdedigingsstrategieën ontwikkeld om zich te kunnen verzetten tegen een vamp die haar in zijn ban probeert te krijgen. Ik heb dat nog niet gedaan, en derhalve ben ik niet langer betrouwbaar in twijfelachtige situaties.'

Zijn getekende gezicht stond strak van schaamte en ik wilde dat Trent nu maar gewoon zijn mond zou houden en akkoord zou gaan. Deze bekentenis kostte Quen tien jaar van zijn leven.'

'Sa'han,' zei hij op effen toon. 'Morgan kan u beschermen. Ik kan dat niet. Vraag mij niet het toch te doen.'

Ik wenste dat ik heel ergens anders was. Jonathan keek me aan alsof het allemaal mijn schuld was. Trent keek gekwetst en bezorgd en Quen kromp ineen toen hij een geruststellende hand op zijn schouder legde. Langzaam en met tegenzin liet Trent zijn hand weer zakken. 'Zorg voor een corsage en kijk in de groene suite of daar iets hangt wat zij aan kan trekken. Zo te zien heeft ze zo'n beetje dezelfde maat.'

De opluchting op Quens gezicht maakte meteen plaats voor een diepere onzekerheid die misplaatst en zorgwekkend leek. Quen maakte een gebroken indruk en ik vroeg me af wat hij zou doen als hij voelde dat hij Trent niet langer kon beschermen. 'Goed, Sa'han,' mompelde hij. 'Dank u.'

Trent keek naar mij. Ik wist niet wat er door hem heen ging en ik voelde me koud en ongemakkelijk. Dat gevoel werd nog erger toen Trent een knikje naar Quen gaf en zei: 'Heb je een ogenblikje?'

'Natuurlijk, Sa'han.'

Samen liepen zij een van de andere kamers op de begane grond in en lieten mij achter met Jonathan. De ongelukkige man wierp mij een blik vol pure walging toe. 'Laat je jurk maar hier,' zei hij. 'Volg mij.'

'Ik heb mijn eigen kleding bij me, dank je,' zei ik, mijn schoudertas, jas en kledingzak oppakkend van waar ik ze had neergelegd en achter hem aan lopend naar de trap. Onder aan de trap draaide Jonathan zich om. Zijn kille blik nam mij en mijn kledingzak van top tot teen op en vervolgens snoof hij misprijzend.

'Het is echt een mooie combinatie,' zei ik, en kreeg een kleur toen hij smalend grinnikte.

Hij rende snel de trap op, mij dwingend om me te haasten om hem bij te houden. 'Ik vind het best als je je wilt kleden als een hoer,' zei hij. 'Maar meneer Kalamack heeft een reputatie hoog te houden.' Boven aangekomen, keek hij even over zijn schouder. 'Opschieten. Je hebt niet veel tijd om je toonbaar te maken.'

Ziedend van woede moest ik, met twee stappen tegelijk waar hij er één deed, achter hem aan rennen toen hij rechts afsloeg, en een comfortabele zitkamer van wat normalere afmetingen binnenging. Achter in de ruimte bevond zich een eenvoudig keukentje en iets dat eruitzag als een ontbijthoekje. Een van Trents schermen met live opgenomen videobeelden toonde een tweede uitzicht op de schemerige tuin. Ik zag een aantal stevig uitziende deuren en nam aan dat dit de plek was waar Trents 'normale' leven zich afspeelde. Dit idee werd bevestigd toen Jonathan de eerste deur opende en er een kleine zitkamer zichtbaar werd, die uitkwam op een extravagante slaapkamer. Deze kamer was helemaal ingericht in allerlei tinten groen en goud, maar slaagde erin een luxueuze indruk te maken zonder meteen opzichtig te worden. Een ander nepraam naast het bed toonde het bos, donker en grijs in de schemering.

Ik nam aan dat de andere deuren toegang gaven tot soortgelijke kamers en suite. Alle luxe en overdaad konden echter niet verhullen dat de hele omgeving was ingericht op verdedigbaarheid. Waarschijnlijk was hier geen enkel echt raam te vinden, afgezien van het raam van leylijnenergie beneden.

'Niet daarheen,' snauwde Jonathan me bijna toe toen ik een stap in de richting van de slaapkamer zette. 'Dat is de slaapkamer. Daar blijf je uit. De kleedkamer is hier.'

'Sorry,' zei ik op sarcastische toon, waarna ik mijn kledingzak wat hoger op mijn schouder hees en hem volgde naar een badkamer. Ik meende althans dat het een badkamer was. Er stonden zoveel planten dat je de ruimte nauwelijks als zodanig herkende. Bovendien was hij ongeveer even groot als mijn keuken. De vele spiegels weerkaatsten het licht dat Jonathan aanknipte en ik kneep mijn ogen dicht. Zelf leek hij ook last te hebben van het felle licht, want hij was net zo lang met schakelaars bezig tot de overdaad aan licht werd teruggebracht tot één enkele lamp boven de toilettafel en eentje boven de wasbak. In het minder felle licht kon ik me beter ontspannen.

'Deze kant op,' zei Jonathan, terwijl hij weer een andere ruimte binnenging. Ik volgde hem en toen ik binnen was bleef ik staan. Ik denk dat het een kast was, want er hingen kleren in – kostbaar uitziende dameskleding – maar de ruimte was gigantisch. In een van de hoeken stond een kamerscherm van rijstpapier, met een kaptafel ertegenaan geschoven. Rechts van de deur stond een klein tafeltje met twee stoelen. Links van de deur stond een driedelige spiegel. Het enige wat nog ontbrak was een bar. Verdorie. Had ik even helemaal het verkeerde beroep gekozen.

'Hier kun je je omkleden,' zei Jonathan uit de hoogte. 'Probeer nergens aan te komen.'

Beledigd liet ik mijn jas op een stoel vallen en hing ik mijn kledingzak aan een handig haakje. Vervolgens ritste ik de zak open en draaide me om, in de wetenschap dat Jonathan naar me stond te kijken. Maar ik trok mijn wenkbrauwen op om de verraste blik waarmee hij de outfit opnam die Kisten voor mij had samengesteld. Toen keerde zijn gebruikelijke ijzige uitdrukking weer terug. 'Dat ga je dus niet aantrekken,' zei hij op effen toon.

'Krijg jij lekker de kolere, Jon,' zei ik pinnig.

Met grote passen liep hij naar een kast met schuivende spiegeldeuren, trok ze open en pakte er, alsof hij precies wist waar het hing, een zwarte japon uit. 'Dít trek je aan,' zei hij, mij het kledingstuk aanreikend.

'Dat draag ik echt niet.' Ik probeerde heel koel te klinken, maar de jurk was beeldschoon, gemaakt van een zachte stof, met een laag uitgesneden rug en een flatteus hooggesloten voorkant. Hij zou tot op mijn enkels vallen en ik zou er lang en elegant in lijken. Mijn jaloezie wegslikkend, zei ik: 'Hij valt van achteren veel te laag. Zo kan ik nooit mijn spatwapen verbergen. En hij is te strak om in te rennen. Dat is echt een jurk van niks.'

Hij liet zijn arm weer zakken en ik kromp bijna ineen toen de prachtige stof in een hoopje op de vloerbedekking viel. 'Kies er dan zelf maar eentje uit.'

'Misschien moest ik dat maar doen.' Ik liep aarzelend naar de kast.

'De avondjaponnen hangen in die kast,' zei Jonathan, op neerbuigende toon.

'Duh...' zei ik spottend, maar mijn ogen werden groot en ik stak mijn hand uit om ze aan te raken. God in de hemel, ze waren allemaal prachtig en straalden stuk voor stuk een sobere elegantie uit. Ze hingen op kleur en onder elke japon stonden zorgvuldig de bijpassende schoenen en avondtasjes uitgestald. Bij sommige hoorde ook nog een hoed, die dan op een rek erboven lag. Ik legde heel even mijn hand op een vlammend rode japon, maar toen ik Jonathan 'hoer' hoorde fluisteren, liet ik mijn hand maar snel naar een volgende glijden. Ik kon mijn ogen er nauwelijks vanaf houden.

'Zo, Jon,' zei ik, terwijl hij stond te kijken hoe ik tussen de jurken zocht. 'Dus óf Trent is een travestiet, óf hij neemt graag lange vrouwen in avondjurken maatje zesendertig mee naar huis om ze vervolgens in lompen weer weg te sturen.' Ik keek hem aan. 'Of schopt hij ze eerst met jong en daarna regelrecht de deur uit?'

Jonathan klemde zijn kaken op elkaar en zijn gezicht liep rood aan. 'Deze zijn voor juffrouw Ellasbeth.'

'Ellasbeth?' Ik liet mijn handen wegvallen van een paarse japon waar ik een maand hard voor zou moeten werken. Had Trent een vriendin? '*O, nee!* Ik ga geen jurk van een andere vrouw aantrekken zonder het eerst te vragen.'

Hij lachte smalend en er gleed een geërgerde blik over zijn lange gezicht. 'Ze zijn van meneer Kalamack. Als hij zegt dat jij ze mag dragen, dan mag dat.'

Nog niet geheel overtuigd, draaide ik me weer om naar de jurken. Maar al mijn bange voorgevoelens verdwenen als sneeuw voor de zon toen mijn handen een zachte, ragfijne, grijze stof voelden. 'O, kijk nou,' fluisterde ik, terwijl ik het topje en de rok uit de kast trok en ze triomfantelijk omhooghield.

Jonathan keek op van de kast met sjaaltjes, ceintuurs en tasjes die hij zojuist had geopend. 'O, ik dacht dat we die weg hadden gedaan,' zei hij, en ik trok een gezicht, omdat ik ook wel begreep dat hij dat alleen maar zei om mij het gevoel te geven dat de jurk lelijk was. En dat was hij niet. Het strakke bovenstukje en de bijpassende rok waren heel elegant, en de stof heerlijk zacht en dik genoeg voor de winter zonder dat je het er benauwd in zou krijgen. Toen ik hem tegen het licht hield bleek de stof glanzend zwart te zijn. De rok viel tot op de grond, maar liep vanaf de knieën omlaag in een veelheid aan smalle stroken die om mijn enkels zouden zwieren. En met zulke hoge splitten kon ik gemakkelijk bij mijn spatwapen in de holster om mijn bovenbeen. De jurk was perfect.

'Is hij wel geschikt, denk je?' vroeg ik, terwijl ik hem over mijn eigen outfit hing. Toen hij niets zei, keek ik op en zag een eigenaardig vertrokken blik op zijn gezicht.

'Hij kan ermee door.' Hij drukte op een knopje in zijn horlogebandje en zei: 'Zorg voor een zwart met gouden corsage.' Toen keek hij naar de deur en zei tegen mij: 'Ik zal de bijpassende juwelen uit de kluis halen.'

'Ik heb mijn eigen sieraden,' zei ik, maar aarzelde toen, omdat ik eigenlijk niet wilde zien hoe mijn nepjuwelen bij een stof als deze zouden staan. 'Maar, oké,' zei ik, zonder hem aan te kijken.

Jonathan schraapte zijn keel. 'Ik zal iemand sturen om je make-up te verzorgen,' zei hij nog terwijl hij de kamer uit liep.

Dat was een grove belediging. 'Dank je, maar ik kan heus mijn eigen make-up wel even bijwerken,' riep ik hem na. Ik droeg een doodgewone, alledaagse make-up boven op de huidamulet die de laatste sporen van mijn nog steeds niet helemaal genezen blauwe oog moest verhullen, en ik wilde niet dat iemand daar met zijn vingers aan kwam.

'Dan laat ik alleen de stylist nog komen om iets aan je haar te doen,' riep hij terug.

'Er mankeert helemaal niks aan mijn haar!' riep ik. Ik keek in een van de spiegels en voelde aan de losse krullen die alweer begonnen te kroezen. 'Helemaal niets,' voegde ik er, iets zachter, aan toe. 'Ik heb het net laten doen.' Maar het enige wat ik hoorde, was Jonathans smalende lach en het geluid van een deur die openging.

'Ik laat haar niet alleen in Ellasbeth's kamer,' klonk Quens hese stemgeluid in antwoord op Jonathans gemompel. 'Ze zou haar vermoorden.'

Ik trok mijn wenkbrauwen op. Bedoelde hij dat ik Ellasbeth zou vermoorden, of Ellasbeth mij? Zulke details waren belangrijk.

Ik draaide me om toen Quens silhouet in de deuropening van de badkamer verscheen. 'Kom je op me passen?' vroeg ik, terwijl ik mijn onderjurk en panty pakte en met de zwarte jurk achter het kamerscherm ging staan.

'Juffrouw Ellasbeth weet niet dat jij hier bent,' zei hij. 'Het leek me niet noodzakelijk haar in te lichten. Ze komt wel naar huis, maar ze verandert haar plannen wel vaker op het allerlaatste moment.'

Ik keek naar het rijstpapier tussen Quen en mij, en schopte mijn gympen uit. Ik voelde me kwetsbaar en klein en trok snel mijn kleren uit, waarna ik ze netjes opvouwde, in plaats van ze in een hoopje op de grond te laten liggen, zoals ik thuis altijd deed. 'Jij vindt het erg belangrijk om mensen niet te veel te vertellen, hè?' zei ik en ik hoorde hem iets zeggen tegen iemand die kennelijk net was binnen gekomen. 'Wat verzwijg je voor me?'

De tweede, onzichtbare persoon ging weer weg. 'Niets,' zei Quen kortaf.

Ja, maak dat je zuster wijs.

De jurk was gevoerd met zijde en ik onderdrukte een zacht gekreun toen hij over mijn hoofd gleed. Ik keek omlaag naar de zoom en zag dat hij precies goed moest hangen wanneer ik mijn laarzen aan had. Ik aarzelde. Mijn laarzen stonden hier natuurlijk helemaal niet bij. Ik kon alleen maar hopen dat Ellasbeth schoenmaat negenendertig had en dat ik bij mijn werk vanavond geen last zou hebben van hoge hakken. Met het bovenstukje had ik wat problemen, en uiteindelijk gaf ik mijn pogingen om ook de laatste centimeter dicht te ritsen maar op.

Ik keek nog een laatste keer in de spiegel en stopte mijn huidamulet tussen mezelf en mijn rokband. Met mijn spatwapen in mijn bovenbeenholster, kwam ik achter het kamerscherm vandaan. 'Wil je me even dichtritsen, schat?' zei ik luchtig, en verdiende daarmee een volgens mij heel erg zeldzame glimlach van Quen. Hij knikte en ik keerde hem mijn rug toe. 'Bedankt,' zei ik toen hij klaar was.

Hij draaide zich om naar de tafel en stoelen en bukte zich om een corsage te pakken die er nog niet had gelegen toen ik achter het scherm was gaan staan. Het was een zwarte orchidee met een goudgroen lint. Hij richtte zich op, haalde de speld eruit en aarzelde toen hij het smalle bandje zag. Ik snapte meteen wat zijn probleem was en was niet van plan hem erbij te helpen.

Quens getekende gezicht verstrakte. Hij keek naar mijn jurk en perste zijn lippen stijf op elkaar. 'Neem me niet kwalijk,' zei hij, zijn armen uitstekend. Ik verstijfde, maar wist dat hij me alleen zou aanraken als hij niet anders kon. Er was stof genoeg om de corsage aan vast te maken, maar hij zou toch zijn vingers tussen mij en die speld moeten houden. Ik hield mijn adem in om hem net dat kleine beetje extra ruimte te geven.

'Dank je,' zei hij zacht.

De rug van zijn hand voelde koud aan en ik onderdrukte een rilling. Ik deed mijn best om niet te bewegen en staarde strak naar het plafond. Een flauwe glimlach verspreidde zich over mijn gezicht en werd wat breder toen hij de orchidee had vastgemaakt en met een zucht van verlichting een stap naar achteren deed.

'Valt er wat te lachen, Morgan?' vroeg hij nors.

Ik liet mijn hoofd zakken en keek hem van achter mijn lange pony aan. 'Niet echt. Je deed me even aan mijn vader denken.'

Quen keek me tegelijkertijd ongelovig en vragend aan. Hoofdschuddend pakte ik mijn schoudertas van tafel en ging aan het toilettafeltje bij het scherm zitten. 'In de brugklas hadden we een groot bal en ik had een strapless jurk,' zei ik, terwijl ik mijn make-upspullen tevoorschijn haalde. 'Mijn vader wilde niet dat de jongen met wie ik naar het bal ging mijn corsage op zou spelden, dus deed hij het zelf.' Mijn blik werd troebel en ik sloeg mijn benen over elkaar. 'Mijn eindexamenbal heeft hij niet meegemaakt.'

Quen bleef staan. Ik zag dat hij een plek had uitgekozen waar hij zowel mij als de deur in de gaten kon houden. 'Je vader was een goed mens. Hij zou vanavond heel trots op je zijn geweest.'

Mijn adem stokte. Langzaam hervatte ik mijn pogingen mezelf op te maken. Eigenlijk verbaasde het me niet dat Quen hem had gekend – ze waren ongeveer even oud – maar toch deed het pijn. 'Heb je hem gekend?' Ik kon de verleiding niet weerstaan het hem te vragen.

De blik waarmee hij me via de spiegel aankeek was ondoorgrondelijk. 'Hij heeft een goede dood gehad.'

Goede dood gehad? God, wat mankeerden die mensen toch?

Boos draaide ik me om, om hem recht in de ogen te kunnen kijken. 'Hij is gestorven in een armoedig klein ziekenhuiskamertje met stofnesten in de hoeken,' zei ik op effen toon. 'Hij had helemaal niet dood moeten gaan, verdomme.' Mijn stem klonk beheerst, maar ik wist dat dat niet zo zou blijven. 'Hij had erbij moeten zijn toen ik mijn eerste baantje kreeg en het drie dagen later weer kwijtraakte nadat ik de zoon van de baas een mep had gegeven omdat hij aan me zat. Hij had erbij moeten zijn toen ik mijn middelbareschooldiploma haalde en daarna afstudeerde aan de universiteit. Hij had erbij moeten zijn om mijn vriendjes de stuipen op het lijf te jagen om te voorkomen dat ik zelf maar moest zien thuis te komen van waar de klootzak in kwestie me achterliet toen hij erachter kwam dat ik terugvocht. Maar hij was er niet bij. Nee. Hij ging dood toen hij samenwerkte met Trents vader en niemand heeft het lef om mij te vertellen wat voor geweldigs het was waarvoor mijn hele leven overhoop is gegooid.'

Mijn hart bonkte en ik keek naar Quens rustige, pokdalige gezicht. 'Je hebt heel lang op jezelf moeten passen,' zei hij.

'Ja.' Met mijn lippen stijf op elkaar, draaide ik me weer om naar de spiegel. Ik wiebelde nerveus met mijn voet.

'Je gaat er niet dood van – '

'Maar pijn doet het wel.' Ik keek naar zijn spiegelbeeld. 'Het doet pijn. Heel veel pijn.' Mijn blauwe oog klopte omdat mijn bloeddruk steeg en ik voelde er even aan. 'Ik ben sterk genoeg,' zei ik verbitterd. 'Sterker wil ik niet eens zijn. Piscary is een klootzak en als hij uit de gevangenis komt, dan vermoord ik hem, twee keer.' Ik dacht aan Skimmer en hoopte dat ze net zo'n slechte advocate als een goede vriendin voor Ivy was.

Quen schuifelde wat heen en weer, maar bleef waar hij was. 'Piscary?'

De vragende klank in zijn stem deed me opkijken. 'Hij zei dat hij mijn vader had vermoord. Heeft hij dat gelogen?' *Ik moest het weten. Zou Quen nu eindelijk ook vinden dat ik dit moest weten?*

'Ja en nee.' De ogen van de kobold schoten naar de deur.

Ik draaide me om in mijn stoel. Hij kon het me vertellen. Volgens mij wilde hij dat ook. 'Nou, welke van de twee?'

Quen boog zijn hoofd en deed een symbolische stap naar achteren. 'Het is niet aan mij je dat te vertellen.'

Met wild bonzend hart en gebalde vuisten stond ik op. 'Wat is er gebeurd?' vroeg ik op dwingende toon.

Opnieuw keek Quen in de richting van de badkamer. Er ging een licht aan en een zacht schijnsel viel in de kamer naar binnen. Ik hoorde een vrouwelijk aandoende mannenstem vrolijk en opgewekt praten, schijnbaar tegen zichzelf. Jonathan zei iets terug en in paniek keek ik naar Quen, wetend dat hij nooit iets zou zeggen met hem erbij.

'Het was mijn schuld,' zei Quen zacht. 'Ze werkten samen. Die keer had ik er eigenlijk bij moeten zijn, niet jouw vader. Piscary heeft hen wel degelijk vermoord, alsof hij zelf de trekker heeft overgehaald.'

Met een onwerkelijk gevoel liep ik op hem af en zag het zweet op zijn gezicht staan. Het was wel duidelijk dat hij zijn boekje al ruimschoots te buiten was gegaan door mij alleen dit te vertellen. Jonathan kwam binnen met een man in strakke zwarte kleding en glimmende laarzen. 'O!' riep hij uit, terwijl hij met zijn dozen vol spullen naar de kaptafel liep. 'Het is rood! Ik ben *dol* op rood haar. En het is nog je eigen keur ook. Dat zie ik meteen. Kom gauw zitten, duifje. Wat ik allemaal voor jou kan doen! Je kent jezelf straks niet meer terug!'

Ik draaide me om naar Quen. Met een gekwelde blik in zijn vermoeide ogen wendde hij zich af, mij ademloos achterlatend. Ik staarde hem na. Ik wilde meer, maar ik wist dat ik het niet zou krijgen. Verdomme, Quen had een slechte timing en ik dwong mijn handen rustig langs mijn zijden te laten hangen in plaats van hem te wurgen.

'Ga lekker zitten!' riep de stylist uit, terwijl Quen mij toeknikte en wegliep. 'Ik heb maar een halfuurtje!'

Fronsend wierp ik een vermoeide blik naar de spottend kijkende Jonathan, ging toen in de stoel zitten en probeerde de man duidelijk te maken dat ik mijn haar goed vond zoals het zat en of hij het misschien alleen even snel door kon borstelen? Maar hij legde me sussend en sissend het zwijgen op en haalde de ene na de andere fles spray en weet ik veel wat voor eigenaardig uitziende instrumenten tevoorschijn. Ik had geen idee waar al die dingen voor dienden. Ik wist alleen dat het nu al een verloren strijd was.

Ik nam plaats in Trents limousine, sloeg mijn benen over elkaar en legde een van de smalle stroken van mijn rok zo neer dat hij mijn knie bedekte. De stola die ik in plaats van een jas gebruikte, gleed langs mijn rug omlaag, maar ik liet het maar even zo. Hij rook naar Ellasbeth, een geur waar mijn veel subtielere parfum niet tegenop kon.

De schoenen waren een halve maat te klein, maar de japon zat als gegoten: de bustier zat strak, maar niet té en de rok zat hoog in mijn middel. Mijn bovenbeenholster was zo subtiel als paardenbloemenpluis en volkomen onzichtbaar. Randy had mijn kortere haar opgestoken vanuit mijn nek en er met dik gouddraad en antieke kralen een ingewikkelde coiffure van gemaakt waarvoor de man twintig minuten van onafgebroken gebabbel nodig had gehad. Maar hij had gelijk gekregen. Ik voelde me een compleet ander mens en *ontze-e-e-e-ettend* chic.

Dit was al de tweede limousine waar ik deze week in zat. Misschien was het een trend. Als dat het geval was, dan kon ik daar wel mee leven. Nerveus keek ik naar Trent, die naar de enorme bomen zat te staren die we passeerden op weg naar het poortgebouw. De zwarte boomstammen staken scherp af tegen de sneeuw. Hij leek heel ver weg en zich amper bewust van het feit dat ik bij hem in de auto zat. 'Takata's limo is mooier,' zei ik, de stilte verbrekend.

Trent schrok op, maar herstelde zich snel. De reactie liet hem zo jong lijken als hij was. 'De mijne is geen huurauto,' zei hij.

Ik haalde mijn schouders op en wiebelde met mijn voet op en neer terwijl ik uit het raampje keek.

'Warm genoeg?' vroeg hij.

'Wat? O. Ja hoor, dank je.'

Jonathan reed zonder snelheid te minderen langs het poortgebouw. De slagboom bereikte zijn hoogste punt op het moment dat wij er al onderdoor reden. Hij ging meteen weer dicht. Ik kon niet stilzitten, controleerde of mijn amuletten wel in mijn avondtasje zaten, voelde of mijn spatpistool goed zat en voelde aan mijn haar. Trent zat alweer naar buiten te kijken, geheel opgaand in zijn eigen wereld, waar ik geen enkele rol in speelde.

'Hé, sorry van dat raam,' zei ik, omdat de stilte me niet beviel.

'Als het niet gerepareerd kan worden stuur ik je de rekening wel.' Hij keek me aan. 'Je ziet er mooi uit.'

'Dank je.' Ik liet mijn blik over zijn met zijde gevoerde wollen kostuum glijden. Hij droeg geen overjas en het kostuum was zo gemaakt dat het hem op zijn allervoordeligst liet uitkomen. Zijn boutonnière was een klein zwart rozenknopje en ik vroeg me af of hij die zelf had gekweekt. 'Je droogt zelf ook niet slecht op.'

Hij schonk mij een van zijn professionele glimlachjes, maar met een nieuwe glinstering erin en even meende ik er een vleugje echte warmte in te zien.

'Het is een prachtige jurk,' voegde ik eraan toe, me afvragend hoe ik deze avond door moest komen zonder mijn toevlucht te moeten zoeken bij praatjes over het weer. Ik boog naar voren om mijn panty strak te trekken.

'O, dat was ik bijna vergeten.' Trent stak een hand in zijn zak. 'Deze horen erbij.' Hij stak zijn hand uit en liet een paar zware oorringen in mijn hand vallen. 'Er hoort ook nog een ketting bij.'

'Bedankt.' Ik hield mijn hoofd een beetje scheef om mijn simpele ringen uit te doen, waarna ik ze in mijn avondtasje stopte. Trents oorringen bestonden uit een serie in elkaar grijpende cirkels en waren zwaar genoeg om echt goud te zijn. Ik deed ze in en moest even wennen aan het gewicht.

'En dan de ketting...' Trent hield hem op en ik keek er met grote ogen naar. Hij was beeldschoon, gemaakt van met elkaar verweven ringen ter grootte van mijn duimnagel. Er was een prachtig kantwerk in verweven en als het niet zo kostbaar was geweest zou ik het een gothic ontwerp hebben genoemd. Aan de ketting hing een houten hanger in de vorm van het Keltische runeteken voor bescherming, en even aarzelde ik. Hij was prachtig, maar ik was bang dat het doorschijnende kant een echte vampierslet van me zou maken.

Bovendien kreeg ik de kriebels van Keltische magie. Het was een gespecialiseerde kunst, die vooral afhankelijk was van hoe sterk je erin geloofde, niet of je de bezwering goed uitvoerde of niet. Het was eerder een religie dan magie. Ik hield er niet van om religie en magie te combineren – je kon er ongelooflijk sterke krachten mee ontwikkelen wanneer iets onmeetbaars zijn wil vermengde met die van de persoon die de bezwering uitvoerde, zodat het resultaat niet altijd geheel overeenkwam met wat er van was verwacht. Het was wilde magie en ik gaf de voorkeur aan magie die overzichtelijk en wetenschappelijk was. Als je de hulp inroept van een hoger wezen, dan moet je niet klagen als de dingen opeens niet gaan zoals jij dat had gewild, maar zoals hij dat wilde.

'Draai je eens om,' zei Trent en ik keek hem aan. 'Ik zal hem voor je omdoen. Hij zit het mooist als hij een beetje strak zit.'

Ik wilde Trent niet laten merken dat ik er een beetje huiverig voor was, en aangezien beschermingsamuletten vrij betrouwbaar waren, nam ik de eenvoudige namaak gouden ketting van mijn hals en stopte hem in mijn avondtasje, bij mijn oorringen. Ik vroeg me af of Trent wist welke betekenis de ketting had. Ik vermoedde dat hij het wel wist en het een goeie grap vond.

Ik voelde de spanning in mijn schouders toen ik enkele lokken haar uit mijn nek tilde die Randy voor een nonchalant effect uit mijn kapsel had getrokken. De ketting kwam zwaar om mijn hals te hangen, nog warm van zijn jaszak.

Trents vingers raakten me aan en ik gaf een gil van schrik toen een golf van leylijnenergie in mij opkwam en naar hem wegstroomde. De wagen slingerde en Trent trok zijn vingers weg. De ketting viel rinkelend op de vloer. Met mijn hand op mijn keel staarde ik hem aan.

Hij was in de hoek geschoven. Het amberkleurige licht van het plafond wierp schaduwen op hem. Mij met een geërgerde blik aankijkend, schoof hij weer terug, raapte de ketting op en schudde hem een beetje tot hij netjes over zijn hand hing.

'Sorry,' zei ik, met wild bonzend hart en nog steeds mijn hand bij mijn keel.

Trent fronste en keek in de binnenspiegel even naar Jonathan, alvorens te gebaren dat ik me weer moest omdraaien. Dat deed ik, me heel erg bewust van zijn aanwezigheid achter mij. 'Quen zei al dat je aan je leylijnvaardigheden hebt gewerkt,' zei Trent, terwijl hij het metaal nogmaals om mijn hals drapeerde. 'Ik heb er een week over gedaan om te leren hoe te voorkomen dat bij het aanraken van een andere beoefenaar de energie van mijn familiaar zou proberen te egaliseren. Natuurlijk was ik destijds pas drie, dus ik had een excuus.'

Hij haalde zijn handen weg en ik liet me in de zachte kussens zakken. Hij had een zelfvoldane blik op zijn gezicht en zijn gebruikelijke zakelijkheid was even helemaal weg. Hij had er niets mee te maken dat dit de eerste keer was dat ik een poging had gedaan leylijnenergie in me op te slaan voor het geval ik het nodig zou hebben. Ik voelde er veel voor om er maar mee op te houden. Mijn voeten deden pijn en dankzij Quen wilde ik eigenlijk alleen nog maar naar huis, een hele beker ijs eten en aan mijn vader denken.

'Quen kende mijn vader,' zei ik stuurs.

'Dat heb ik begrepen, ja.' Hij keek niet naar mij, maar uit het raam.

Ik begon sneller te ademen en ging wat verzitten. 'Piscary heeft gezegd dat hij mijn vader heeft vermoord. Quen suggereerde dat er meer aan de hand was.'

Trent sloeg zijn benen over elkaar en knoopte zijn jasje los. 'Quen praat te veel.'

Mijn maag kromp samen. 'Onze vaders werkten toch samen?' vroeg ik. 'Waaraan eigenlijk?'

Zijn lip trilde en hij streek met een hand door zijn haar om te voelen of het wel glad tegen zijn hoofd lag. Jonathan liet een waarschuwend kuchje horen. *Ja hoor. Alsof ik me iets aan zou trekken van zijn dreigementen.*

Trent keek me aan en ik zag iets van belangstelling in zijn blik. 'Ben je er klaar voor om met mij samen te werken?'

Ik trok een wenkbrauw op. *Met mij te werken. De vorige keer was het vóór mij te werken.*

'Nee.' Ik glimlachte hem toe, hoewel ik hem wel had kunnen slaan. 'Quen schijnt zichzelf de dood van mijn vader kwalijk te nemen. Dat fascineert me. Vooral omdat Piscary de verantwoordelijkheid heeft opgeëist.'

Trent zuchtte. Hij stak zijn hand uit om zijn evenwicht te bewaren toen we de snelweg opreden. 'Piscary heeft mijn vader daadwerkelijk vermoord,' zei hij. 'Jouw vader werd gebeten toen hij hem te hulp probeerde te komen. Quen had er die dag bij moeten zijn, niet je vader. Daarom heeft Quen je geholpen met Piscary. Hij had het gevoel dat hij je vaders plaats in moest nemen, omdat hij gelooft dat het zijn schuld is dat jouw vader er niet meer was om jezelf te helpen.'

Mijn gezicht voelde koud aan en ik drukte mezelf dieper in de kussens. Ik had gedacht dat Trent Quen had gestuurd om mij te helpen; maar Trent had er dus niets mee te maken. Ondanks mijn verwarring bleef er toch iets aan me knagen. 'Maar mijn vader is niet overleden aan een vampierbeet.'

'Nee,' zei Trent behoedzaam, met zijn blik op de skyline van Cincinnati. 'Dat is zo.'

'Hij is overleden omdat zijn rode bloedlichaampjes zijn zachte weefsels begonnen aan te vallen,' zei ik, wachtend op meer details, maar Trents houding was niet erg toeschietelijk. 'Is dat alles wat ik van je te horen ga krijgen?' vroeg ik en de man schonk mij een half glimlachje, charmant en berekenend.

'Mijn aanbod van een baan geldt nog steeds, juffrouw Morgan.'

Het was moeilijk, maar ik slaagde erin nog enigszins vriendelijk te blijven kijken. Ik kreeg plotseling het gevoel dat ik werd gemanipuleerd, dat ik tot dingen werd verleid die ik me ooit had voorgenomen nooit te zullen doen: dingen zoals werken voor Trent, seks met een vampier, de straat oversteken zonder links en rechts te kijken. Allemaal dingen die niet dramatisch hoefden af te lopen, maar uiteindelijk kwam je toch echt een keer onder die bus. *Wat deed ik hier in hemelsnaam samen met Trent in een limousine?*

We reden inmiddels door de Hollows en ik keek met iets meer belangstelling naar buiten. Alles was feestelijk verlicht, vooral met groene, witte en gouden lichtjes. De stilte duurde voort. 'Zo-o-o, en wie is Ellasbeth?'

Trent wierp mij een moordzuchtige blik toe en ik glimlachte liefjes. 'Dat was niet mijn idee,' zei hij.

Wat ontzettend interessant, dacht ik. *Ik had een gevoelige plek gevonden. Zou het niet grappig zijn om daar eens flink op te trappen?* 'Ex-vriendinnetje?' raadde ik opgewekt. 'Inwonend familielid? Een lelijke zus die je in de kelder verborgen houdt?'

Trents gezicht had weer die beroepsmatige lege blik gekregen, maar zijn rusteloze vingers hielden niet op met bewegen. 'Je hebt mooie sieraden,' zei hij. 'Misschien had ik Jonathan moeten vragen ze in de kluis op te bergen totdat we weer terug zijn.'

Ik bracht mijn hand naar zijn halsketting en voelde dat hij warm was van mijn huid. 'Ik droeg goedkope rotzooi en dat weet je best.' Verdomme, ik droeg op dit moment voldoende van zijn goud om een compleet kunstgebit van te maken voor een paard.

'We kunnen ook over Nick praten.' Trents rustige stem kreeg iets spottends. 'Eigenlijk praat ik veel liever over Nick. Het was toch Nick, nietwaar? Nick Sparagmos? Ik heb gehoord dat hij de stad heeft verlaten, nadat jij hem een epileptische aanval had bezorgd.' Met zijn handen om zijn knie geslagen, wierp hij me een veelzeggende blik toe, zijn lichte wenkbrauwen hoog opgetrokken. 'Wat heb je in vredesnaam met hem gedaan? Daar ben ik nooit precies achter gekomen.'

'Met Nick gaat alles goed.' Ik legde mijn handen in mijn schoot, voordat ze met mijn haar konden gaan spelen. 'Hij is weg voor zaken en ik houd intussen zijn appartement een beetje in de gaten.' Ik keek uit het raam en reikte achter me om de stola weer om mijn schouders te trekken. Hij was beter in moddergooien dan de allebeste rijke trut op school. 'We moeten het eens hebben over waar ik je nu eigenlijk tegen moet beschermen.'

Ik hoorde Jonathan snuiven. Ook Trent begon te lachen. 'Ik heb geen bescherming nodig,' zei hij. 'Als dat wel zo was, zou Quen hier nu zitten. Jij bent gewoon een semifunctionerende decoratie.'

Semifunctionerende... 'O, ja?' kaatste ik terug, wensend dat ik kon zeggen dat het me verbaasde.

'Ja,' antwoordde hij meteen. 'Dus blijf zitten waar ik je neerzet en houd je mond.'

Ik kreeg het warm en toen ik me bewoog raakten mijn knieën bijna zijn been. 'Nu moet je eens goed naar me luisteren, meneer Kalamack,' zei ik op scherpe toon. 'Quen betaalt mij goed geld om jouw reet boven het gras te houden, dus waag het niet om zonder mij de kamer te verlaten en zorg dat je niet tussen mij en de boze mannen in gaat staan. Begrepen?'

Jonathan reed een parkeerterrein op en ik moest me vasthouden toen hij te hard op de rem trapte. Ik zag hen in de binnenspiegel naar elkaar kijken. Nog steeds boos keek ik naar buiten en zag enorme hopen sneeuw van wel anderhalve meter hoog. We bevonden ons bij de rivier en ik schrok bij het zien van de casinoboot met zijn rokende schoorstenen. Saladans casinoboot? Alweer?

Ik dacht terug aan mijn avond met Kisten en de man in smoking die me dobbelen had geleerd. *Shit.* 'Hé, eh, weet je eigenlijk hoe Saladan eruitziet?' vroeg ik. 'Is hij een heks?'

De aarzelende klank in mijn stem trok Trents aandacht en terwijl Jonathan op de speciale limousineplek parkeerde, keek hij me aan. 'Hij is een leylijnheks. Zwart haar, donkere ogen, mijn leeftijd. Hoezo? Maak je je zorgen? Dat is dan terecht. Hij is beter dan jij.'

'Nee.' *Shit.* Ik greep mijn avondtasje en liet me in de kussens vallen, terwijl Jonathan intussen het portier openhield en Trent uitstapte met een elegantie waarop hij geoefend moest hebben. Er kwam een golf koude lucht binnen en ik vroeg me af hoe Trent daar kon staan alsof het zomer was. Ik had zo'n gevoel dat ik Saladan al eens had ontmoet. *Idioot!* zei ik tegen mezelf. Maar Lee laten zien dat ik niet bang voor hem was na zijn mislukte kleine zwarte bezwering zou wel ontzettend bevredigend zijn.

Me toch wel verheugend op de ontmoeting, gleed ik over de bank naar de open deur, terugschrikkend toen Jonathan hem midden in mijn gezicht dicht smeet. 'Hé!' riep ik, opeens zo vol adrenaline dat mijn hoofd begon te kloppen.

De deur ging open en Jonathan keek me grijnzend aan. 'Neemt u mij niet kwalijk, mevrouw,' zei hij.

Achter hem stond Trent, met een vermoeide blik op zijn gezicht. Met mijn geleende stola dicht om me heen geslagen, bleef ik naar Jonathan kijken terwijl ik uitstapte. 'Hartelijk bedankt, Jon,' zei ik opgewekt, 'ellendige klootzak.'

Trent keek naar de grond, een glimlach verbergend. Ik trok de stola nog wat hoger, controleerde even of mijn leylijnenergie nog zat waar het behoorde te zitten en nam Trents arm zodat hij me de gladde loopplank op kon helpen. Hij stond op het punt zich los te trekken, maar ik hield met mijn vrije hand zijn arm vast, mijn avondtasje tussen ons in klemmend. Het was koud en ik wilde naar binnen. 'Ik moest van jou hakken dragen,' fluisterde ik. 'Het minste wat je kunt doen is zorgen dat ik niet op mijn gat val. Of ben je bang van me?'

Trent zei niets, maar zijn houding veranderde in ongemakkelijke acceptatie terwijl wij langzaam, stap voor stap, over de parkeerplaats liepen. Hij keek over zijn schouder naar Jonathan, gebarend dat hij bij de auto moest blijven, en ik grijnsde zelfvoldaan naar de grote, ongelukkige man en gaf hem Erica's kromme-konijnenoortjesafscheidsgroet. Het was nu helemaal donker en de wind blies sneeuwvlokken tegen mijn benen, die op mijn panty na bloot waren. Waarom had ik er niet op aangedrongen ook een jas te lenen? vroeg ik me af. Aan deze stola had ik helemaal niets. Bovendien stonk hij naar seringen. Ik haatte seringen.

'Heb jij het niet koud?' vroeg ik aan Trent, die erbij liep alsof het juli was.

'Nee,' zei hij en ik herinnerde me dat Ceri met diezelfde onverschilligheid op blote voeten door de sneeuw liep.

'Zal wel iets van kobolden zijn,' mompelde ik en hij grinnikte.

'Inderdaad,' zei hij. Zijn ogen glinsterden geamuseerd en ik keek of we al bijna bij de loopplank waren.

'Nou, ik ben stijf bevroren,' mopperde ik. 'Kunnen we een beetje doorlopen?'

Hij versnelde zijn pas, maar tegen de tijd dat we bij de ingang kwamen, stond ik nog steeds te bibberen. Trent hield galant de deur voor mij open, zodat ik als eerste naar binnen kon gaan. Ik liet zijn arm los en liep naar binnen, mijn handen stijf om mijn bovenarmen geklemd om mezelf een beetje warm te maken. Ik glimlachte naar de portier, maar kreeg slechts een stoïcijnse blik terug. Ik deed mijn stola af en gaf hem, tussen twee vingers geklemd, aan de garderobejuffrouw, me afvragend of ik hem hier vanavond niet kon laten liggen – helemaal per ongeluk natuurlijk.

'Meneer Kalamack en juffrouw Morgan,' zei Trent, het gastenboek negerend. 'Wij worden verwacht.'

'Goed, meneer.' De portier wenkte iemand om even zijn plaats in te nemen. 'Als u mij wilt volgen.'

Trent bood mij zijn arm aan. Ik aarzelde en probeerde vergeefs iets op te maken uit zijn kalme gezicht. Ik haalde een keer diep adem en stak mijn arm in de zijne. Toen mijn vingers langs de rug van zijn hand streken en ik een zacht rukje aan mijn chi voelde, probeerde ik heel bewust mijn niveau van leylijnenergie vast te houden. 'Veel beter,' zei hij, naar de drukte in de casinozaal kijkend terwijl wij achter de portier aan liepen. 'Je gaat met sprongen vooruit, juffrouw Morgan.'

'Rot toch op, Trent,' zei ik, naar de mensen glimlachend die opkeken toen wij binnenkwamen. Zijn hand voelde warm aan onder mijn vingers en ik voelde me net een prinses. Het werd even iets stiller en toen de gesprekken weer werden hervat, klonk er een bepaalde opwinding in die niet geheel kon worden toegeschreven aan het gokken.

Het was warm en er hing een aangenaam geurtje in de lucht. De schijf die boven het midden van de zaal hing leek rustig, maar ik wist bijna zeker dat ik, als ik er met mijn tweede gezicht naar zou kijken, weer van die afschuwelijke paarse en zwarte trillingen zou zien. Ik keek even naar mijn spiegelbeeld om te zien of mijn haar zich een beetje gedroeg na al die ingrepen en haarsprays van de stylist en was blij dat het geel van mijn blauwe oog nog goed verborgen zat onder de alledaagse make-up. Toen keek ik nog een keer.

Krijg nou verdomme wat! dacht ik, terwijl ik mijn pas inhield. Trent en ik zagen er fantastisch uit samen. Geen wonder dat de mensen naar ons staarden. Hij zag er charmant en goed verzorgd uit, en ik was elegant in mijn geleende jurk, met mijn haar uit mijn nek en opgestoken met dat zware gouddraad. Wij liepen allebei te glimlachen en maakten een zelfverzekerde indruk. Maar ook al vond ik dat we eruitzagen als het perfecte stel, toch realiseerde ik me dat we dan wel samen waren, maar toch allebei heel erg alleen. Wij hadden duidelijk allebei onze eigen kracht en hoewel dat niet verkeerd was, was het toch niet bevorderlijk voor de eenheid van een stelletje. Wij stonden er hier gewoon naast elkaar verschrikkelijk goed uit te zien.

'Wat is er?' vroeg Trent, gebarend dat ik als eerste de trap op moest gaan.

'Niets.' De losse splitten van mijn japon zo goed mogelijk bij elkaar nemend, liep ik achter de portier aan de smalle trap op. Het geluid van gokkende mensen vervaagde en veranderde in een soort ruis op de achtergrond van mijn onderbewustzijn. Toen er ergens een gejuich opging, wenste ik dat ik ook daar beneden kon zijn en mijn hart kon voelen bonzen in dat ademloze moment na een worp waarin je wacht wat de dobbelstenen laten zien.

'Ik had verwacht dat ze ons zouden fouilleren,' zei Trent zacht, zodat de man die ons begeleidde hem niet kon verstaan.

Ik haalde mijn schouders op. 'Waarom zouden ze? Zag je die grote schijf aan het plafond?' Hij keek achterom en ik voegde eraan toe: 'Dat is een reusachtige bezweringendemper. Zoiets als de bedels die ik vroeger aan mijn handboeien had hangen voordat jij alles in de fik stak en ik ze kwijt was, maar hij werkt voor de hele boot.'

'Heb je geen wapen bij je?' fluisterde hij toen we de eerste verdieping bereikten.

'Jawel,' siste ik hem glimlachend toe. 'En ik kan iemand er ook mee beschieten, maar de vloeistoffen treden pas in werking als die bewuste persoon de boot verlaat.'

'Wat heb je er dan aan?'

'Ik vermoord geen mensen, Trent. Echt niet.' *Hoewel ik een uitzondering wil maken voor Lee.*

Ik zag hoe hij zijn kaken aanspande. Onze begeleider opende een smalle deur en gebaarde dat ik naar binnen kon gaan. Toen ik dat deed, zag ik Lee aangenaam verrast opkijken van de paperassen op zijn bureau. Ik probeerde neutraal te blijven kijken, maar voelde me tegelijkertijd boos en misselijk worden bij de herinnering aan die man die op straat had liggen kronkelen van de pijn onder invloed van een zwarte bezwering.

Achter hem stond een lange vrouw half over hem heen gebogen in zijn nek te hijgen. Ze had lange, slanke benen en was gekleed in een zwarte jumpsuit met wijduitlopende broekspijpen. Haar decolleté liep bijna door tot aan haar navel. Vamp, besloot ik, toen haar blik op mijn halsketting viel en zij me door middel van haar glimlach kleine, puntige hoektandjes liet zien. Mijn litteken tintelde en mijn woede verslapte. Quen zou hier absoluut geen kans hebben gehad.

Met een glinstering in zijn ogen stond Lee op en trok zijn smokingjasje recht. De vampier letterlijk wegduwend, kwam hij achter zijn bureau vandaan. Toen Trent ook binnenkwam, werd zijn blik nog enthousiaster. 'Trent!' riep hij uit, met uitgestoken handen op hem af lopend. 'Hoe is het met jou, ouwe?'

Ik deed een stapje terug toen Trent en Lee elkaar vriendschappelijk de hand drukten. *Wat gingen we nu krijgen?*

'Stanley,' zei hij, glimlachend en opeens viel alles op zijn plek. *Lee, een afkorting voor Stanley.*

'Verdraaid zeg!' zei Lee, Trent een klap op zijn rug gevend. 'Hoe lang is het nu geleden? Tien jaar?'

Trents glimlach haperde even. Zijn ergernis over die klap op zijn rug was nauwelijks waarneembaar, hooguit in het heel even dichtknijpen van zijn ogen. 'Bijna. Je ziet er goed uit. Geniet je nog steeds van de golven?'

Lee kwajongensachtige grijns veranderde hem, ondanks zijn smoking, in een deugniet. 'Zo nu en dan. Niet zo vaak als ik zou willen. Ik heb de laatste tijd veel last van die verdomde knie. Maar jij ziet er ook goed uit. Wat meer spiermassa. Niet meer dat magere jongetje dat mij probeerde bij te houden.'

Trents blik schoot naar mij en ik wierp hem een nietszeggende blik toe. 'Dank je.'

'Ik heb gehoord dat je gaat trouwen.'

Trouwen? Droeg ik de jurk van zijn aanstaande? O, dit werd steeds gekker.

Lee streek het haar uit zijn ogen en ging op het randje van zijn bureau zitten. De vamp achter hem begon op een zwoele, hoerige manier zijn schouders te masseren. Ze had haar ogen nog geen moment van mij afgewend en dat beviel me niks. 'Ken ik haar?' vroeg Lee, en ik zag Trent verstrakken.

'Een mooie jongedame, Ellasbeth Withon genaamd,' zei hij. 'Uit Seattle.'

'Ah.' Lee glimlachte met zijn grote bruine ogen, maar het was net of hij Trent uitlachte. 'Gefeliciteerd.'

'Je hebt haar wel eens ontmoet,' zei Trent op norse toon en Lee grinnikte zachtjes.

'Ik heb over haar gehoord.' Hij trok een gepijnigd gezicht. 'Krijg ik een uitnodiging voor de bruiloft?'

Ik blies ongeduldig. Ik had gedacht dat we hier waren om een paar koppen tegen elkaar te slaan, niet voor een reünie. Tien jaar geleden, toen waren ze dus nog net geen twintigers. Universiteit? Bovendien werd ik niet graag genegeerd, maar dat hoorde er natuurlijk een beetje bij als je ingehuurd was. In elk geval was het hoertje ook niet voorgesteld.

'Natuurlijk,' zei Trent. 'De uitnodigingen gaan de deur uit zodra zij een keus heeft kunnen maken tussen de acht mogelijkheden die er nu nog over zijn,' zei hij droogjes. 'Ik zou je graag als mijn getuige vragen, maar ik heb eigenlijk niet het idee dat jij ooit nog op een paard klimt.'

Lee liet zich van het bureau glijden, buiten het bereik van de vamp. 'Nee, nee, nee,' protesteerde hij, terwijl hij naar een klein kastje liep en daar twee glazen en een fles uit pakte. 'Dat nooit meer. Niet met jou in elk geval. Mijn god, wat had je dat beest in vredesnaam ingefluisterd?'

Trent lachte, een echte lach ditmaal, en pakte het borrelglaasje aan dat hem werd aangeboden. 'Je verdiende loon, surfer boy,' zei hij en ik knipperde met mijn ogen om het accent dat hij opeens had. 'Nadat jij mij bijna had verzopen.'

'Ik?' Lee ging weer op het bureau zitten, met één voet op de grond. 'Daar had ik niets mee te maken. Die kano was lek. Wist ik veel dat jij niet kon zwemmen.'

'Ja, dat zei je toen ook al.' Trents oog trilde. Nadat hij een klein slokje had genomen, draaide hij zich om naar mij. 'Stanley, dit is Rachel Morgan. Zij verzorgt vanavond mijn beveiliging.'

Ik forceerde een glimlach. 'Hallo, Lee.' Ik stak mijn hand uit, terwijl ik intussen mijn best deed om mijn leylijnenergie in toom te houden, hoewel ik er, vanwege de herinnering aan de schreeuwende man, veel voor voelde hem een flinke opduvel te geven. 'Leuk om je nu ook een keer boven tegen te komen.'

'Rachel,' zei Lee hartelijk, mijn hand omdraaiend om er een kus op te drukken. 'Je weet niet half hoe ellendig ik het vond je in die vervelende situatie te moeten betrekken. Ik ben zo blij dat je er ongehavend uit bent gekomen. Ik hoop dat je vanavond een passende compensatie krijgt.'

Ik trok mijn hand terug voordat zijn lippen hem konden beroeren en veegde hem demonstratief af. 'Je hoeft je niet te verontschuldigen. Maar ik zou in gebreke blijven als ik je niet zou bedanken voor het feit dat je me hebt leren dobbelen.' Mijn hart begon sneller te kloppen en het kostte me moeite hem geen oplawaai te verkopen. 'Wil je je *dobbelstenen terug*?'

De vampier kwam achter hem staan en legde haar handen bezitterig op zijn schouders. Lee bleef glimlachen, zich ogenschijnlijk niet bewust van mijn hatelijke opmerking. *God, de man had uit zijn poriën liggen bloeden en eigenlijk was die aanval tegen mij gericht. Klootzak.*

'Het weeshuis was bijzonder blij met je donatie,' zei Lee gladjes. 'Ik heb gehoord dat ze er een nieuw dak van kunnen betalen.'

'Fantastisch,' zei ik, oprecht blij. Naast mij stond Trent te popelen om ons in de rede te kunnen vallen. 'Ik ben altijd blij als ik mensen kan helpen die het minder hebben getroffen dan ik.'

Lee nam de handen van de vampier in de zijne en trok haar naast zich.

Intussen pakte Trent mijn arm vast. 'Heb jij dat nieuwe dak geschonken?' fluisterde hij.

'Kennelijk,' mompelde ik. Het viel me op dat hij verbaasd was vanwege het nieuwe dak en niet vanwege de vechtpartij op straat.

'Trent, Rachel,' zei Lee, met de hand van de vampier in de zijne. 'Dit is Candice.'

Candice glimlachte haar tanden bloot. Zonder aandacht te schenken aan Trent, vestigde ze haar bruine ogen op mijn nek en liet haar rode tong naar haar mondhoek glijden. Ze boog zich wat dichter naar hem toe. 'Lee, schatje,' zei ze en ik greep Trents arm wat steviger vast toen haar stem mijn litteken liet tintelen. 'Je had gezegd dat ik een man aangenaam bezig moest houden.' Haar lach kreeg iets roofdierachtigs. 'Maar dit is ook goed.'

Ik dwong mezelf om door te ademen. Golven van belofte straalden uit van mijn nek en bezorgden me slappe knieën. Mijn aderen klopten en mijn ogen vielen bijna dicht. Ik haalde diep adem, en nog een keer. Ik moest al mijn ervaring met Ivy inzetten om niet te reageren. Ze had honger en ze wist wat ze deed. Als ze ondood was geweest, was het haar gelukt. Nu kon ze me, ondanks mijn litteken, alleen maar in haar ban krijgen als ik haar haar gang liet gaan. En dat was ik niet van plan.

Omdat ik me ervan bewust was dat Trent naar me stond te kijken, wist ik mezelf te beheersen, ook al voelde ik de seksuele spanning in mijn lichaam opkomen als mist op een regenachtige avond. Mijn gedachten gingen naar Nick en toen naar Kisten, wat het alleen maar erger maakte. 'Candice,' zei ik zacht, me naar haar toe buigend. *Ik ging haar niet aanraken. O, nee.* 'Ik vind het leuk om kennis met je te maken. En ik breek al je tanden en gebruik ze om je navel mee te piercen als je het waagt om zelfs nog maar één keer naar mijn litteken te kijken.'

Candice' ogen werden zwart. De warmte trok uit mijn litteken weg. Boos, legde ze een hand op Lee's schouder. 'Het kan me niet schelen als jij Tamwoods speeltje bent,' zei ze, een houding aannemend alsof ze de Koningin der Verdoemden in eigen persoon was, maar ik woonde samen met een gevaarlijke vampier en vond haar pogingen te triest voor woorden. 'Ik kan je toch wel krijgen,' besloot ze.

Ik verstrakte. 'Ik woon met Ivy onder één dak. Ik ben niet haar speeltje,' zei ik zacht, terwijl ik hoorde hoe er beneden gejuicht werd. 'Wat dacht je daarvan?'

'Niets,' zei ze, met een valse blik op haar mooie gezichtje.

'En niets is ook precies wat je van mij gaat krijgen, dus laat me met rust.'

Lee kwam tussen ons in staan. 'Candice,' zei hij, een hand op haar rug leggend en haar naar de deur duwend. 'Doe me een plezier, liefje. Ga eens een kopje koffie voor juffrouw Morgan halen. Zij werkt vanavond.'

'Zwart en zonder suiker,' zei ik en hoorde hoe hees mijn stem klonk. Mijn hart bonsde en het zweet brak me uit. Voor zwarte heksen draaide ik mijn hand niet om. Ervaren, hongerige vampiers waren iets lastiger.

Ik maakte mijn vingers los van Trents arm en trok mijn hand weg. Met een kalme blik keek hij van mij naar de vamp die door Lee naar de deur werd gebracht. 'Quen...' fluisterde hij.

'Quen had geen schijn van kans tegen haar gehad,' zei ik, iets rustiger nu. Als ze ondood was geweest, had voor mij hetzelfde gegolden. Maar Saladan had nooit een ondode vampier kunnen overhalen om hem te helpen, want als Piscary daar achter was gekomen had hij hem of haar twee keer vermoord. Er bestond best wel eergevoel onder de doden. Of misschien was het gewoon angst.

Lee zei een paar woorden tegen Candice en na een laatste geniepig glimlachje naar mij glipte de vrouw de gang in. Haar rode hakken waren het laatste wat ik van haar zag. Ik geloofde mijn ogen niet toen ik zag dat ze precies zo'n enkelbandje als Ivy droeg. Dat kon geen toeval zijn – misschien moest ik toch eens met Kisten praten.

Zonder te weten wat het betekende, en óf het iets betekende, ging ik in een van de groene fauteuils zitten voordat ik letterlijk omviel van de wegtrekkende adrenaline. Met mijn handen ineengeslagen om het trillen te verbergen, dacht ik aan Ivy en de bescherming die zij me bood. Het was al maanden niet meer voorgekomen dat iemand me op deze manier had proberen te versieren, niet sinds die vamp in de parfumwinkel me voor iemand anders had aangezien. Als ik me elke dag weer tegen dit soort dingen zou moeten verzetten, zou het niet lang duren voordat ik een schaduw van mezelf zou worden: mager, bloedeloos en iemands eigendom. Of nog erger: ieders eigendom.

Het ruisende geluid van gladde stoffen deed me opkijken en ik zag dat Trent in de andere stoel had plaatsgenomen. 'Alles in orde?' fluisterde hij toen Lee met een flinke klap de deur achter Candice dichtgooide.

Zijn stem klonk vriendelijk, wat me verbaasde. Mezelf dwingend om rechtop te blijven zitten, knikte ik, me afvragend wat hem dat kon schelen en óf het hem wel wat kon schelen. Ik ademde langzaam uit en dwong mijn handen zich te ontspannen.

Bruisend van energie ging Lee weer achter zijn bureau zitten. Zijn witte tanden leken nog witter in zijn zongebruinde gezicht. 'Trent,' zei hij, naar achteren leunend in zijn stoel. Die was groter dan de onze en volgens mij zat hij er ook een paar centimeter hoger in. *Subtiel.* 'Ik ben blij dat je naar me bent toe gekomen. We moeten praten. Voordat de zaken nog verder uit de hand lopen dan ze al doen.'

'Uit de hand?' Trent verroerde zich niet en ik zag zijn bezorgdheid om mij als sneeuw voor de zon verdwijnen. Met een harde blik in zijn groene ogen zette hij zijn glas, harder dan eigenlijk nodig was geweest, op het bureau. Zonder zijn blik van Saladans minzame grijns af te wenden, nam hij de kamer over. Dit was de man die zijn eigen werknemers in zijn kantoor had vermoord en ermee weg was gekomen, de man die de halve stad bezat, de man die een lange neus trok naar de wet, die boven de wet woonde in zijn fort, midden in een oud, maar geheel aangelegd bos.

Trent was woest en opeens zat ik er niet meer zo mee dat ze mij negeerden.

'Je hebt twee van mijn treinen laten ontsporen, bijna een staking ontketend bij mijn vrachtwagenbedrijf en mijn belangrijkste publicrelationsinstelling laten afbranden,' zei Trent en ik zag hoe een plukje van zijn haar begon te zweven.

Ik staarde hem met grote ogen aan terwijl Lee zijn schouders ophaalde. *Belangrijkste publicrelationsinstelling? Het was een weeshuis geweest. God, hoe ijskoud kon een mens zijn?*

'Het was de gemakkelijkste manier om je aandacht te trekken.' Lee nam een slokje. 'Je bent nu al tien jaar bezig langzaam maar zeker je invloed uit te breiden naar de overkant van de Mississippi. Wat had je dan verwacht?'

Trent verstrakte. 'Je vermoordt onschuldige mensen met dat sterke Hellevuur dat je in omloop brengt.'

'Nee!' snauwde Lee, het glas van zich af schuivend. 'Dat zijn geen onschuldige mensen.' Met zijn smalle lippen stijf op elkaar, boog hij zich boos en dreigend naar voren. 'Je hebt de grens overschreden,' zei hij, zijn schouderspieren gespannen onder zijn smoking. 'En als jij je aan de afspraak zou houden en aan jouw kant van de rivier zou blijven, zou ik hier jouw zwakke klantjes niet af hoeven maken.'

'Die afspraak heeft mijn vader gemaakt, niet ik. Ik heb jouw vader gevraagd de hoeveelheid werkzame stoffen in zijn Hellevuur te verlagen. De mensen willen een veilig product. Dat lever ik hun. Het maakt me niet uit waar ze wonen.'

Lee liet zich met een ongelovige blik naar achteren zakken. 'Bespaar me dat filantropische gelul,' zei hij smalend. 'Wij verkopen aan niemand die het niet wil. En zal ik je eens wat zeggen, Trent? Ze willen het. Hoe sterker, hoe beter. In minder dan een generatie zullen de sterftecijfers gelijk verdeeld zijn. De zwakken sterven, de sterken overleven en zijn bereid om meer te kopen. Om sterker spul te kopen. Jouw zorgvuldige reglementering verzwakt iedereen. Er is geen natuurlijk evenwicht, zo zal de soort niet sterker worden. Misschien is dat de reden waarom er van jullie nog maar zo weinig over zijn. Jullie hebben jezelf uitgemoord door te proberen hen te redden.'

Ik zat met mijn handen misleidend slap in mijn schoot en voelde de spanning in het kleine kantoortje stijgen. *Zwakke klanten afmaken? Sterker worden van de soort?* Wie dacht hij eigenlijk dat hij was?

Lee maakte een snelle beweging en ik schrok op.

'Maar waar het op neerkomt,' zei Lee, achteroverleunend toen hij mijn reactie zag, 'is dat ik hier ben omdat jij de regels verandert. En ik ga niet weg. Daar is het te laat voor. Je kunt de eer aan jezelf houden door alles aan mij over te dragen en naar een ander continent te verhuizen, of ik neem het zelf, één weeshuis, één ziekenhuis, één treinstation, één straathoek en één ó zo zielige onschuldige tegelijk. Hij nam weer een slok van zijn drankje en hield het glas tussen zijn handen. 'Ik ben dol op spelletjes, Trent. En ik weet niet of jij het nog weet, maar wát we ook speelden, ik won altijd.'

Trents oog trilde weer. Het was de enige emotie die hij toonde. 'Je hebt twee weken om mijn stad uit te komen,' zei hij, zijn stem een vloeiend lint van kabbelend water, maar met een dodelijke onderstroom. Ik ga gewoon verder met mijn distributie. Als je vader wil praten, dan ben ik bereid om te luisteren.'

'Jouw stad?' Lee keek naar mij en toen weer naar Trent. 'Volgens mij is hij in tweeën gedeeld.' Hij trok zijn dunne wenkbrauwen op. 'Heel gevaarlijk, heel aantrekkelijk. Piscary zit in de gevangenis. Zijn intimus is incompetent. Jij bent kwetsbaar door het vernisje van eerlijke zakenman waar je je achter verschuilt. Ik ga Cincinnati en het hele distributienetwerk dat jij zo zorgvuldig hebt opgezet overnemen en het gebruiken zoals het gebruikt hoort te worden. Het is doodzonde, Trent. Met wat jij hebt zou je het hele Westelijk Halfrond in handen kunnen hebben en jij vergooit het allemaal met Hellevuur op halve kracht en biodrugs, aan keuterboertjes en zielige gevallen die nooit iets zullen bereiken – niet voor zichzelf, en niet voor jou.'

Mijn gezicht werd warm van woede. Toevallig was ik een van die zielige gevallen, en hoewel ik waarschijnlijk in een speciale vuilniszak voor milieuafval naar Siberië zou worden verscheept als het ooit aan het licht kwam, ziedde ik van razernij. Trent was een schoft, maar Lee was weerzinwekkend. Ik deed mijn mond al open om te zeggen dat hij zijn kop moest houden over zaken waar hij geen verstand van had, toen

Trent bij wijze van waarschuwing even met zijn schoen mijn been aanraakte.

De randjes van Trents oren waren rood geworden en hij keek strak voor zich uit. Hij tikte op de leuning van zijn stoel, een opzettelijke vertoon van agitatie. 'Ik heb het hele Westelijk Halfrond al in handen,' zei Trent en zijn diepe, sonore stem bezorgde me een akelig gevoel in mijn maag. 'En mijn zielige gevallen hebben mij al meer gegeven dan jouw vaders betalende klanten – Stanley.'

Lee's gebruinde gezicht werd wit van woede en ik vroeg me af wat hier precies werd gezegd dat ik niet begreep. Misschien kenden ze elkaar toch niet van de universiteit. Misschien hadden ze elkaar in een 'kamp' leren kennen.

'Met geld krijg je me niet weg,' voegde Trent eraan toe. 'Nooit. Ga je vader maar vertellen dat hij de hoeveelheden werkzame bestanddelen in zijn Hellevuur gaat verlagen, dan trek ik me terug van de Westkust.'

Lee stond op en ik verstijfde, klaar om in actie te komen. Hij zette zijn gespreide handen op het bureau en leunde erop naar voren. 'Je overschat jezelf, Trent. Dat deed je al toen we jongens waren en blijkbaar is er niets veranderd. Daarom ben je bijna verdronken toen je probeerde terug te zwemmen naar het strand en daarom verloor je elk spel dat wij speelden, elk wedstrijdje hardlopen, elk meisje achter wie we allebei aan zaten.' Hij priemde zijn vinger in Trents richting om zijn woorden kracht bij te zetten. 'Jij hebt een veel te hoge dunk van jezelf, omdat je altijd in de watten werd gelegd en de hemel in werd geprezen voor prestaties die anderen heel normaal vonden. Zie het nu eens een keer onder ogen. Jij bent de laatste van je soort en dat heb je te danken aan je eigen arrogantie.'

Ik keek van de een naar de ander. Trent zat met zijn benen over elkaar en zijn vingers met elkaar verstrengeld. Hij zat doodstil. Hij was razend, maar dat zag je alleen aan het trillen van de zoom van zijn broekspijpen. 'Pas op voordat je een vergissing maakt waar je niet meer onderuit kunt,' zei hij zacht. 'Ik ben geen twaalf meer.'

Lee leunde weer naar achteren en keek met een blik vol misplaatst zelfvertrouwen en tevredenheid naar de deur achter mij. 'Dat zou je anders niet zeggen.'

De deur ging open en ik keek om. Candice kwam binnen met een witte koffiemok in haar hand. 'Neem me niet kwalijk,' zei ze en haar poeslieve stemmetje voerde de spanning alleen maar op. Ze glipte tussen Trent en Lee door, zodat zij elkaar even niet zagen.

Trent schudde zijn mouwen omlaag en zuchtte langzaam. Alvorens de koffie aan te pakken keek ik hem even aan. Hij zag er geschokt uit, maar dat kwam door het onderdrukken van zijn woede, niet van angst. Ik dacht aan zijn biolaboratoria en aan Ceri, die zich veilig verborgen hield bij een oude man aan de overkant van mijn kerk. Maakte ik keuzes voor haar die ze beter zelf zou kunnen maken?

De mok was van dik porselein en de warmte trok meteen in mijn vingers. Ik trok mijn bovenlip op toen ik zag dat ze er room in had gedaan. Niet dat ik van plan was geweest het op te drinken. 'Bedankt,' zei ik, met een vies gezicht naar haar kijkend toen ze een seksueel geladen pose aannam op Lee's bureau.

'Lee,' zei ze, naar achteren leunend om een pikante show weg te geven. 'Ze hebben beneden een probleempje waar ze jou voor nodig hebben.'

Met een geërgerde blik duwde hij haar weg. 'Los jij het maar op, Candice. Ik zit hier met vrienden.'

Haar ogen werden donker en haar schouders verstrakten. 'Het is iets waar je zelf even naar moet kijken. Dus ga nu als de sodemieter naar beneden. Het kan niet wachten.'

Ik keek naar Trent en zag zijn verbazing. Kennelijk was de mooie vamp toch meer dan decoratie. *Partner?* vroeg ik me af. Ze gedroeg zich er in elk geval wel naar.

Ze trok één wenkbrauw op naar Lee en keek hem zogenaamd pruilend aan. Kon ik dat ook maar. Het was me nog steeds niet gelukt. 'Nu, Lee,' zei ze, terwijl ze zich van het bureau liet glijden en de deur voor hem openhield.

Hij fronste zijn wenkbrauwen. Zijn haar uit zijn ogen strijkend, schoof hij met overdreven veel kracht zijn stoel naar achteren. 'Neem me niet kwalijk.' Met zijn dunne lippen op elkaar geklemd, knikte hij naar Trent en liep naar buiten, waarna we hem de trap af hoorden lopen.

Candice wierp mij een roofdierachtige glimlach toe alvorens hem te volgen. 'Geniet van je koffie,' zei ze, en deed de deur dicht. Er klonk een klik toen hij in het slot viel.

Ik haalde diep adem en luisterde naar de stilte. Trent verschoof zijn benen zodat zijn enkel nu op zijn knie rustte. Met een afwezige en ongeruste blik in zijn ogen kauwde hij op zijn onderlip. Zo leek hij in de verste verte niet op de drugshandelaar en moordenaar die hij eigenlijk was. Grappig, dat je zoiets niet aan mensen kon zien.

'Ze heeft de deur op slot gedaan,' zei ik, opschrikkend van het geluid van mijn eigen stem.

Trent trok zijn wenkbrauwen op. 'Ze wil niet dat jij hier de boel gaat lopen verkennen, dus dat lijkt me geen slecht idee.'

Arrogante kobold, dacht ik. Een frons onderdrukkend, liep ik naar het kleine ronde raam dat uitzicht bood over de bevroren rivier. Met mijn vlakke hand veegde ik de condens van het glas en keek naar de afwisselende skyline. Carew Tower was feestelijk verlicht. De ramen op de bovenste verdieping werden speciaal voor de feestdagen altijd beplakt met een laagje goud, groen en rood, zodat ze gekleurd licht uitstraalden. Het was een heldere avond en ondanks stedelijke lichtvervuiling zag ik toch nog een paar sterren.

Ik draaide me om en legde mijn handen op mijn rug. 'Ik vertrouw je vriend voor geen cent.'

'Dat heb ik ook nooit gedaan. Op die manier leef je langer.' Trents gezicht ontspande zich en het groen van zijn ogen werd iets zachter. 'Lee en ik brachten als jongens onze zomers altijd samen door. Vier weken in een van mijn vaders kampen, vier weken in het strandhuis van zijn familie op een kunstmatig eiland voor de kust van Californië. Het was de bedoeling dat het onze families dichter tot elkaar zou brengen. Hij was degene die de afweer op mijn grote raam heeft geplaatst.' Trent schudde zijn hoofd. 'Hij was twaalf. Een hele prestatie op die leeftijd. Dat is het trouwens nog steeds. We organiseerden een feest. Mijn moeder viel in de jacuzzi, zo aangeschoten was ze. Ik kan het beter door glas vervangen nu we – problemen hebben.'

Hij glimlachte om de bitterzoete herinnering, maar ik luisterde al niet meer. Had Lee die afweer geplaatst? Hij had de kleur van mijn aura aangenomen, net als de schijf aan het plafond in het casino. Onze aura's resoneerden dus op een vergelijkbare golflengte. Ik kneep mijn ogen half dicht en dacht aan onze gedeelde aversie tegen rode wijn. 'Hij heeft dezelfde bloedziekte als ik, nietwaar?' zei ik. Het kon geen toeval zijn. Niet met Trent.

Trent keek op. 'Ja,' zei hij behoedzaam. 'Daarom begrijp ik dit niet. Mijn vader heeft zijn leven gered en nu doet hij moeilijk over een paar miljoen per jaar?'

Paar miljoen per jaar. Zakgeld voor rijke stinkerds. Rusteloos keek ik naar Lee's bureau en kwam tot de conclusie dat ik niks wijzer zou worden van de inhoud van zijn laden. 'Houd jij de – eh – samenstelling van het Hellevuur dat je produceert altijd nauwkeurig in de gaten?'

Trent keek me even peinzend aan, alsof hij een beslissing nam, en streek toen zijn haar glad. 'Bijzonder nauwkeurig, juffrouw Morgan. Ik ben niet het monster voor wie jij me zo graag aanziet. Ik houd me niet bezig met het vermoorden van mensen; ik houd me bezig met vraag en aanbod. Als ik het niet zou produceren, zou iemand anders het doen en zou het geen veilig product zijn. Duizenden mensen zouden sterven.' Hij keek naar de deur en zette zijn beide voeten op de grond. 'Dat kan ik je garanderen.'

Mijn gedachten gingen naar Erica. De gedachte alleen al dat zij zou sterven omdat ze zogenaamd een zwak lid van de menselijke soort was, was onverdraaglijk. Maar illegaal was illegaal. Ik streek mijn haar achter mijn oren en voelde zijn gouden oorringen. 'Het kan me niet schelen hoe mooi de kleuren zijn van het verhaal dat jij me schildert, je blijft een moordenaar. Faris is niet aan een bijensteek gestorven.'

Hij fronste zijn voorhoofd. 'Faris wilde zijn rapporten aan de pers geven.'

'Faris was een angstige man die heel veel van zijn dochter hield.'

Ik zette een hand op mijn heup en zag dat hij nerveus was. Het was heel subtiel: zijn gespannen kaaklijn, de manier waarop hij zijn gemanicuurde vingers hield, het ontbreken van enige uitdrukking op zijn gezicht.

'Waarom vermoord je mij dan niet?' vroeg ik. 'Voordat ik hetzelfde doe?' Mijn hart bonsde en ik had het gevoel aan de rand van een afgrond te staan.

Trent doorbrak zijn façade van professionele, goed geklede drugsbaron met een glimlach. 'Omdat jij niet naar de pers zal stappen,' zei hij zacht. 'Want dan ga je samen met mij ten onder en overleven is voor jou belangrijker dan de waarheid.'

Ik kreeg het warm. 'Houd je mond.'

'Dat is geen zwakte, juffrouw Morgan.'

'Houd je mond!'

'Bovendien wist ik dat je uiteindelijk met me samen zou gaan werken.'

'Dat zal nooit gebeuren.'

'Je werkt al met me samen.'

Met een misselijk gevoel draaide ik me om. Zonder iets te zien keek ik uit over de bevroren rivier. Er verscheen een frons op mijn voorhoofd. Het was zo stil dat ik het kloppen van mijn hart kon horen – waarom was het zo stil?

Ik draaide me weer om, met mijn handen op mijn ellebogen. Trent zat de vouw in zijn broek recht te trekken en keek op. Verbaasd keek hij naar mijn angstige gezicht. 'Wat?' vroeg hij voorzichtig.

Met een onwerkelijk gevoel liep ik naar de deur. 'Luister.'

'Ik hoor niets.'

Ik stak mijn hand uit en draaide aan de deurknop. 'Dat is juist het probleem,' zei ik. 'De boot is leeg.'

Even bleef het stil. Trent stond op. Hij keek eerder bezorgd dan bang terwijl hij zijn mouwen los schudde en naar mij toe kwam. Mij opzijschuivend, probeerde hij de deur.

'Wat, denk je dat hij voor mij niet opengaat, maar voor jou wel?'

vroeg ik. Ik pakte hem bij zijn elleboog en trok hem weg van de deur. Op één voet balancerend hield ik mijn adem in en trapte tegen de deurknop, blij dat zelfs op luxe boten alles altijd zo licht mogelijk werd gehouden. Mijn hiel ging dwars door het dunne hout en mijn voet bleef haken. De stroken van mijn prachtige jurk bungelden heen en weer terwijl ik weinig charmant achteruit hinkte om mezelf te bevrijden.

'Hé! Wacht even!' riep ik uit toen Trent de splinters uit het gat trok en zijn hand erdoor stak om de deur vanaf de buitenkant open te maken. Zonder naar mij te kijken, deed hij de deur open en rende hij de gang in.

'Verdomme, Trent!' siste ik, terwijl ik mijn avondtasje pakte en achter hem aan ging. Met een pijnlijke enkel haalde ik hem aan de voet van de trap in. Ik stak mijn arm uit en trok hem zo hard naar achteren dat hij met zijn schouder de wand van de smalle gang raakte. 'Wat doe je nou?' vroeg ik, slechts centimeters verwijderd van zijn boze ogen. 'Behandel je Quen ook zo? Je weet helemaal niet wat er aan de hand is en als jij dood bent, ben ik degene die daar onder zal moeten lijden, niet jij!'

Hij zei niets, maar keek me aan met een woedende blik in zijn groene ogen.

'En nu kom je achter mij staan en zorg je dat je daar blijft,' zei ik, hem een duw gevend.

Knorrig en ongerust liet ik hem daar staan. Mijn hand reikte automatisch naar mijn spatpistool, maar zolang die paarse schijf actief was, zouden de vloeistoffen waarmee het geladen was niets anders doen dan iemand boos maken omdat ik hun mooie kleren vol spoot met een gemeen brouwsel van monnikskap en eendagsbloem. Een flauwe glimlach verspreidde zich over mijn gezicht. Ik vond het niet erg dit op de fysieke manier af te handelen.

Voor zover ik in de zaal kon kijken was hij leeg. Ik luisterde, maar hoorde niets. Neerhurkend tot mijn hoofd ongeveer op kniehoogte was, gluurde ik om een hoekje. Dat ik zo laag ging zitten had twee redenen. Ten eerste, als er iemand stond te wachten om me neer te slaan, zou hij zijn slag moeten aanpassen, hetgeen mij de tijd zou geven om dekking te zoeken. Ten tweede, als ik geraakt werd, hoefde ik niet zo'n lange afstand af te leggen om de vloer te zoeken. Maar toen ik naar binnen keek, draaide mijn maag zich om. De vloer lag bezaaid met lichamen.

'O, mijn god,' zei ik zacht, terwijl ik opstond. 'Trent, hij heeft iedereen vermoord.' *Was dat het? Wilde hij ons deze moorden in de schoenen schuiven?*

Trent drong langs mij heen en ontweek met gemak mijn grijpende hand. Hij hurkte bij het eerste lichaam neer. 'Bewusteloos,' zei hij op effen toon en ik hoorde de staalharde klank in zijn mooie stem.

Mijn afgrijzen veranderde in verwarring. 'Waarom?' Ik keek de vloer rond en vermoedde dat ze allemaal waren neergevallen waar ze stonden.

Trent stond op. Hij keek naar de deur. Ik knikte. 'Laten we maken dat we hier wegkomen,' zei ik.

Wij haastten ons naar de foyer, maar we hadden natuurlijk al kunnen verwachten dat de deuren op slot zaten. Door het matglas zag ik auto's op de parkeerplaats staan. Trents limousine stond nog waar we hem hadden achtergelaten. 'Ik heb hier geen goed gevoel bij,' mompelde ik en Trent duwde me opzij om te kijken.

Ik staarde naar het dikke hout en wist dat ik daar nooit doorheen zou komen. Gespannen zocht ik in mijn avondtasje. Terwijl Trent zijn energie verspilde aan pogingen om met een barkruk een ruit in te slaan, drukte ik sneltoets nummer één in. 'Kogelvrij glas,' zei ik terwijl de telefoon overging.

Hij liet de kruk zakken en streek zijn haar weer glad. Hij hijgde niet eens. 'Hoe weet jij dat?'

Ik haalde mijn schouders op en wendde me half af om wat privacy te hebben. 'Omdat ik dat zelf zou hebben gebruikt.' Toen Ivy opnam liep ik terug naar de casinozaal. 'Hé, Ivy,' zei ik. 'Saladan heeft ons opgesloten in zijn gokboot en is er zelf vandoor gegaan. Zou jij hier naartoe kunnen komen om de deur voor me te forceren?'

Trent keek door het raam naar de parkeerplaats. 'Jonathan staat daar. Bel hém op.'

Ivy zei iets, maar Trents stem klonk harder. Ik legde mijn hand over mijn mobieltje en zei tegen Trent: 'Als hij nog bij bewustzijn zou zijn, denk je dan niet dat hij inmiddels een beetje nieuwsgierig zou zijn geworden waarom Lee al is vertrokken en dat hij een kijkje was komen nemen?'

Trents gezicht werd nog een tintje witter.

'Wat?' zei ik, me weer tot Ivy richtend. Ze klonk behoorlijk in paniek.

'Zorg dat je eruit komt!' riep ze. 'Rachel, Kist heeft een bom op de ketel laten zetten. Ik wist niet dat jullie daarnaartoe gingen! Maak dat je wegkomt!'

Ik kreeg het ijskoud. 'Eh, ik moet nu ophangen, Ivy. Ik spreek je nog.'

Terwijl Ivy bleef schreeuwen, klapte ik mijn telefoontje dicht en stopte het weg. Ik wendde me tot Trent en glimlachte. 'Kisten blaast Lee's boot op als een soort aanschouwelijk onderwijs. Volgens mij kunnen we hier beter weggaan.'

Mijn telefoon ging over. Ik nam niet op, en de oproep – Ivy? – werd doorgeschakeld naar mijn voicemail. Trents zelfverzekerdheid smolt weg als sneeuw voor de zon en wat overbleef was een aantrekkelijke, goed geklede jongeman die zijn best deed om niet te laten zien hoe bang hij was. 'Lee laat niemand zijn boot opblazen,' zei hij. 'Zo werkt hij niet.'

Ik sloeg mijn armen om mezelf heen en zocht met mijn ogen de ruimte af, op zoek naar iets – wat dan ook – waar ik iets aan had. 'Hij heeft jouw weeshuis afgebrand.'

'Dat was om mijn aandacht te krijgen.'

Ik keek hem vermoeid aan. 'Zou die vriénd van je zijn boot laten afbranden, met jou erop, als Piscary er de schuld van zou krijgen? Een makkelijke manier om de stad over te nemen.'

Trents gezicht verstrakte. 'Het ketelruim?' vroeg hij.

Ik knikte. 'Hoe wist je dat?'

Hij liep naar een kleine deur achter de bar. 'Omdat ik dat zelf zou hebben gedaan.'

'Mooi.' Ik liep achter hem aan en voelde mijn hartslag versnellen toen ik om de bewusteloze mensen heen liep. 'Waar gaan we naartoe?'

'Ik wil er even naar kijken.'

Ik bleef stokstijf staan toen Trent zich omdraaide om achterstevoren een ladder af te gaan. 'Kan jij een bom ontmantelen?' Het zou de enige manier zijn om iedereen te redden. Er lagen daar minstens twaalf mensen.

Onder aan de ladder aangekomen, keek Trent naar mij op. Het was een vreemd gezicht om hem in zijn chique kostuum tussen al die viezigheid en rommel te zien. 'Nee. Ik wil hem alleen bekijken.'

'Ben je helemaal gek geworden!' riep ik uit. 'Je wilt alleen naar dat ding gaan kijken? We moeten hier weg!'

Trents opgeheven gezicht keek me heel rustig aan. 'Misschien zit er een tijdmechanisme op. Kom je ook nog?'

'Maar natuurlijk,' zei ik, een lach onderdrukkend; ik wist zeker dat hij hysterisch zou hebben geklonken.

Trent baande zich met een verontrustend gebrek aan haast een weg door de boot. Ik rook heet metaal en rook. Terwijl ik probeerde nergens met mijn jurk achter te blijven hangen, tuurde ik in de duisternis. 'Daar!' riep ik, wijzend. Mijn vinger beefde en ik liet mijn hand zakken zodat hij het niet zou zien.

Trent liep verder en ik volgde, me achter hem verbergend toen hij op zijn hurken ging zitten voor een metalen kistje waar allemaal draden uit staken. Hij wilde het openmaken en ik was meteen in paniek. 'Hé!' riep ik uit, zijn schouder grijpend. 'Wat voor de Ommekeer doe je nu? Je weet helemaal niet hoe je dat ding uit moet zetten!'

Hij wist zonder op te staan zijn evenwicht te bewaren en keek mij geërgerd aan, elk haartje op zijn hoofd nog steeds perfect op zijn plaats. 'Maar daar hoort het tijdmechanisme te zitten, Morgan.'

Ik slikte moeizaam en keek over zijn schouder mee terwijl hij voorzichtig het deksel opende. 'Hoeveel tijd hebben we nog?' fluisterde ik, in zijn fijne haar blazend.

Hij stond op en ik deed een stap naar achteren. 'Ongeveer drie minuten.'

'O, god, nee.' Mijn mond was opeens krukdroog en mijn telefoon ging af. Ik nam niet op. Toen ik me naar voren boog om de bom wat beter te bekijken, begon ik me een beetje wiebelig te voelen

Trent trok aan een horlogeketting om een antiek uitziend horloge tevoorschijn te halen. 'We hebben drie minuten om een manier te vinden om van deze boot te komen.'

'Drie minuten! Dat lukt ons nooit in drie minuten. Al het glas is kogelvrij, de deuren zijn dikker dan jouw kop en die grote paarse schijf zuigt elke bezwering op die we erop afsturen!'

Trent keek mij aan met een kille blik. 'Verman jezelf, Morgan. Hysterisch worden heeft geen zin.'

'Je hoeft mij niet te vertellen wat ik moet doen!' riep ik met knikkende knieën uit. 'Ik kan het beste nadenken wanneer ik een aanval van hysterie heb. Dus houd je mond en laat mij lekker hysterisch wezen!' Ik keek naar de bom. Het was bloedheet hier beneden en ik zweette me een ongeluk. Drie minuten. Wat kon je in vredesnaam doen in drie minuten? Liedje zingen. Beetje swingen. Dikke zoen. Romantisch doen. *O, god, stond ik hier een beetje rijmpjes te verzinnen.*

'Denk je dat hij een vluchtroute heeft in zijn kantoor?' stelde Trent voor.

'En dat hij ons daarom daar heeft opgesloten?' zei ik. 'Kom op.' Ik greep zijn mouw en trok hem mee. 'We hebben niet genoeg tijd om een uitweg te zoeken.' Ik dacht aan de paarse schijf aan het plafond. Ik was er al een keer in geslaagd die te beïnvloeden. Misschien kon ik hem naar mijn wil zetten. 'Kom op!' zei ik nogmaals toen zijn mouw uit mijn vingers glipte omdat hij weigerde in beweging te komen. 'Tenzij je liever hier blijft zitten aftellen. Misschien kan ik de geen-bezweringenzone doorbreken die Lee op zijn boot heeft.'

Trent kwam langzaam in beweging. 'Ik vind nog steeds dat we een zwakke plek in zijn beveiliging moeten zoeken.'

Ik klom weer naar boven, zonder me er druk om te maken of Trent kon zien of ik wel of geen slipje droeg. 'Niet genoeg tijd voor.' Verdomme, waarom had Kisten me niet verteld wat hij van plan was? Ik werd omringd door mannen die geheimen voor me hadden. Nick, Trent en nu Kisten weer. Had ik een goeie neus voor mannen of niet? En Kist vermoordde mensen. Ik wilde me niet aangetrokken voelen tot een man die mensen vermoordde. Wat mankeerde ik in hemelsnaam?

Terwijl het bonzen van mijn hart de resterende seconden leek af te tellen, keerden we terug naar de casinozaal. Het was er doodstil. Alsof alles in afwachting was van wat er ging gebeuren. Mijn gezicht vertrok bij de aanblik van al die slapende mensen. Ze waren zo goed als dood. Ik kon onmogelijk hen én Trent redden. Ik wist niet eens hoe ik mezelf moest redden.

De schijf aan het plafond zag er onschuldig genoeg uit, maar ik wist dat hij nog functioneerde toen Trent ernaar keek en verbleekte. Ik begreep eruit dat hij zijn tweede gezicht gebruikte. 'Die kan je niet breken,' zei hij. 'Maar dat hoeft ook niet. Kan jij een beschermende cirkel maken die groot genoeg is voor ons beiden?'

Mijn ogen werden groot. 'Wil je het uitzitten in een beschermende cirkel? Je bent hartstikke gek! Zodra ik dat probeer, gaan alle alarmen af.'

Trent keek me boos aan. 'Hoe groot kan je hem maken, Morgan?'

'Maar de vorige keer ging het alarm al af toen ik er alleen maar naar keek!'

'Nou en!' riep hij en ik zag het eerste barstje in zijn zelfvertrouwen verschijnen. Het voelde goed om te zien dat hij ook overstuur kon raken, maar gezien de omstandigheden kon ik er niet echt van genieten. 'Laat het alarm maar afgaan! Die schijf weerhoudt je er niet van een lijn aan te boren en een bezwering uit te spreken. Hij betrapt je er alleen op als je het doet. Maak die vervloekte cirkel!'

'O!' Ik voelde mijn eerste sprankje hoop weer wegebben en keek hem aan. Ik kon geen lijn gebruiken om een beschermende cirkel te maken. Niet zolang we ons op het water bevonden. 'Eh, maak jij hem maar,' zei ik.

Hij leek te schrikken. 'Ik? Ik heb daar minstens vijf minuten voor nodig met kaarsen en krijt.'

Ik kreunde. 'Wat ben jij nou voor kobold?'

'Wat ben jij voor een agent?' kaatste hij terug. 'Ik denk niet dat je vriendje het erg zal vinden als je via hem een lijn aanboort om je leven te redden. Doe het, Morgan. We hebben bijna geen tijd meer!'

'Ik kan het niet.' Ik draaide me om. Door het onbreekbare glas zag ik de lichtjes van Cincinnati.

'De pot op met dat vervloekte eergevoel van je, Rachel. Als je je belofte aan hem niet verbreekt, dan zijn we straks dood!'

Met een ellendig gevoel draaide ik me weer naar hem om. Dacht hij dat ik eergevoel had? 'Dat is het niet. Ik kan via Nick geen lijnen meer gebruiken. De demon heeft mijn band met hem verbroken.'

Trent werd lijkbleek. 'Maar in de auto bezorgde je me een schok. Dat was veel te veel voor wat een heks in zijn of haar chi kan opslaan.'

'Ik ben mijn eigen familiaar, oké!' zei ik. 'Ik heb een deal gesloten met een demon om zijn familiaar te worden als hij tegen Piscary zou getuigen, en daarvoor moest ik eerst leren leylijnenergie op te slaan. O, ik heb energie in overvloed, maar voor een cirkel moet je verbonden blijven met een leylijn. Dat kan ik niet.'

'Ben jij de familiaar van een demon?' In zijn blik lag afgrijzen en angst, voor mij.

'Inmiddels niet meer!' riep ik, boos om te moeten toegeven dat het ooit was gebeurd. 'Ik heb mijn vrijheid afgekocht. Oké? En houd er nu over op! Maar ik heb dus geen familiaar en ik kan geen lijn aanboren over water!'

Uit mijn tas klonk het flauwe geluid van mijn telefoon die overging. Trent staarde me aan. 'Wat heb je hem gegeven in ruil voor je vrijheid?'

'Mijn stilzwijgen.' Mijn hart ging als een bezetene tekeer. Wat maakte het uit als Trent het wist? We gingen toch allebei dood.

Een gezicht trekkend alsof hij een besluit had genomen, trok Trent zijn jas uit. Hij maakte een manchetknoop los en rolde zijn mouw op tot boven zijn elleboog. 'Dus jij bent niet de familiaar van een demon?' Het was een zacht, bezorgd gefluister.

'Nee!' Ik stond te trillen op mijn benen. Terwijl ik in niet-begrijpende verwarring toekeek, greep hij mijn arm vlak onder de elleboog vast. 'Hé!' riep ik, me weer lostrekkend.

'Geef je er nu maar gewoon aan over,' zei hij grimmig. Hij greep mijn arm nog steviger vast en gebruikte zijn vrije hand om mij te dwingen zijn pols in dezelfde greep te nemen die acrobaten aan de trapeze gebruiken. 'Laat me hier geen spijt van krijgen,' mompelde hij en mijn ogen werden groot toen ik een golf van leylijnenergie in me voelde stromen.

'Godallemachtig!' hijgde ik, bijna omvallend. Het was wilde magie, met de ongrijpbare geur van de wind. Hij had zijn wil samengevoegd met de mijne, had via zijn familiaar een lijn aangeboord en gaf hem nu aan mij alsof wij samen één waren. De lijn die van hem in mij kwam had een vleugje van zijn aura meegekregen. Hij was schoon en zuiver, en rook naar de wind, net als die van Ceri.

Trent kreunde en ik keek hem aan. Zijn gezicht was vertrokken en het zweet brak hem uit. Mijn chi was vol en hoewel de extra energie weer terugvloeide naar de lijn, brandde de energie die ik al in mijn hoofd had opgeslagen kennelijk door hem heen.

'O, god,' zei ik, wensend dat er een manier was om het evenwicht te verschuiven. 'Het spijt me, Trent.'

Hij hapte naar adem. 'Maak de cirkel,' hijgde hij.

Met mijn blik op het horloge dat aan zijn horlogeketting bungelde, sprak ik de spreuk uit. Wij stonden beiden te wankelen toen de kracht die door ons heen stroomde wegebde. Ik voelde me bepaald niet ontspannen toen de bol van leylijnenergie om ons heen opbloeide. Ik keek naar zijn horloge. Ik kon niet zien hoeveel tijd er nog resteerde.

Zonder mijn arm los te laten gooide Trent het haar uit zijn ogen. Met verwilderde ogen liet hij zijn blik door de goud dooraderde bol boven ons naar de mensen glijden die erbuiten lagen. Er verscheen een lege uitdrukking op zijn gezicht. Moeizaam slikkend, greep hij me nog steviger vast. Kennelijk brandde het niet meer in hem, maar de druk zou nu langzaam oplopen tot het oorspronkelijke niveau. 'Hij is echt heel erg groot,' zei hij, naar de cirkel kijkend. 'Kan je een ongetrokken cirkel van deze afmetingen echt vasthouden?'

'Ja, dat kan ik,' zei ik, zijn blik ontwijkend. Zijn huid voelde warm aan op de mijne en bezorgde me tintelingen. Ik vond de intimiteit niet prettig. 'Ik wilde een grote cirkel, zodat we een veiligheidsmarge hebben wanneer de schok ons treft. Zodra jij loslaat of ik hem aanraak – '

'Valt hij,' maakte Trent mijn zin voor me af. 'Dat weet ik. Je kraamt onzin uit, Morgan.'

'Houd je mond!' riep ik, zo nerveus als een elf in een kamer vol kikkers. 'Misschien dat jij eraan gewend bent dat er overal om je heen bommen afgaan, maar dit is mijn eerste keer!'

'En met een beetje geluk zal het niet je laatste zijn,' zei hij.

'Hou nu alsjeblieft je mond!' beet ik hem toe. Ik hoopte dat mijn ogen niet zo angstig keken als de zijne. Als we de explosie overleefden, moesten we wat daarna kwam nog zien te doorstaan. Vallende wrakstukken van de boot en ijskoud water. Geweldig. 'Eh, hoe lang nog?' vroeg ik en ik hoorde dat mijn stem trilde. Mijn telefoon ging weer over.

Hij keek omlaag. 'Tien seconden. Misschien kunnen we beter gaan zitten, voordat we omvallen.'

'Ja,' zei ik. 'Dat is waarschijnlijk wel een goed id-'

Mijn adem stokte toen een enorme ontploffing de vloer deed schudden. Ik stak mijn arm uit naar Trent, bang als ik was dat we elkaar zouden loslaten. De vloer duwde ons omhoog en we vielen. Hij greep zich vast aan mijn schouder en trok me tegen zich aan om te voorkomen dat ik wegrolde. Tegen hem aangedrukt rook ik zijde en aftershave.

Mijn maag draaide om en om ons heen barstte alles in vlammen uit. Ik gilde het uit toen ik opeens niets meer hoorde. In een onwerkelijke, geluidloze beweging brak de boot in tweeën. De nacht veranderde in strepen zwarte lucht en rood vuur. Ik voelde de tinteling van de brekende cirkel. Toen vielen we.

Trent werd van me losgescheurd en ik gilde het uit toen de vlammen over me heen sloegen. Mijn door de explosie doof geworden oren liepen vol water en ik kreeg geen lucht. Ik stond niet in brand, ik verdronk. Het was koud, niet heet. In paniek vocht ik tegen het zware water.

Ik kon me niet bewegen. Ik wist niet welke kant ik op moest om boven te komen. De duisternis was vol luchtbelletjes en brokstukken van de boot. Mijn aandacht werd getrokken door een vage gloed links van mij. Ik vermande me en ging eropaf, terwijl ik mijn brein ervan verzekerde dat het de oppervlakte was, ook al leek het alsof ik opzij ging in plaats van naar boven.

God, wat hoopte ik dat het de oppervlakte was.

Ik kwam boven water, maar mijn oren deden het nog steeds niet. Ik werd bevangen door de vrieskou. Ik hapte naar adem en de lucht sneed als messen in mijn longen. Dankbaar zoog ik mijn longen nog een keer vol met lucht. Ik had het zo koud dat het pijn deed.

Om mij heen vielen nog steeds stukken van de boot uit de lucht, en ik begon te watertrappen, blij dat ik een jurk droeg waarin ik me kon bewegen. Het water smaakte naar olie en de slok die ik binnen had gekregen lag zwaar op mijn maag.

'Trent!' schreeuwde ik, het geluid horend alsof het door een kussen kwam. 'Trent!'

'Hier!'

Ik schudde het natte haar uit mijn ogen en draaide me om. Wat een opluchting. Het was donker, maar tussen het drijvende ijs en hout door, zag ik Trent. Zijn haar zat tegen zijn gezicht geplakt, maar zo te zien was hij ongedeerd. Rillend schopte ik de ene pump die ik nog aanhad uit en begon naar hem toe te zwemmen. Om me heen hoorde ik nog brokstukken van de boot in het water plonzen. Hoe was het mogelijk dat die nog steeds uit de lucht vielen? vroeg ik me af. Er dreef voldoende wrakhout tussen ons in om twee boten van te bouwen.

Trent kwam met een professioneel uitziende slag naar mij toe gezwommen. Kennelijk had hij later toch leren zwemmen. Om ons heen werd de weerkaatsing van vlammen in het ijswater opeens veel feller. Toen ik opkeek stokte mijn adem in mijn keel. Daar kwam nog iets groots en brandends naar beneden.

'Trent!' schreeuwde ik, maar hij hoorde me niet. 'Trent, kijk uit!' gilde ik, naar boven wijzend. Maar hij luisterde niet. Ik probeerde te ontsnappen door onder water te duiken.

Ik werd weggesmeten door de klap. Het water om me heen kleurde rood. Bijna alle lucht werd uit mijn longen geperst toen iets mijn rug raakte. Maar het water was mijn redding en met brandende longen en pijnlijke ogen volgde ik mijn uitgeademde lucht naar de oppervlakte.

'Trent!' riep ik, toen ik uit het ijskoude water opdook in de gloeiende kou van de nacht. Ik zag hem drijven met een luchtkussen in zijn armen dat zich snel met water vulde. Hij keek me met een niets ziende blik aan. Het licht van de brandende boot begon te verdwijnen en ik zwom naar hem toe. De aanlegsteiger was verdwenen. Ik had geen idee hoe we hier uit moesten komen.

'Trent,' zei ik hoestend, toen ik bij hem was. Mijn oren suisden, maar ik kon mezelf wel horen. Ik spuugde het haar uit mijn mond. 'Alles in orde?'

Hij knipperde met zijn ogen alsof hij trachtte zich te concentreren.

Bloed sijpelde onder zijn haar vandaan en trok een bruine streep door zijn blonde haar. Zijn ogen gingen dicht en ik keek vol afschuw toe hoe zijn greep op het luchtkussen verslapte. 'O, nee. Dat gaan we niet doen,' zei ik, hem grijpend voordat hij onder water kon glijden.

Rillend van de kou sloeg ik een arm om zijn nek en trok zijn kin tegen de binnenkant van mijn elleboog. Hij ademde nog. Mijn benen werden zwaar van de kou en ik had kramp in mijn tenen. Ik keek om me heen voor hulp. Waar bleef de I.S. in vredesnaam? Iemand moest die explosie toch hebben gezien?

'Die zijn er ook nooit wanneer je ze nodig hebt,' mompelde ik, een ijsschots ter grootte van een stoel uit de weg duwend. 'Zullen wel bekeuringen aan het uitschrijven zijn voor het verkopen van amuletten die over de datum zijn.' De aanlegsteiger was verdwenen. Ik moest ons uit het water zien te krijgen, maar de golfbreker bestond uit een meter hoog beton. De enige manier om eruit te komen was op het ijs klimmen en naar een andere steiger lopen.

Met een wanhopig gekreun probeerde ik bij de rand van een gat te komen dat de explosie in het ijs had geslagen. Dat haalde ik nooit, ondanks de trage stroming. Ik zakte steeds dieper weg in het water en mijn bewegingen werden steeds trager en moeizamer. Ik had het niet eens meer koud, en dat maakte me helemaal doodsbang. Ik zou het wel kunnen halen... als ik Trent niet hoefde mee te slepen.

'Verdomme!' riep ik, mijn woede gebruikend om in beweging te blijven. Ik zou hier doodgaan, omdat ik hem probeerde te redden. 'Waarom heb je niet verteld wat je van plan was, Kisten!' riep ik uit, terwijl ik mijn tranen als gloeiende druppels uit mijn ogen voelde stromen. 'Waarom heb ik jou niet verteld waar ik naartoe ging?' schreeuwde ik tegen mezelf. 'Wat ben ik toch een stommeling. En dat stomme horloge van je loopt voor, Trent! Wist je dat wel? Dat stomme...' ik haalde snikkend adem, '... horloge loopt voor.'

Mijn keel deed pijn, maar de beweging leek me warm te maken. Het water voelde nu eigenlijk wel lekker. Hijgend stopte ik met zwemmen en begon te watertrappen. Mijn blik vertroebelde toen ik zag dat ik er bijna was. Er lag echter een grote ijsschots in de weg, waar ik omheen zou moeten zwemmen.

Ik nam een vastberaden hap lucht, verschoof mijn loodzware arm en sloeg mijn benen uit. Ik voelde ze niet meer, maar nam aan dat ze bewogen, want het twintig centimeter dikke stuk ijs leek dichterbij te komen. Het laatste licht van de brandende boot wierp kleine rode vlekjes op het ijs toen ik mijn hand ernaar uitstak. Mijn hand gleed onmiddellijk weg in de sneeuw en ik ging kopje onder. Een adrenalinestoot stelde me in staat naar de oppervlakte terug te keren. Trent hoestte en proestte.

'O, Trent,' zei ik, terwijl mijn mond zich met water vulde. 'Ik was je helemaal vergeten. Jij eerst. Kom op. Op het ijs.'

Gebruikmakend van het twijfelachtige houvast van wat eruitzag als een deel van de casinobar, slaagde ik erin Trent half op het bevroren wateroppervlak te duwen. Terwijl de tranen over mijn wangen stroomden, kon ik nu allebei mijn armen gebruiken om mezelf drijvende te houden. Ik bleef een ogenblik hangen, met mijn gevoelloze handen in de sneeuw en mijn hoofd boven op de ijsschots. Ik was zo verschrikkelijk moe. Trent zou niet verdrinken. Ik had mijn plicht gedaan. Nu kon ik aan mezelf denken.

Ik stak mijn handen uit om mezelf op het ijs te trekken – maar dat lukte niet. Toen probeerde ik het op een andere manier en probeerde mijn been op het ijs te trekken. Maar het bewoog niet. Ik kon mijn been niet meer bewegen.

'Oké,' zei ik, niet eens zo bang als ik vond dat ik mocht zijn. De kou moest alles gevoelloos hebben gemaakt – zelfs mijn gedachten voelden wazig. Ik wist dat ik iets moest doen, maar ik kon me niet herinneren wat. Ik knipperde met mijn ogen toen ik Trent nog steeds met zijn benen in het water zag liggen.

'O, ja,' fluisterde ik. Ik moest uit het water zien te komen. De hemel boven mij was zwart, en de nacht was doodstil, op het gesuis in mijn oren en het vage geluid van sirenes in de verte na. Het schijnsel van de vlammen werd steeds zwakker. Ik kon mijn vingers niet meer bewegen en moest mijn armen als knuppels gebruiken om een wrakstuk van de boot naar me toe te trekken. Me heel goed concentrerend om mijn gedachten niet weg te laten zakken, drukte ik het onder water om mezelf omhoog te duwen. Kreunend slaagde ik er eindelijk in een been op het ijs te trekken. Ik rolde log opzij en bleef even uit liggen hijgen. De wind voelde als vuur op mijn rug en het ijs was warm. Het was me gelukt.

'Waar is iedereen?' fluisterde ik, toen ik voelde dat ik op het harde, koude ijs lag. 'Waar is Ivy? Waar blijft de brandweer? Waar is mijn mobieltje?' Ik giechelde toen ik me herinnerde dat dat samen met mijn tasje op de bodem van de rivier lag, maar het lachen verging me bij de gedachte aan de bewusteloze mensen die op dit moment in hun mooiste kleren door het ijskoude water naar de bodem zakten. Verdraaid, ik zou zelfs Denon, mijn oude, verafschuwde baas bij de I.S., kunnen zoenen wanneer hij nu kwam opdagen.

Dat deed me aan iets anders denken. 'Jonathan,' fluisterde ik. 'O, Jo-o-o-o-onathan,' zong ik. 'Waar zit je? Kom eens tevoorschijn – monsterlijk gedrocht dat je bent.'

Ik tilde mijn hoofd op, blij dat ik al in de goede richting lag. Tussen mijn natte haarslierten door turend, kon ik een lichtschijnsel zien op de plek waar de limousine moest staan. De koplampen stonden op de rivier gericht en schenen over de verwoesting en de zinkende wrakstukken. Jonathans silhouet stond aan de kade. Ik wist dat hij het was, omdat ik verder geen mensen kende die zo lang waren als hij. Hij stond de verkeerde kant op te kijken. Zo zou hij me nooit zien en ik had geen kracht meer om te schreeuwen.

Verdomme. Ik moest opstaan.

Ik deed een poging. Ik probeerde het echt. Maar mijn benen deden het niet en mijn armen lagen daar maar, zonder zich iets van mij aan te trekken. En eigenlijk was het ijs wel lekker warm en wilde ik helemaal niet opstaan. Misschien zou hij me horen als ik hem riep.

Ik haalde diep adem. 'Jonathan,' fluisterde ik. O, shit, dit ging niet lukken.

Ik haalde nog eens diep adem. 'Jonathan,' zei ik en hoorde het mezelf ditmaal zeggen. Ik keek op, maar hij keek niet in mijn richting. 'Laat ook maar,' zei ik, terwijl ik mijn hoofd weer op het ijs liet vallen. De sneeuw was warm en ik probeerde er zo diep mogelijk in weg te zakken. 'Lekker,' mompelde ik, maar ik geloof niet dat de woorden echt van mijn lippen kwamen.

Het voelde alsof de hele wereld om me heen draaide en ik hoorde het klotsen van het water. Ik nestelde mezelf glimlachend in het ijs. Ik had al in geen dagen goed geslapen. Langzaam zakte ik weg in het niets, genietend van de warmte van de zon die opeens op het ijs scheen. Iemand sloeg zijn armen om me heen en ik voelde mijn hoofd tegen een natte borst vallen toen ik werd opgetild.

'Denon?' hoorde ik mezelf mompelen. 'Kom hier, Denon. Dan krijg je een dikke... pakkerd van me...'

'Denon?' vroeg iemand.

'Ik draag haar wel, Sa'han.'

Ik probeerde mijn ogen open te doen, maar zakte meteen weer weg. Ik doezelde weg, niet helemaal wakker, maar ook niet helemaal in slaap.

Toen lag ik stil en ik probeerde te glimlachen en lekker te gaan slapen. Maar ik voelde een scherpe pijn in mijn wang en mijn benen deden pijn.

Geïrriteerd wilde ik het ijs wegduwen, maar het was er niet meer. Ik zat recht overeind en iemand sloeg me in mijn gezicht. 'Zo is het wel genoeg,' hoorde ik Trent zeggen. 'Straks houdt ze er nog een lelijke plek aan over.'

De pijn hield op, maar nu begon het wel te kloppen. *Sloeg Jonathan me?* 'Hé, stomme klootzak,' fluisterde ik. 'Als je me nu nog één keer slaat, zal ik ervoor zorgen dat je niet meer aan gezinsplanning hoeft te doen.'

Ik rook leer. Mijn gezicht vertrok van pijn toen er weer wat gevoel in mijn armen en benen begon te komen. God, wat deed dat pijn. Toen ik mijn ogen opendeed, zag ik hoe Trent en Jonathan op mij neer zaten te kijken. Er druppelde bloed tussen Trents haar vandaan en er hingen waterdruppels aan zijn neus. Boven hun hoofden zag ik het interieur van de limousine. Leefde ik dan nog? Hoe was ik in de auto terechtgekomen?

'Het werd eens tijd dat je ons vond,' fluisterde ik, terwijl mijn ogen dichtvielen.

Ik hoorde Trent zuchten. 'Met haar gaat het goed.'

Hij zal wel gelijk hebben. Misschien. Vergeleken met dood zijn, ging het eigenlijk wel goed met me.

'Jammer,' zei Jonathan en ik hoorde hem bij me vandaan schuiven. 'Het zou alles wel wat gemakkelijker hebben gemaakt als dat niet zo was. Het is nog niet te laat om haar in het water te laten glijden bij de rest.'

'Jon!' blafte Trent.

Zijn stem klonk zo gloeiend als mijn huid aanvoelde. Ik stond verdomme in de fik.

'Ze heeft mijn leven gered,' zei Trent zacht. 'Of je haar nu aardig vindt of niet, ze heeft wel je respect verdiend.'

'Trenton – ' begon Jonathan.

'Nee.' Zijn stem klonk ijzig. 'Ze heeft je respect verdíénd.'

Het bleef even stil en als de pijn in mijn benen het had toegelaten, zou ik meteen weer zijn weggezakt. Mijn vingers brandden. 'Ja, Sa'han,' zei Jonathan en ik schrok wakker.

'Breng ons naar huis. Bel vast vooruit en zeg tegen Quen dat hij een bad voor haar laat vollopen. We moeten haar warm zien te krijgen.'

'Goed, Sa'han.' Het klonk traag en schoorvoetend. 'De I.S. is hier. Waarom laten we haar niet bij hen achter?'

Ik voelde iets aan mijn chi trekken toen Trent een lijn aanboorde. 'Ik wil hier niet gezien worden. Zorg dat we niet opvallen en niemand in de weg rijden. Schiet op.'

Mijn ogen weigerden me nog langer te gehoorzamen, maar ik hoorde Jonathan uitstappen en de deur dichtdoen. Vervolgens ging het portier aan de bestuurderszijde open en zette de wagen zich in beweging. De armen om me heen hielden me wat steviger vast en ik realiseerde me dat ik op Trents schoot lag en dat zijn lichaamswarmte me meer goed deed dan de lucht. Ik voelde een zachte deken om me heen. Kennelijk was ik goed ingepakt; ik kon mijn armen en benen niet bewegen.

'Sorry,' mompelde ik en ik gaf het nu maar op om te proberen mijn ogen open te doen. 'Ik maak je pak helemaal nat.' Toen grinnikte ik, want dat klonk natuurlijk idioot. Hij was al doorweekt. 'Die Keltische amulet van je helpt dus ook geen fluit,' fluisterde ik. 'Ik hoop dat je het bonnetje nog hebt.'

'Houd je mond, Morgan,' zei Trent, zijn stem afwezig en verstrooid.

De wagen meerderde snelheid en het geluid leek me in slaap te wiegen. *Nu kan ik me ontspannen,* dacht ik, terwijl ik voelde hoe mijn bloedsomloop tintelend weer op gang begon te komen. Ik lag in Trents auto, in een deken gewikkeld en in zijn armen. Hij zou me nu verder wel beschermen.

Hij zingt alleen niet, mijmerde ik. *Hoort hij nu eigenlijk niet te zingen?*

Het warme water waar ik in lag was heerlijk. Ik had er nu wel lang genoeg in gelegen om helemaal rimpelig te worden, maar dat kon me niet schelen. Ellasbeth's verzonken badkuip was fantastisch. Zuchtend staarde ik omhoog naar de drie meter hoge plafonds en de potorchideeën die om de badkuip heen stonden. Misschien had het toch wel iets om drugshandelaar te zijn als je er zo'n badkuip bij kreeg. Ik lag er nu al meer dan een uur in.

Nog voordat we de stad binnenreden, had Trent Ivy al voor me gebeld. Zelf had ik haar zo-even gesproken, om haar te vertellen dat ik niets mankeerde en in een heerlijk warm bad lag waar ze me met geen tien paarden meer uit zouden krijgen. Toen had ze opgehangen, maar ik wist dat het goed zat tussen ons.

Ik haalde mijn vingers door het schuim en voelde aan de van Trent geleende pijnamulet die om mijn nek hing. Ik wist niet wie hem had geactiveerd; zijn secretaresse misschien? Al mijn eigen amuletten lagen op de bodem van de Ohio River. Mijn glimlach verdween toen ik aan de mensen dacht die ik niet had kunnen redden. Ik wilde me niet schuldig voelen omdat ik nog leefde en zij niet. Het was niet mijn schuld dat ze dood waren, maar die van Saladan. Of van Kisten. Verdomme. Wat moest ik daar nu weer mee?

Ik deed mijn ogen dicht om voor hen te bidden, maar toen ik in de verte snelle voetstappen aan hoorde komen, keek ik op. Ze kwamen snel dichterbij en ik verstijfde toen een slanke vrouw, elegant gekleed in een crèmekleurig pakje, met klikkende hakjes over de badkamervloer onaangekondigd naar mij toe kwam. Ze had een tas van een warenhuis bij zich. Haar ijzige blik was strak op de deur naar de kleedkamer gericht en ze zag me niet eens toen ze naar binnen liep.

Dat moest Ellasbeth zijn. Shit. Wat moest ik nu? Het schuim van mijn hand vegen en haar een hand geven? Als bevroren staarde ik naar de deur. Mijn jas hing over een van de stoelen en mijn kledingzak hing nog naast het kamerscherm. Met wild bonzend hart vroeg ik me af of ik snel genoeg bij de groene handdoek kon komen, voordat zij in de gaten kreeg dat ze niet alleen was.

De vage geluidjes hielden op en ik zonk zo diep mogelijk in het schuim weg toen zij de badkamer weer binnenkwam, ziedend van woede. Haar donkere ogen waren tot spleetjes geknepen en ze had een rode kleur op haar hoge jukbeenderen. Ze kwam stijfjes voor me staan, de tas nog over haar arm en kennelijk vergeten. Ze droeg haar dikke, golvende blonde haar uit haar gezicht, wat haar smalle gezicht een strenge schoonheid verleende. Met haar lippen stijf op elkaar en haar kin in de lucht, vestigde ze haar felle blik meteen op mij.

'Wie ben jij?' vroeg ze, en haar krachtige stem klonk kil en overheersend.

Ik glimlachte, maar ik wist dat ik er een beetje bleekjes uitzag. 'Eh, ik ben Rachel Morgan. Van *Vampiric Charms*?' Ik wilde overeind komen, maar deed het toch maar niet. Ik haatte de vragende klank in mijn stem, maar daar kon ik nu niets meer aan doen. Misschien kwam het omdat ik hier naakt onder het schuim lag, en zij op tien centimeter hoge naaldhakken voor me stond, in een smaakvolle combinatie die Kisten voor mij had kunnen uitkiezen als hij met me was gaan winkelen in New York.

'Wat doe je in mijn bad?' Ze keek met een geringschattende blik naar mijn nog niet geheel genezen blauwe oog.

Ik pakte een handdoek en trok hem bij me in bad, om mezelf te bedekken. 'Ik probeer een beetje warm te worden.'

Haar mond vertrok. 'Dat kan ik me voorstellen,' zei ze op scherpe toon. 'Hij is een ijskoude ellendeling.'

Toen ze wegliep kwam ik in een golf van water overeind. 'Trenton!' galmde haar stem, ruw afstekend tegen de intense rust waar ik van had liggen genieten.

Ik blies mijn adem uit en keek naar de kletsnatte handdoek die aan mijn lichaam plakte. Zuchtend stond ik op en opende met mijn voet de afvoer. Het water dat om mijn kuiten klotste werd rustig en begon weg te lopen. Ellasbeth was zo vriendelijk geweest alle deuren open te laten staan en ik hoorde haar tegen Trent tekeergaan. Ze was niet ver weg. Misschien wel in de zitkamer. Zolang ik haar nog kon horen, leek het me wel veilig om me hier binnen af te drogen. Ik wrong de kletsnatte handdoek uit en pakte twee droge van de verwarming.

'Godallemachtig, Trenton,' klonk haar stem, verbitterd en grof. 'Kon je niet eens wachten tot ik weg was voordat je een van je hoeren in huis haalde?'

Ik kreeg een kleur en probeerde zo snel mogelijk mijn armen af te drogen.

'Ik dacht dat je al weg was,' zei Trent rustig, wat de zaken er niet beter op maakte. 'En ze is geen hoer, maar een zakelijke relatie.'

'Het kan me niet schelen hoe je haar noemt, maar ze zit in mijn vertrekken, rotzak.'

'Ik wist niet waar ik haar anders moest onderbrengen.'

'Je hebt acht badkamers aan deze kant van de muur, en toch moest je haar in de mijne zetten?'

Ik was blij dat mijn haar al een beetje droog was en dat het naar Ellasbeth's shampoo rook, gaf me natuurlijk helemaal een heerlijk gevoel. Onhandig op één voet balancerend, probeerde ik mijn ondergoed aan te trekken, blij dat ik alleen de panty die ik van huis had meegenomen had gedragen toen ik de plomp in ging. Mijn huid was nog vochtig en alles plakte aan mijn lijf. Ik ging bijna onderuit toen mijn voet halverwege mijn broekspijp bleef steken, maar wist mezelf vast te houden aan de wasbak.

'Loop naar de hel, Trenton! Waag het niet om zoiets zákelijk te noemen!' gilde Ellasbeth. 'Er zit een naakte heks in mijn bad en jij zit hier in je badjas!'

'Nu moet je eens goed naar me luisteren.' Trents stem klonk spijkerhard en ik hoorde twee kamers verder hoe kwaad hij was. 'Ik zei dat ze een zakenrelatie was en dat is precies wat ze is.'

Ellasbeth lachte vreugdeloos. 'Van *Vampiric Charms*? Ze heeft me zelf de naam van haar bloedhuis verteld!'

'Als je het dan zo nodig moet weten, ze is een agente,' zei Trent, zo kil dat ik zijn opeengeklemde kaken bijna voor me zag. 'Haar partner is een vampier. Het is een woordgrapje, Ellasbeth. Rachel was vanavond mijn lijfwacht en ze is in de rivier gevallen toen ze mijn leven redde. Ik kon haar moeilijk halfdood van onderkoeling en als een verzopen kat bij haar kantoor afzetten. Je hebt me zelf verteld dat je de vlucht van zeven uur zou nemen. Ik dacht dat je weg was en ik wilde haar niet in mijn kamers hebben.'

Het bleef even stil. Ik trok snel mijn sweatshirt aan. Ergens op de bodem van de rivier lag voor een paar duizend dollar aan zacht gouddraad uit Randy's kapsel en één oorring. De halsketting had het in elk geval overleefd. Misschien werkte die amulet alleen op de halsketting zelf.

'Jij was op die boot... Die boot die is geëxplodeerd...' Haar stem klonk iets zachter, maar er klonk geen spoor van verontschuldiging in haar plotselinge bezorgdheid.

In de stilte frunnikte ik wat aan mijn haar, maar het was vergeefs. Als ik een halfuur had kon ik er misschien nog iets van maken. Bovendien kon ik toch niets meer veranderen aan die allereerste, verpletterende indruk die ik had gemaakt. Dus haalde ik maar een keer diep adem, trok mijn schouders recht en liep op mijn sokken naar de zitkamer. Koffie. Ik rook koffie. Koffie zou alles veel beter maken.

'Je zult mijn verwarring kunnen begrijpen,' zei Ellasbeth, terwijl ik bij de deur, waar ik hen kon zien, nog even bleef treuzelen. Ellasbeth stond naast de ronde tafel in de ontbijthoek en keek wel vriendelijk, maar dan op de manier waarop een tijger kijkt wanneer hij zich realiseert dat hij de man met de zweep niet kan opvreten. Trent zat aan tafel, gehuld in een groene ochtendjas, afgezet met kastanjebruin. Hij had een professioneel ogend verband om zijn voorhoofd. Hij keek behoorlijk geïrriteerd, wat logisch was voor iemand wiens verloofde hem zojuist had beschuldigd van vreemdgaan.

'Meer verontschuldigingen hoef ik zeker niet van je te verwachten?' zei Trent.

Ellasbeth liet het tasje van het warenhuis vallen en zette een hand op haar heup. 'Ik wil haar uit mijn kamers hebben. Het kan me niet schelen wie ze is.'

Trents blik werd naar mij toegetrokken en ik haalde schuldbewust mijn schouders op. 'Quen zal haar naar huis brengen nadat we hier een lichte maaltijd hebben genuttigd,' zei hij tegen haar. 'Als je wilt kun je ook mee-eten. Zoals ik al zei, ik dacht dat je al weg was.'

'Ik heb omgeboekt naar een vampvlucht zodat ik langer kon winkelen.'

Trent keek weer even naar mij, om Ellasbeth duidelijk te maken dat ze niet alleen waren. 'Dus je hebt zes uur lopen winkelen en je hebt maar één tasje?' zei hij, met een vaag verwijtende klank in zijn stem.

Ellasbeth volgde zijn blik naar mij en verborg haar boosheid onmiddellijk onder een vriendelijke uitdrukking. Maar ik zag haar ergernis nog steeds. Het was even afwachten hoe ze er uiting aan zou geven. Ik vermoedde heimelijke hatelijke opmerkingen en beledigingen vermomd als complimentjes. Maar zolang zij aardig tegen me was, deed ik aardig terug.

Glimlachend kwam ik tevoorschijn in mijn jeans en mijn Howlers-sweatshirt. 'Hé, eh, bedankt voor de pijnamulet en dat ik me hier wat mocht opknappen, meneer Kalamack.' Bij de tafel bleef ik staan. De sfeer was te snijden en zo verstikkend als bedorven kwark. 'U hoeft Quen niet lastig te vallen. Ik bel mijn partner wel of zij me komt halen. Waarschijnlijk staat ze op dit moment al voor uw poortgebouw.'

Trent deed zichtbaar zijn best om niet boos meer te kijken. Toen hij zijn ellebogen op tafel zette en de mouwen van zijn ochtendjas omlaag zakten, zag ik het blonde haar op zijn armen. 'Ik heb liever dat Quen u even thuisbrengt, juffrouw Morgan. Ik voel er weinig voor om juffrouw Tamwood nu te woord te staan.' Hij keek naar Ellasbeth. 'Zal ik de luchthaven voor je bellen, of blijf je nog een nachtje hier?'

Het klonk in geen enkel opzicht als een uitnodiging. 'Ik blijf,' zei ze met een strak gezicht. Toen bukte ze zich met rechte benen, raapte haar tas op en liep naar haar deur. Ik keek haar snelle hogehakkenpassen na en zag er een gevaarlijke combinatie in van harteloze onverschilligheid en trots.

'Ze is zeker enig kind?' zei ik, toen het geluid van haar hakken verdween.

Trent knipperde met zijn ogen en deed zijn mond open. 'Ja, inderdaad.' Toen gebaarde hij dat ik moest gaan zitten.

Er niet geheel van overtuigd of ik wel samen met hen wilde eten, ging ik voorzichtig op de stoel tegenover Trent zitten. Mijn blik ging naar het namaakraam dat een hele muur in beslag nam. Volgens de klokken die ik had gezien was het even na elven en het was een maanloze avond. 'Sorry,' zei ik, in de richting kijkend van de doorgang naar Ellasbeth's kamers.

Even verstrakte zijn gezicht, maar toen ontspande hij zich. 'Kan ik je misschien blij maken met een kopje koffie?'

'Heel graag zelfs.' Ik viel bijna flauw van de honger en de hitte van mijn badwater had me uitgeput. Ik keek met grote ogen op toen een gezette vrouw in een schort op haar gemak uit het kleine keukentje kwam dat zich helemaal achter in de kamer bevond. Het was een gedeeltelijk open keuken, maar ik had haar nog helemaal niet gezien.

Mij een glimlach schenkend waaraan haar hele gezicht meedeed, zette de vrouw een beker van die hemels geurende koffie voor me neer en schonk Trents kleinere theekopje nog eens vol met een amberkleurige vloeistof. Ik meende gardenia's te ruiken, maar wist het niet zeker. 'Dank u wel,' zei ik, terwijl ik mijn handen om de beker heen legde en de geur diep inademde.

'Graag gedaan,' zei ze, met de professionele warmte van een goede serveerster. Met een glimlach draaide ze zich om naar Trent. 'Wat zal het vanavond zijn, meneer Kalamack? Het is eigenlijk te laat voor een echt diner.'

Terwijl ik in mijn koffie blies, gingen mijn gedachten naar de verschillende dagindelingen van heksen en kobolden. Het was interessant te bedenken dat er altijd één van onze soorten wakker was en dat we toch op hetzelfde tijdstip de avondmaaltijd gebruikten.

'O, doe maar iets lichts,' zei Trent, die duidelijk zijn best deed de sfeer wat op te vrolijken. 'Ik heb ongeveer anderhalve liter rivierwater ergens in me zitten. Of zullen we anders een ontbijtje doen? Het gebruikelijke recept, Maggie.'

De vrouw knikte, zonder dat haar grijze, kortgeknipte haar bewoog. 'En waar heb jij trek in, kindje?' vroeg ze aan mij.

Ik keek van Trent naar de vrouw. 'Wat is het gebruikelijke recept?'

'Vier gebakken spiegeleieren en drie sneden aan één kant geroosterd bruin brood.'

Ik voelde mezelf verbleken. 'En dat noemen jullie licht?' Het was eruit voor ik er erg in had.

Trent trok de kraag van zijn pyjama recht, die achter zijn ochtendjas vandaan piepte. 'Snelle stofwisseling.'

Ik dacht eraan hoe hij en Ceri het nooit koud leken te hebben. Ook van de temperatuur van het rivierwater had hij geen last gehad. 'Eh,' zei ik, toen ik me realiseerde dat zij nog stond te wachten. 'Dat geroosterde brood klinkt goed, maar laat die eieren maar zitten,'

Met opgetrokken wenkbrauwen nam Trent een slokje van zijn thee en keek mij over de rand van het kopje aan. 'Dat is waar ook,' zei hij, zonder enig verwijt in zijn stem. 'Daar kan jij niet zo goed tegen. Maggie, doe anders maar wafels.'

Geschokt leunde ik achterover in mijn stoel. 'Hoe weet jij...'

Trent haalde zijn schouders op. Hij zag er goed uit in zijn ochtendjas en met zijn blote voeten. Hij had mooie voeten. 'Dacht je dat ik jouw medische geschiedenis niet kende?'

Mijn verwondering ebde weg toen ik aan Faris dacht en hoe hij dood op de grond had gelegen in Trents kantoor. *Hoe haalde ik het in vredesnaam in mijn hoofd om hier samen met hem te gaan zitten eten?* 'Ja, lekker, wafels.'

'Tenzij je liever iets wilt wat echt als avondmaaltijd is bedoeld. Chinees is ook zo klaar. Heb je daar meer trek in? Maggie maakt verrukkelijke wontons.'

Ik schudde mijn hoofd. 'Wafels zijn prima.'

Maggie glimlachte en schuifelde terug naar de keuken. 'Het is zo klaar.'

Ik legde mijn servet op mijn schoot en vroeg me af hoeveel van dit laten-we-lief-zijn-voor-Racheltoneelstukje speciaal voor Ellasbeth was bedoeld, die in de kamer hiernaast alles kon horen. Trent wilde haar natuurlijk straffen voor het feit dat ze hem valselijk van overspel had beschuldigd. Omdat het me eigenlijk weinig kon schelen, zette ik mijn ellebogen op tafel en nam een slok van de lekkerste koffie die ik ooit had geproefd. Mijn ogen sluitend in de opstijgende stoom, kreunde ik van genot. 'O, god, Trent,' fluisterde ik. 'Dit is heerlijk.'

Bij het plotselinge geluid van hoge hakken over het tapijt deed ik mijn ogen weer open. Het was terug.

Ik ging rechtop zitten op mijn stoel toen Ellasbeth binnenkwam, in zwart kostuum met daaronder een witte blouse en opgefleurd met een perzikkleurig sjaaltje. Mijn blik gleed naar haar ringvinger en ik trok wit weg. Je kon een hele stad verlichten met de schittering die dat ding uitstraalde.

Ellasbeth kwam naast mij zitten, iets te dichtbij naar mijn zin. 'Maggie?' zei ze op luchtige toon. 'Voor mij alleen thee met wat kaakjes. Ik heb al gegeten.'

'Goed, mevrouw,' zei Maggie, door de open deur naar binnen leunend. In haar stem lag geen sprankje warmte. Kennelijk was Maggie ook niet dol op Ellasbeth.

Ellasbeth mat zich een glimlachend gezicht aan en legde haar lange, slanke vingers op tafel om haar verlovingsring extra goed te laten uitkomen. *Kreng.* 'Volgens mij hebben wij een valse start gehad, juffrouw Morgan,' zei ze opgewekt. 'Kennen jij en Trenton elkaar al lang?'

Ik mocht Ellasbeth niet. Zelf zou ik ook behoorlijk uit mijn doen zijn als ik thuiskwam en een meisje in Nicks badkuip zou aantreffen, maar nadat ik haar tegen Trent had zien uitvaren, kon ik geen enkele sympathie voor haar opbrengen. Iemand van vreemdgaan beschuldigen is niet niks. Mijn glimlach stierf weg toen ik me opeens realiseerde dat ik bij Nick vrijwel hetzelfde had gedaan. Ik had hem ervan beschuldigd mij te dumpen en hem gevraagd of hij een ander had. Het was niet hetzelfde, maar wel bijna. Shit. Ik moest hem vertellen dat het me speet. Dat hij me de afgelopen drie maanden niet meer had verteld waar hij naartoe ging en mij intussen had ontlopen, leek niet voldoende reden meer. Gelukkig had ik hem niet uitgescholden. Mezelf wakker schuddend uit mijn overpeinzingen glimlachte ik naar Ellasbeth.

'O, Trent en ik kennen elkaar al heel lang,' zei ik op luchtige toon, terwijl ik een lok haar om mijn vinger draaide en er opeens aan werd herinnerd dat het veel korter was. 'We kennen elkaar van vroeger in het zomerkamp. Eigenlijk wel romantisch, vind je ook niet?' Ik glimlachte om Trents plotselinge effen blik.

'O ja?' Ze wendde zich tot Trent en in haar zachte stem hoorde ik al iets van een tijger grommen.

Ik ging rechtop zitten, trok mijn benen op zodat ik in kleermakershouding op de stoel zat en liet mijn vinger op een suggestieve manier over de rand van de beker glijden. 'Hij was zo'n ondeugende vlerk toen hij jonger was, een en al leven en vol energie. Ik moest hem echt van me af houden, de schat. Zo is hij toen aan dat litteken op zijn onderarm gekomen.'

Ik keek Trent aan. 'Dat je dat Ellasbeth niet hebt verteld! Trent, je schaamt je er toch zeker niet nog steeds voor?'

Ellasbeth's ooglid trilde, maar haar glimlach bleef onveranderd. Maggie zette een fragiel kopje vol amberkleurige vloeistof voor haar neer en liep zonder iets te zeggen weer weg. Haar zorgvuldig geëpileerde wenkbrauwen hoog opgetrokken, nam Ellasbeth Trent van top tot teen op. Hij deed er het zwijgen toe en ontkende ook niets. Ze roffelde geërgerd met haar vingertoppen op de tafel. 'Juist,' zei ze, waarna ze opstond. 'Trenton, ik denk dat ik toch die vlucht van vanavond maar alvast neem.'

Trent keek haar aan. Hij zag er moe en ook een beetje opgelucht uit. 'Je moet doen wat je wilt, lieveling.'

Met haar blik op mij gevestigd, leunde ze naar hem toe. 'Dan heb jij de kans om je zaken op orde te stellen – allerliefste,' zei ze, terwijl ze met haar lippen de lucht naast zijn oor beroerde. Terwijl ze mij bleef aankijken, gaf ze hem een luchtig kusje op zijn wang. Afgezien van een wraakzuchtige glinstering, was er geen enkele emotie in haar ogen te zien. 'Bel je me morgen?'

Van Trents gezicht viel ook geen emotie af te lezen. Helemaal niets. En dat bezorgde me een koude rilling. 'Ik tel de uren af,' zei hij. Ook zijn stem verraadde niets. Zij keken allebei naar mij toen hij heel even haar wang aanraakte met zijn hand. Maar hij kuste haar niet terug. 'Moet Maggie je thee ook inpakken?'

'Nee.' Mij nog steeds aankijkend, richtte zij zich op, met haar hand bezitterig op zijn schouder. Het plaatje dat zij samen vormden was mooi en sterk. En een eenheid. Ik dacht aan het moment dat ik op Saladans boot een weerspiegeling had gezien van Trent en mij. Hier zag ik de band die tussen ons ontbrak. Maar liefde was het niet. Het was meer... Ik fronste mijn voorhoofd... een zakelijke fusie?

'Ik vond het erg leuk je te ontmoeten, Rachel,' zei Ellasbeth, mij wekkend uit mijn overpeinzingen. 'En bedankt dat je vanavond mijn verloofde hebt willen vergezellen. Je diensten zijn ongetwijfeld gebaseerd op veel ervaring en worden bijzonder op prijs gesteld. Jammer dat hij er in de toekomst geen gebruik meer van zal maken.'

Ik leunde over de tafel om haar uitgestoken hand te schudden. Ik dacht dat ze me zojuist voor hoer had uitgemaakt – alweer. Opeens snapte ik er niets meer van. *Mocht hij haar nu wel, of toch niet?* 'Goede vlucht,' zei ik.

'Dank je.' Haar hand gleed uit de mijne en ze deed een stap naar achteren. 'Loop je even mee naar de auto?' vroeg ze aan Trent, haar stem poeslief en tevreden.

'Ik ben niet gekleed, lieveling,' zei hij zacht, haar nog steeds aanrakend. 'Jonathan draagt je tassen wel.'

Ik zag een geërgerde blik over haar gezicht glijden en zond haar een valse glimlach toe. Ze draaide zich om en liep naar de hal die uitkeek over de grote kamer. 'Jonathan?' riep ze, met klikkende hakken.

Goeie god. Die twee speelden spelletjes met elkaar alsof het een olympische sport was.

Trent zuchtte. Ik zette mijn voeten weer op de grond en keek hem spottend aan. 'Aardige meid.'

Zijn uitdrukking werd grimmig. 'Nee, dat is ze niet, maar ze wordt wel mijn vrouw. Ik zou het erg op prijs stellen als jij niet meer suggereerde dat wij met elkaar slapen.'

Ik glimlachte, maar dit keer echt. 'Ik wilde alleen maar dat ze weg zou gaan.'

Maggie kwam de tafel voor ons dekken en nam meteen Ellasbeth's kop en schotel weer mee. 'Vreselijk, vreselijk mens,' mompelde ze, haar bewegingen snel en scherp. 'En als u wilt kunt u me ontslaan, meneer Kalamack, maar ik mag haar niet en ik zal haar ook nooit mogen. Let maar eens op. Ik wil wedden dat ze de een of andere vrouw meeneemt die hier mijn keuken komt overnemen. Die mijn kastjes anders gaat inrichten. Die mij eruit werkt.'

'Dat zal nooit gebeuren, Maggie,' zei Trent op sussende toon en zijn houding was opeens veel meer ontspannen en gemakkelijker. 'We zullen er allemaal het beste van moeten maken.'

'O, altijd maar die zorgen,' mompelde ze terwijl ze terugliep naar de keuken.

Ik voelde me veel meer op mijn gemak nu Ellasbeth weg was en nam nog een slokje van die verrukkelijke koffie. 'Zíj is aardig,' zei ik, met een blik naar de keuken.

Met een jongensachtig zachte blik in zijn groene ogen, knikte hij: 'Ja, dat is ze zeker.'

'Ze is geen kobold,' zei ik en hij draaide snel zijn hoofd naar mij om. 'Ellasbeth wel,' voegde ik eraan toe en zijn blik werd weer afwerend.

'Je begint hier onaangenaam handig in te worden, juffrouw Morgan,' zei hij.

Mijn ellebogen aan weerszijden van het witte bord zettend, legde ik mijn kin op het bruggetje dat ik met mijn handen maakte. 'Dat is nu precies Ellasbeth's probleem, snap je. Ze voelt zich een soort fokmerrie.'

Trent schudde zijn servet uit en legde het op zijn schoot. Zijn badjas begon langzaam open te vallen en toonde een ouderwetse pyjamabroek. Dat was een beetje een teleurstelling – ik had op een boxershort gehoopt. 'Ellasbeth wil niet naar Cincinnati verhuizen,' zei hij, zich er niet van bewust dat ik stiekem naar zijn lichaam zat te gluren. 'Zij heeft haar werk en haar vrienden in Seattle. Als je haar zo ziet zou je het niet zeggen, maar zij is een van 's werelds beste nucleaire transplantatiedeskundigen.'

Mijn verbaasde stilzwijgen trok zijn aandacht en ik staarde hem aan.

'Zij kan de kern uit een beschadigde cel verwijderen en hem transplanteren in een gezonde,' zei hij.

'O.' Mooi én intelligent. Ze kon Miss Amerika worden als ze beter leerde liegen. Maar volgens mij leek dit toch gevaarlijk veel op illegale genetische manipulatie.

'Ellasbeth kan net zo goed vanuit Cincinnati werken als vanuit Seattle,' zei Trent, mijn stilzwijgen voor belangstelling houdend. 'Ik heb al een schenking gedaan aan de afdeling wetenschappelijk onderzoek van de universiteit, voor de modernisering van hun faciliteiten. Ze gaat Cincinnati op de kaart zetten met haar onderzoek, en toch is ze boos dat zij moet verhuizen en niet ik.' Hij reageerde op mijn vragende blik. 'Wat zij doet is niet illegaal.'

'Tomaten, tomaten,' zei ik, naar achteren leunend toen Maggie een schaaltje boter en een kannetje dampende stroop op tafel zette en weer wegliep.

Trents groene ogen keken in de mijne en hij haalde zijn schouders op.

Een heerlijke bakgeur kwam onze kant op drijven en het water liep me in de mond toen Maggie terugkwam met twee borden vol dampende wafels. Ze zette er een voor mij neer, een beetje aarzelend omdat ze niet wist of ik er wel blij mee was. 'Het ziet er verrukkelijk uit,' zei ik, mijn hand uitstekend naar de boter.

Trent schoof zijn bord een beetje heen en weer terwijl hij op mij wachtte. 'Bedankt, Maggie. Ik ruim wel af. Het is al laat. Nog een fijne avond verder.'

'Dank u, meneer Kalamack,' zei Maggie tevreden en legde even een hand op zijn schouder. 'Ik ruim nog even de keuken op voordat ik ga. Wil er iemand nog thee of koffie?'

Ik keek op terwijl ik de boter naar Trent schoof. Ze wachtten allebei op mij. 'Eh, nee hoor,' zei ik, met een blik op mijn beker. 'Dank u.'

'Nee hoor, dank je,' zei ook Trent.

Maggie knikte tevreden en keerde neuriënd terug naar de keuken. Ik glimlachte toen ik het dwaze slaapliedje, 'All the Pretty Little Horses', herkende.

Toen ik het dekseltje van een schaaltje optilde, zag ik dat het vol zat met verse aardbeienmoes. Ik zette grote ogen op. Piepkleine hele aardbeitjes, ongeveer zo groot als mijn pinknagel, lagen ter versiering langs de rand, alsof het juni was, in plaats van december, en ik vroeg me af hoe hij eraan was gekomen. Ik lepelde gretig aardbeien op mijn wafel en keek op toen ik voelde dat Trent naar me zat te kijken. 'Wil jij ook?'

'Wanneer jij ermee klaar bent.'

Ik stond op het punt nog een schep te nemen, maar aarzelde toen. Ik zette de lepel er weer in en schoof het schaaltje naar de andere kant van de tafel. Het zachte geluid van rinkelend tafelzilver leek heel hard te klinken toen ik de stroop eroverheen goot. 'De laatste keer dat ik een man in een badjas heb gezien, heb ik hem bewusteloos geslagen met een tafelpoot,' zei ik, in een poging de stilte te doorbreken met een geestige opmerking.

Trent glimlachte bijna. 'Dan zal ik maar goed oppassen.'

De wafel was knapperig vanbuiten en heerlijk luchtig vanbinnen, zodat je hem gemakkelijk met je vork kon snijden. Trent gebruikte een mes. Ik stak het keurige vierkantje heel voorzichtig in mijn mond, om niet te morsen. 'O, god,' zei ik, met volle mond, en al mijn tafelmanieren vergetend. 'Komt het omdat we bijna dood waren dat dit zo heerlijk smaakt, of is ze echt de beste kokkin op aarde?'

Het was roomboter en de ahornsiroop had die donkere smaak die verraadde dat het honderd procent de echte was. Niet twee procent, of zeven procent; het was gewoon echte ahornsiroop. Toen ik aan de voorraad stroopsnoepjes dacht die ik ooit had gevonden bij het doorzoeken van Trents kantoor, keek ik hier niet vreemd van op.

Trent zette een elleboog op tafel en keek naar zijn bord. 'Maggie doet er mayonaise in. Dat geeft haar wafels een bijzondere structuur.'

Even staarde ik aarzelend naar mijn bord, maar toen kwam ik tot de conclusie dat er, als ik het niet eens kon proeven, niet voldoende ei in zat om me zorgen over te maken. 'Mayonaise?'

Vanuit de keuken klonk een verwijtende stem: 'Meneer Kalamack...' Haar handen aan haar schot afdrogend, kwam Maggie de keuken weer uit. 'Nu moet u niet al mijn geheimen gaan verklappen, anders zitten er morgen theeblaadjes in uw kopje.'

Over zijn schouder kijkend, schonk hij haar een brede glimlach, die een heel ander mens van hem maakte. 'Dan kan ik eindelijk eens in de toekomst kijken. Welterusten, Maggie.'

Snuivend liep ze weg, langs de verzonken woonkamer en vervolgens linksaf bij de gang die uitkeek over de grote zaal. Haar voetstappen maakten bijna geen geluid en het dichtvallen van de voordeur juist heel veel. In de nieuwe stilte hoorde ik weer stromend water en nam nog een hap.

Drugsbaron, moordenaar, slechte man, hield ik mezelf streng voor. Maar hij zei niets en ik begon me ongemakkelijk te voelen. 'Hé, het spijt me van al dat water in je limousine,' zei ik.

Trent veegde zijn mond af. 'Dat laat ik wel schoonmaken en dat vind ik niet zo erg na wat jij hebt gedaan.'

'Maar toch,' zei ik, terwijl mijn blik weer naar het schaaltje aardbeien gleed. 'Het spijt me.'

Toen hij zag dat ik van de vruchten naar hem keek, trok Trent een vragend gezicht. Hij was niet van plan ze aan mij te geven, dus pakte ik ze zelf maar. 'Takata's auto is helemaal niet mooier dan de jouwe,' zei ik, het schaaltje leeggietend boven het laatste stukje van mijn wafel. 'Ik plaagde je maar wat.'

'Dat had ik al begrepen,' zei hij op sarcastische toon. Hij at niet meer en toen ik opkeek, zat hij met zijn mes en zijn vork in zijn handen te kijken hoe ik met mijn botermesje het laatste beetje aardbeienmoes uit het schaaltje schraapte.

'Wat nou?' zei ik, toen ik het neerzette. 'Jij hoefde toch niet meer?'

Hij sneed zorgvuldig nog een stukje van zijn wafel af. 'Dus je hebt contact gehad met Takata?'

Ik haalde mijn schouders op. 'Ivy en ik doen de beveiliging tijdens zijn concert van aanstaande vrijdag.' Ik stak een klein hapje in mijn mond en kauwde met mijn ogen dicht. 'Wat is dit lekker.' Hij zei niets en ik deed mijn ogen weer open. 'Ga jij – eh – ook?'

'Nee.'

Ik richtte mijn aandacht weer op mijn bord, maar hield hem onder mijn haar vandaan in de gaten. 'Oké.' Ik nam nog een hap. 'Die man is echt een type apart. Toen ik hem sprak, droeg hij een oranje broek. En zijn haar staat helemaal zó.' Ik gebaarde, om Trent te laten zien wat ik bedoelde. 'Maar jij kent hem natuurlijk persoonlijk.'

Trent was nog steeds, met het tempo van een slak, aan zijn wafel bezig. 'We hebben elkaar een keer ontmoet.'

Omdat ik vol zat, veegde ik met mijn mes alle aardbeien van mijn laatste stukje wafel, en concentreerde me op de vruchten. 'Hij plukte me van de straat, liet me een eindje meerijden en gooide me er op de snelweg weer uit.' Ik glimlachte. 'Gelukkig had hij iemand anders in mijn auto achter ons aan laten rijden. Heb je zijn nieuwste nummer al gehoord?' *Muziek. Ik kon het gesprek altijd gaande houden als het over muziek ging. En Trent hield van Takata's muziek. Dat wist ik toevallig van hem.*

'Rode Linten?' vroeg Trent, met een eigenaardige intensiteit in zijn stem.

Ik knikte, slikte en duwde mijn bord van me af. De aardbeien waren op en ik zat vol. 'Heb je het gehoord?' vroeg ik, met mijn koffie achteroverzakkend in mijn stoel.

'Ik heb het gehoord.' Trent had nog één klein puntje van zijn wafel over, maar legde zijn vork neer en schoof zijn bord symbolisch weg. Hij pakte zijn thee op en leunde naar achteren. Ik nam een slokje van mijn koffie, maar verstijfde toen ik me realiseerde dat Trent zowel mijn houding als mijn beweging precies had nagedaan.

O, shit. Hij vindt me leuk. Het spiegelen van bewegingen was een klassieker in de lichaamstaal. Met het gevoel alsof ik ergens in verzeild was geraakt waar ik helemaal niet wilde zijn, leunde ik opzettelijk naar voren en legde mijn arm op tafel, met mijn vingers om mijn warme koffiebeker. *Ik speelde dit spelletje niet mee. O nee!*

'"Jij bent van mij, en toch helemaal jezelf,"' zei Trent op droge toon, zich kennelijk niet bewust van mijn gedachten. 'De man kent ook geen enkele discretie. Dat zal hem op een dag nog eens opbreken.'

Met een afwezige blik in zijn ogen legde hij zijn arm op tafel. Ik kreeg het koud en verslikte me bijna, maar niet om wat hij had gedaan. Het was om wat hij had gezegd. 'Krijg nou de pest!' riep ik uit. 'Jij bent de intimus van een vamp!'

Trents ogen schoten naar mij. 'Pardon?'

'Die tekst!' sputterde ik. 'Die heeft hij niet uitgebracht. Hij staat op de vamptrack die alleen ondode vampiers en hun intimi kunnen horen. O, mijn god! Je bent gebeten!'

Met zijn lippen stijf op elkaar geklemd, pakte Trent zijn vork weer op en sneed een driehoekje wafel af om daar de laatste stroop mee van zijn bord te vegen. 'Ik ben geen intimus. En ik ben nog nooit gebeten.'

Met bonzend hart staarde ik hem aan. 'Hoe ken jij die tekst dan? Ik heb je zelf gehoord. Ik heb je de woorden horen zeggen. Regelrecht van die vamptrack.'

Hij trok zijn dunne wenkbrauwen naar mij op. 'Hoe weet jij van die vamptrack?'

'Ivy.'

Trent stond op. Nadat hij zijn vingers had afgeveegd, trok hij zijn badjas wat steviger om zich heen en liep de kamer door naar de comfortabele woonkuil met een tv die een hele wand in beslag nam en een stereo. Ik keek hoe hij een cd van een plank pakte en in het apparaat stopte. Vervolgens toetste hij het nummer van zijn keuze in en klonk 'Rode Linten' uit de verborgen luidsprekers. Hoewel de muziek heel zacht stond, voelde ik de bas door me heen dreunen.

Met een soort vermoeide acceptatie kwam hij terug met een draadloze koptelefoon. Het ding zag er professioneel uit. Het was er zo een die je boven je oren moet dragen, in plaats van erop. 'Luister maar,' zei hij, mij de koptelefoon aanreikend. Ik deinsde argwanend naar achteren, maar hij zette het ding op mijn hoofd.

Mijn mond viel open en ik keek hem aan. Het was 'Rode Linten', alleen was het niet hetzelfde nummer. Het klonk ongelooflijk warm en vol en drong regelrecht in mijn hoofd, mijn oren overslaand. Het galmde door me heen en wervelde achter en dwars door mijn gedachten. Ik hoorde onmogelijk hoge en dreunende lage tonen die me een prikkelend gevoel op mijn tong bezorgden. Het was hetzelfde nummer, maar tegelijkertijd zoveel meer.

Ik realiseerde me dat ik naar mijn bord zat te staren. Wat ik had gemist was prachtig. Met een diepe zucht keek ik op. Trent was weer gaan zitten en zat naar mij te kijken. Verbijsterd voelde ik aan de koptelefoon, gewoon om even zeker te weten dat hij er echt zat. De vamptrack was onbeschrijflijk.

En toen begon de vrouw te zingen. Ik keek naar Trent, bijna in paniek, zo mooi was het. Hij knikte met een scheef glimlachje. Haar stem klonk lyrisch, tegelijkertijd ruw en tragisch. Ze maakte emoties in me los waarvan ik niet eens wist dat ik ze had. Een diep, pijnlijk verdriet. Een onbeantwoord verlangen. 'Dit wist ik niet,' fluisterde ik.

Terwijl ik het hele nummer afluisterde, niet in staat de koptelefoon af te zetten, bracht Trent onze borden naar de keuken. Hij kwam terug met een thermoskan met thee en schonk zijn kopje nog eens vol alvorens weer te gaan zitten. Toen de opname was afgelopen, resteerde er nog slechts stilte. Als verdoofd zette ik de koptelefoon af en legde hem naast mijn koffie.

'Dit wist ik niet,' zei ik opnieuw. Ik vermoedde een verwilderde blik in mijn ogen. 'Kan Ivy dit allemaal horen? Waarom brengt Takata het niet op deze manier uit?'

Trent ging verzitten op zijn stoel. 'Dat doet hij ook. Maar alleen de ondoden kunnen het horen.'

Ik raakte de koptelefoon aan. 'Maar jij – '

'Die heb ik zelf gemaakt toen ik achter het bestaan van die vamp-track kwam. Ik wist niet zeker of hij ook bij heksen zou werken. Maar aan je gezicht te zien, werkt hij goed?'

Ik knikte zwakjes. 'Leylijnmagie?' vroeg ik.

Er gleed een bijna verlegen glimlach over zijn gezicht. 'Een van mijn specialiteiten. Quen vindt het zonde van mijn tijd, maar het zou je verbazen wat mensen voor zo'n ding overhebben.'

Ik rukte mijn blik los van de koptelefoon. 'Daar kan ik me iets bij voorstellen.'

Trent nam een slokje van zijn thee en leunde peinzend achterover. 'Jij wilt er... toevallig ook niet een hebben?'

Ik haalde diep adem en fronste om de flauwe spot in zijn stem. 'Niet voor wat jij ervoor wilt hebben, nee.' Toen zette ik mijn koffiebeker neer en stond op. Zijn eerdere gedrag van het spiegelen van mijn bewegingen was me opeens heel erg duidelijk. Hij was een expert in manipulatie. Hij moest weten welke signalen hij uitzond. De meeste mensen wisten dat niet – in elk geval niet bewust – en dat hij hier een poging had gedaan een basis te leggen om zich langs een romantische weg van mijn hulp te verzekeren, aangezien het met geld niet lukte, was verachtelijk.

'Bedankt voor het eten,' zei ik. 'Het was heerlijk.'

Trent schoot verbaasd overeind. 'Ik zal het aan Maggie doorgeven,' zei hij, verstrakkend. Hij had een fout gemaakt en hij wist het.

Ik veegde mijn handen af aan mijn sweatshirt. 'Dat zou ik fijn vinden. Ik zal even mijn spullen pakken.'

'Ik zal Quen waarschuwen dat je klaar bent om te gaan.' Zijn stem klonk vlak.

Ik liep weg, hem in zijn eentje aan tafel achterlatend. Toen ik voordat ik Ellasbeth's kamers binnenging nog even omkeek ving ik nog net een glimp van hem op. Zijn hand lag op de koptelefoon en zijn houding kon zijn ergernis niet verbergen. Het verband om zijn hoofd en zijn blote voeten maakten dat hij er kwetsbaar en eenzaam uitzag.

Domme, eenzame man, dacht ik.

Domme, naïeve ik, om medelijden met hem te hebben.

Ik raapte mijn schoudertas op van de badkamervloer en liep nog even rond om zeker te weten dat ik alles had. Opeens dacht ik aan mijn kledingzak en mijn jas en ik liep naar de kleedkamer om ze te halen. Mijn mond viel open bij het zien van het opengeslagen telefoonboek op het lage tafeltje en de vlammen sloegen me uit. Het lag opengeslagen bij escortbureaus, niet bij onafhankelijke detectivebureaus. 'Ze denkt dat ik een hoertje ben,' mompelde ik, de bladzijde uit het boek scheurend en in mijn zak proppend. Verdomme, het kon me niet schelen dat we allebei af en toe legitieme escortdiensten verleenden, Ivy zorgde er maar voor dat die advertentie eruit werd gehaald. Geïrriteerd trok ik mijn lelijke jas met de kraag van nepbont aan, pakte mijn kledingzak en liep weg, op de gang bijna tegen Trent aan botsend. 'Hó! Sorry!' stamelde ik, terwijl ik twee stappen achteruitging.

Hij trok de ceintuur van zijn badjas wat strakker aan en vroeg, met een lege blik in zijn ogen: 'Wat denk je eigenlijk aan Lee te gaan doen?'

De gebeurtenissen van die avond drongen zich weer op en deden me fronsen. 'Niks.'

De verbazing op zijn gezicht maakte Trent jonger. 'Niks?'

Ik schoot bijna vol toen ik aan de mensen dacht die op de grond hadden gelegen en die ik niet meer had kunnen redden. Lee was een slager. Hij had hen daar weg kunnen halen, maar in plaats daarvan had hij hen laten liggen zodat het op een aanslag van Piscary zou lijken. Wat het natuurlijk ook was, maar ik kon niet geloven dat Kisten zoiets zou doen. Hij moest hen hebben gewaarschuwd. Dat kon niet anders. Maar nu stond Trent hier voor me, met een vragende blik in zijn groene ogen.

'Het is niet mijn probleem,' zei ik en liep langs hem heen.

Trent volgde me onmiddellijk, zijn blote voeten geruisloos over het tapijt. 'Hij heeft geprobeerd je te vermoorden.'

Zonder mijn pas in te houden, zei ik over mijn schouder: 'Hij heeft geprobeerd jou te vermoorden. Ik liep hem voor de voeten.' *Tot twee keer toe.*

'Dus je gaat helemaal niets doen?'

Mijn blik ging naar het reusachtige raam. In het donker was het moeilijk te zien, maar het leek weer helemaal helder. 'Dat wil ik nu ook weer niet zeggen. Ik ga naar huis, een dutje doen. Ik ben doodop.'

Ik liep naar de vijftien centimeter dikke deur aan het eind van de hal. Trent liep nog steeds achter me. 'Dus het kan je niet schelen dat hij Cincinnati gaat overspoelen met onveilig Hellevuur, zodat er honderden mensen zullen sterven?'

Mijn gezicht verstrakte toen ik aan Ivy's zusje dacht. Mijn voetstappen trilden door tot in mijn ruggengraat. 'Ik weet zeker dat jij je wel over hem ontfermt,' zei ik droogjes. 'Gezien het feit dat het rechtstreeks te maken heeft met je *zakelijke belangen*.'

'Dus jij hebt absoluut geen behoefte aan wraak?'

Zijn stem klonk ongelovig en ik bleef staan. 'Luister. Ik liep hem in de weg. Hij is sterker dan ik. Jij daarentegen... jou zou ik wel op de elektrische stoel willen zien, koboldje. Ik denk dat Cincinnati een stuk beter af is zonder jou.'

Trent stond me met een effen blik aan te kijken. 'Dat geloof je zelf niet.'

Mijn kledingzak over mijn andere arm hangend, zuchtte ik diep. 'Ik weet niet meer wat ik moet geloven. Je bent niet eerlijk tegen mij. Neem me niet kwalijk, maar ik moet nu echt naar huis om mijn vis te voeren.' Ik liep naar de deur. Ik wist de weg naar de voorkant van het gebouw en waarschijnlijk zou Quen me halverwege wel ergens oppikken.

'Wacht.'

De smekende toon in zijn stem dwong me te blijven staan, met mijn hand al op de deurknop. Ik draaide me net om, toen Quen onder aan de trap verscheen, met een ongeruste, dreigende uitdrukking op zijn gezicht. Op de een of andere manier dacht ik niet dat het was omdat hij bang was dat ik in het Kalamackgebouw ging lopen rondsnuffelen, maar omdat hij bang was voor wat Trent zou gaan zeggen. Ik liet de deurknop weer los. *Het zou wel eens de moeite waard kunnen zijn om nog even te blijven.*

'Als ik je alles vertel wat ik over je vader weet, help jij me dan met Lee?'

Op de begane grond stond Quen een beetje te draaien. 'Sa'han – '

Trent fronste uitdagend zijn voorhoofd. *'Exitus acta probat.'*

Mijn hartslag versnelde en ik frunnikte aan de bontkraag van mijn jas. 'Hé, laten we het bij Engels houden, jongens,' beet ik hem toe. 'En de laatste keer dat je zei dat je me over mijn vader wilde vertellen, kreeg ik alleen zijn lievelingskleur te horen en wat hij het liefst op zijn hotdog deed.'

Trent keek naar de begane grond en Quen. Zijn beveiligingsman schudde zijn hoofd. 'Zullen we even gaan zitten?' vroeg Trent en ik zag Quens gezicht vertrekken.

'Natuurlijk.' Met een argwanende blik keerde ik op mijn schreden terug en volgde hem naar beneden. Zelf ging hij in een stoel zitten tussen het raam en een muur en zijn comfortabele houding verraadde dat hij hier altijd zat wanneer hij in deze kamer was. Hij had uitzicht op de donkere waterval en er lagen verschillende boeken, waarvan de boekenleggers het bewijs waren van middagen in de zon. Aan de muur achter hem hingen vier zorgvuldig ingelijste oude Visconti-tarotkaarten. Ik voelde een rilling over mijn rug lopen toen ik me realiseerde dat de vrouw op de duivelskaart sprekend op Ceri leek.

'Sa'han,' zei Quen zacht. 'Dit is geen goed idee.'

Trent negeerde hem en Quen ging achter hem staan, van waar hij mij boos kon aankijken.

Ik legde mijn kledingzak over een stoel en ging zitten, mijn benen over elkaar geslagen en ongeduldig met mijn voet wiebelend. Trent een handje helpen met Lee zou een kleine moeite zijn als hij me iets van belang kon vertellen. Sterker nog, ik was van plan die rotzak zelf uit te schakelen zodra ik thuis was en een paar amuletten in elkaar kon draaien. Jazeker, ik was een liegbeest, maar daar was ik tegenover mezelf altijd heel eerlijk over.

Trent schoof naar het puntje van zijn stoel, zette zijn ellebogen op zijn knieën en keek uit over de nacht. 'Twee millennia geleden keerde het tij in onze pogingen het hiernamaals op de demonen terug te veroveren.'

Ik keek hem met grote ogen aan. Ik hield mijn voet stil en trok mijn jas uit. Zo kon het wel even gaan duren voordat hij bij mijn vader was. Toen Trent me aankeek en zag dat ik me bij zijn omslachtige manier van vertellen neerlegde, liet hij zich met veel gepiep en gekraak van leer naar achteren zakken. Quen maakte alleen een gekweld geluidje diep in zijn keel.

'De demonen zagen hun einde naderen,' zei Trent zacht. 'In een voor hen ongebruikelijke poging tot samenwerking, zetten zij hun interne onenigheden over de heerschappij opzij en werkten nauw samen om een vloek over ons allemaal uit te spreken. Drie generaties lang realiseerden wij ons niet eens wat zij hadden gedaan en herkenden wij de verhoogde sterftecijfers van onze pasgeborenen niet voor wat ze waren.'

Ik knipperde met mijn ogen. Waren de demonen verantwoordelijk voor de ondergang van de kobolden? Ik dacht dat het aan hun gewoonte had gelegen zich met mensen te kruisen.

'Elke generatie vertoonde opnieuw een exponentiële groei van de zuigelingensterfte,' zei Trent. 'Onze zwakke grip op de overwinning ontglipte ons in kleine doodskistjes en de geluiden van intens verdriet. Uiteindelijk realiseerden wij ons dat zij een vloek over ons hadden uitgesproken, waarmee ze zodanig hadden ingegrepen in ons DNA dat het spontaan brak, iets dat elke generatie erger werd.'

Mijn maag draaide zich om. Genetische genocide. 'En jullie probeerden de schade te herstellen door met mensen te kruisen?' vroeg ik, met een heel klein stemmetje.

Hij keek van het raam naar mij. 'Dat was een laatste wanhopige poging om te redden wat er te redden viel totdat er een manier kon worden ontwikkeld om er iets aan te doen. Het liep uiteindelijk uit op een ramp, maar het hield ons wel in leven tot wij de genetische technieken konden verbeteren om de achteruitgang tot stilstand te brengen en uiteindelijk ook te herstellen. Toen de Ommekeer deze technieken illegaal maakte, gingen de laboratoria ondergronds, in een wanhopige poging de weinigen van ons die erin geslaagd waren te overleven te redden. De Ommekeer verspreidde ons en ik vind nog zo ongeveer om het jaar ergens een kind dat volledig in verwarring is.'

Met een onwerkelijk gevoel, fluisterde ik: 'Je ziekenhuizen en weeshuizen.' Ik had nooit kunnen denken dat daar een heel ander motief aan ten grondslag lag dan public relations.

Trent glimlachte flauwtjes toen hij zag dat ik het begreep. Quen zag er alleen maar diep ellendig uit. Zijn rimpels gleden in elkaar over en hij hield zijn handen stijf op zijn rug, in zwijgend protest voor zich uit starend. Trent leunde weer naar voren. 'Wanneer ik ze vind zijn ze ziek en stervende en ze zijn altijd heel dankbaar voor hun gezondheid en de kans om meer verwanten te vinden. Het is al vijftig jaar een precair evenwicht. Op dit moment is de situatie in balans. De volgende generatie zal ons maken of breken.'

De gedachte aan Ceri drong zich op, maar ik zette haar even opzij. 'Wat heeft dit alles met mijn vader te maken?'

Hij knikte. 'Jouw vader werkte samen met de mijne aan het vinden van een oud monster van kobold-DNA in het hiernamaals, zodat wij dat als leidraad konden gebruiken. We kunnen alles herstellen waarvan we weten dat het niet goed is, maar om de situatie te verbeteren, om de zuigelingensterfte zodanig terug te brengen dat we zonder medische hulp kunnen overleven, hadden we een monster nodig van iemand die al was overleden voordat de vloek werd uitgesproken. Een voorbeeld om ons verbeterde DNA naar te modelleren.'

Er ontsnapte mij een zacht geluidje van ongeloof. 'Dus je hebt een DNA-monster nodig van tweeduizend jaar oud?'

Hij haalde één schouder op. In zijn badjas leken zijn schouders niet meer zo breed en hij zag er gemoedelijk kwetsbaar uit. 'Het is mogelijk. Er bestonden vele groepen kobolden die aan mummificeren deden. Het enige wat wij nodig hadden was één enkele geschikte cel. Eéntje maar.'

Mijn blik schoot naar een stoïcijnse Quen en toen weer naar hem. 'Piscary heeft me bijna vermoord in een poging erachter te komen of jij me had ingehuurd om het hiernamaals in te gaan. Maar mooi dat ik dat niet doe. Ik ga er niet naartoe.' Ik dacht aan Al die op mij wachtte en aan onze overeenkomst, die waardeloos was aan zijn kant van de lijnen. 'Vergeet het maar.'

Trent keek mij vanaf de andere kant van de salontafel verontschuldigend aan. 'Het spijt me. Het was niet mijn bedoeling dat Piscary zich helemaal op jou zou richten. Ik had je het hele verhaal ook liever verteld toen je vorig jaar ontslag had genomen bij de I.S., maar ik was bang...' Hij zuchtte. 'Ik was bang dat je je mond niet zou kunnen houden over ons bestaan.'

'En nu vertrouw je me wel?' vroeg ik, denkend aan Jenks.

'Niet helemaal, maar ik zal wel moeten.'

Niet helemaal, maar ik zal wel moeten. Wat was dat nu weer voor antwoord?

'Wij zijn met te weinigen om de wereld te laten weten dat we bestaan,' zei Trent, die naar zijn gevouwen handen zat te kijken. 'Het zou voor een fanaat veel te gemakkelijk zijn ons een voor een om te brengen en ik heb mijn handen al vol aan Piscary, die dat ook probeert te doen. Hij is bang voor de bedreiging die wij voor hem zullen vormen als wij weer in aantal toenemen.'

Ik trok een gezicht en zakte diep weg in het leer. Politiek. Het ging altijd om politiek. 'Kan je de vloek niet ongedaan maken?'

Met een vermoeid gezicht keek hij weer uit het raam. 'Toen we erachter kwamen wat er was gebeurd, hebben we gedaan wat we konden. Maar aan de eenmaal toegebrachte schade verandert dat niets en het wordt alleen maar erger als we niet elk koboldkind vinden en er alles aan doen wat in onze macht ligt.'

Opeens begon me nog iets te dagen. 'Het kamp. Was je daarom in het kamp?'

Hij ging een beetje ongemakkelijk verzitten en leek opeens wat zenuwachtig. 'Ja.'

Ik leunde nog verder naar achteren, niet wetend of ik het antwoord op mijn volgende vraag wel wilde horen. 'Waarom... waarom was ik in dat kamp?'

Trents stijve houding ontspande enigszins. 'Jij hebt een vrij zeldzame genetische afwijking. Zo'n vijf procent van de heksenbevolking heeft dat – een recessief gen dat onschuldig is totdat ze elkaar vinden.'

'Een kans van één op vier?' gokte ik.

'Als beide ouders het gen hebben. En als de twee recessieve genen bij elkaar komen, haal je je eerste verjaardag niet. Mijn vader is erin geslaagd het in jou te onderdrukken totdat je oud genoeg was om een volledige behandeling te kunnen ondergaan.'

'Deed hij dat wel vaker?' vroeg ik. Ik voelde mijn maag verkrampen. Ik dankte mijn leven aan illegale genetische manipulatie. Ik had zoiets al vermoed, maar nu wist ik het zeker. Misschien moest ik me er niets van aantrekken. Het hele koboldras was voor zijn voortbestaan afhankelijk van illegale medicatie.

'Nee,' zei Trent. 'Uit de gegevens blijkt dat hij met een heel enkele uitzondering zuigelingen met jouw afwijking liet sterven, zonder dat hun ouders wisten dat er een kans op genezing bestond. Het is nogal kostbaar.'

'Geld,' zei ik, en Trent klemde zijn kaken op elkaar.

'Als de beslissing afhankelijk was geweest van geld, zou jij je eerste verjaardag nooit hebben gevierd,' zei hij luchtig. 'Mijn vader heeft geen cent aangenomen om jouw leven te redden. Hij heeft het alleen gedaan omdat jouw vader zijn vriend was. Jij en Lee zijn de enige twee die hij uit de klauwen van de dood heeft gered, en dat was puur uit vriendschap. Hij heeft er geen stuiver aan verdiend. Persoonlijk begin ik inmiddels het idee te krijgen dat hij het beter niet had kunnen doen.'

'Dit draagt er allemaal niet aan bij dat ik je graag wil helpen,' zei ik pinnig, maar Trent wierp me een vermoeide blik toe.

'Mijn vader was een goed mens,' zei hij zacht. 'Hij wilde jouw vader zijn hulp om jouw leven te redden niet weigeren, omdat jouw vader hem hielp ons hele ras te redden.'

Fronsend hield ik mijn hand tegen mijn maag. Wat ik hoorde beviel me niets. Mijn vader had dus niet zijn leven gegeven om het mijne te redden – en daar was ik blij mee. Maar hij was ook niet de oprechte, eerlijke, hardwerkende I.S.-agent voor wie ik hem altijd had gehouden. Lang voordat ik ziek werd had hij Trents vader al vrijwillig geholpen met zijn illegale activiteiten.

'Ik ben geen slecht iemand, Rachel,' zei Trent. 'Maar ik ben bereid om iedereen te elimineren die een bedreiging vormt voor het geld dat hier binnenkomt. Mijn research om de schade te herstellen die de demonen het genoom van mijn volk hebben toegebracht is niet goedkoop. Als we een monster konden vinden dat oud genoeg was, zou het weer helemaal in orde komen. Maar het is met de achteruitgang zover gevorderd dat we niet eens de kleur van de stukken meer weten.'

Ik dacht weer aan Ceri, maar liet niets merken. De gedachte dat zij en Trent elkaar zouden ontmoeten was ondraaglijk. Bovendien was zij maar duizend jaar oud.

Trents gladde trekken vertoonden een vermoeidheid die niet bij zijn leeftijd paste. 'Als de geldtoevoer stopt, zal de volgende generatie kobolden weer gaan afglijden. Alleen als we een monster kunnen vinden van vóór de vervloeking kunnen we het volledig herstellen en heeft mijn soort nog een kans op overleving. Jouw vader vond dat een taak die het waard was om voor te sterven.'

Mijn blik gleed naar de tarotkaart met Ceri's evenbeeld en ik hield mijn mond stijf dicht. Trent zou haar gebruiken als een tissue en haar vervolgens weggooien.

Met een scherpe blik op mij, leunde Trent naar achteren. 'Welnu, juffrouw Morgan,' zei hij en slaagde erin zelfs gekleed in pyjama en badjas zijn gezaghebbende uitstraling te behouden. 'Heb ik je nu genoeg verteld?'

Ik bleef hem een lang ogenblik aankijken en zag hoe zijn kaak langzaam verstrakte toen hij zich realiseerde dat ik in tweestrijd stond en nog niet wist of ik links- of rechtsaf zou gaan. Met een eigengereid en zelfverzekerd gevoel trok ik mijn wenkbrauwen op. 'O, wat maakt het ook uit, Trent. Ik wilde Lee toch niet zomaar laten lopen. Wat denk je dat ik twee uur lang in die badkuip van je heb liggen doen? Mijn haar wassen?'

Na Lee's poging mij op te blazen, had ik geen andere keus dan achter hem aan te gaan. Deed ik dat niet, dan zou elke schurk die ik ooit achter de tralies had gezet proberen me te grazen te nemen.

Er verscheen een geërgerde uitdrukking op Trents gezicht. 'Dus je hebt het alweer helemaal uitgedacht?' vroeg hij geïrriteerd.

'Zo'n beetje wel, ja.' Ik straalde en Quen zuchtte, die natuurlijk al lang van te voren had zien aankomen dat ik me niet zomaar aan zijn baas gewonnen zou geven. 'Ik moet alleen even mijn verzekeringsagent bellen om wat dingen af te spreken.'

De wetenschap dat ik Trent in het nauw had was meer waard dan hij me ooit in geld zou kunnen betalen, en ik snoof smalend toen Quen vroeg: 'Haar verzekeringsagent?'

Nog steeds zittend, wees ik met mijn wijsvinder naar Trents borst. 'Er zijn twee dingen die jij moet doen. Twee dingen en dan trek je je terug en laat mij de rest doen. Ik begin hier niet aan als we over alles overleg moeten hebben. Begrepen?'

Met hoog opgetrokken wenkbrauwen zei Trent op effen toon: 'Wat wil je van me?'

'Ten eerste wil ik dat je naar het FIB gaat om te vertellen dat Lee al die mensen bewusteloos in zijn boot heeft laten liggen en de deuren op slot heeft gedaan in de wetenschap dat er een bom aan boord was.'

Trent begon te lachen en zijn warme stem kreeg een scherpe ondertoon. 'Wat denk je daarmee op te schieten?'

'Dat ze hem zullen gaan zoeken. Dat hij zal onderduiken. Dat er een aanhoudingsbevel zal worden uitgevaardigd en dat ik dan officieel het recht zal hebben om hem op te pakken.'

Trents ogen werden groot. Achter hem zag ik Quen knikken. 'En daarom...' mompelde Trent.

Ik kon een glimlach niet onderdrukken. 'Je kunt op de vlucht slaan voor justitie, maar voor je verzekeringsexpert?' Ik schudde mijn hoofd. 'Geen goed idee.'

'Je gaat hem vermoorden door je uit te geven als verzekeringsagent?'

Ik wilde dat ik kon zeggen dat hij me verbaasde. *God, wat was die man arrogant.* 'Ik vermoord geen mensen, Trent. Ik sleep ze voor de rechter en ik heb een reden nodig om hem, als hij daar eenmaal zit, achter de tralies te houden. Ik dacht dat hij je vriend was.'

Ik zag iets onzekers over hem komen. 'Dat dacht ik ook.'

'Misschien heeft zijn vriendinnetje hem een klap op zijn hoofd gegeven en hem gedwongen om de boot te verlaten?' zei ik, hoewel ik het zelf niet geloofde. 'Hoe zou je het vinden als je hem vermoordde, en er vervolgens achter kwam dat hij had geprobeerd je te redden?'

Trent keek me argwanend aan. 'Ben jij zo iemand die altijd het goede blijft zien in een mens, juffrouw Morgan?'

'Ja. Behalve in jou.' In gedachten begon ik vast een lijstje op te stellen van mensen die ik moest vertellen dat ik nog leefde: Kisten, Jenks – als hij naar me wilde luisteren – Ceri, Keasley... Nick? O god, mijn moeder. *Dat kon nog leuk worden.*

Met zijn vingers tegen zijn voorhoofd gedrukt, slaakte Trent een diepe zucht. 'Je hebt er geen idee van hoe dit werkt.'

Ik maakte een beledigd puffend geluidje om zijn ik-weet-toch-alles-beterhouding. 'Hé, werk eens even mee, ja? De bozerik in leven laten zou wel eens heilzaam kunnen zijn voor je ziel.'

Hij keek niet erg overtuigd; hij keek arrogant. 'Lee laten leven is een vergissing. Zijn familie zal er niet blij mee zijn als hij in de gevangenis zit. Ze zien hem liever dood dan dat ze zich voor hem moeten schamen.'

'Nou, dat is dan erg jammer. Ik ga hem niet vermoorden, en ik laat hem ook niet door jou vermoorden, dus ga zitten, houd je mond, houd je goed vast en kijk hoe echte mensen problemen oplossen.'

Trent schudde zijn hoofd en ik zag zijn fijne haar om zijn roodgerande oren zweven. 'Wat schiet je ermee op om Lee te arresteren? Zijn advocaten hebben hem weer vrij voordat hij in zijn cel kan gaan zitten.'

'Dat weet je zeker uit eigen ervaring?' zei ik spottend, aangezien ik hem afgelopen najaar bijna achter de tralies had weten te krijgen.

'Ja,' zei hij op dreigende toon. 'Dank zij jou heeft het FIB nu mijn vingerafdrukken in hun computer.'

'En de I.S. heeft een DNA-monster van mij voor identificatiedoeleinden. Doe toch niet zo moeilijk, man.'

Quen maakte een zacht geluidje en opeens drong het tot me door dat we zaten te kibbelen als kleine kinderen.

Met een geërgerde blik leunde Trent achterover in zijn stoel en vouwde zijn handen voor zijn middel. Ik zag dat hij moe was. 'Het zal moeilijk worden om toe te geven dat ik op die boot was. Niemand heeft ons zien weggaan. En het zal ook niet meevallen om uit te leggen hoe het komt dat wij het hebben overleefd, terwijl verder iedereen is omgekomen.'

'Gebruik je fantasie. Of je vertelt gewoon de waarheid?' opperde ik brutaal. *Het was best grappig om Trent een beetje op stang te jagen.* 'Iedereen weet dat hij Cincinnati probeert te ontfutselen aan jou en Piscary. Wees een beetje creatief. Maar laat mij dood in die rivier liggen.'

Trent keek me nauwlettend aan. 'Maar je gaat je FIB-kapitein toch wel vertellen dat je nog leeft, of niet soms?'

'Dat is een van de redenen waarom je aangifte gaat doen bij het FIB en niet bij de I.S.' Mijn blik ging naar de trap, waar Jonathans lange gestalte vanaf kwam. Hij keek geïrriteerd en ik vroeg me af wat er gaande was. Niemand zei iets toen hij naar ons toe kwam en ik wilde dat ik Trent niet zo boos had gemaakt. De man zag er niet vrolijk uit. Het zou net iets voor hem zijn om Lee alsnog achter mijn rug om te vermoorden. 'Wil je Saladan de stad uit hebben?' vroeg ik. 'Dat doe ik gratis voor je. Het enige wat ik van jou wil is dat je een klacht tegen hem indient en een advocaat betaalt om hem achter de tralies te houden. Kun je dat voor me doen?'

Er verscheen een afwezige blik op zijn gezicht toen gedachten die hij niet met mij wilde delen door zijn hoofd gingen. Hij knikte langzaam en wenkte Jonathan dichterbij.

Ik vatte dit op als een ja en voelde mijn schouders ontspannen. 'Bedankt,' mompelde ik, terwijl de grote man zich bukte om Trent iets in zijn oor te fluisteren en Trent meteen naar mij keek. Ik probeerde mee te luisteren, maar verstond er niets van.

'Houd hem aan de poort,' zei Trent, met een blik op Quen. 'Ik wil hem niet op het terrein hebben.'

'Wie?' vroeg ik.

Trent stond op en trok de ceintuur van zijn badjas strakker om zijn middel. 'Ik heb meneer Felps verteld dat ik zal zorgen dat je veilig thuiskomt, maar hij schijnt te denken dat hij je moet komen redden. Hij wacht op je bij het poortgebouw.'

'Kisten?' Ik onderdrukte een schrikreactie. Ik zou blij zijn hem weer te zien, maar was ook bang voor de antwoorden die hij wellicht voor me zou hebben. Ik wilde niet dat hij die bom had geplaatst, maar Ivy had gezegd dat hij dat wel had gedaan. *Verdomme, waarom viel ik altijd voor de stoute jongens?*

Terwijl de drie mannen wachtten, stond ik op, pakte mijn spullen bij elkaar en aarzelde even alvorens mijn hand uit te steken. 'Bedankt voor je gastvrijheid... Trent,' zei ik, slechts heel even aarzelend om te beslissen hoe ik hem zou noemen. 'En bedankt dat je me niet dood hebt laten vriezen,' voegde ik eraan toe.

Mijn aarzeling zorgde voor een zacht glimlachje om zijn mond en vervolgens drukte hij mij stevig de hand. 'Dat was wel het minste wat ik kon doen, gezien het feit dat jij me net van de verdrinkingsdood had gered,' antwoordde hij. Hij fronste zijn voorhoofd en wilde kennelijk nog meer zeggen. Met ingehouden adem veranderde hij toch van gedachten en wendde zich af. 'Jonathan, wil jij juffrouw Morgan naar het poortgebouw brengen? Ik wil Quen even spreken.'

'Natuurlijk, Sa'han.'

Terwijl ik Jonathan volgde naar de trap, keek ik nog even achterom. In gedachten was ik al bij wat ik allemaal moest doen. Eerst zou ik, zodra ik bij mijn Rolodex was, Edden bellen, op zijn privénummer. Misschien was hij nog op. Daarna mijn moeder. En dan Jenks. Dit ging goed komen. Dat moest gewoon.

Maar toen ik wat sneller begon te lopen om Jonathan bij te houden, werd ik toch een beetje ongerust. Natuurlijk zou het me lukken om bij Saladan binnen te komen, maar wat dan?

Kisten had de verwarming op de hoogste stand staan en de warme lucht blies een plukje van mijn gekortwiekte haren kriebelig in mijn nek. Ik stak mijn hand uit om hem lager te zetten. Waarschijnlijk verkeerde hij in de overtuiging dat ik nog steeds aan onderkoeling leed en warm gehouden moest worden. De warmte was verstikkend, een gevoel dat nog werd versterkt door de duisternis waar we door reden. Ik draaide het raampje een stukje omlaag en leunde naar achteren terwijl de koude nacht naar binnen sijpelde.

De levende vamp wierp me een zijdelingse blik toe, maar zodra onze ogen elkaar ontmoetten, keek hij weer snel terug naar de door zijn koplampen verlichte weg. 'Voel je je wel goed?' vroeg hij voor de derde keer. 'Je hebt nog geen woord gezegd.'

De voorkant van mijn open jas heen en weer schuddend om een briesje te veroorzaken, knikte ik. Bij Trents poortgebouw had ik hem even omhelsd, maar hij had de aarzeling duidelijk gevoeld. 'Bedankt dat je me op bent komen halen,' zei ik. 'Ik zag het niet zo zitten dat

Quen me naar huis zou brengen.' Ik liet mijn hand over de deurknop van Kistens Corvette glijden en vergeleek hem met Trents limousine. Ik vond Kistens auto leuker.

Kisten slaakte een diepe zucht. 'Ik moest er even uit. Ik werd helemaal gek van Ivy.' Hij keek weer even opzij. 'Ik ben blij dat je haar zo snel mogelijk hebt ingelicht.'

'Hebben jullie elkaar gesproken, dan?' vroeg ik, verbaasd en een beetje ongerust. *Waarom kon ik nou niet eens een keer op een goeie vent vallen?*

'Nou ja, zíj was voornamelijk aan het woord.' Hij maakte een gegeneerd geluidje. 'Ze dreigde niet alleen mijn kop eraf te hakken, maar nog het een en ander als ik haar jouw bloed door de neus zou boren.'

'Sorry.' Ik keek uit het raampje en werd er niet geruster op. Ik wilde niet met Kisten moeten breken omdat hij die mensen met opzet had laten sterven in de een of andere stomme machtsstrijd waarvan zij het bestaan niet eens vermoedden. Hij wilde iets zeggen en ik viel hem in de rede met een snel: 'Mag ik je mobieltje even gebruiken?'

Met een argwanende blik op zijn gezicht haalde hij zijn glimmende telefoontje uit een speciaal hoesje aan zijn riem en gaf het aan mij. Ik belde informatie en kreeg het nummer van Davids bedrijf en voor nog een paar dollar extra verbonden ze me door. Waarom ook niet? Het was toch mijn telefoon niet.

Terwijl Kisten zwijgend reed, werkte ik me door hun geautomatiseerde systeem heen. Het liep tegen middernacht. Hij zou er moeten zijn, tenzij hij op pad was of vroeg naar huis was gegaan. 'Hallo,' zei ik, toen ik eindelijk iemand van vlees en bloed aan de lijn kreeg. 'Zou ik David Hue even kunnen spreken?'

'Het spijt me,' antwoordde een oudere vrouw met een overdreven professionele stem. 'Meneer Hue is momenteel niet aanwezig. Kan ik u doorverbinden met een van onze andere tussenpersonen?'

'Nee!' riep ik, voordat ze me weer in het systeem kon dumpen. 'Kan ik hem misschien op een ander nummer bereiken? Het is dringend.' *Herinnering aan mezelf: gooi nooit, maar dan ook nooit meer iemands visitekaartje weg.*

'Als u uw naam en telefoonnummer bij mij wilt achterlaten – '

Welke lettergreep van 'dringend' had ze niet begrepen? 'Luister,' zei ik zuchtend. 'Ik moet hem echt dringend spreken. Ik ben zijn nieuwe partner en ik ben zijn toestelnummer kwijtgeraakt. Als u me nu alleen maar –'

'U bent zijn nieuwe partner?' viel de vrouw me in de rede. De verschrikte klank in haar stem gaf me te denken. Was David zo moeilijk om mee samen te werken?

'Ja,' zei ik, met een blik naar Kisten. Ik wist zeker dat hij met zijn vamporen beide kanten van het gesprek kon verstaan. 'Ik moet hem echt spreken.'

'Eh, kunt u even aan de lijn blijven?'

'Reken maar.'

Kistens gezicht werd verlicht door het schijnsel van tegemoetkomende auto's. Hij keek met een strak gezicht naar de weg.

Ik hoorde wat gekraak toen de telefoon aan iemand anders werd gegeven, gevolgd door een voorzichtig: 'Met David Hue.'

'David,' zei ik, glimlachend. 'Je spreekt met Rachel.' Hij zei niets en ik haastte me om hem aan de lijn te houden. 'Wacht! Niet ophangen. Ik moet je spreken. Het gaat over een claim.'

Ik hoorde dat hij zijn hand over de telefoon legde. 'Het is in orde,' hoorde ik hem zeggen. 'Ik handel dit wel af. Waarom ga je niet lekker vroeg naar huis? Ik sluit je computer wel af.'

'Bedankt, David. Tot morgen,' zei zijn secretaresse en even later kwam zijn stem weer aan de lijn.

'Rachel,' zei hij behoedzaam. 'Gaat dit over die vis? Ik heb de claim al ingediend. Als je me nu gaat vertellen dat het niet waar was, ga ik heel erg boos worden.'

'Waarom denk je altijd van die slechte dingen over mij?' vroeg ik, gepikeerd. Ik keek naar Kisten, die het stuur vaster omklemde. 'Ik heb een foutje gemaakt met Jenks, oké? Ik probeer het goed te maken. Maar ik heb iets voor je dat je zal interesseren.'

Het bleef even stil. 'Ik luister,' zei hij aarzelend.

Ik haalde opgelucht adem. Ik dook een pen op uit mijn tas en sloeg mijn agenda open. 'Eh, jij werkt op basis van commissie, hè?'

'Zoiets, ja,' zei David.

'Nou, heb je gehoord van die boot die is geëxplodeerd?' Ik wierp een heimelijke blik op Kisten. Het licht van het tegemoetkomende verkeer zorgde voor kleine glinsteringen in zijn baardstoppels.

Op de achtergrond hoorde ik computertoetsen ratelen. 'Ik luister nog steeds...'

Mijn hart begon sneller te kloppen. 'Heeft jouw maatschappij die boot toevallig verzekerd?'

Het geluid van de toetsen versnelde en verdween toen. 'Aangezien wij alles verzekeren waar Piscary niet in geïnteresseerd is, neem ik aan van wel.' Hij begon opnieuw te typen. 'Ja. Hij zit bij ons.'

'Geweldig,' verzuchtte ik. *Dit ging helemaal goed komen.* 'Ik zat op die boot toen hij explodeerde.'

Aan de andere kant van de lijn hoorde ik een stoel piepen. 'Op de een of andere manier verbaast me dat niets. Wil je soms beweren dat het geen ongeluk was?'

'Eh, nee.' Ik keek weer naar Kisten. Hij klemde zijn vingers zo hard om zijn stuur dat zijn knokkels wit werden.

'Je meent het.' Het was geen vraag en hij begon weer te typen, en kort daarna hoorde ik het geluid van een printer.

Ik ging wat verzitten in Kistens verwarmde leren stoel en stak de achterkant van de pen in mijn mond. 'Is het juist dat jouw maatschappij niet uitbetaalt wanneer een eigendom wordt vernietigd – '

'Door oorlogshandelingen of bendegerelateerde activiteiten?' viel David me in de rede. 'Nee, dat doen we inderdaad niet.'

'Fantastisch,' zei ik. Het leek me niet noodzakelijk hem te vertellen dat ik hier vlak naast degene zat die de hele toestand op zijn geweten had. *God, laat Kisten alstublieft een antwoord voor me hebben.* 'Hoe zou je het vinden als ik even bij je langs kom om een formulier voor je te ondertekenen?'

'Dat zou ik heel erg op prijs stellen.' David aarzelde even, maar voegde er toen aan toe: 'Ik had jou niet ingeschat als een vrouw die dingen vanuit de goedheid van haar ziel doet, Rachel. Wat heb jij er voor voordeel bij?'

Ik keek van Kistens strakke kaaklijn naar zijn sterke schouders en vervolgens naar zijn handen, die het stuur omklemden alsof hij het ijzer eruit probeerde te persen. 'Ik wil met je mee wanneer je Saladans claim gaat vaststellen.'

Kisten schrok op, kennelijk nu pas beseffend waarom ik David aan de lijn had. De stilte aan de andere kant van de lijn was om te snijden. 'Eh...' mompelde David.

'Ik ga hem niet vermoorden, alleen maar arresteren,' zei ik haastig.

'Dat is het niet,' zei hij. 'Ik werk met niemand samen. En dus ook niet met jou.'

Mijn wangen gloeiden. Ik wist dat hij weinig met me ophad nadat hij erachter was gekomen dat ik informatie had achtergehouden voor mijn eigen partner. Maar het was Davids schuld dat dat was uitgekomen. 'Hoor eens,' zei ik, me omdraaiend van Kisten. 'Ik heb jouw maatschappij zojuist een heleboel geld bespaard. Jij neemt me mee naar binnen wanneer je zijn claim gaat vaststellen en vervolgens doe je een stap opzij en laat mij en mijn team de rest doen.' Ik keek naar Kisten. Er was iets veranderd. Zijn greep om het stuur was losser en hij had een holle blik in zijn ogen.

Het bleef even stil. 'En daarna?'

'Daarna?' De bewegende lichten maakten Kistens gezicht ondoorgrondelijk. 'Niets. Dan hebben we een poging gedaan om samen te werken. We komen tot de conclusie dat het niet klikt en jij kunt gewoon weer een nieuwe partner gaan zoeken.'

Het bleef een tijdje stil. 'En dat is dat?'

'Dat is dat.' Ik klikte mijn pen weer dicht en gooide hem samen met mijn agenda terug in mijn tas. *Waarom deed ik niet eens een keer een poging om wat georganiseerder te zijn?*

'Oké,' zei hij ten slotte. 'Ik zal eens een balletje opgooien en kijken wat er gebeurt.'

'Geweldig,' zei ik, oprecht blij, hoewel hij er minder gelukkig mee leek te zijn. 'Hé, over een paar uur ben ik omgekomen in die explosie, dus maak je niet druk, wil je?'

Hij maakte een vermoeid geluidje. 'Oké. Ik bel je morgen wanneer de claim binnenkomt.'

'Mooi. Dan zie ik je morgen.' Davids gebrek aan enthousiasme was deprimerend. Hij verbrak de verbinding zonder dag te zeggen en ik klikte Kistens mobieltje dicht en gaf het aan hem terug. 'Bedankt,' zei ik, met een ongemakkelijk gevoel.

'Ik dacht dat je me ging aangeven,' zei Kisten zacht.

Ik staarde hem met open mond aan. Nu begreep ik pas waarom hij zo gespannen was geweest. 'Nee,' fluisterde ik, om de een of andere reden een beetje angstig. Hij had daar gezeten en niets gedaan terwijl hij dacht dat ik hem ging aangeven?

Met stijve schouders en zijn blik strak op de weg, zei hij: 'Rachel, ik wist niet dat hij die mensen zou laten sterven.'

Ik hield mijn adem in, maar ademde toen bewust weer door. 'Vertel maar,' zei ik, een beetje licht in mijn hoofd. Met mijn handen in mijn schoot en een akelig gevoel in mijn maag staarde ik uit het raampje. *Laat ik het dit keer alsjeblieft bij het verkeerde eind hebben.*

Ik keek opzij en nadat hij een blik in zijn binnenspiegel had geworpen, manoeuvreerde hij de wagen naar de kant van de weg. Ik verkrampte. Verdomme, waarom moest ik hem zo leuk vinden? Waarom kon ik niet gewoon op goeie mannen vallen? Waarom vertaalden de macht en de persoonlijke kracht die ik zo aantrekkelijk vond zich altijd in een harteloze onverschilligheid voor de levens van anderen?

Ik schoot even naar voren in mijn stoel, en weer terug, toen hij abrupt tot stilstand kwam. De wagen schudde toen het verkeer met honderddertig kilometer per uur langs bleef suizen, maar hierbinnen was het stil. Kisten draaide zich om in zijn stoel zodat hij mij kon aankijken, en legde zijn hand over de mijne, die in mijn schoot lagen. Zijn baardstoppels van één dag glinsterden in de koplampen van het tegemoetkomende verkeer aan de andere kant van de middenberm en hij kneep zijn blauwe ogen een beetje dicht.

'Rachel,' zei hij en ik hield mijn adem in, in de hoop dat hij me zou gaan vertellen dat het allemaal op een vergissing berustte. 'Ik heb opdracht gegeven die bom op de ketel te plaatsen.'

Ik sloot mijn ogen.

'Het was niet mijn bedoeling dat die mensen zouden omkomen. Ik heb Saladan gebeld,' vervolgde hij en ik deed mijn ogen open toen een passerende vrachtwagen de hele auto liet schudden. 'Ik heb Candice verteld dat er een bom in de boot was geplaatst. Sterker nog, ik heb haar zelfs verteld waar hij lag en dat hij zou exploderen als ze hem aanraakten. Ik heb hun ruim voldoende tijd gegeven om iedereen van boord te halen. Ik wilde geen mensen vermoorden, ik wilde een mediacircus in gang zetten en zijn bedrijf ten onder laten gaan. Het is geen moment bij me opgekomen dat hij zomaar weg zou lopen en die mensen aan hun lot zou overlaten. Ik heb hem verkeerd ingeschat,' zei hij, met een bitter zelfverwijt in zijn stem, 'en zij hebben met hun leven moeten betalen voor mijn kortzichtigheid. God, Rachel, als ik maar het geringste vermoeden had gehad dat hij zoiets zou doen, zou ik een andere oplossing hebben gezocht. Dat jij op die boot was...' Hij zuchtte. 'Ik heb je bijna vermoord...'

Ik slikte moeizaam en voelde de brok in mijn keel kleiner worden. 'Maar je hebt in het verleden wel mensen vermoord,' zei ik, wetend dat het echte probleem niet alleen datgene was wat er vanavond was gebeurd, maar die hele geschiedenis van toebehoren aan Piscary en moeten doen wat hij wilde.

Kisten leunde naar achteren, maar liet mijn handen niet los. 'Ik heb mijn eerste moord gepleegd toen ik achttien was.'

O, god. Ik probeerde me los te trekken, maar hij verstevigde zijn greep. 'Nu moet je even naar me luisteren,' zei hij. 'Als je nu bij me weg wilt lopen, wil ik dat je de waarheid kent zodat je nooit meer terug zult komen. En als je blijft, dan heb je in elk geval een weloverwogen beslissing kunnen nemen.'

Mezelf schrap zettend, keek ik hem in de ogen. Ik meende er oprechtheid in te zien, en wellicht iets van schuldgevoel en verdriet uit het verleden. 'Dit heb je vaker gedaan,' fluisterde ik angstig. Ik was de zoveelste in een hele rij van vrouwen. Ze waren allemaal vertrokken. Misschien waren ze allemaal verstandiger dan ik.

Hij knikte en sloot heel even zijn ogen. 'Ik heb er zo genoeg van om altijd maar weer gekwetst te worden, Rachel. Ik ben een aardige vent die toevallig op zijn achttiende zijn eerste moord heeft gepleegd.'

Ik slikte en trok mijn handen weg onder het mom dat ik even mijn haar achter mijn oren wilde strijken. Kisten voelde mij terugdeinzen, draaide zich half om en legde zijn handen op het stuur. Ik had zelf tegen hem gezegd dat hij mijn beslissingen niet voor mij moest nemen; nu verdiende ik het dan ook om alle kwalijke details aan te moeten horen. 'Ga verder,' zei ik, met een misselijk gevoel.

Kisten staarde naar het voorbijrazende verkeer, dat de stilte in de auto alleen maar benadrukte. 'Mijn tweede moord pleegde ik ongeveer een jaar later,' zei hij met vlakke stem. 'Zij was een ongelukje. Daarna is het me gelukt om niemand meer te doden, tot vorig jaar toen ik – '

Ik zag hem diep in- en uitademen. Mijn spieren trilden in gespannen afwachting.

'God, Rachel, het spijt me zo,' fluisterde hij. 'Ik had gezworen mijn best te doen om nooit meer iemand te hoeven vermoorden. Misschien wil Piscary me daarom wel niet meer als zijn intimus. Hij wil iemand die hem deelgenoot kan maken van die ervaringen, en ik weiger dat. Hij was degene die die moorden pleegde, maar ik was erbij. Ik heb geholpen. Ik hield ze in bedwang en hield ze bezig terwijl hij ze een voor een vrolijk afslachtte. Dat ze het verdienden lijkt nauwelijks meer een rechtvaardiging. Zeker niet gezien de manier waarop hij het deed.'

'Kisten?' zei ik aarzelend, met bonkend hart.

Hij draaide zich naar mij om en ik verstijfde. Ik deed mijn best om niet bang te zijn. Zijn ogen waren zwart geworden van de herinnering. 'Dat gevoel van pure overheersing brengt je in een ziekelijke, verslavende roes,' zei hij. De honger in zijn stem bezorgde me koude rillingen. 'Het heeft me een hele tijd gekost om te leren hoe ik dat kon loslaten, en me alleen de onmenselijke wreedheid ervan te herinneren, die destijds verloren ging in de pure adrenaline. Ik verloor mezelf helemaal wanneer Piscary's gedachten en kracht mij overspoelden, maar nu kan ik het in de hand houden, Rachel. Ik kan nu zowel zijn intimus zijn als een rechtschapen persoon. Ik kan zijn opdrachten uitvoeren en een tedere minnaar zijn. Ik weet dat ik die twee dingen in evenwicht kan houden. Op dit moment straft hij me, maar hij neemt me heus wel weer terug. En wanneer hij dat doet, zal ik er klaar voor zijn.'

Wat deed ik hier in vredesnaam?

'Zo,' zei ik en ik hoorde mijn eigen stem trillen. 'Was dat het?'

'Ja. Dat was het,' zei hij op effen toon. 'Die eerste moord was in opdracht van Piscary om een voorbeeld te stellen met iemand die minderjarige kinderen verleidde. Het was nogal buitensporig, maar ik was jong en onnadenkend en wilde Piscary bewijzen dat ik alles voor hem over had. Hij had er veel plezier in dat ik er later zoveel last van kreeg. De laatste keer was om te voorkomen dat er een nieuwe machtskliek zou ontstaan. Zij propageerden een terugkeer van voor-Ommekeerse tradities zoals het ontvoeren van mensen die toch niemand zouden missen. De vrouw.' Hij keek me even aan. 'Dat is de moord die me nog steeds achtervolgt. Toen heb ik besloten om als het maar even kon altijd eerlijk te zijn. Ik heb gezworen dat ik nooit meer een onschuldig leven zou beëindigen. Het doet er niet toe dat ze mij had voorgelogen...' Hij deed zijn ogen dicht en zijn hand aan het stuur trilde. Het licht van de andere kant van de middenberm toonde de lijnen van verdriet in zijn gezicht.

O god. Hij had iemand vermoord in een vlaag van gepassioneerde razernij.

'En nu heb ik vanavond zestien levens beëindigd,' fluisterde hij.

Wat was ik toch een stommeling. Hij gaf toe mensen te hebben vermoord – mensen van wie de I.S. waarschijnlijk blij was verlost te zijn, maar niettemin mensen. Ik was in deze relatie gestapt in de wetenschap dat hij geen 'veilig vriendje' was, maar ik had van die veilige vriendjes gehad, en op de een of andere manier hadden die me altijd gekwetst. En ondanks de wreedheid waartoe hij in staat was, was hij wel eerlijk. Vanavond waren er mensen om het leven gekomen in een afschuwelijke tragedie, maar dat was nooit zijn bedoeling geweest.

'Kisten?' Ik keek naar zijn handen en naar zijn korte, rondgeknipte nagels, die hij altijd zorgvuldig schoonhield.

'Ik heb die bom laten plaatsen,' zei hij, en het schuldgevoel maakte zijn stem ruw.

Ik stak aarzelend mijn hand uit om zijn handen van het stuur te halen. Mijn vingers voelden koud aan tegen de zijne: 'Jij hebt die mensen niet vermoord. Dat heeft Lee gedaan.'

Zijn ogen werden zwart in het verschuivende lichtschijnsel. Ik legde een hand achter zijn nek om hem naar me toe te trekken, maar hij verzette zich. Hij was een vampier en het viel niet mee om dat te zijn – dat was geen excuus, dat was een feit. Dat hij zo oprecht was betekende meer voor mij dan zijn duistere verleden. Bovendien had hij hier naast me gezeten terwijl hij dacht dat ik hem ging aangeven en hij had niets gedaan. Hij had niet toegegeven aan wat hij dacht en had mij vertrouwd. Nu zou ik mijn best doen om hem te vertrouwen.

Ik kon niet anders dan medelijden met hem hebben. Bij Ivy had ik gezien dat de relatie van een intimus met een meestervampier veel leek op een relatie vol mentale mishandeling, waar liefde was gedegenereerd door sadisme. Kisten probeerde zich te distantiëren van de masochistische eisen van zijn meester. Hij had zich ervan gedistantieerd, hij had zich er zelfs zo ver van gedistantieerd dat Piscary hem had ingeruild voor iemand die nog wanhopiger op zoek was naar acceptatie: mijn huisgenote. *Fijn.*

Kisten was eenzaam. Hij was gekwetst. Hij was eerlijk tegen mij – ik kon hem niet laten zitten. Wij hadden beiden twijfelachtige dingen gedaan en ik kon hem moeilijk als slecht bestempelen terwijl ikzelf degene was met het demonenteken. De keuzes die wij hadden gemaakt waren ons opgedrongen door de omstandigheden. Ik probeerde me zo goed en zo kwaad als ik kon te redden. En hij ook.

'Het was niet jouw schuld dat ze zijn gestorven,' zei ik nogmaals. Ik had opeens het gevoel dat ik er op een nieuwe manier tegenaan kon kijken. Voor mij lag dezelfde wereld, alleen kon ik nu om hoekjes kijken. *Wat gebeurde er met me? Was het dom om zoveel vertrouwen te schenken, of maakte het vermogen tot vergeven mij tot een beter persoon?*

Kisten hoorde het accepteren van zijn verleden in mijn stem en de opluchting op zijn gezicht was zo intens dat het bijna pijn deed. Mijn hand in zijn nek gleed naar voren en trok hem dichter naar mij toe. 'Het is oké,' fluisterde ik toen zijn handen uit mijn vingers gleden en mijn schouders pakten. 'Ik begrijp het.'

'Ik denk niet dat je dat kunt...' hield hij vol.

'Dat zien we dan wel weer.' Mijn hoofd een beetje schuin houdend, deed ik mijn ogen dicht en boog me naar hem toe. Zijn greep op mijn schouders verslapte en ik liet mezelf naar hem toe trekken tot onze lippen elkaar vonden. Ik drukte mijn vingers in zijn nek en trok hem dichter tegen me aan. Zijn kus werd dieper, vol beloftes, en er ging een tintelende schok door me heen. Het gevoel was niet afkomstig van mijn litteken en ik trok zijn hand ernaartoe, mijn adem inhoudend toen zijn vingers het lichte, bijna onzichtbare littekenweefsel beroerden. Ik dacht aan Ivy's vampierhandleiding en zag het opeens allemaal op een heel nieuwe manier. *O, god, wat ik allemaal met deze man kon doen.*

Misschien had ik zo'n gevaarlijke man juist nodig, dacht ik toen er een wilde emotie in mij loskwam. Alleen iemand die zelf ook slechte dingen had gedaan kon begrijpen dat ik, ja, ook twijfelachtige dingen had gedaan, maar dat ik nog steeds een goed mens was. Als Kisten het allebei kon zijn, betekende dat misschien dat dit voor mij ook gold.

En met die gedachte liet ik alle gedachten varen. Terwijl zijn hand mijn slagader streelde en ik hem kuste, liet ik mijn tong voorzichtig tussen zijn lippen glijden, wetend dat een voorzichtige verkenning opwindender was dan een dwingende aanraking. Ik vond gladde tanden en krulde mijn tong er plagend omheen.

Kisten rukte zich hijgend los.

Ik verstijfde toen hij er opeens niet meer was, zijn lichaamswarmte een herinnering op mijn huid. 'Ik heb mijn kapjes niet in,' zei hij, terwijl het zwart in zijn ogen aanzwol en mijn litteken tintelde. 'Ik was zo ongerust om jou, dat ik er niet meer aan heb gedacht om... Ik heb niet...' Hij haalde bevend adem. 'God, wat ruik je lekker.'

Met bonzend hart dwong ik mezelf om naar achteren te schuiven en keek naar hem terwijl hij mijn haar achter mijn oren streek. Ik wist niet of het me wel iets kon schelen of hij zijn kapjes droeg of niet. 'Sorry,' zei ik ademloos. 'Het was niet mijn bedoeling zo ver te gaan.' *Maar op de een of andere manier maak jij dat bij me los.*

'Dat hoeft je niet te spijten. Jij bent niet degene die dingen vergeet.' Kisten haalde een paar keer diep adem en probeerde zijn verlangende blik te verbergen. Onder de primitievere emoties ging een zachte blik van dankbaar begrijpen en opluchting schuil. Ik had zijn akelige verleden geaccepteerd, in de wetenschap dat zijn toekomst er misschien niet veel beter uit zou zien.

Zonder iets te zeggen zette hij de wagen in de eerste versnelling en gaf gas. Ik hield de deur vast tot we de weg weer opreden, blij dat er niets was veranderd hoewel alles toch anders was.

'Waarom ben je zo lief voor me?' vroeg hij zacht terwijl hij een andere auto inhaalde.

Omdat ik denk dat ik van je zou kunnen houden? dacht ik, maar zeggen kon ik het nog niet.

Ik keek op bij het flauwe geluid van kloppen. Met een waarschuwende blik naar mij, stond Ivy op en rekte zich even uit naar het plafond van de keuken. 'Ik doe wel open,' zei ze. 'Dat zullen wel weer bloemen zijn.'

Ik nam een hapje kaneeltoast en mompelde met volle mond: 'Als het iets eetbaars is, neem het dan mee, wil je?'

Zuchtend liep Ivy weg, zowel sexy als nonchalant in haar trainingsbroek en een wijde sweater die tot op haar bovenbenen viel. In de woonkamer stond de radio aan, en ik had gemengde gevoelens bij de nieuwslezer die het had over de tragedie van de explosie van gisteravond. Ze hadden zelfs een fragment van Trent die iedereen vertelde dat ik was omgekomen tijdens het redden van zijn leven.

Dit was wel erg vreemd, dacht ik terwijl ik de boter van mijn vingers veegde. Er werd voortdurend van alles bezorgd. Het was fijn te weten dat zoveel mensen me zouden missen. Het zou echter geen pretje worden wanneer ik opeens weer levend en wel opdook – zoiets als iemand voor het altaar in de steek laten en alle cadeaus moeten teruggeven. Aan de andere kant, als ik vanavond doodging, zou ik wel mijn graf ingaan in de wetenschap wie mijn vrienden waren. Ik voelde me een beetje als Huck Finn.

'Ja?' klonk Ivy's argwanende stem vanaf de achterkant van de kerk.

'Ik ben David. David Hue,' hoorde ik een bekende stem zeggen en het laatste stukje toast doorslikkend, liep ik naar de voorkant van de kerk. Ik was uitgehongerd en vroeg me af of Ivy soms weer Hellevuur in mijn koffie had gedaan om na die duik in de rivier mijn weerstand weer wat op peil te brengen.

'En wie is zij?' vroeg Ivy strijdlustig toen ik het sanctuarium binnenliep en hen voor de deur zag staan, met de ondergaande zon aan hun voeten.

'Ik ben zijn secretaresse,' zei een keurig vrouwtje dat naast David stond glimlachend. 'Mogen we binnenkomen?'

Ik zette grote ogen op. 'Ho, ho, ho,' zei ik, met mijn handen zwaaiend. 'Ik kan jullie niet allebei in de gaten houden én Lee arresteren.'

David liet een berekenende blik over mijn nonchalante sweater en spijkerbroek glijden. Hij pauzeerde even bij mijn korte haar dat vanmiddag, in navolging van zijn suggestie, tijdelijk bruin was geverfd. 'Mevrouw Aver gaat niet met ons mee,' zei hij, met een waarschijnlijk onbewust goedkeurend knikje. 'Het leek mij wel verstandig dat jullie buren mij met een vrouw zien arriveren en ook weer met een vrouw zien vertrekken. Jullie hebben ongeveer dezelfde lichaamsbouw.'

'O.' *Idioot,* dacht ik. *Waarom heb ik daar zelf niet aan gedacht?*

Mevrouw Aver glimlachte, maar ik zag aan haar dat zij me ook een idioot vond. 'Ik duik alleen even jullie badkamer in om me te verkleden en dan ga ik weer,' zei zij opgewekt. Ze stapte de kamer binnen, zette haar aktetas naast de bank en aarzelde even.

Ivy schrok op. 'O, deze kant op,' zei ze, gebarend dat de vrouw haar moest volgen.

'Dank u. Erg vriendelijk van u.'

Stiekem een lelijk gezicht trekkend om alle verborgen ondertonen in haar stem, keek ik mevrouw Aver en Ivy na. De eerste maakte een hoop lawaai op haar zwarte pumps met hakken en de laatste maakte nauwelijks geluid op haar pantoffels. Hun gesprek viel stil met de klik van mijn badkamerdeur die dichtviel en ik wendde me tot David.

Zonder zijn spandex joggingbroek en shirt zag hij eruit als een heel andere Weer. En in de verste verte niet als de man die ik een keer in het park tegen een boom had zien leunen in een lange jas die tot op zijn laarzen reikte en een over zijn ogen getrokken cowboyhoed. Zijn zwarte stoppels waren verdwenen en hadden plaatsgemaakt voor gebruinde wangen, en zijn lange haar was netjes gekamd en rook naar mos. Alleen Weren op de hoogste posities slaagden erin er beschaafd uit te zien zonder dat je kon zien dat ze er vreselijk hun best voor moesten doen, maar David lukte het ook. Het driedelige kostuum en de keurig gemanicuurde nagels droegen er ook toe bij. Hij zag er ouder uit dan zijn atletische voorkomen deed vermoeden, met een bril op zijn neus en een stropdas om zijn nek. Eigenlijk zag hij er heel goed uit – op een professionele, geschoolde manier.

'Nogmaals bedankt dat je me helpt om bij Saladan binnen te komen,' zei ik, me een beetje ongemakkelijk voelend.

'Je hoeft mij niet te bedanken,' zei hij. 'Ik krijg een vette bonus.' Hij zette zijn duur uitziende koffertje op het pianobankje. Hij leek met zijn gedachten ergens anders – niet boos of zo, maar op zijn hoede en afkeurend. Het bezorgde me een vervelend gevoel. Toen hij merkte dat ik naar hem stond te kijken, keek hij op. 'Vind je het goed als ik hier alvast wat voorbereidend papierwerk doe?'

Ik schoof een stapje naar achteren. 'Nee. Ga je gang. Heb je trek in koffie?'

David keek naar Jenks' bureau en aarzelde. Met gefronste wenkbrauwen ging hij schrijlings op het pianobankje zitten en opende het koffertje dat voor hem stond. 'Nee, dank je. We moeten toch zo weg.'

'Oké.' Ik voelde zijn afkeuring. Ik wist dat hij het erg vond dat ik dingen had verzwegen voor mijn partner, maar hij hoefde me ook alleen maar bij Lee binnen te krijgen. In de deuropening bleef ik even staan. 'Ik ga me even omkleden. Ik wilde eerst zien wat jij aan had.'

David keek op van zijn paperassen, een wazige blik in zijn donkere ogen omdat hij twee dingen tegelijk probeerde te doen. 'Jij draagt de kleren van mevrouw Avery.'

Ik trok mijn wenkbrauwen op. 'Jij hebt dit kennelijk eerder gedaan.'

'Ik heb je verteld dat deze baan veel interessanter is dan je op het eerste gezicht zou denken,' zei hij tegen zijn paperassen.

Ik wachtte of hij nog iets ging zeggen, maar dat deed hij niet, dus ging ik met een somber gevoel op zoek naar Ivy. Hij had met geen woord over Jenks gerept, maar zijn afkeuring was overduidelijk.

Toen ik binnenkwam was Ivy druk in de weer met haar plattegronden en haar pennen. Ze zei niets toen ik eerst een kop koffie voor mezelf en toen voor haar inschonk. 'Wat vind jij van David?' vroeg ik, de beker naast haar neerzettend.

Ze keek omlaag en tikte met een gekleurde pen op de tafel. 'Ik denk dat het wel gaat lukken. Hij lijkt te weten waar hij mee bezig is. Bovendien ben ik er ook nog.'

Tegen het aanrecht geleund, hield ik mijn beker met twee handen vast en nam een slok. De koffie gleed omlaag en kalmeerde mijn zenuwen. Iets in Ivy's manier van doen trok mijn aandacht. Ze had een lichte blos op haar wangen. 'Volgens mij vind je hem leuk,' zei ik en ze keek op. 'Volgens mij val je op oudere mannen,' voegde ik eraan toe. 'Vooral oudere mannen in driedelige kostuums die bijten en die beter kunnen plannen dan jij.'

Toen kreeg ze pas echt een kleur. 'En volgens mij moet jij je mond houden.'

We keken allebei op bij een zacht klopje op de deur. Het was mevrouw Aver en het was een beetje gênant dat wij haar geen van beiden uit de badkamer hadden horen komen. Ze had mijn badjas aan en haar kleren hingen over haar arm. 'Alsjeblieft, meisje,' zei ze, mij haar grijze pakje overhandigend.

'Bedankt.' Ik zette mijn koffie neer en pakte het aan.

'Zou je zo vriendelijk willen zijn het af te geven bij de Kleren-voor-Werenstomerij? Daar zijn ze erg goed in het verwijderen van bloedvlekken en het repareren van kleine scheurtjes. Weet je waar het is?'

Ik keek naar de vrouw die in mijn zachte blauwe badjas voor me stond, het lange bruine haar los op schouders vallend. Ze had ongeveer hetzelfde figuur als ik, hooguit wat breder in de heupen. Mijn haar was een tint donkerder, maar het leek behoorlijk. 'Natuurlijk,' zei ik.

Zij glimlachte. Ivy zat weer over haar plattegronden gebogen en negeerde ons. 'Fijn,' zei de Weer. 'Dan ga ik me nu veranderen en nog even dag zeggen tegen David, voordat ik op vier voeten weer vertrek.' Met een brede glimlach liep ze naar de hal, waar ze even aarzelde. 'Waar is jullie achterdeur?'

Ivy stond met een luidruchtig gekras van stoelpoten op. 'Die is kapot. Ik zal hem voor je opendoen.'

'Bedankt,' zei ze, met diezelfde beleefde glimlach. Ze vertrokken samen en ik bracht de kleren van de vrouw langzaam naar mijn neus. Ze waren nog warm van haar lichaam en de flauwe geur van muskus vermengde zich met een lichte, grasachtige geur. Ik trok een vies gezicht bij de gedachte iemand anders' kleren te moeten dragen, maar het ging er natuurlijk juist om dat ik als een Weer zou ruiken. En ze had me ook geen oude vodden gebracht om aan te trekken. Het gevoerde wollen pakje moest een flinke duit hebben gekost.

Langzaam liep ik naar mijn kamer. De vampierhandleiding lag nog steeds op mijn toilettafel en ik keek ernaar met een combinatie van somberheid en schuldgevoel. Waarom had ik het daar eigenlijk neergelegd? Had ik het soms nog een keer willen lezen met de bedoeling Kisten helemaal gek te maken? Somber propte ik het helemaal achter in mijn kast. God, wat was ik toch een stomme idioot.

Gelaten trok ik mijn jeans en sweater uit. Even later hoorde ik het tikken van nagels over de gangvloer, en terwijl ik mijn panty aantrok, hoorde ik het geluid van spijkers die uit hout werden getrokken. De nieuwe deur zou pas morgen worden bezorgd en ze kon moeilijk door een raam naar buiten glippen.

Ik voelde me erg onzeker over dit alles, maar ik kon niet precies zeggen waarom. *Ik ging daar in elk geval niet amuletloos naar binnen,* dacht ik, terwijl ik de grijze rok aantrok en de witte blouse instopte. Ivy en Kisten zouden alles meenemen wat ik nodig had; mijn weekendtas vol bezweringen stond al helemaal ingepakt in de keuken. En niet omdat ik het tegen iemand op zou moeten nemen die beter was in leylijnmagie. Dat deed ik voortdurend.

Ik trok het jasje aan en stak het aanhoudingsbevel voor Lee in een binnenzakje. Mijn voeten in de lage schoentjes stekend die ik uit mijn kast had gehaald, keek ik naar mijn spiegelbeeld. Veel beter, maar ik zag nog steeds mezelf, en ik pakte de contactlenzen die David eerder vandaag al per koerier had laten bezorgen.

Terwijl ik met mijn ogen knipperde en de dunne, bruine stukjes plastic op hun plek drukte, besloot ik dat ik me zo ongemakkelijk voelde omdat David me niet vertrouwde. Hij vertrouwde mijn deskundigheid niet en hij vertrouwde mij niet. Ik had nooit eerder een partner gehad die aan mij twijfelde. Ik was in het verleden wel beschuldigd van leeghoofdigheid en zelfs van onbekwaamheid, maar nooit van onbetrouwbaarheid. Het beviel me niets. Maar terugblikkend op wat ik Jenks had aangedaan, was het waarschijnlijk verdiend.

Met trage, gedeprimeerde bewegingen stak ik mijn gekortwiekte haar op in een strak, zakelijk knotje. Ik maakte me zwaar op, gebruikmakend van een foundation die eigenlijk een tint te donker was, zodat ik mijn handen en nek ook flink moest insmeren. Het bedekte echter wel mijn sproeten en met een vervelend gevoel deed ik mijn houten pinkring af; nu was de bezwering verbroken. Met de donkere make-up en de contactlenzen zag ik er heel anders uit, maar het waren toch de kleren die het 'm deden. En terwijl ik zo voor mijn spiegel stond en mezelf bekeek in mijn saaie, duffe mantelpakje en met mijn saaie, duffe kapsel, en die saaie, duffe uitdrukking op mijn gezicht, was ik ervan overtuigd dat zelfs mijn moeder me niet zou herkennen.

Ik deed een druppel van Ivy's dure parfum op – het parfum dat mijn geur verborg – en gooide er vervolgens nog een plens achteraan van een muskusachtig parfum waarvan Jenks ooit had gezegd dat het naar de onderkant van een omgevallen boomstam rook: aards en kruidig. Met Ivy's telefoon aan mijn ceintuur liep ik de gang in. Mijn lage hakjes maakten onwaarschijnlijk veel herrie. Het zachte geluid van Ivy en David die met elkaar zaten te praten, leidde me naar het sanctuarium, waar ik hen achter haar piano aantrof. O, wat had ik graag gewild dat Jenks er nu was. Het was niet alleen dat ik hem nodig had om de kust te verkennen en camera's onklaar te maken. Ik miste hem.

Bij het horen van mijn voetstappen keken David en Ivy op. Ivy's mond zakte open. 'Bijt mij maar lek,' zei ze. 'Zoiets ongelooflijks heb ik je nog nooit zien dragen. Je ziet er zowaar fatsoenlijk en degelijk uit.'

Ik glimlachte zwakjes. 'Bedankt.' Ik bleef met mijn handen voor mijn schoot geslagen staan wachten terwijl David me van top tot teen bekeek. Het lichte ontspannen van zijn voorhoofd was het enige teken van zijn goedkeuring. Zich omdraaiend, gooide hij zijn paperassen in zijn aktetas en knipte hem dicht. Mevrouw Aver had de hare voor me achtergelaten en toen David het teken gaf dat we gingen pakte ik hem op. 'Jij neemt mijn bezweringen mee, hè?' vroeg ik aan Ivy.

Ze zuchtte en keek naar het plafond. 'Kisten is al onderweg hiernaartoe. Ik loop alles nog één keer met hem door en dan sluiten we de kerk af en vertrekken. Zodra we op onze plaats van bestemming zijn aangekomen, geef ik je een belletje.' Ze keek mij aan. 'Jij hebt mijn reservetelefoon?'

'Eh...' Ik legde er even mijn hand op. 'Ja.'

'Mooi zo. Ga nu maar gauw,' zei ze, terwijl ze zich omdraaide en wegliep. 'Voordat ik zoiets achterlijks doe als je omhelzen.'

Somber en onzeker liep ik naar de deur. David kwam achter mij aan, met geruisloze tred maar zijn aanwezigheid verradend met de flauwe geur van varens. 'Zonnebril,' mompelde hij toen ik de deurknop wilde pakken, en ik bleef even staan om hem op te zetten. Ik duwde de deur open en liep, mijn ogen half dichtgeknepen tegen de laagstaande zon, tussen alle goede gaven door die varieerden van professionele bloemstukken tot met bonte kleuren ingekleurde bladzijden uit kleurboeken. Het was koud, en de koele lucht was verfrissend.

Het geluid van Kistens wagen deed me opkijken en mijn hart sloeg op hol. Ik bleef stokstijf staan op de trap en David botste bijna tegen me op. Zijn voet stootte tegen een bolle vaas, die van het trapje op het trottoir rolde. Al het water liep eruit en ook de enkele rode rozenknop die erin had gestaan viel op de grond.

'Iemand die je kent?' vroeg David, zijn adem warm bij mijn oor.

'Het is Kisten.' Ik zag hem parkeren en uitstappen. *God, wat zag hij er goed uit, lekker strak en sexy.*

David legde zijn hand achter mijn elleboog en duwde me vooruit. 'Doorlopen. Niks zeggen. Ik wil zien hoe je vermomming het doet. Mijn auto staat aan de overkant van de straat.'

Ik vond het wel een goed idee en liep verder het trapje af. Ik bleef alleen even staan om de vaas op te rapen en op de onderste trede te zetten. Het was in werkelijkheid een jampot, met een beschermingspentagram erop en ik maakte een zacht geluidje van herkenning toen ik de rode roos er weer in zette en me oprichtte. Zo eentje had ik in geen jaren meer gezien.

Ik kreeg een rare kriebel in mijn buik toen ik Kisten hoorde aankomen.

'Dank u hartelijk,' zei hij in het voorbijgaan, denkend dat ik de bloem daar kwam neerzetten, in plaats van dat ik hem had opgeraapt. Ik deed mijn mond open om iets te zeggen, maar klapte hem snel weer dicht toen David in mijn arm kneep.

'Ivy!' riep Kisten, op de deur bonzend. 'Schiet op! Anders komen we te laat!'

David begeleidde mij naar de overkant van de straat, waar hij me hielp in zijn auto te stappen, nog steeds met zijn hand stevig onder mijn elleboog – het was glad en de lage hakjes die ik aanhad waren niet berekend op ijs. 'Niet gek,' zei hij, met tegenzin toegevend dat hij onder de indruk was. 'Maar ik neem toch aan dat je niet met hem geslapen hebt.'

'Ik zal het je sterker vertellen,' zei ik, toen hij het portier voor mij openhield. 'Dat heb ik wel.'

Hij keek me aan en even zag ik een geschokte blik van weerzin over zijn gezicht glijden. Vanuit de kerk klonk een vaag: 'Dat meen je verdomme niet! Was zij dat? Krijg nou de tering!'

Ik drukte mijn vingers tegen mijn voorhoofd. Zo praatte hij in elk geval niet wanneer we samen waren. Mijn ogen gingen naar David. 'Jij bent zeker zo iemand die vindt dat je je bij je eigen soort moeten houden?' vroeg ik op effen toon.

Hij zei niets. Met opeengeklemde kaken hield ik mezelf voor dat hij mocht denken wat hij wilde. Ik hoefde niet aan zijn eisen te voldoen. Er waren heel veel mensen die het met hem eens waren. Maar er waren ook heel veel mensen die het geen bal kon schelen. Met wie ik mijn bed deelde hoorde niets te maken te hebben met onze zakelijke relatie.

Mijn stemming werd er niet beter op toen ik instapte en mijn eigen deur dichttrok, voordat hij het kon doen. Ik klikte mijn gordel vast en hij ging achter het stuur zitten en startte zijn kleine, grijze wagentje. Ik zei geen woord toen hij wegreed in de richting van de brug. Davids luchtje begon me te benauwen en ik draaide het raam op een kiertje.

'Heb je er geen moeite mee om zonder je bezweringen naar binnen te gaan?' vroeg David.

Ik hoorde niet de verwachte afkeer in zijn stem en maakte daar onmiddellijk gebruik van. 'Ik ben wel eerder amuletloos aan een klus begonnen,' zei ik. 'En ik vertouw er volledig op dat Ivy ze meebrengt.'

Zijn hoofd bewoog niet, maar ik zag zijn ooghoeken verstrakken. 'Mijn oude partner ging nergens naartoe zonder zijn amuletten. Ik lachte hem altijd uit wanneer hij er weer een stuk of drie, vier om zijn nek had hangen. 'David,' zei hij dan, 'deze is om te zien of ze liegen. Deze is om te weten of ze in vermomming zijn. En deze vertelt me of ze rondlopen met een enorme bom aan energie in hun chi en op het punt staan ons allemaal naar de verdommenis te blazen.'

Ik keek hem aan en voelde mijn stemming verzachten. 'Heb jij er geen moeite mee om met heksen samen te werken?'

'Nee hoor.' Toen we over een spoorlijn denderden, haalde hij even een hand van het stuur. 'Zijn amuletten hebben me een hoop pijn bespaard. Maar ik zou je ook het aantal keren niet kunnen vertellen dat hij nog naar de juiste bezwering stond te zoeken terwijl een flinke rechtse directe de zaak veel sneller zou hebben beslecht.'

We staken de rivier over naar het centrum van Cincinnati en de gebouwen wierpen flikkerende schaduwen over ons heen. Hij was dus alleen bevooroordeeld wanneer het op seks aan kwam. Daar kon ik wel mee leven. 'Ik ga ook niet helemaal met lege handen naar binnen,' zei ik. 'Als het nodig is kan ik een beschermende cirkel om mezelf heen trekken. Maar in feite ben ik een aardheks. En dat zou het wel eens lastig kunnen maken, want het is moeilijker om iemand te arresteren als je niet dezelfde magie kunt bedrijven.' Ik trok een gezicht dat hij toch niet kon zien. 'Aan de andere kant kan ik Saladan toch nooit verslaan op het gebied van leylijnmagie, dus is het ook maar beter als ik dat niet eens probeer. Ik krijg hem wel met mijn aardbezweringen en anders met mijn knie in zijn kruis.'

David kwam langzaam tot stilstand voor een rood stoplicht. Met de eerste tekenen van belangstelling op zijn gezicht keek hij me aan. 'Ik heb gehoord dat je drie leylijnmoordenaars hebt uitgeschakeld.'

'O, dat.' Ik begon me wat beter te voelen. 'Daar heb ik hulp bij gehad. Het FIB was er ook bij.'

'Maar Piscary heb je helemaal in je eentje uitgeschakeld.'

Het licht sprong op groen en ik keek goedkeurend hoe hij de auto pas in beweging zette toen de wagen voor ons begon te rijden. 'Trents beveiligingsman heeft me daarbij geholpen,' moest ik toegeven.

'Die heeft hem afgeleid,' zei David zachtjes. 'Jij was degene die hem buiten westen heeft geslagen.'

Mijn knieën tegen elkaar drukkend, wierp ik een blik opzij om hem recht in het gezicht te kijken. 'Hoe weet jij dat?'

Davids brede kaken spanden en ontspanden zich, maar hij bleef voor zich uit kijken. 'Ik heb Jenks vanmorgen gesproken.'

'Wat!' riep ik uit, bijna mijn hoofd stotend tegen het dak van de wagen. 'Gaat het goed met hem? Wat zei hij? Heb je hem verteld dat het me spijt? Denk je dat hij me te woord wil staan als ik hem bel?'

Terwijl ik mijn adem inhield keek David me van opzij aan. Zonder iets te zeggen, draaide hij de snelweg op. 'Het antwoord op al die vragen is nee. Hij is erg overstuur.'

Ik liet mijn schouders zakken, opgewonden en ongerust.

'Als hij ooit weer eens met je wil praten ben je hem een bedankje schuldig,' zei David op effen toon. 'Hij is helemaal idolaat van je, en dat is de belangrijkste reden waarom ik niet ben teruggekomen op mijn toezegging om je bij Saladan naar binnen te krijgen.'

Mijn maag draaide om. 'Hoe bedoel je?'

Hij zweeg even om een andere wagen te passeren. 'Hij is heel erg gekwetst dat je hem niet vertrouwde, maar hij heeft geen kwaad woord over je gezegd en nam het zelfs voor je op toen ik je een wispelturig leeghoofdje noemde.'

Mijn keel kneep dicht en ik staarde uit het raampje. *Wat was ik toch een stommeling.*

'Hij is de belachelijke mening toegedaan dat hij het verdiende om voorgelogen te worden, dat je hem niets hebt verteld omdat je bang was dat hij zijn mond niet kon houden en dat je daar hoogstwaarschijnlijk gelijk in had. Hij is weggegaan omdat hij vond dat hij jou had teleurgesteld, en niet andersom. Ik heb tegen hem gezegd dat jij een stomkop bent en dat elke partner die tegen mij zou liegen zou eindigen met een opengereten strot.' David pufte smalend. 'Hij heeft me eruit getrapt. Ik ben eruit getrapt door een mannetje van tien centimeter groot. Hij zei dat hij me, als ik jou niet zou helpen zoals ik had toegezegd, op de eerste voorjaarsdag zou weten te vinden en me in mijn slaap een lobotomie zou bezorgen.'

'Hij is ertoe in staat,' zei ik met een benepen stemmetje. Ik hoorde de tranen al aanstormen.

'Dat weet ik, maar dat is niet de reden waarom ik hier ben. Ik ben hier om wat hij niet heeft gezegd. Wat jij je partner hebt aangedaan is verfoeilijk, maar zo'n eerbare ziel zou nooit op zo'n manier over iemand praten die het niet had verdiend. Ik snap alleen niet helemaal waarom hij zo over je praat.'

'Ik probeer Jenks nu al drie dagen te spreken te krijgen,' zei ik met een brok in mijn keel. 'Ik wil mijn verontschuldigingen aanbieden. Ik probeer het goed te maken.'

'Dat is de andere reden waarom ik hier ben. Vergissingen kun je goedmaken, maar als je het meer dan eens moet doen, is het geen vergissing meer.'

Ik zei niets en voelde een hoofdpijn opkomen toen we een park met uitzicht op de rivier passeerden en een zijstraat in sloegen. David voelde even aan zijn stropdas en ik zag aan zijn lichaamshouding dat we er bijna waren. 'En het was eigenlijk mijn schuld dat het uitkwam,' zei hij zacht. 'Wolfskers heeft de neiging je loslippig te maken. Dat spijt me erg, maar wat je hebt gedaan is nog steeds verkeerd.'

Het maakte niet uit hoe het was uitgekomen. Jenks was woest op me en dat verdiende ik.

David zette zijn richtingaanwijzer uit en we reden een met keien bestrate oprit op. Ik trok mijn grijze rokje omlaag en verschikte wat aan mijn jasje. Ik veegde de tranen uit mijn ogen, ging rechtop zitten en probeerde professioneel te kijken en niet alsof mijn hele wereld om me heen in elkaar donderde en ik volledig afhankelijk was van een Weer die mij als het laagste van het laagste beschouwde. Ik had er alles voor over gehad om nu Jenks op mijn schouder te hebben die grapjes maakte over mijn nieuwe kapsel of me verweet dat ik stonk als de vloer van een buitenplee. Wat dan ook.

'Als ik jou was zou ik mijn mond maar stijf dichthouden,' zei David somber en ik knikte al even somber. 'Het parfum van mijn secretaresse ligt in het handschoenenkastje. Spuit maar flink wat op je panty. Verder ruik je goed.'

Ik deed gehoorzaam wat hij zei, mijn gebruikelijke weerzin tegen het opvolgen van bevelen tenietgedaan door het feit dat hij zo'n lage dunk van mij had. De muffe geur verspreidde zich door de hele wagen en met een vies gezicht rolde David zijn raampje omlaag. 'Ja, maar je zei zelf...' mompelde ik toen de koele lucht om mijn enkels waaide.

'Zodra we eenmaal binnen zijn moet het snel gebeuren,' zei David, met tranen in zijn ogen. 'Je vamppartner heeft hooguit vijf minuten voordat Saladan boos wordt over de claim en ons eruit schopt.'

Ik klemde mevrouw Avers koffertje wat steviger vast. 'Ze zal er zijn.'

Davids enige reactie was een onverstaanbaar gemompel. We reden een korte oprijlaan op die aan het einde een bocht maakte. Hij was keurig aangeveegd en de rode bakstenen waren vochtig van de gesmolten sneeuw. Aan het eind ervan stond een statig huis, wit met rode luiken en hoge, smalle ramen. Het was een van de weinige oude landhuizen die helemaal waren opgeknapt zonder hun charme te verliezen. De zon stond achter het huis en David parkeerde in de schaduw achter een zwarte pick-uptruck en zette de motor af. Achter een van de ramen zag ik een gordijn bewegen.

'Je heet Grace,' zei hij. 'Als ze om je legitimatie vragen, dan zit dat in je portefeuille in je koffertje. Hier.' Hij gaf me zijn bril. 'Zet die maar op.'

'Bedankt.' Ik zette de plastic bril op mijn neus en kwam tot de ontdekking dat David verziend was. Mijn hoofd begon nu echt pijn te doen en ik schoof de bril wat lager zodat ik over de glazen heen kon kijken in plaats van erdoorheen. Ik voelde me ellendig en de vlinders in mijn maag wogen zo zwaar als schildpadden.

Hij zuchtte een keer diep en reikte tussen ons in naar de achterbank om zijn aktetas te pakken. 'Laten we dan maar gaan.'

'David Hue,' zei David koeltjes, verveeld en lichtelijk geïrriteerd toen wij voor de deur van het grote landhuis stonden. 'Ik heb een afspraak.'

Ik, niet wij, dacht ik. Ik keek zoveel mogelijk naar de grond en probeerde op de achtergrond te blijven terwijl Candice, de vamp die op de boot niet van Lee af had kunnen blijven, met haar in een spijkerbroek gehulde heupen zwaaide en zijn visitekaartje bestudeerde. Achter haar stonden nog twee vampen in zwarte pakken die beveiliging schreeuwden. Ik vond het niet erg de sullige ondergeschikte te spelen; als Candice me herkende, zou het wel heel snel in iets heel akeligs ontaarden.

'Ja, u hebt mij aan de lijn gehad,' zei de welgevormde vampier met een verveelde zucht. 'Maar na de recente onverkwikkelijke ontwikkelingen heeft meneer Saladan zich teruggetrokken naar een... minder openbare omgeving.' Haar tanden vriendelijk doch dreigend bloot lachend, gaf ze hem zijn kaartje terug. 'Ik zal u echter gaarne te woord staan.'

Met bonkend hart staarde ik naar de Italiaanse plavuizen. Hij was hier – ik kon het gerammel van fiches bijna horen – maar als ik niet binnenkwam om hem te zien, ging dit opeens veel lastiger worden.

David keek haar aan en ik zag zijn blik verstrakken. Toen pakte hij zijn aktetas weer op. 'Heel goed,' zei hij kortaf. 'Als ik de heer Saladan niet te spreken krijg, ziet mijn maatschappij geen andere mogelijkheid dan aan te nemen dat onze veronderstelling van terroristische activiteiten de juiste is en zullen wij niet overgaan tot uitbetaling van de claim. Dan wens ik u verder een goede dag, mevrouw.' Hij keek me amper aan. 'Kom, Grace. Dan gaan we weer.'

Ik hield mijn adem in en voelde mijn gezicht verbleken. Als we hier nu wegliepen, zouden Kisten en Ivy regelrecht in een val lopen. David liep met luide voetstappen naar de deur en ik liep achter hem aan.

'Candice,' klonk Lee's woedende, maar mierzoete stem vanaf de balustrade op de eerste verdieping. 'Wat doe je?'

Ik draaide me om, maar David pakte me waarschuwend bij mijn arm. Lee stond boven aan de trap, met een glas in zijn ene hand en een dossiermap en een bril met een stalen montuur in de andere. Hij was gekleed in wat eruitzag als een kostuum, maar dan zonder het jasje en zijn stropdas zat losjes om zijn nek, maar toch nog netjes.

'Stanley, lieverd,' zei Candice poeslief, terwijl ze een uitdagende houding aannam tegen het kleine tafeltje bij de deur. 'Je zei niemand. Bovendien, het was maar een klein bootje. Hoeveel kan zoiets nu waard zijn?'

Lee kneep zijn donkere ogen tot spleetjes. 'Bijna een kwart miljoen – lieveling. Dit zijn verzekeringsagenten, geen I.S.-agenten. Controleer hen op bezweringen en breng hen naar boven. De wet verplicht hen alles vertrouwelijk te behandelen, inclusief het feit dat ze hier zijn geweest.' Hij keek David aan en gooide zijn lange surfharen uit zijn ogen. 'Heb ik gelijk of niet?'

David keek glimlachend naar boven met die ouwe-jongens-krentenbroodblik waar ik zo'n gruwelijke hekel aan had. 'Jazeker, meneer,' zei hij, zijn stem weergalmend tegen het effen wit van de open vestibule. 'Wij zouden ons werk niet naar behoren kunnen doen zonder dat kleine amendement in de grondwet.'

Lee stak begrijpend zijn hand op, draaide zich om en verdween in de open hal. Ik hoorde een deur dichtvallen en schrok op toen Candice mijn aktetas vastpakte. Een adrenalinestoot zorgde ervoor dat ik me oprichtte en de tas tegen me aan klemde.

'Rustig, Grace,' zei David op vaderlijke toon terwijl hij hem uit mijn handen pakte. 'Dit is gebruikelijk.'

De twee vampen op de achtergrond kwamen naar voren en ik dwong mezelf me niet te verroeren. 'U moet het mijn assistente maar niet kwalijk nemen,' zei David terwijl hij onze tassen op het tafeltje bij de deur zette en eerst de zijne openmaakte en omdraaide en vervolgens de mijne. 'Het inwerken van een nieuwe assistente is een lastige klus.'

Er verscheen een spottende uitdrukking op Candice' gezicht. 'Heeft ze dat blauwe oog ook aan u te danken?'

Ik kreeg een kleur en bracht automatisch mijn hand naar mijn wang. Kennelijk werkte de donkere make-up toch niet zo goed als ik had gehoopt.

'Je moet ervoor zorgen dat ze hun plek kennen,' zei David op luchtige toon. 'Maar als je ze goed slaat, hoef je ze ook maar één keer te slaan.'

Ik klemde mijn kaken op elkaar en de vlammen sloegen me uit toen Candice begon te lachen. Ik keek met half gebogen hoofd toe hoe een van de vampen mijn tas doorzocht. Hij zat vol spullen die alleen een verzekeringsagent in zijn tas zou hebben: een rekenmachientje met meer piepkleine toetsen dan er knoopjes zitten op de galalaarzen van een kabouter, notitieblokken, dossiers met koffiekringen, nutteloze kalendertjes die je op je koelkast kon hangen en pennen met 'smiley'-gezichtjes. Verder zaten er allerlei bonnetjes in van winkels voor kantoorbenodigdheden. God, het was afschuwelijk. Ze keek met een afwezige blik naar mijn nepvisitekaartjes.

Terwijl Davids koffertje eenzelfde behandeling onderging, slenterde Candice een zijkamer binnen. Ze kwam terug met een bril met een stalen montuur waarmee ze ons met veel gevoel voor drama aan een nauwkeurig onderzoek onderwierp. Mijn hart bonsde toen ze vervolgens een amulet tevoorschijn haalde. Hij had een waarschuwende rode gloed.

'Chad, lieverd,' zei ze. 'Ga eens een eindje naar achteren. Je bezwering zorgt voor storing.'

Een van de vampen kreeg een kleur en trok zich terug. Ik vroeg me af waar Chad, de lieverd, een bezwering voor gebruikte waarvan zijn oren zo'n eigenaardige kleur kregen. Ik slaakte een zucht van verlichting toen de amulet groen werd en ik was blij dat ik deze vermomming had gebruikt om binnen te komen. Naast mij zag ik Davids vingers nerveus bewegen. 'Kan dit niet wat sneller?' vroeg hij. 'Ik heb nog meer afspraken vandaag.'

Candice glimlachte en draaide de amulet om haar vinger. 'Volgt u mij maar.'

Met een snelheid die ogenschijnlijk voortkwam uit irritatie klapte David zijn koffertje dicht en trok het van de kleine tafel. Ik deed hetzelfde, blij dat de twee vampen in een achterkamer verdwenen, aangetrokken door de geur van koffie. Candice liep langzaam de trap op. Haar heupen bewogen alsof ze elk moment van haar af konden worden gedraaid. Zo min mogelijk naar haar kijkend, volgde ik haar naar boven.

Het huis was oud, en nu ik wat beter keek, niet erg goed onderhouden. Boven was het tapijt versleten en de schilderijen die in het open trappenhuis boven de vestibule hingen waren zo oud dat ze waarschijnlijk bij het huis hoorden. De verf boven de lambrisering was van dat gore groen dat voor de Ommekeer zo populair was en zag er weerzinwekkend uit. Iemand met weinig fantasie had dezelfde verf gebruikt om op de twintig centimeter brede vloerplanken te smeren en ik dacht even met spijt aan de grandeur die verborgen moest gaan achter al die spuuglelijke verf en synthetische materialen.

'Meneer Saladan,' zei Candice, terwijl zij een zwarte deur voor ons opende. Ze had een vals lachje op haar gezicht en toen ik achter David aan naar binnen liep, sloeg ik in het voorbijgaan mijn ogen neer. Ik hield mijn adem in, biddend dat ze me niet zou herkennen en hopend dat ze niet mee naar binnen zou komen. Maar waarom zou ze? Lee was een expert in de leylijnmagie. Hij had geen bescherming nodig tegen twee Weren.

Het was een ruim kantoor met een houten lambrisering. De hoge plafonds en de brede kozijnen rond de hoge raampartij vormden het enige bewijs dat de ruimte ooit bedoeld was geweest als slaapkamer. Verder was alles bedekt en verstopt onder chroom en licht eiken dat hooguit een paar jaar oud was. Ik was een heks; ik zag zulke dingen.

De ramen achter het bureau liepen door tot op de vloer en de laagstaande zon viel over Lee heen toen hij opstond van zijn bureaustoel. In een hoek stond een bartrolley en een van de wanden werd vrijwel geheel in beslag genomen door allerlei beeld- en geluidsapparatuur. Voor zijn bureau stonden twee gemakkelijke stoelen en in een hoek aan de andere kant van de kamer stond nog een heel lelijke fauteuil. Er hing een enorme spiegel aan de muur en ik zag nergens boeken. Ik had al geen hoge dunk gehad van Lee, maar nu al helemaal niet meer.

'Meneer Hue,' zei Lee hartelijk, zijn gebruinde hand uitstekend over het moderne bureau. Zijn colbertje hing aan een kapstok, maar zijn stropdas had hij in elk geval even netjes getrokken. 'Ik verwachtte u al. Mijn excuses voor het misverstand beneden. Candice kan soms wat al te beschermend zijn. Gezien het feit dat er om mij heen boten exploderen, kunt u dat misschien begrijpen.'

David grinnikte, een geluid dat deed denken aan het gekef van een klein hondje. 'Geen probleem, meneer Saladan. Ik zal u niet lang ophouden. Het is meer een beleefdheidsbezoekje om u te laten weten hoe wij uw claim behandelen.'

Glimlachend hield Lee zijn stropdas tegen zijn borst en ging zitten, gebarend dat wij hetzelfde konden doen. 'Kan ik u misschien iets te drinken aanbieden?' vroeg hij toen ik in de met soepel leer beklede stoel plaatsnam en mijn tas op de grond zette.

'Nee, dank u,' zei David.

Lee had mij niet meer dan een vluchtige blik gegund en hij had mij zelfs geen hand gegeven. Er hing zo'n echte sfeer van mannen onder elkaar, en hoewel ik me daar normaal gesproken weinig van zou hebben aangetrokken en me vrolijk in het gesprek zou hebben gemengd, verbeet ik me dit keer en deed net of ik niet bestond, als een braaf klein teefje dat helemaal onderaan kwam in de hiërarchie.

Terwijl Lee een ijsblokje in zijn glas deed, zette David een andere bril op en opende de aktetas die op zijn schoot stond. Zijn gladgeschoren kaaklijn stond strak en ik rook zijn ingehouden opwinding. 'Zo,' zei hij zacht, een stapel paperassen tevoorschijn halend. 'Ik moet u tot mijn spijt mededelen dat mijn maatschappij, na ons voorlopige onderzoek en gesprekken met een overlevende, ervan afziet om tot betaling over te gaan.'

Lee gooide een tweede ijsblokje in zijn glas. 'Pardon?' Hij draaide zich om. 'Voor uw *overlevende* staat er te veel op het spel om naar voren te komen met informatie die erop wijst dat het geen ongeluk zou zijn geweest. En wat uw onderzoek betreft? Die boot ligt op de bodem van de rivier.'

David knikte. 'Dat is inderdaad het geval. Maar de boot werd verwoest gedurende een over de gehele stad verspreide machtsstrijd en derhalve valt de schade onder de terrorismeclausule.'

Een ongelovige uitroep slakend, ging Lee weer achter zijn bureau zitten. 'Die boot is gloednieuw. Ik heb er nog maar twee termijnen van afgelost. Ik ben niet van plan dat verlies te nemen. Daarom had ik hem verzekerd.'

David legde een stapeltje aan elkaar geniete documenten op het bureau. Over zijn bril kijkend, haalde hij nog een document tevoorschijn, sloot zijn aktetas en zette er zijn handtekening onder. 'Dit is tevens een kennisgeving dat uw premies op uw andere bezittingen die bij ons verzekerd zijn met vijftien procent zullen stijgen. Als u hier uw handtekening zou willen zetten.'

'Vijftien procent!' riep Lee uit.

'Met terugwerkende kracht met ingang van deze maand. Als u ervoor kiest een cheque uit te schrijven, dan is dat mogelijk.'

Verdomme, dacht ik. Davids maatschappij speelde het wel keihard. Mijn gedachten gingen van Lee naar Ivy. Dit beloofde heel snel bergafwaarts te gaan. Waarom belde ze niet? Ze zouden nu toch in positie moeten zijn.

Lee keek niet blij. Met een strak gezicht vouwde hij zijn handen en legde ze op het bureau. Met een rood aangelopen gezicht leunde hij naar voren. 'Ik zou nog maar eens goed in die tas kijken, kleine pup, en zorgen dat er een cheque voor mij uit komt,' zei hij. 'Ik ben niet gewend dat mensen mij teleurstellen.'

David knipte zijn tas dicht en zette hem voorzichtig op de grond. 'Dan moet u nodig uw horizon eens verbreden, meneer Saladan. Mij gebeurt het regelmatig.'

'Mij niet.' Met een woedende blik op zijn ronde gezicht stond Lee op. De spanning nam toe. Ik keek van Lee naar David, die nog heel rustig leek, ook al zat hij nog op zijn stoel. Geen van beide mannen was van plan een duimbreed toe te geven.

'Tekent u nu maar,' zei David zacht. 'Ik ben de boodschapper maar. De advocaten kunnen we hier beter buiten houden. Dan zijn zij straks de enigen die er iets aan overhouden en bent u onverzekerbaar.'

Lee begon sneller te ademen, zijn ogen tot woedende spleetjes geknepen.

Ik schrok van het plotselinge overgaan van mijn mobieltje. Mijn ogen werden groot. Het was de herkenningsmelodie van de *Lone Ranger*. Ik wilde het snel afzetten, maar wist niet hoe dat moest. *O god, help.*

'Grace!' blafte David en ik schrok opnieuw. Het mobieltje glipte uit mijn vingers. Met een vuurrood gezicht raapte ik het vlug op. Mijn emoties werden heen en weer geslingerd tussen paniek omdat zij allebei naar mij keken, en opluchting omdat Ivy er klaar voor was.

'Grace, ik had je in de auto al gezegd dat je dat mobieltje uit moest zetten!' schreeuwde David.

Hij stond op en ik keek hem hulpeloos aan. Hij griste het telefoontje uit mijn handen. De muziek ging uit en hij smeet het weer naar me toe.

Mijn gezicht vertrok toen het nogal hard mijn handpalm raakte. Nu was ik het zat. Toen hij mijn woede zag, kwam David tussen mij en Lee in staan en greep waarschuwend mijn schouder. Kwaad sloeg ik zijn arm weg. Maar mijn woede stokte toen ik hem zag glimlachen en knipogen.

'Je bent een goeie detective,' fluisterde hij, terwijl Lee intussen een knopje op zijn intercom indrukte en een gefluisterde conversatie hield met een duidelijk geagiteerd klinkende Candice. 'De meeste mensen met wie ik samenwerk zouden me meteen bij de voordeur al naar de strot zijn gevlogen toen ik zo neerbuigend deed. Houd nog even vol. We kunnen dit gesprek nog wel een paar minuten rekken en bovendien moet hij mijn formulier nog tekenen.'

Ik knikte, hoewel het niet meeviel. Het compliment deed me goed.

Lee stond nog steeds bij zijn bureau, pakte zijn colbert en trok het aan. 'Het spijt me, meneer Hue. Wij zullen dit gesprek op een ander tijdstip moeten voortzetten.'

'Nee, meneer.' David verroerde zich niet. 'Wij maken dit gesprek nu af.'

Ik hoorde wat commotie op de gang en ik stond op toen Chad, de vampier met de amulet, het kantoor binnen kwam vallen. Toen hij David en mij zag slikte hij zijn eerste, waarschijnlijk opgewonden, woorden weer in.

'Chad,' zei Lee, met een ietwat verontruste uitdrukking toen hij zag hoe de vamp eruitzag. 'Wil jij meneer Hue en zijn assistente even naar hun auto brengen?'

'Natuurlijk, meneer.'

Het huis was stil en ik onderdrukte een glimlach. Ivy had wel eens een hele verdieping vol FIB-agenten uitgeschakeld. Tenzij Lee nog ergens een heleboel mensen verborgen hield, zou het nu niet lang meer duren voordat ik mijn amuletten had en Lee in de boeien was geslagen.

David maakte geen aanstalten om weg te gaan. Hij stond voor Lee's bureau en ik zag steeds meer Weer op zijn gezicht. 'Meneer Saladan.' Hij schoof het formulier met twee vingers naar voren. 'Als u zo vriendelijk zou willen zijn?'

Er verschenen allemaal rode vlekken op Lee's wangen. Hij nam een pen uit zijn binnenzak en ondertekende het document, waarbij hij zijn naam groot en onleesbaar maakte. 'Vertel uw superieuren maar dat ik verwacht volledig voor mijn verlies gecompenseerd te worden,' zei hij, het formulier op het bureau achterlatend zodat David het kon pakken. 'Het zou bijzonder jammer zijn als uw maatschappij in financiële moeilijkheden zou raken door schade aan een aantal van jullie duurste bezittingen.'

David pakte het formulier op en stopte het in zijn aktetas. Ik stond schuin achter hem en voelde hoe zijn spanning toenam en hoe hij zijn evenwicht naar de voorkant van zijn voeten bracht. 'Hoor ik daar een dreigement, meneer Saladan? Als u wilt kan ik uw claim wel doorschuiven naar onze klachtenafdeling.'

Ik voelde een zachte dreun en Chad wankelde. Het was een explosie, ergens in de verte. Lee keek naar een muur alsof hij er dwars doorheen kon kijken. Ik trok mijn wenkbrauwen op. Ivy.

'Ik heb nog één handtekening van u nodig.' David haalde een in drieën gevouwen document uit zijn binnenzak.

'Uw tijd is op, meneer Hue.'

David staarde hem aan en ik kon het gegrom bijna horen. 'Dit is in één tel gebeurd. Grace, als jij hier zou willen tekenen. En meneer Saladan... hier.'

Verbaasd deed ik een stap naar voren en boog me over het document dat David op het bureau had neergelegd. Mijn ogen werden groot. Er stond in dat ik met eigen ogen de bom op de ketel had gezien. Ik vond het verkeerd dat Davids maatschappij zich drukker maakte om de boot dan om de mensen die erop waren omgekomen. Maar zo ging dat nu eenmaal in de verzekeringswereld.

Ik pakte de pen en keek even naar David. Hij haalde zijn schouders op en ik zag een nieuwe, harde glinstering in zijn ogen. Ondanks zijn woede denk ik dat hij hier met volle teugen van genoot.

Met bonzend hart tekende ik als Rachel. Terwijl ik de pen aan David teruggaf luisterde ik of ik al geluiden hoorde die op een vechtpartij wezen. Ze moesten nu heel dichtbij zijn en als buiten alles naar wens verliep was het mogelijk dat hun aanwezigheid binnen niet eens werd opgemerkt. Lee was gespannen en ik had een knoop in mijn maag.

'En nu u, meneer.' Er klonk sarcasme in zijn stem en David draaide het document naar hem om. 'Teken hier, dan kan ik uw dossier sluiten en ziet u mij nooit meer terug.'

Ik vroeg me af of dat een standaardopmerking van hem was, terwijl ik in de binnenzak van mijn geleende jasje reikte en het aanhoudingsbevel tevoorschijn haalde dat Edden vanmiddag was komen brengen.

Met ruwe, agressieve bewegingen zette Lee zijn handtekening. Naast mij hoorde ik een nauwelijks waarneembaar tevreden gegrom van David. Op dat moment zag Lee opeens mijn handtekening. De man trok lijkbleek weg onder zijn gebruinde huid. Zijn mond viel open. 'Krijg nou de pest,' vloekte hij, eerst naar mij kijkend en toen naar Chad, die in de hoek stond.

Glimlachend overhandigde ik Lee mijn aanhoudingsbevel. 'En deze krijgt u van mij,' zei ik vrolijk. 'Bedankt, David. Heb je nu alles wat je nodig hebt?'

David zette een stap naar achteren en borg zijn formulier op. 'Hij is helemaal van jou.'

'Krijg nou de pest!' zei Lee opnieuw, met een ongelovig glimlachje om zijn lippen. 'Jij weet ook echt niet wanneer je dood moet blijven, is het wel?'

Ik hield van schrik mijn adem in toen ik hem een lijn voelde aanboren.

'Liggen!' riep ik, David uit de weg duwend en zelf ook achteruitdeinzend.

David tolde om zijn as en viel op de grond. Ik gleed bijna door tot aan de deur. De lucht knetterde en ik voelde een schok door me heen gaan. Op handen en voeten keek ik naar de lelijke paarse vlek die op de vloer druppelde. *Wat voor de Ommekeer was dat?* dacht ik, overeind krabbelend en mijn rok rechttrekkend.

Lee gebaarde naar Chad, die bedremmeld stond te kijken. 'Grijp ze dan!' zei hij, met een stem waar de weerzin vanaf droop.

Chad knipperde met zijn ogen en liep toen op David af.

'Hij niet, stomme idioot!' schreeuwde Lee. 'De vrouw!'

Chad bleef staan, draaide zich om en wilde mij vastgrijpen.

Waar voor de duvel bleef Ivy? Mijn demonenlitteken gloeide met een aangenaam gevoel op en hoewel dit enigszins afleidde, had ik er toch geen probleem mee met de muis van mijn hand een dreun tegen Chads neus te geven, mijn hand terugtrekkend toen ik kraakbeen hoorde breken. Ik haatte het gevoel van brekende neuzen. Ik kreeg er de kriebels van.

Chad slaakte een kreet van pijn, klapte voorover en hield zijn bebloede handen voor zijn gezicht. Ik volgde zijn neergaande beweging en gaf hem een elleboogje tegen de achterkant van zijn nek, die hij heel handig vlak voor mij hield. In drie tellen had ik Chad tegen de vlakte.

Over mijn elleboog wrijvend zag ik hoe David belangstellend stond toe te kijken. Ik stond tussen Lee en de deur. Glimlachend gooide ik het haar dat uit mijn knotje was ontsnapt naar achteren. Lee was een leylijnheks; grote kans dat hij een lafaard was als het op fysieke pijn aan kwam. Hij zou pas uit dat raam springen als het echt niet anders kon.

Lee drukte op de intercom. 'Candice?' Zijn stem was een mengeling van dreiging en woede.

Hijgend likte ik mijn duim af en wees naar Lee. 'David, misschien kun je nu beter weggaan. Dit kon wel eens link worden.'

Mijn goede humeur werd nog beter toen ik uit de intercomspeaker Kistens stem hoorde, met op de achtergrond de geluiden van een knokpartij. 'Candice is even bezig, ouwe.' Ik herkende Ivy's aanvalsgeluiden en Kisten klakte meelevend met zijn tong. 'Sorry, schatje. Dat had je beter niet kunnen doen. O, dat deed vast pijn.' Toen was hij weer terug, zijn nepaccent flink overdreven en geamuseerd. 'Misschien kan ik iets voor je doen?'

Lee zette de intercom uit. Hij trok zijn jasje goed en keek mij aan. Hij zag er heel zelfverzekerd uit. Dat voorspelde niet veel goeds. 'Lee,' zei ik, 'we kunnen dit op de makkelijke manier doen, of op de moeilijke.'

Ik hoorde voetstappen in de gang en ging bij David staan toen er opeens vijf mannen binnen kwamen vallen. Ivy was er niet bij. En ook mijn amuletten niet. Maar ze hadden wel een heleboel pistolen, en allemaal gericht op ons. *Verdomme.*

Lee kwam glimlachend achter zijn bureau vandaan. 'Ik ben voor makkelijk,' zei hij, zo zelfgenoegzaam dat ik zin had om hem te slaan.

Chad begon weer te bewegen en Lee porde hem tussen zijn ribben. 'Sta op,' zei hij. 'De Weer heeft een document in zijn zak. Ga dat pakken.'

Ik deinsde naar achteren toen Chad moeizaam overeind krabbelde. Het bloed droop over zijn goedkope kostuum. 'Geef het maar gewoon aan hem,' zei ik tegen David toen ik hem zag verstrakken. 'Ik pak het wel weer terug.'

'Dat dacht ik toch niet,' zei Lee, terwijl David het aan Chad gaf en de vamp het inmiddels met bloed besmeurde document aan Lee overhandigde. Hij lachte zijn witte tanden bloot en gooide zijn haar naar achteren. 'Wat vervelend dat jullie dat ongeluk hebben gehad.'

Ik keek naar David en hoorde onze naderende dood in zijn woorden.

Lee veegde het bloed af aan Chads jasje. Vervolgens vouwde hij het twee keer dubbel en stak het in zijn binnenzak. Terwijl hij naar de deur liep, zei hij nonchalant: 'Schiet ze dood. Haal de kogels uit de lijken en dump ze een eind stroomafwaarts van de aanlegsteiger onder het ijs. Ruim de kamer op; ik ga uit eten. Over twee uur ben ik terug. Chad, jij gaat met mij mee. Wij moeten praten.'

Mijn hart bonkte en ik voelde Davids stijgende spanning. Hij opende en sloot zijn handen alsof ze pijn deden. Misschien was dat ook wel zo. Ik hield mijn adem in toen ik veiligheidspallen hoorde schuiven.

'Rhombus!' riep ik, en mijn uitroep ging verloren in het gedonder van pistoolschoten.

Wankelend voelde ik mijn gedachten de dichtstbijzijnde lijn aanboren. Het was die van de universiteit en hij was gigantisch. Ik rook kruit. Ik richtte me op en voelde angstig aan mijn lijf. Ik was niet gewond en het enige waar ik last van had waren mijn oren. David was lijkbleek, maar ik zag geen pijn in zijn ogen. Om ons heen schitterde een flinterdun laagje hiernamaals. De vier mannen richtten zich ook op. Ik had de cirkel precies op tijd opgetrokken en hun kogels waren ervan afgeketst.

'Wat doen we nu?' vroeg er één.

'Ik mag doodvallen als ik het weet,' zei de langste.

Vanaf de vloer van de vestibule klonk Lee's stem. 'Jullie zorgen maar dat het in orde komt!'

'Jij!' klonk opeens Ivy's gedempte stemgeluid. 'Waar is Rachel?'

Ivy! Wanhopig keek ik naar mijn cirkel. Het was een valstrik. 'Kan jij er ook twee nemen?' vroeg ik.

'Geef me vijf minuten om te Weren en ik grijp ze allemaal,' gromde David.

Wij hoorden de geluiden van vechtende mensen. Het klonk alsof er wel een stuk of twaalf mensen beneden waren, plus één heel boze vampier. Een van de mannen keek de anderen aan en rende naar buiten. Twee anderen volgden. Ik schrok op toen er beneden een schot klonk. 'We hebben geen vijf minuten. Klaar?'

Hij knikte.

Mijn gezicht vertrok toen ik mijn verbinding met de lijn verbrak en de cirkel viel. 'Nu!' riep ik.

David bewoog sneller dan het licht. Ik wierp me op de kleinste en toen hij weg probeerde te komen trapte ik zijn wapen uit zijn hand. Het was een kwestie van mijn training tegen zijn tragere magie en mijn training won. Zijn wapen kletterde over de grond en hij dook het achterna. *Idioot.* Ik volgde hem naar de grond en gaf hem een elleboogstoot in zijn nieren. Hij hapte naar lucht en draaide zich om. God, wat een jong mannetje.

Mijn kiezen op elkaar klemmend, pakte ik zijn hoofd en beukte dat tegen de grond. Zijn ogen gingen dicht en zijn hele lichaam werd slap. Ja, het was een paardenmiddel, maar ik had haast.

Bij het horen van een schot draaide ik me bliksemsnel om. 'Niks aan de hand!' riep David, met de snelheid van een Weer omhoogkomend vanuit zijn hurkhouding en met een kleine, krachtige vuist uithalend naar de laatste heks die nog overeind stond. Terwijl zijn ogen naar achteren rolden, liet de heks zijn pistool uit zijn slappe vingers vallen en zakte boven op de eerste man die David had uitgeschakeld in elkaar. Verdomme zeg, wat was hij snel!

Mijn hart ging als een bezetene tekeer en mijn oren tuitten. Wij hadden ze allemaal uitgeschakeld en er was maar één schot gevallen. 'Jij hebt er twee,' zei ik, blij met onze gezamenlijke inspanning. 'Bedankt!'

Hijgend veegde David zijn lip af en pakte zijn aktetas van de grond. 'Ik heb mijn formulier nodig.'

We stapten over de bewusteloze heksen heen. David liep als eerste het kantoortje uit. Hij bleef staan en keek naar de man op de overloop die Ivy onder schot nam. Met een woest gegrom zwaaide hij met zijn aktetas en raakte de heks keihard tegen zijn hoofd. Wankelend draaide de man zich om. Ik maakte een halve draai en stootte mijn voet tegen zijn plexus solaris. Met zijn armen maaiend viel hij achterover tegen de balustrade.

Ik bleef niet staan om te zien of hij buiten westen was of niet. Het aan David overlatend om het pistool te pakken, rende ik de trap af. Ivy probeerde zich Candice van het lijf te houden. Mijn tas met amuletten stond aan Ivy's voeten. Er lagen al drie lichamen op de plavuizen vloer. Die arme Chad had vandaag bepaald zijn dag niet.

'Ivy!' riep ik toen zij Candice tegen de muur smeet en even tijd voor me had. 'Waar is Lee?'

Haar ogen waren zwart en ze liet haar tanden zien. Met een doordringende kreet van woede kwam Candice op haar af. Ivy sprong naar de kroonluchter en gaf met haar voet een machtige trap tegen Candice' kaak. Ik hoorde iets kraken aan het plafond.

'Kijk uit!' riep ik vanaf de onderste trede toen Ivy een onwerkelijk sierlijke landing maakte en de kroonluchter op de grond stortte. Hij spatte in duizend stukjes uiteen en de glassplinters en het kristal vlogen alle kanten op.

'Keuken!' hijgde Ivy vanuit een hurkende houding. 'Hij is in de garage. Met Kisten.'

Candice keek mij aan met haat in haar zwarte ogen. Er liep een straaltje bloed uit haar mond en zij likte eraan. Haar blik viel op de sporttas vol amuletten. Even dacht ik dat ze ernaartoe zou rennen, maar op dat moment besprong Ivy haar weer.

'Nu!' riep Ivy, met de kleinere vampier worstelend.

Ik ging. Met wild bonzend hart rende ik om de restanten van de kroonluchter heen en griste in het voorbijgaan mijn tas van de vloer. Achter mij hoorde ik een kreet van angst en pijn. Ik kwam glijdend tot stilstand. Ivy hield Candice tegen de muur gedrukt. Ik kreeg het er koud van. Dit had ik eerder gezien. *God, wat vreselijk. En ik had het overleefd.*

Candice schopte en vocht en probeerde wanhopig om los te komen. Ivy hield haar op haar plek, zo bewegingloos als een stalen dwarsbalk. Piscary's kracht maakte dat zij niet te stoppen was en Candice' angst voedde haar bloeddorst. Uit de onzichtbare garage klonken schoten. Angstig rukte ik mijn blik van hen los. Ivy was totaal gevampt. Ze was zichzelf helemaal kwijt.

Met een kurkdroge mond rende ik door de verlaten keuken naar de garagedeur. Candice gilde nog een keer, en het doodsbange geluid eindigde in een gerochel. Dit had ik niet gewild. Dit had ik absoluut niet gewild.

Ik draaide me om naar de voetstappen achter me, maar het was David. Hij zag spierwit en hield een wapen in zijn hand.

'Is ze...' vroeg ik en hoorde zelf hoe mijn stem beefde.

Hij legde zijn hand op mijn schouder en gaf me een duwtje. Ik zag diepe lijnen in zijn gezicht en hij leek opeens oud. 'Ga nu maar,' zei hij hijgend. 'Zij zorgt voor dekking.'

Wij hoorden het geluid van mannenstemmen in de garage. Opnieuw gevolgd door schoten. Ik hurkte bij de deur neer en zocht in mijn tas. Ik hing een heel stel amuletten om mijn nek en stak mijn handboeien tussen mijn rokband. Mijn spatpistool lag zwaar in mijn hand, veertien kleine schatjes op een rij, met voldoende kracht om ze allemaal in slaap te schieten.

David gluurde om een hoekje, maar dook snel weer terug. 'Vijf mannen met Saladan achter een zwarte auto aan de andere kant van de garage. Volgens mij proberen ze hem te starten. Je vriendje staat om de hoek.' Hij keek hoe ik aan mijn amuletten stond te frunniken. 'Goeie god! Waar zijn die allemaal voor?'

Mijn vriendje? dacht ik, terwijl ik, de amuletten onder mij meeslepend, naar de deur kroop. *Nou ja, ik* was *natuurlijk wel met hem naar bed geweest.* 'Eentje tegen pijn,' fluisterde ik. 'Eén voor het stoppen van bloedingen. Eén voor het opsporen van zwarte amuletten voordat ik er tegenaan loop, en één – '

Ik zweeg toen opeens de auto aansloeg. *Shit.*

'Dat had ik niet moeten vragen,' mompelde David, vlak achter mij.

Met bonzend hart waagde ik het om half rechtop verder te lopen. Ik ademde de donkere, koude garagelucht diep in toen ik wegdook achter een door kogelinslagen ontsierde zilveren Jaguar. Kistens hoofd kwam omhoog. Hij zat op de grond, met zijn hand tegen de onderkant van zijn borstkas gedrukt. Zijn ogen keken glazig van de pijn en zijn gezicht zag bleek onder zijn geblondeerde haar. Er sijpelde bloed onder zijn hand vandaan en opeens had ik het niet alleen meer koud vanwege de temperatuur in de garage. Om hem heen lagen vier mannen. Toen één van hen bewoog, trapte hij hem tegen het hoofd tot hij zich niet meer verroerde.

'Het wordt steeds gekker,' fluisterde ik, naar Kisten toe sluipend. De garagedeur kwam in beweging en ik hoorde harde stemmen boven het gierende geluid van de motor uit. Maar op dit moment was Kisten de enige om wie ik me druk kon maken.

'Gaat het een beetje?' Ik legde twee amuletten om zijn nek. Ik was misselijk. Hij had natuurlijk nooit gewond mogen raken. Ivy had niet zodanig getergd moeten worden dat ze iemand had leeggezogen. Het had allemaal heel anders moeten gaan.

'Neem hem te grazen, Rachel,' zei hij, met een gepijnigde grimas op zijn gezicht. 'Ik overleef het wel.'

Met gierende banden reed de wagen achteruit. In paniek keek ik van Kisten naar de auto. Ik wist niet wat ik moest doen.

'Grijp hem!' drong Kisten aan, zijn blauwe ogen dichtgeknepen van pijn.

David liet Kisten op de garagevloer zakken. Terwijl hij met zijn ene hand Kistens hand stevig op de wond drukte, zocht hij met de andere in zijn jaszak. David haalde zijn mobieltje tevoorschijn en toetste het alarmnummer 911 in.

Kisten knikte en terwijl ik opstond vielen zijn ogen dicht. De wagen was achteruitgereden naar een plek waar hij kon keren en zette zich met een schok in beweging. Ziedend van woede rende ik erachteraan.

'Lee!' riep ik. De motor sputterde even, maar bleef draaien. Ik klemde mijn kaken op elkaar. Ik boorde een lijn aan en balde mijn vuist. De lijnenergie stroomde door me heen en vulde mijn spieren met een overweldigend gevoel van kracht. Mijn ogen werden klein. 'Rhombus,' zei ik, terwijl ik mijn vingers spreidde.

Mijn knieën knikten en ik gilde het uit toen de pijn van de leylijnenergie die zo'n grote cirkel moest maken door me heen schoot, brandend toen ik het allemaal niet in één keer kon verwerken. Ik hoorde een afschuwelijk geluid van verkreukelend metaal en gierende banden. Het geluid schuurde door me heen en zette zich vast in mijn geheugen om me voor altijd te blijven achtervolgen in mijn nachtmerries. De wagen had mijn cirkel geraakt, maar de wagen was kapot, niet ik.

Ik hervond mijn evenwicht en liep naar voren terwijl de mannen uit de vernielde auto kropen. Zonder mijn pas in te houden, richtte ik mijn spatpistool en haalde met methodische precisie de trekker over. Ik wist er twee te raken voordat de eerste kogels rakelings langs mijn hoofd floten.

'Schieten jullie op mij?' gilde ik. 'Schieten jullie op mij?' Ik schoot de schutter neer met een amulet, zodat nu alleen Lee en twee van zijn mannen overbleven. Een van hen stak zijn handen in de lucht. Toen Lee dit zag, schoot hij hem zonder een moment te aarzelen neer. De knal schoot door me heen alsof ik zelf was geraakt.

Het gezicht van de heks werd asgrauw en hij stortte neer op de oprit, nog even tegen de auto leunend en proberend zijn bloed binnen te houden.

Er ging een schok van woede door me heen en ik bleef staan. Ziedend richtte ik op Lee en schoot.

Hij richtte zich op, fluisterde iets in het Latijn en maakte een gebaar. Ik sprong opzij, maar hij had met zijn bezwering mijn kogel naar rechts doen afbuigen. Nog steeds op mijn hurken, schoot ik nog een keer. Met een arrogante blik in zijn ogen wist Lee ook deze kogel te onderscheppen. De bewegingen van zijn handen kregen iets sinisters en mijn ogen werden groot. *Shit, ik moest hier nu echt een eind aan maken.*

Ik viel naar hem uit en slaakte een kreet van schrik toen de laatste vampier zich boven op mij wierp. We vielen op de grond en ik vocht om te voorkomen dat hij me in zijn greep zou krijgen. Met een laatste gekreun en wilde trapbeweging, wist ik me van hem los te maken en sprong overeind. Hijgend deinsde ik naar achteren. Mijn sparringsessies met Ivy kwamen weer helemaal terug, in een onduidelijke mengeling van hoop en wanhoop. Ik was er nooit in geslaagd van haar te winnen. Niet echt tenminste.

De vampier ging zwijgend tot de aanval over. Ik dook opzij en ontvelde mijn elleboog door een groot gat in mevrouw Avers jasje. Hij viel boven op me en ik bedekte mijn hoofd met mijn armen en rolde al trappend en schoppend weg. De tinteling van mijn cirkel zinderde door me heen. Ik was ertegenaan gelopen en hij was gevallen. Het contact met de lijn werd onmiddellijk verbroken en ik voelde me leeg.

Ik sprong overeind en wist de beenzwaai van de vampier nog net te ontwijken. *Verdomme, hij deed niet eens zijn best!* Mijn spatwapen lag achter hem en toen hij op me afkwam, liet ik me opzij vallen en rolde ernaartoe. Mijn adem werd in één keer uit mijn longen geperst toen ik op de grond viel en tegelijkertijd met mijn vingers het koele metaal omvatte.

'Nou heb ik je, rotzak!' riep ik, me omdraaiend om hem recht in het gezicht te schieten.

Zijn ogen werden groot en rolden toen omhoog. Een kreet onderdrukkend, rolde ik opzij toen hij voorover stortte. Met een doffe dreun raakte hij de geplaveide oprit. Onmiddellijk verspreidde zich een plasje bloed onder zijn wang. Hij had iets gebroken.

'Pech voor je dat je voor zo'n klootzak werkt,' hijgde ik, terwijl ik opstond en even niet wist waar ik moest kijken. Ik liet mijn pistool losjes aan één vinger bungelen. Ik was omsingeld door acht mannen, die allemaal op zo'n drie meter afstand stonden. Lee stond achter hen en verschikte met een innig tevreden gezicht iets aan de knoop op zijn jas. Ik trok een ongelukkig gezicht en probeerde intussen op adem te komen. O ja. Ik had de cirkel verbroken. *Shitterdeshit, hoe vaak moest ik deze vent nog arresteren?*

Hijgend en dubbelgevouwen van de pijn zag ik David en Kisten in de garage door drie man onder schot gehouden worden. Er stonden er acht om mij heen. Voeg daar de vijf aan toe die ik zojuist had uitgeschakeld. Kisten had er een stuk of vier te pakken gekregen. En die kerels boven niet te vergeten. Ik had geen idee hoeveel Ivy er tegen de vlakte had gewerkt. De man was klaar voor een complete oorlog.

Langzaam richtte ik me op. Dat lukte me in elk geval nog.

'Juffrouw Morgan?' Lee's stem klonk eigenaardig tussen het gedruppel van de smeltende sneeuw van de garageluifel. De zon stond achter het huis en nu ik niet meer bewoog, huiverde ik van de kou. 'Zit er nog iets in dat pistooltje van je?'

Ik keek ernaar. Als ik goed had geteld – en ik dacht wel dat ik dat had gedaan – zaten er nog acht spatkogels in. Acht bezweringen die volkomen nutteloos waren als Lee ze kon afbuigen. En ook al lukte hem dat niet, dan maakte ik nog heel weinig kans om al die mannen uit te schakelen voordat ze mij hadden overmeesterd. *Als ik dit volgens de regels deed...*

'Ik laat het pistool vallen,' zei ik, waarna ik heel langzaam en zorgvuldig het magazijn opende en de blauwe spatkogels eruit liet vallen voordat ik het naar hem toe gooide. Zeven kleine bolletjes stuiterden en rolden in de scheuren en spleten van de oprit, waar ze bleven liggen. Zeven op de grond; één in mijn hand. *God, dit moest lukken. Als ze mijn handen maar niet vastbinden. Ik moest mijn handen vrij hebben.*

Bevend stak ik mijn handen in de lucht en deinsde naar achteren, terwijl ik een klein spatkogeltje in mijn mouw voelde rollen en een koud plekje voelde maken bij mijn elleboog. Lee gebaarde en de mannen kwamen bij elkaar. Eén van hen greep mijn schouder en ik moest mijn best doen om hem geen mep te verkopen. *Kijk eens hoe rustig en gedwee. Jullie hoeven me echt niet vast te binden.*

Lee kwam vlak voor me staan. 'Dom, dom meisje,' zei hij smalend, terwijl hij een plek op zijn voorhoofd aanraakte, waar een verse wond zat.

Hij trok zijn hand terug en ik dwong mezelf om me niet te verroeren en niet te reageren toen hij me in mijn gezicht sloeg. De mannen begonnen te lachen, maar achter mijn rug bewogen mijn handen en de spatkogel vond zijn weg terug naar mijn handpalm. Mijn blik schoot van Lee naar de spatkogels op de keien. Iemand bukte zich om er een op te rapen. 'Je vergist je,' zei ik hijgend tegen Lee. 'Ik ben een domme, domme heks.'

Lee volgde mijn blik naar de spatkogels. '*Consimilis*,' zei ik, een lijn aanborend.

'Liggen!' riep Lee, de mannen om hem heen uit de weg duwend.

'Calefacio!' riep ik, de heks die mij vasthield een elleboogstoot verkopend en op de grond rollend. Met één snelle gedachte was de cirkel om mij heen weer terug. Er klonk een scherpe knal en een regen van blauwe scherven kwam tegen de buitenkant van mijn bol terecht. De plastic kogels waren gebarsten van de hitte en hadden het oververhitte slaapmiddel overal rondgesproeid. Ik keek op van tussen mijn armen. Iedereen lag al op de grond, behalve Lee, die ervoor had gezorgd dat er voldoende mannen tussen hem en de vloeistof hadden gestaan. In de garage stond Ivy hijgend boven de drie laatste vampen. We hadden ze allemaal. De enige die nog over was, was Lee. En hij was van mij.

Glimlachend stond ik op en verbrak mijn cirkel, de energie terugnemend in mijn chi. 'Dit is tussen jou en mij, surfertje,' zei ik, de spatkogel die ik als focusvoorwerp had gebruikt opgooiend en weer in mijn hand vangend. 'Zullen we erom dobbelen?'

Lee's ronde gezicht keek mij bewegingloos aan. Hij verroerde zich niet en boorde toen, zonder een glimp van emotie, een lijn aan.

'Krijg nou wat,' riep ik, op hem af springend. Ik viel tegen hem aan en we vielen samen op de keien. Hij klemde zijn kiezen op elkaar, greep mijn pols en kneep net zolang tot de spatkogel uit mijn vuist rolde.

'En nu houd je op!' riep ik, boven op hem zittend, en drukte mijn arm tegen zijn keel zodat hij niets kon zeggen. Hij vocht als een wilde en gaf me een klap tegen mijn wang.

Ik slaakte een sissende kreet van pijn toen hij de blauwe plek raakte die Al me had bezorgd. Ik greep zijn pols en klapte de ene helft van mijn handboeien eromheen. Toen zette ik een knie in zijn rug, drukte hem tegen de grond en klikte de andere ring om zijn andere pols.

'Ik ben die onzin van je nu echt helemaal zat!' riep ik uit. 'Niemand probeert me een zwarte bezwering in de maag te splitsen en niemand sluit me op in een boot met een bom aan boord. Niemand! Hoor je me? Wie denk je wel dat je bent, om zomaar naar mijn stad te komen en te proberen de boel over te nemen?' Toen rolde ik hem op zijn rug en rukte Davids document uit zijn binnenzak. 'En dit is niet van jou!' zei ik, het triomfantelijk omhooghoudend.

'Klaar voor een leuk reisje, heks?' zei Lee, zijn ogen donker van haat. Er liep een straaltje bloed uit zijn mond.

Mijn ogen werden groot toen ik hem meer energie voelde trekken uit de leylijn waar hij al mee was verbonden. 'Nee!' riep ik, beseffend wat hij deed. *Die handboeien waren FIB-materiaal*, dacht ik, en kon mezelf wel schoppen. Ze kwamen van het FIB, en hadden dus niet de kern van massief zilver waarmee de I.S.-handboeien standaard waren uitgerust. Hij kon overspringen. Als hij wist hoe dat moest kon hij zo naar een lijn springen. En kennelijk wist hij dus hoe het moest.

'Rachel!' gilde Ivy, maar op hetzelfde moment werden haar stem en het licht angstaanjagend plotseling afgesneden.

Ik werd bedekt door een laag hiernamaals. Ik stikte, duwde Lee weg, klauwde naar mijn mond en kreeg geen lucht. Mijn hart ging als een bezetene tekeer terwijl zijn magie door me heen stroomde, de lijnen volgend die mij zowel fysiek als mentaal definieerden. De zwartheid van het nooit overspoelde me en ik raakte in paniek en voelde mezelf in piepkleine fragmentjes overal tegelijk bestaan, maar nergens met zekerheid. Ik balanceerde op het randje van de waanzin, niet in staat om te ademen, niet in staat om te denken.

Ik gilde het uit toen ik met een ruk weer in mezelf schoot en de zwartheid zich terugtrok naar het middelpunt van mijn ziel. Ik kreeg weer lucht.

Lee gaf me een trap en ik rolde op handen en knieën, God dankend dat ik die weer had. Koude stenen prikten door mijn panty en ik zoog de lucht in mijn longen, maar begon onmiddellijk te kokhalzen van de verstikkende aslucht. De wind blies mijn haar in mijn gezicht. Mijn huid werd ijskoud. Met bonkend hart keek ik op, maar aan de roodachtige gloed op de stenen waar ik op knielde zag ik al dat we ons niet meer op Lee's oprit bevonden.

'O... shit,' fluisterde ik, terwijl ik tussen de ruïnes van verwoeste gebouwen door de ondergaande zon zag.

Ik was in het hiernamaals.

De met ijzel bedekte stenen naast mij begonnen te glijden en ik dook opzij voordat Lee's voet opnieuw mijn ribben kon raken. Rood en klein kroop de zon langzaam weg achter de schaduw van een verwoest gebouw. Het zag eruit als de Carew Tower. Even verderop zag ik de restanten van wat ooit wellicht een fontein was geweest. *Waren we op Fountain Square?* 'Lee,' fluisterde ik, doodsbang. 'We moeten hier weg.'

Er klonk een *ping* en Lee haalde zijn armen achter zijn rug vandaan. Zijn pak was smerig en zag er heel raar uit te midden van zoveel verwoesting. Het zachte geluid van een vallende steen deed me omkijken en hij gooide de handboeien ernaartoe. Wij waren niet alleen. *Verdomme.*

'Lee!' siste ik. *O, god. Als Al me hier vond, kon ik het wel vergeten.* 'Kan jij ons weer thuis krijgen?'

Glimlachend streek hij het haar uit zijn ogen. Wegglijdend op het losse steengruis, zocht hij de horizon af. 'Je ziet er niet goed uit,' zei hij en mijn gezicht vertrok omdat zijn stem heel hard klonk tegen de koude rotsen. 'Je eerste keer in het hiernamaals?'

'Ja en nee.' Bibberend stond ik op en voelde aan mijn geschaafde knieën. Ik had een lelijke ladder in mijn panty en mijn knieën bloedden een beetje. Ik stond in een lijn. Ik voelde hem gonzen, kon hem bijna zien – zo krachtig was hij. Ik sloeg mijn armen om mezelf heen en schrok bij het horen van een wegglijdend stuk steen. Ik dacht niet meer aan het arresteren van Lee; ik dacht aan ontsnappen. Maar ik kon niet door de lijnen reizen.

Daar viel nog een steen, groter ditmaal. Ik draaide me om en zocht het beijzelde puin af.

Met zijn handen op zijn heupen stond Lee omhoog te kijken naar de wolken, die aan de onderkant rood waren. Het leek wel alsof de kou hem niet deerde. 'Lagere demonen,' zei hij. 'Vrij ongevaarlijk, tenzij je gewond bent of onnozel.'

Ik schoof voorzichtig weg van de gevallen stenen. 'Dit is geen goed idee. Laten we teruggaan en dit afhandelen als normale mensen.'

Hij keek me aan. 'Wat krijg ik ervoor?' vroeg hij spottend, de dunne wenkbrauwen opgetrokken.

Ik voelde me weer net als de keer dat mijn afspraakje met me naar een verlaten boerderij was gereden en had gezegd dat ik, als ik niet deed wat hij wilde, in mijn eentje naar huis kon gaan lopen. In de worsteling om zijn autosleuteltje brak ik zijn vinger en ik huilde de hele weg naar huis. Mijn moeder belde de zijne en dat was het eind van het verhaal, op het eindeloze gepest op school na. Misschien had ik op wat meer respect kunnen rekenen als mijn vader de zijne in elkaar had geslagen, maar dat was op dat moment geen optie. Ik had zo'n idee dat ik dit keer niet thuis zou komen als ik Lee's vinger brak. 'Dat kan ik niet doen,' fluisterde ik. 'Je hebt al die mensen vermoord.'

Hij schudde smalend zijn hoofd. 'Je hebt mijn reputatie beschadigd. Ik wil van je af.'

Mijn mond werd kurkdroog toen ik me realiseerde waar dit naartoe ging. Hij was van plan me aan Algaliarept te geven, de rotzak. 'Doe het niet, Lee,' zei ik, doodsbang. Bij het snelle gekras van klauwen keek ik op. 'We staan allebei bij hem in de schuld,' zei ik. 'Hij kan net zo goed jou nemen.'

Lee schopte stukjes puin weg om een open plek te creëren. 'Nee-ee-ee, er wordt aan beide zijden van de lijnen gefluisterd dat hij jóú wil.' Met ogen die wel zwart leken in het rode licht, keek Lee me lachend aan. 'Maar omdat je het maar nooit zeker weet, ga ik jou eerst murw maken.'

'Lee,' fluisterde ik, ineengedoken tegen de kou, toen hij Latijnse woorden begon te mompelen. De gloed van de lijnenergie in zijn hand wierp akelige schaduwen op zijn gezicht. Ik raakte helemaal in paniek. Ik kon nergens naartoe in de drie seconden die ik had.

Ik keek op bij het horen van een plotseling gekletter. Toen ik omhoogkeek zag ik een bol van energie op me af komen. Als ik een cirkel trok, zou Al dat voelen. Als ik hem af zou weren, zou Al dat weten. Dus kon ik niets anders doen dan als een idioot zitten wachten tot hij me trof.

Mijn huid stond in brand. Ik wierp mijn hoofd in mijn nek en sperde mijn mond open, worstelend om lucht binnen te krijgen. Het was niets anders dan lijnenergie die mijn chi overspoelde. *Tulpa*, dacht ik, terwijl ik viel, om het een plek te geven waar het naartoe kon.

Het vuur doofde onmiddellijk en stroomde naar de bol die al in mijn hoofd zat te wachten. Opeens kreeg ik diep vanbinnen een trekkerig gevoel en wist ik dat ik een fout had gemaakt. De dingen om ons heen krijsten en verdwenen.

Ik hoorde een zachte knal. Met bonzend hart richtte ik me op. Mijn adem stokte en langzaam blies ik een dampend lint van wit vocht uit. Als zwierige silhouet stak zwart af tegen de ondergaande zon. Hij stond boven op een verwoest gebouw, met zijn rug naar ons toe.

'Shit,' vloekte Lee. 'Hoe komt hij hier zo snel?'

Ik draaide me om naar Lee en het zachte gesis van magnesiumkrijt op de stenen. Het was de leylijnheksenversie van afplaktape, en je kon er een heel stevige cirkel mee maken. Met bonzend hart zag ik hoe er een zwartpaarse schittering tussen ons werd opgetrokken. Lee stopte zijn krijt weg en lachte mij zelfverzekerd toe.

Bevend over mijn hele lichaam keek ik uit over de zonsondergangrode sloppen van verwoeste muren. Ik had niets om een cirkel mee te maken. Ik was een dode heks. Ik bevond me aan Als kant van de lijnen; mijn contract betekende hier helemaal niets.

Al draaide zich om toen hij Lee's cirkel voelde. Toen viel zijn blik op mij. 'Rachel Mariana Morgan,' lispelde hij. Kennelijk was hij blij me te zien, want een waterval van leylijnenergie overspoelde hem en zijn kleding veranderde in een Engels rijkostuum, compleet met zweep en glimmende, kuithoge laarzen. 'Wat heb je in vredesnaam met je haar gedaan?'

'Ha, Al,' zei ik, achteruitdeinzend. Ik moest hier weg. *Oost west, thuis best*, dacht ik. Ik voelde het gonzen van de lijn waarop ik stond en vroeg me af of het nog zou helpen als ik mijn hielen tegen elkaar zou klikken. Lee was over de regenboog gevlogen, dus waarom, o waarom, kon ik dat nou niet?

Lee glom van tevredenheid. Ik keek van hem naar Al, terwijl de demon voorzichtig langs de heuvel van puin afdaalde naar het grote plein.

Het plein, dacht ik, opeens weer met een sprankje hoop. Ik draaide me om en probeerde mijn positie te bepalen. Ik struikelde bijna terwijl ik met mijn voet stenen wegduwde, op zoek naar wat eronder lag. Als dit een getrouwe afspiegeling was van Cincinnati, dan was dit Fountain Square. En als dit Fountain Square was, dan lag er een gigant van een cirkel kant-en-klaar op me te wachten tussen de straat en de parkeergarage. Maar hij was wel heel, heel erg groot.

Ik stond te hijgen toen mijn voet ten slotte een gehavende, met paars gesteente ingelegde boog blootlegde. *Het was hem! Het was hem!* Tot mijn schrik zag ik dat Al het plein bijna had bereikt. Razendsnel boorde ik de lijn aan. Hij vloeide in mij met de kraakheldere smaak van wolken en aluminiumfolie. *Tulpa,* dacht ik, in een wanhopige poging voldoende energie te verzamelen om deze reusachtige cirkel te sluiten voordat Al doorhad waar ik mee bezig was.

Ik verstijfde toen ik werd overspoeld door een kolkende massa leylijnenergie. Kreunend liet ik me op één knie zakken. Ik zag Als aristocratische mond openvallen. Hij richtte zich op tot zijn volle lengte. Hij las in mijn ogen wat ik wilde doen. 'Nee!' schreeuwde hij, naar voren springend terwijl ik mijn hand uitstak om de cirkel te sluiten en mijn bezwering uit te spreken. Ik wist niet wat ik zag toen er, met het gevoel alsof ik uit mezelf wegstroomde, een schitterende golf doorschijnend goud uit de grond omhoogkwam, dwars door rotsen en losliggend puin heen, om zich hoog boven mijn hoofd gonzend te sluiten. Ik wankelde achteruit en staarde met open mond omhoog. *Godzalmebewaren, ik had de cirkel van Fountain Square gesloten.* Ik had een cirkel met een doorsnede van bijna tien meter gesloten, die bedoeld was voor zeven heksen, in plaats van ééntje. Hoewel één heks het kennelijk ook best kon – als je maar voldoende gemotiveerd was.

Al kwam glijdend tot stilstand, zwaaiend met zijn armen, om te voorkomen dat hij tegen de cirkel aan zou lopen. Opeens klonk er een vibrerende klokgelui in de schemerige lucht. Met grote ogen staarde ik voor me uit. Klokken. Grote, diepe, resonerende klokken. Er waren echt klokken en mijn cirkel had ze aan het luiden gebracht.

De adrenaline liet mijn knieën beven en op dat moment luidden ze nog een keer. Al stond nog geen drie meter van de rand van de cirkel, geïrriteerd, met zijn hoofd een beetje schuin en zijn dunne lippen op elkaar geperst te luisteren hoe het klokgelui voor de derde keer wegstierf. De kracht van de lijn die door me heen stroomde ebde weg en veranderde in een zacht gemurmel. De stilte van de nacht was angstaanjagend oorverdovend.

'Mooie cirkel,' zei Al. Hij klonk tegelijkertijd boos, onder de indruk en belangstellend. 'We kunnen nog een hoop plezier van je hebben bij wedstrijdjes tractortrekken.'

'Dank je.' Ik schrok toen hij zijn handschoen uittrok en tegen mijn cirkel begon te tikken, zodat er kleine deukjes overheen begonnen te rimpelen. 'Niet aanraken!' riep ik uit en hij grinnikte alleen maar. Steeds weer kleine tikjes gevend, liep hij langs de cirkel, op zoek naar een zwakke plek. Het was een gigantische cirkel; hij kon er best eentje vinden. *Wat had ik gedaan?*

Met mijn handen onder mijn oksels om ze warm te houden, keek ik naar Lee, die nog steeds in zijn cirkel stond en dus dubbel beveiligd was door de mijne. 'We kunnen nog steeds weg,' zei ik en ik hoorde mijn eigen stem beven. 'We hoeven geen van beiden zijn familiaar te worden. Als we – '

'Hoe stom ben jij nu eigenlijk?' Lee haalde zijn voet over zijn cirkel, zodat die oploste. 'Ik wil van jou af. Ik wil mijn demonenlitteken afbetalen. Waarom, vertel me dat nu eens even, zou ik jou dan helpen?'

Ik rilde en voelde de bijtende wind. 'Lee!' zei ik, en toen ik me omdraaide zag ik Al aan de achterkant van de cirkel, nog steeds zoekend naar een zwakke plek. 'We moeten hier zo snel mogelijk vandaan!'

Lee begon te lachen ik zag hoe hij zijn kleine neus optrok bij het ruiken van verbrande amber. 'Nee. Ik ga jou eerst helemaal tot moes slaan en daarna geef ik je aan Algaliarept en zal hij mijn schuld als afgelost beschouwen.' Arrogant en zelfverzekerd keek hij naar Al, die inmiddels niet meer tegen mijn cirkel stond te tikken en ons nu met een gelukzalige glimlach stond aan te kijken. 'Lijkt je dat wat?'

Met een angstig gevoel in mijn buik zag ik hoe zich over Als gebeeldhouwde gezicht een gemene, valse glimlach verspreidde. Achter hem verschenen plotseling een vloerkleed met een prachtig, gedetailleerd patroon en een kastanjebruine fluwelen stoel uit de achttiende eeuw. Nog steeds glimlachend, ging Al zitten, terwijl de laatste zonnestralen rode vlekken tussen de verwoeste gebouwen wierpen. Zijn benen over elkaar slaand, zei hij: 'Stanley Collin Saladan, ik ga akkoord.

Geef mij Rachel Mariana Morgan en ik zal je schuld als ingelost beschouwen.'

Ik likte met mijn tong langs mijn lippen, en ze werden meteen koud in de bijtende wind. Om ons heen klonk zacht gekras toen allerlei dingen op ons af kwamen gekropen, aangetrokken door de kerkklokken die ik had laten luiden en de invallende duisternis. Opeens hoorde ik een steentje vallen en draaide me om. *Er bevond zich iets bij ons in de cirkel.*

Lee glimlachte en ik veegde mijn handen af aan mijn geleende mantelpakje en richtte me op. Hij had gelijk om zo zeker van zichzelf te zijn – ik was een aardheks, die het zonder haar amuletten op moest nemen tegen een leylijnmeester – maar hij wist niet alles. Al wist ook niet alles. Sterker nog, ik wist ook niet alles, maar ik wist wel iets wat zij niet wisten. En wanneer die lelijke rode zon onderging achter de kapotte gebouwen, zou ik niet degene zijn die Als familiaar zou zijn.

Ik wilde dit overleven. Op dit moment maakte het me niets meer uit om Lee in mijn plaats aan Al te geven. Later, wanneer ik met een beker warme chocolademelk op de bank zat uit te trillen bij de herinnering aan dit alles, kon ik nog wel eens bedenken of het goed of fout was wat ik had gedaan. Maar om te winnen, moest ik eerst verliezen. Dit ging echt pijn doen.

'Lee,' zei ik, één laatste poging wagend. 'Haal je ons hier vandaan?' *God, laat me alstublieft gelijk hebben!*

'Wat ben je toch een klein kind,' zei hij, zijn vuile pak rechttrekkend. 'Altijd maar zeuren en verwachten dat iemand je komt redden.'

'Lee! Wacht!' riep ik, toen hij drie stappen zette en een paarse bol naar me gooide.

Ik dook opzij. Hij vloog rakelings op borsthoogte langs me heen en raakte de restanten van de fontein. Met een dof gerommel brak een deel ervan af. Stof wolkte op, rood in de donker wordende lucht.

Toen ik me omdraaide, hield Lee mijn visitekaartje in zijn hand – het kaartje dat ik aan de uitsmijter op zijn boot had gegeven. *Shit, hij had een focusobject.* 'Niet doen,' zei ik. 'Je zult niet blij zijn met hoe dit afloopt.'

Lee schudde zijn hoofd en zijn lippen bewogen terwijl hij iets fluisterde. *'Doleo,'* zei hij duidelijk. Het toverwoord trilde in de lucht en met mijn kaartje in zijn hand maakte hij een gebaar.

Ik zette me schrap en wist mijn schorre gerochel in te slikken voordat het eruit kwam. De pijn was intens en ik klapte dubbel. Hijgend en wankelend bleef ik overeind. Ik kon niets bedenken om terug te doen. Ik wankelde naar voren om te proberen mezelf van de pijn te ontdoen. Als ik hem een klap gaf, hield het misschien wel op. Als ik mijn kaartje te pakken kon krijgen, kon hij niet meer gericht werken en zou hij zijn bezweringen naar me toe moeten werpen.

Ik liep regelrecht tegen Lee aan. Wij vielen samen op de grond en ik voelde de stenen in mijn lijf prikken. Lee trapte en ik rolde weg en Al applaudisseerde, een geluid dat werd gedempt door zijn witte handschoenen. De pijn vertroebelde mijn blik; denken was onmogelijk. *Illusie,* hield ik mezelf voor. Het was een leylijnbezwering. Alleen aardmagie kon echte pijn toebrengen. *Het was een illusie.* Hijgend zette ik met pure wilskracht de bezwering van me af. Ik weigerde het nog te voelen.

Mijn bezeerde schouder klopte en deed veel meer pijn dan hij in werkelijkheid deed. Ik concentreerde me op de echte pijn en verdrong de fantoompijn. Ik kromp ineen en zag Lee vanachter mijn haar, dat nu helemaal was losgeraakt uit dat stomme knotje. *'Inflex,'* zei Lee, grijnzend terwijl zijn vingers zijn bezwering afmaakten en ik zette me schrap voor wat komen ging, maar er gebeurde niets.

'O, kijk nou!' riep Al vanaf zijn rots uit. 'Bravo! Fantastisch!'

Ik kwam wankel overeind en knokte tegen de laatste schaduwen van de pijn. Ik stond weer in de lijn. Ik voelde het. Als ik de lijnen kon kortsluiten, kon ik hier ter plekke een eind aan maken. *Hocus pocus pilatus pas*, dacht ik. *Sesam, open u.* Verdikkeme, ik was zelfs bereid met mijn neus te wiebelen als ik dacht dat het zou helpen. Maar dat deed het dus niet.

Het geritsel om me heen zwol aan. Naarmate de zon verder onderging, werden ze steeds brutaler. Achter me viel een rotsblok en ik draaide me om. Mijn voet gleed weg. Met een gil viel ik op de grond. Ik ging door mijn enkel en werd meteen misselijk. Ik greep ernaar en voelde de tranen van pijn in mijn ogen springen.

'Briljant!' Al applaudisseerde. 'Pechbezweringen zijn uitermate lastig. Neem hem nu maar weer weg. Ik wil geen kluns in mijn keuken.'

Lee maakte een gebaar en ik voelde een korte wervelwind door mijn haar strijken. Mijn keel werd dichtgeknepen toen de bezwering werd verbroken. Mijn enkel klopte en de koude stenen waarop ik lag deden me pijn. Had hij me een pechvervloeking opgelegd? *Vuile rotzak...*

Met opeengeklemde kaken pakte ik een rotsblok om me aan op te hijsen. Ik had Ivy al eens met puur hiernamaals bestookt en ik had geen focusobject meer nodig. Met stijgende woede zocht ik in mijn geheugen hoe het ook weer precies moest. Vroeger had ik het altijd intuïtief gedaan. De angst en de woede hielpen en terwijl ik overeind krabbelde, drukte ik het hiernamaals van mijn chi in mijn handen Ze brandden, maar ik hield het vast en onttrok net zolang energie aan de lijn tot mijn gespreide handen aanvoelden alsof ze al bijna verkoold waren. Woedend balde ik de pure energie in mijn handen tot het ongeveer de grootte had van een honkbal. 'Rotzak,' fluisterde ik, half struikelend toen ik het naar hem toe smeet.

Lee dook opzij en mijn gouden bal hiernamaals raakte mijn cirkel. Mijn ogen werden groot toen een waterval van tintelingen door me heen stroomde toen mijn bol barstte.

'Loop nou toch allemaal naar de hel!' riep ik. Ik had niet voldoende vooruitgedacht om me te realiseren dat mijn met aura doorspekte bezwering mijn cirkel zou breken. Doodsbang draaide ik me om naar Al. Als ik mijn cirkel niet snel genoeg kon herstellen, zou ik het tegen hen allebei moeten opnemen. Maar de demon zat nog op zijn plek, en staarde met grote geitenogen over mijn schouder. Hij keek over zijn bril heen en zijn mond hing half open.

Ik keek nog net snel genoeg om om te zien hoe mijn bezwering een nabijgelegen gebouw raakte. Een vage klap deed de grond schudden. Ik sloeg een hand voor mijn mond toen een brokstuk ter grootte van een bus van het gebouw af brak en onwerkelijk langzaam ter aarde stortte.

'Stomme, stomme heks,' zei Lee. 'Nu komt het recht op ons af!'

Ik draaide me om en rende weg, met mijn handen voor me uit een weg zoekend door het puin. Mijn handen waren al snel gevoelloos door het bevroren gesteente. De grond trilde en dichte stofwolken stegen op. Ik wankelde en viel.

Hoestend en kuchend kwam ik overeind. Ik trilde over mijn hele lichaam. Mijn vingers deden pijn en ik kon ze niet meer bewegen. Toen ik omkeek, zag ik Lee aan de andere kant van de ingestorte rotsen. In zijn ogen zag ik haat en ook iets van angst.

Hij riep van alles in het Latijn. Ik keek naar het kaartje in zijn bewegende vingers en wachtte met bonkend hart af, volkomen hulpeloos. Hij maakte een gebaar en mijn kaartje vatte vlam.

Het flitste als buskruit. Ik gaf een gil en wendde me met mijn hand voor mijn ogen af. Het gekrijs van de lagere demonen deed pijn aan mijn oren. Ik wankelde naar achteren, volledig uit mijn evenwicht. Ik zag rode vlekken voor mijn ogen. Mijn ogen waren open en de tranen stroomden vrijelijk over mijn wangen, maar ik zag niets. Ik zag niets!

Ik hoorde het geluid van glijdende rotsblokken en gilde toen iemand me een klap gaf. Ik haalde blindelings uit en viel bijna om toen mijn hand nergens mee in aanraking kwam. Een verlammende angst greep me naar de keel. Ik zag niets meer. Hij had me blind gemaakt!

Een hand duwde me omver en ik viel, maar wist nog wel een wilde trapbeweging te maken. Ik voelde dat ik hem had geraakt en hij viel op de grond. 'Rotwijf!' bracht hij uit en ik gilde toen hij een handvol van mijn haar uit mijn hoofd trok en weg krabbelde.

'Meer!' zei Al vrolijk. 'Laat me zien wat jullie kunnen!' moedigde hij ons aan.

'Lee!' riep ik uit. 'Doe dit nu niet!' Het rood trok niet weg. *Alsjeblieft. O, laat dit alsjeblieft een illusie zijn.*

Er kwamen duistere woorden uit Lee's mond. Ze klonken obsceen. Ik rook brandend haar.

Mijn hart kromp samen van plotselinge twijfel. Ik ging dit niet redden. Hij zou me halfdood slaan. Ik kon dit nooit winnen. O god... hoe had ik kunnen denken dat dit me zou lukken?

'Je hebt haar aan het twijfelen gebracht,' zei Al verbaasd vanuit de duisternis. 'Dat is een heel ingewikkelde bezwering,' fluisterde hij. 'Wat nog meer? Kun je de toekomst voorspellen?'

'Ik kan achteruitkijken,' hijgde Lee van heel dichtbij.

'O!' zei Al opgewekt. 'Dan heb ik een geweldig idee! Laar haar zich de dood van haar vader herinneren!'

'Nee...' fluisterde ik. 'Lee, als je nog enig mededogen kent. Alsjeblieft.'

Maar zijn gehate stem begon al te fluisteren en ik kreunde, in elkaar zakkend toen een geestelijke pijn door de fysieke heen wist te dringen. Mijn vader. Mijn vader die zijn laatste adem uitblies. Het gevoel van zijn droge, krachteloze hand in de mijne. Ik was bij hem gebleven, had geweigerd om hem ook maar een ogenblik alleen te laten. Ik was erbij toen zijn ademhaling stokte. Ik was erbij toen zijn ziel werd bevrijd en mij helemaal alleen achterliet om, veel en veel te jong, voor mezelf te zorgen. Het had me sterk gemaakt, maar het had me ook beschadigd.

'Papa,' snikte ik en ik voelde een steek in mijn borst. Hij had zijn best gedaan om te blijven, maar het ging niet meer. Hij had geprobeerd te glimlachen, maar ook dat ging niet meer. 'O, papa,' fluisterde ik, zachter, nu de tranen in mijn ogen opwelden. Ik had geprobeerd hem bij me te houden, maar het was me niet gelukt.

Een intense somberheid maakte zich los uit mijn gedachten en trok me in mezelf terug. Hij had me verlaten. Ik was alleen. Hij was weg. Niemand was ooit ook maar in de buurt gekomen om die leegte te vullen. En dat zou ook nooit gebeuren.

Snikkend werd ik vervuld van de ellendige herinnering aan dat verschrikkelijke moment toen ik me realiseerde dat hij er echt niet meer was. Dat was niet toen ze mij van hem losrukten in het ziekenhuis, maar twee weken later toen ik het schoolrecord op de achthonderd meter verbrak en op de tribune naar zijn trotse glimlach zocht. Hij was er niet meer. En dat was het moment waarop ik besefte dat hij dood was.

'Briljant,' fluisterde Al. Zijn beschaafde stem naast mij klonk heel zacht.

Ik deed niets toen een gehandschoende hand mijn kaak vastpakte en mijn gezicht optilde. Ik kon hem niet zien, maar ik voelde de warmte van zijn hand. 'Je hebt haar volledig gebroken,' zei Al in verwondering.

Lee haalde gejaagd adem. Kennelijk had dit alles veel van hem gevergd. Ik kon niet meer ophouden met huilen en de tranen stroomden over mijn wangen, ijskoud in de wind. Al liet mijn gezicht los en ik krulde me op tot een bolletje in het steengruis aan zijn voeten. Het interesseerde me niet meer wat er verder zou gebeuren. *O, god, mijn vader.*

'Ze is helemaal van jou,' zei Lee. 'Haal mijn litteken weg.'

Ik voelde hoe Al me in zijn armen nam en optilde. Ik drukte me onwillekeurig tegen hem aan. Ik had het zo koud en hij rook naar Old Spice. Hoewel ik wist dat het Als zieke wreedheid was, klemde ik me snikkend aan hem vast. Ik miste hem. O, god, wat miste ik hem. 'Rachel,' klonk de stem van mijn vader, opgediept uit mijn herinneringen, en ik begon nog harder te huilen. 'Rachel,' klonk het nog een keer. 'Heb je helemaal niets meer over?'

'Niets meer,' zei ik, tussen het snikken door.

'Weet je het zeker?' zei mijn vader, lief en bezorgd. 'Je hebt zo hard je best gedaan, kleine heks van me. Je hebt tegen hem gevochten met alles wat je in je had en nu heb je toch gefaald?'

'Ik heb gefaald,' zei ik snikkend. 'Ik wil naar huis.'

'Ssst,' suste hij en in de duisternis voelde ik zijn koele hand. 'Ik zal je naar huis brengen en lekker in bed stoppen.'

Ik voelde hoe Al in beweging kwam. Ik was gebroken, maar ik was nog niet helemaal op. Mijn geest wilde niet meewerken, en wilde eigenlijk alleen maar verder wegzinken in het niets, maar mijn wil overleefde. Het was Lee of ik en ik wilde mijn beker chocolademelk op Ivy's bank en een leerzaam boek over rationaliteit.

'Al,' fluisterde ik. 'Lee zou nu dood moeten zijn.' Ik kon al iets gemakkelijker ademen. De herinneringen aan mijn vaders dood begonnen weg te glijden in de verborgen plooien van mijn brein. Ze hadden daar zo lang begraven gelegen dat ze hun plekjes met gemak terugvonden, een voor een opgeslagen voor eenzame nachten met mezelf.

'Stil maar, Rachel,' zei Al. 'Ik begrijp waarom je je door Lee hebt laten aftuigen, maar jij bent in staat demonenmagie op te wekken en ik heb nog nooit een heks meegemaakt die dat kon.' Hij lachte en zijn vrolijkheid verkilde me tot op het bot. 'En jij bent van mij. Niet van Newt, van niemand anders dan van mij.'

'En mijn demonenteken dan?' protesteerde Lee, enkele passen achter ons en ik had wel om hem kunnen huilen. Hij was zo dood, en hij wist het niet eens.

'Lee kan het ook,' fluisterde ik. Ik zag de hemel. Toen ik met mijn ogen knipperde, zag ik een donkere schaduw van Al die mij vasthield, afgetekend tegen de met rode vegen besmeurde wolken. Een gevoel van opluchting maakte zich van mij meester, verdreef mijn laatste twijfels en wekte weer een sprankje hoop. Leylijnillusies werkten maar kort, tenzij ze een permanente plek in zilver kregen. 'Proef hem maar,' zei ik. 'Proef zijn bloed. Trents vader heeft hem ook genezen. Hij kan ook demonenmagie opwekken.'

Al bleef staan. 'Ben ik even gezegend. Zijn er twee van jullie?'

Ik gaf een gil toen hij me liet vallen en mijn heup een rots raakte.

Achter mij hoorde ik Lee's uitroep van angst en schrik. Me omdraaiend van waar Al me had laten vallen, keek ik over de puinhopen heen en nadat ik even in mijn ogen had gewreven zag ik hoe Al een scherpe nagel over Lee's arm haalde. Er welde bloed op en ik voelde me misselijk worden. 'Het spijt me, Lee,' fluisterde ik, mijn knieën tegen mijn borst drukkend. 'Het spijt me verschrikkelijk.'

Al maakte een diep keelgeluid van genot. 'Ze heeft gelijk,' zei hij, een vinger naar zijn lippen brengend. 'En jij bent beter in leylijnmagie dan zij. Ik neem jou, in plaats van haar.'

'Nee!' gilde Lee en Al trok hem naar zich toe. 'Je wilde haar! Ik heb haar aan je gegeven!'

'Je hebt haar aan mij gegeven, ik heb je demonenteken weggenomen, en nu neem ik jou. Jullie kunnen allebei demonenmagie opwekken,' zei Al. 'Ik heb geen zin om decennia lang met zo'n magere, lastige familiaar als zij aan de slag te gaan om al die bezweringen in haar domme hoofdje te stampen, terwijl jij ze allemaal al kent. Heb je wel eens een demonenvervloeking gedaan?'

'Nee!' gilde Lee, vechtend om los te komen. 'Dat kan ik niet.'

'Nou en of je dat kunt,' zei Al, terwijl hij hem op de grond liet vallen. 'Houd dit eens voor me vast.'

Ik sloeg mijn handen voor mijn oren en maakte me zo klein mogelijk toen ik Lee hoorde gillen. En nog eens hoorde gillen. Het was een schril en rauw geluid, dat als een nachtmerrie door mijn schedel schuurde. Ik dacht dat ik moest overgeven. Ik had Lee aan Al gegeven om mijn eigen leven te redden. Dat Lee eerst hetzelfde met mij had geprobeerd, gaf me geen beter gevoel.

'Lee,' zei ik, huilend. 'Het spijt me. God, het spijt me echt.'

Lee's stem brak af toen hij het bewustzijn verloor. Al glimlachte en draaide zich naar mij om. 'Bedankt, schatje. Ik ben niet graag aan de oppervlakte wanneer het donker begint te worden. Ik wens je het allerbeste.'

Mijn ogen werden groot. 'Ik weet niet hoe ik thuis moet komen!' riep ik.

'Dat is mijn probleem niet. Doei!'

Ik ging zitten en voelde hoe de koude stenen waar ik op zat in mij leken te trekken. Lee kwam met een afschuwelijk brabbelend geluid bij bewustzijn. Al nam hem onder een arm, knikte naar mij en verdween.

Een steen gleed omlaag en rolde naar mijn voeten. Ik wreef in mijn ogen, maar het enige wat ik daarmee bereikte was dat er zand en steensplinters in kwamen. 'De lijn,' fluisterde ik. Ik dacht er opeens aan. Misschien moest ik in de lijn gaan staan. Lee had de sprong van buiten een lijn gemaakt, maar misschien kon ik beter bij het begin beginnen.

Mijn aandacht werd getrokken door een beweging. Met bonzend hart draaide ik me om, maar zag niets. Ik kwam voorzichtig overeind en hield mijn adem in toen gloeiend hete messen in mijn enkel staken. Ik zakte weer terug op de grond. Ik zette mijn kiezen op elkaar en besloot er dan maar naartoe te kruipen.

Toen ik mijn hand uitstak, zag ik hoe zich op mevrouw Avers mantelpakje een dikke laag stof en ijzel had verzameld van de rotsen om me heen. Toen greep ik een rotsblok vast en trok mezelf een eindje naar voren. Ik slaagde erin half overeind te komen. Mijn hele lichaam trilde van de kou en de wegtrekkende adrenaline. De zon was bijna onder. Een kleine steenlawine spoorde me aan. Ze kwamen dichterbij.

Bij het horen van een zachte plof keek ik op. Overal om me heen rolden kiezels en grotere stukken steen naar beneden toen de lagere demonen zich snel weer terugtrokken in hun schuilplaatsen. Ik wist niet wat ik zag toen ik, vanachter mijn haar, een kleine gestalte in het donkerpaars in kleermakershouding voor me zag zitten, met een dunne staf, ongeveer zo lang als ikzelf, dwars over zijn schoot. Hij was gehuld in een mantel. Geen badmantel, maar een chique mix van een kimono en iets wat een woestijnsjeik zou dragen, lekker los en wijd en zo soepel als linnen. Op zijn hoofd droeg hij een ronde hoed met rechte zijkanten en een platte bovenkant. Toen ik nog eens goed keek, kwam ik tot de conclusie dat er een paar centimeter lucht zat tussen de gouden zoom van de mantel en de grond. *Wat nu weer?*

'Wie voor de duivel ben jij nou weer?' vroeg ik, mezelf nog een stap naar voren slepend, 'en kun jij me misschien naar huis brengen in plaats van Al?'

'Wie voor de duivel ben jij?' zei hij me na, met een ruw soort lichtheid in zijn stem. 'Ja. Dat is wel passend.'

Hij maakte geen aanstalten me te slaan met die zwarte stok van hem, of me te bestoken met bezweringen, of zelfs maar lelijk naar me te kijken, dus negeerde ik hem en sleepte mezelf nog een halve meter verder. Ik hoorde papiergeritsel en stopte Davids in drieën gevouwen document wat steviger tussen mijn rokband. *Ja, want die zou hij wel graag terug willen hebben.*

'Ik ben Newt,' zei hij, zo te zien een beetje teleurgesteld dat ik zo weinig aandacht aan hem schonk. Hij had een accent dat ik niet kon plaatsen. 'En nee, ik breng je niet naar huis. Ik heb al een demonfamiliaar. Algaliarept heeft gelijk: we hebben op dit moment niets aan je.'

Een demon als familiaar? Ooooo, dat moest wat wezen. Kreunend trok ik mezelf verder. Mijn ribben deden pijn en ik drukte mijn hand ertegenaan. Hijgend keek ik op. Een glad gezicht, niet jong, niet oud – een beetje... niks – keek me aan. 'Ceri is bang van je,' zei ik.

'Dat weet ik. Ze is heel fijngevoelig. Gaat het goed met haar?'

Ik voelde een steek van angst. 'Laat haar met rust,' zei ik, terugdeinzend toen hij het haar uit mijn ogen streek. Zijn aanraking leek in me weg te zinken, terwijl ik zijn vingertoppen toch heel stevig op mijn voorhoofd voelde. Ik staarde in zijn zwarte ogen, onbevreesd en nieuwsgierig.

'Je haar hoort rood te zijn,' zei hij. Hij rook naar geplette paardenbloemen. 'En je ogen zijn eigenlijk groen, net als die van mijn zusters, niet bruin.'

'Zusters?' piepte ik. Ik overwoog hem mijn ziel aan te bieden als hij me een pijnamulet wilde geven. God, alles deed me pijn, vanbuiten en vanbinnen. Ik ging een eindje bij hem vandaan op mijn hurken zitten. Newt had een griezelige gratie en nu ik nog eens goed keek, gaf zijn uiterlijk eigenlijk geen enkele aanwijzing wat betreft zijn geslacht. Hij droeg een ketting van zwart goud om zijn hals – maar ook hier gold dat het ontwerp niet typisch iets voor een vrouw of voor een man was. Mijn blik ging naar zijn blote voeten. Die waren smal en slank, niet echt mooi. Mannelijk? 'Ben je eigenlijk een jongetje of een meisje?' vroeg ik ten slotte, omdat ik het gewoon niet zeker wist.

Newt fronste zijn wenkbrauwen. 'Maakt dat wat uit?'

Met trillende spieren bracht ik mijn hand naar mijn mond en zoog aan een plekje waar de punt van een rotsblok me had bezeerd. *Voor mij wel, ja.* 'Begrijp me niet verkeerd, maar waarom zit je daar eigenlijk?'

De demon glimlachte, wat mij deed vermoeden dat de reden niet veel goeds kon zijn. 'Er zijn wat weddenschappen afgesloten over de vraag of je het gebruik van de lijnen vóór zonsondergang onder de knie zal krijgen. Ik ben hier om te voorkomen dat er iemand vals speelt.'

Een adrenalinestoot maakte mijn hoofd in één klap helder. 'Wat gebeurt er met zonsondergang?'

'Dan mag iedereen je hebben.'

Ik hoorde weer een steen wegglijden en kwam snel in beweging. 'Maar jij wilt me in elk geval niet.'

Hij schudde zijn hoofd en zweefde een eindje naar achteren. 'Misschien als je me zou vertellen waarom Al die andere heks heeft genomen, in plaats van jou. Ik... ik weet het niet meer.'

Newts stem klonk bezorgd en ik vroeg me af wat dit te betekenen had. Te veel hiernamaals in de hersenpan wellicht? Ik had geen tijd om met een krankzinnige demon te kletsen, hoe machtig hij ook was. 'Lees de kranten maar. Ik heb het druk,' zei ik, mezelf weer wat verder trekkend.

Ik schrok toen er hooguit een meter vóór mij een rotsblok ter grootte van een auto op de grond viel. De grond trilde en ik voelde scherpe steensplinters in mijn gezicht prikken. Ik staarde van het rotsblok naar Newt, die glimlachend zijn staf vastpakte en er heel vriendelijk en onschuldig uitzag. Mijn hoofd deed pijn. *Oké, misschien had ik toch wel een heel klein beetje tijd.* 'Eh, Lee kan demonenmagie opwekken,' zei ik. Ik zag geen enkele reden hem te vertellen dat ik dat ook kon.

Newts zwarte ogen werden groot. 'Nu al?' vroeg hij, waarna zijn gezicht betrok, niet boos op mij, maar op zichzelf. Ik wachtte tot hij weer een rots zou laten vallen, maar dat deed hij niet. Ik haalde diep adem en begon om Newt heen te schuifelen. Zo te zien was de demon mijn bestaan al helemaal vergeten. Het gevoel van gevaar dat van de kleine gestalte uitging groeide echter en bezorgde me kippenvel. Ik begon nu toch sterk de indruk te krijgen dat het feit dat ik nog leefde uitsluitend te danken was aan een heel machtige demon die zijn nieuwsgierigheid niet kon bedwingen.

Hopend dat Newt me helemaal zou vergeten, kroop ik centimeter voor centimeter verder. Ik deed mijn best de pijn in mijn enkel te negeren. Ik gleed weg en hield mijn adem in toen mijn arm een rots raakte en ik een steek van pijn voelde. Het grote rotsblok bevond zich nu vlak voor mij en ik trok mijn knieën onder me. Mijn enkel deed verschrikkelijk veel pijn, maar het lukte me toch om te gaan staan en me tegen het rotsblok in evenwicht te houden.

Ik voelde een tochtvlaag en opeens zweefde Newt naast me. 'Wil je eeuwig leven?'

De vraag bezorgde me een rilling. Verdomme, Newt kreeg juist meer belangstelling, in plaats van minder. 'Nee,' fluisterde ik. Met uitgestrekte hand hinkte ik verder langs de rots.

'Dat wilde ik ook niet, tot ik het probeerde.' De roodhouten staf tikte tegen de grond toen Newt met me mee zweefde. Ik had nog nooit zulke levendige zwarte ogen gezien. Ik kreeg kippenvel. Er klopte iets niet aan Newt. Ik kon het niet benoemen tot ik me realiseerde dat ik, op het moment dat ik hem even uit het oog verloor, meteen niet meer wist hoe hij eruitzag. Op die ogen na.

'Ik weet iets wat Algaliarept niet weet,' zei Newt. 'Nu weet ik het weer. Jij houdt van geheimen. Je kunt ook heel goed geheimen bewaren. Ik weet alles van je; je bent bang van jezelf.'

Ik klemde mijn kaken op elkaar toen er een pijnscheut door mijn enkel ging. Ik was bijna bij de lijn. Ik voelde hem al. De zon begon al achter de horizon weg te zakken en was al voor de helft verdwenen. Zodra hij de aarde raakte, duurde het zeven minuten voordat hij helemaal onder was. Drieënhalve minuut nog. Ik hoorde hoe de lagere demonen hun adem inhielden. *God, help me een manier te vinden om hier weg te komen.*

'Je moet ook bang zijn van jou,' zei Newt. 'Wil je weten waarom?'

Ik keek op. Newt verveelde zich helemaal te pletter en was op zoek naar amusement. Ik wilde helemaal niet interessant zijn. 'Nee,' fluisterde ik, terwijl ik steeds banger begon te worden.

Er verscheen een vals glimlachje op Newts gezicht. Zijn emoties wisselden sneller dan die van een vampier in een Hellevuurroes. 'Ik denk dat ik Algaliarept een mop ga vertellen. En wanneer hij dan klaar is met het verscheuren van die heks, uit woede voor wat hij is kwijtgeraakt, dan ruil ik met hem voor dat demonenteken dat je hem schuldig bent en neem het van hem over.'

Ik begon te beven. Ik kon er niets aan doen. 'Dat kun je niet doen.'

'Ja hoor. Misschien doe ik het wel.' Newt zat een beetje met zijn staf te spelen en sloeg ermee naar een steen, die weg stuiterde in de duisternis. Er klonk een klaaglijke kreet van pijn en ik hoorde wat stenen vallen. 'En dan heb ik er twee,' zei de demon tot zichzelf, 'want het lukt jou toch niet om erachter te komen hoe je door de lijnen reist en dan moet je een enkele reis naar huis kopen. Van mij.'

Er ging een boze kreet op onder de toeschouwers achter de rotsen, die echter snel in de kiem werd gesmoord.

Vol afgrijzen bleef ik staan. Ik voelde de lijn nu vlak voor me.

'Jij wilt overleven,' zei Newt, op lage toon. 'En daar heb je alles voor over. Alles.'

'Nee,' fluisterde ik, doodsbang, omdat Newt gelijk had. 'Ik heb het Lee zien doen. Ik weet hoe het moet.'

Met een glinstering in zijn zwarte ogen zette Newt de punt van zijn staf op de grond. 'Je komt er toch niet achter. Je zult het niet geloven; nog niet. Je zult een deal moeten sluiten... met mij.'

Ik stond angstig te wankelen en met mijn volgende stap viel ik in de lijn. Hij voelde aan als een rivier, warm en gastvrij en vulde mij van top tot teen. Hijgend tolde ik om mijn as en zag de hebzucht en de woede in de ogen die mij omringden. Ik had zo'n pijn. Ik moest hier weg. De kracht van de lijn zong door me heen, kalm en geruststellend. *Oost west, thuis best.*

Newt keek me spottend aan, met een hatelijke blik in zijn zwarte ogen.

'Ik kan het best,' zei ik, terwijl alles zwart werd voor mijn ogen en ik bijna flauwviel. Vanuit de diepste schaduwen zag ik groene ogen schitteren. Dichtbij. Heel dichtbij. De kracht van de lijn zong door me heen. *Oost west, thuis best. Oost west, thuis best. Oost west, thuis best,* dacht ik wanhopig, energie naar me toetrekkend, waarna ik het opsloeg in mijn hoofd. Ik had samen met Lee door de lijnen gereisd. Ik had gezien hoe hij het deed. Hij hoefde alleen maar te denken waar hij wilde zijn. Ik wilde thuis zijn. Waarom lukte dit dan niet?

Mijn knieën knikten toen de eerste donkere gestalte tevoorschijn kwam om onwerkelijk dun, langzaam en aarzelend voor mij te komen staan. Newt keek ernaar en keek toen met opgetrokken wenkbrauwen naar mij. 'Eén gunst, en ik stuur je terug.'

O god. Niet nóg een. 'Laat me met rust!' riep ik, terwijl mijn vingers een stuk steen grepen en het naar een naderende gestalte smeten, zo hard dat ik bijna omviel. Met een halve snik wist ik mijn evenwicht te bewaren. De lagere demon dook weg en richtte zich toen weer op. Achter hem glansden nog drie paar ogen.

Ik schrok op toen Newt plotseling voor me zweefde. Het licht was nu verdwenen. Zwarte ogen keken mij aan, grepen mijn ziel en knepen net zolang totdat de angst naar boven kwam borrelen. 'Je kunt het niet. Je hebt geen tijd meer om het te leren,' zei Newt en ik huiverde. Dit was macht, ruw en kolkend. Newts ziel was zo zwart dat hij bijna onzichtbaar was. Ik voelde zijn aura tegen me aan drukken en een begin maken om in de mijne te glijden, zo sterk was Newts wil. Hij kon me overnemen als hij dat wilde. Ik was niets. Mijn wil was niets.

'Verplicht je aan mij of sterf op deze ellendige plek van gebroken beloftes,' zei Newt. 'Maar ik kan je niet door de lijnen sturen met een mager verbindinkje dat je thuis noemt. Thuis is niet voldoende. Denk aan Ivy. Van haar houd je meer dan van die verdomde kerk,' zei hij en zijn eerlijkheid sneed dieper dan welke fysieke pijn dan ook.

Hoge, woedende kreten slakend, vielen de schaduwen aan.

'Ivy!' schreeuwde ik, de afspraak accepterend en met heel mijn ziel aan haar denkend: de geur van haar zweet wanneer we samen trainden, de smaak van haar Hellevuurkoekjes, het geluid van haar voetstappen, en het optrekken van haar wenkbrauwen wanneer ze haar best deed om niet te lachen.

Ik kromp ineen toen Newts zwarte aanwezigheid opeens in mijn hoofd zat. *Hoeveel vergissingen kan één leven overleven?* klonk er kristalhelder in mijn hoofd, maar wiens gedachte het was wist ik niet.

Newt perste de lucht uit mijn longen en mijn geest spatte uiteen. Ik was overal en nergens. De perfecte scheiding van de lijn racete door me heen en liet me bestaan in elke lijn op het continent. *Ivy!* dacht ik opnieuw en raakte even in paniek, tot ik me haar weer herinnerde, me vastklampend aan haar onbuigzame wil en de tragedie van haar verlangens. *Ivy. Ik wil naar Ivy.*

Met een woeste, afgunstige gedachte zette Newt in één beweging mijn ziel weer in elkaar. Naar adem happend, bedekte ik mijn oren toen een harde knal door me heen trilde. Ik viel voorover en mijn ellebogen en knieën smakten neer op grijze tegels. Mensen begonnen te gillen en ik hoorde het geluid van metaal op metaal. Papieren vlogen in het rond en iemand riep dat de I.S. moest worden gebeld.

'Rachel!' riep Ivy.

Ik keek langs mijn neervallende haar en zag dat ik me in een soort ziekenhuisgang bevond. Ivy zat op een oranje plastic stoeltje, met rode ogen en pafferige wangen en angst in haar grote bruine ogen. David zat naast haar, vuil en verfomfaaid. Zijn handen en borst zaten onder Kistens bloed. Ergens ging een telefoon, maar niemand nam op.

'Hoi,' zei ik zwakjes en voelde hoe mijn armen begonnen te trillen. 'Eh, kan iemand misschien een dokter roepen? Ik voel me niet zo lekker.'

Ivy stond op en stak haar armen uit. Ik viel naar voren. Mijn wang raakte de tegels. Het laatste wat ik me herinner was mijn hand in de hare.

'Ik kom eraan!' riep ik, mijn pas versnellend terwijl ik door het schemerige sanctuarium naar de voordeur liep en met mijn sneeuwlaarzen kleine omgekeerde hoopjes sneeuw achterliet. De enorme etensbel die als onze deurbel fungeerde luidde opnieuw en ik rende nog wat sneller. 'Ik kom. Luid alsjeblieft niet nóg een keer die bel, anders bellen de buren straks de I.S. nog.'

De bel galmde nog steeds na toen ik de deurknop pakte. Het nylon materiaal van mijn jas maakte een ruisend geluid. Mijn neus was koud en mijn vingers waren bevroren, want de warmte van de kerk had nog niet de tijd gekregen ze op te warmen. 'David!' riep ik uit, toen ik de deur opendeed en hem op de zacht verlichte stoep zag staan.

'Ha, Rachel,' zei hij. Hij zag er aantrekkelijk uit met zijn bril, lange jas, donkere stoppelbaard en met sneeuw bestoven cowboyhoed. De fles wijn in zijn hand hielp ook een handje. Naast hem stond een oudere man in een leren jack en een spijkerbroek. Hij was langer dan David en ik wierp een vragende blik op zijn licht gerimpelde, maar goed verzorgde uiterlijk. Er piepte een plukje spierwit haar onder zijn hoed vandaan. Hij hield een tak in zijn hand, ongetwijfeld een symbolische bijdrage aan ons zonnewendevuur in de achtertuin, en ik realiseerde me dat hij een heks moest zijn. *Davids vroegere partner?* dacht ik. Achter hen stond een limousine, met draaiende motor, maar ik vermoedde dat zij in de blauwe vierdeurs waren gekomen die ervoor geparkeerd stond.

'Rachel,' zei David, mijn aandacht weer op hen vestigend. 'Dit is Howard, mijn vroegere partner.'

'Leuk om kennis met je te maken, Howard,' zei ik, mijn hand uit stekend.

'Het genoegen is geheel aan mijn kant.' Glimlachend trok hij een handschoen uit om mij een zacht gerimpelde, sproetige hand toe te steken. 'David heeft me alles over je verteld en ik heb mezelf uitgenodigd. Ik hoop dat je het niet erg vindt.'

'Helemaal niet,' zei ik oprecht. 'Hoe meer zielen, hoe meer vreugd.'

Howard schudde mijn hand wel drie keer op en neer voordat hij hem weer losliet. 'Ik moest wel komen,' zei hij, met een glinstering in zijn groene ogen. 'De kans om de vrouw te ontmoeten die harder kan lopen dan David én zich kan aanpassen aan zijn manier van werken doet zich niet elke dag voor. Jullie hebben goed werk verricht met Saladan.'

Zijn stem was zwaarder dan ik had verwacht en ik kreeg steeds sterker het gevoel dat ik werd beoordeeld. 'Dank je,' zei ik, ietwat in verlegenheid gebracht. Ik deed uitnodigend een stap naar achteren. 'We zijn allemaal in de achtertuin, bij het vreugdevuur. Kom binnen. Het is makkelijker om door de kerk te gaan, dan je een weg door de tuin te banen.'

Toen Howard binnenkwam ving ik een vleugje roodhout op. Intussen stampte David de sneeuw van zijn laarzen. Hij bleef nog even staan en keek naar het nieuwe bordje boven de deur. 'Mooi,' zei hij. 'Hangt het er net?'

'Ja.' Met een blij gevoel leunde ik naar buiten om omhoog te kijken. Het gegraveerde koperen bord was boven de deur aan de voorkant van de kerk geschroefd. Er hoorde een lamp bij, die de stoep in een zachte gloed zette. 'Het is een zonnewendecadeau voor Ivy en Jenks.'

David liet een goedkeurend en begripvol geluidje horen. Ik keek weer naar het bordje. VAMPIRIC CHARMS; NV TAMWOOD, JENKS, EN MORGAN. Ik was er helemaal weg van en had er graag extra voor betaald om het zo snel mogelijk in huis te hebben. Ivy had grote ogen opgezet toen ik haar vanmiddag mee had getrokken om het te zien. Ik dacht even dat ze zou gaan huilen. Ik had haar ter plekke omhelsd en het was wel duidelijk dat ze graag ook haar armen om me heen had geslagen, maar bang was dat ik het verkeerd zou opvatten. Ze was mijn vriendin, verdomme. Ik kon haar gewoon omhelzen als ik daar zin in had.

'Ik hoop dat het een beetje helpt de geruchten de kop in te drukken dat ik dood ben,' zei ik, hem mee naar binnen nemend. 'De krant was er als de kippen bij om mijn overlijdensbericht te plaatsen, maar omdat ik geen vamp ben, willen ze me alleen in de herrijzenisberichten opnemen als ik ervoor betaal.'

'Hoe bestaat het,' zei David. Ik hoorde de lach in zijn stem en wierp hem een effen blik toe toen hij nog een laatste keer zijn laarzen schoon stampte en naar binnen kwam. 'Je ziet er niet slecht uit voor een dode heks.'

'Bedankt.'

'Je haar is weer bijna helemaal normaal. Hoe zit het met de rest?'

Ik deed de deur dicht, gevleid door de bezorgde klank in zijn stem. Howard stond midden in het sanctuarium naar Ivy's piano en mijn bureau te kijken. 'Met mij gaat het goed,' zei ik. 'Ik heb totaal geen conditie meer, maar dat komt wel weer terug. Maar mijn haar?' Ik stopte een krul roodbruin haar tussen mijn oor en de zachte gebreide muts die ik vanmiddag van mijn moeder had gekregen. 'Op het doosje stond dat het er na vijf keer wassen uit zou zijn,' zei ik somber. 'Maar ik wacht nog steeds.'

Een beetje geïrriteerd omdat hij over mijn haar was begonnen, ging ik de twee mannen voor naar de keuken. Eerlijk gezegd maakte ik me over mijn haar nog wel de minste zorgen. Gisteren had ik op de wreef van mijn linkervoet een bekend litteken in de vorm van een cirkel met een streep erdoorheen aangetroffen; Newts teken dat ik bij hem in de schuld stond. Nu stond ik bij twee demonen in de schuld, maar ik leefde nog. Ik leefde nog en was niemands familiaar. Bovendien was ik blij dat ik het teken daar had gevonden, in plaats van op een ochtend wakker te worden met een grote N op mijn voorhoofd getatoeëerd.

David hield zijn pas in toen hij de schalen met lekkernijen zag die op de tafel stonden uitgestald. Ivy's werkplek was teruggebracht tot een halve meter in het vierkant en de rest stond vol koekjes, toffees, koude vleeswaren, en toastjes. 'Tast toe,' zei ik, weigerend me op te winden over dingen waar ik op dit moment toch niets aan kon veranderen. 'Zullen we de wijn meteen maar in de magnetron zetten, voordat we naar buiten gaan?' vroeg ik, een plakje salami in mijn mond stekend. 'Ik heb een karaf om hem in op te warmen.' Ik kon mijn nieuwe amulet wel gebruiken, maar die was niet helemaal betrouwbaar en ik had geen zin om nog een keer mijn tong te verbranden.

David zette de fles met een klap op tafel. 'Drinken jullie warme wijn?' vroeg David vol afschuw, met een blik op de magnetron.

'Ivy en Kisten in elk geval wel.' Toen ik de Weer zag aarzelen, begon ik snel in de pan gekruide cider te roeren die op het vuur stond. 'Als je wilt kunnen we ook de helft opwarmen en de rest in een berg sneeuw zetten,' voegde ik eraan toe.

'Ik vind het best,' zei David, terwijl hij met zijn korte vingers aan de aluminium dop begon te frunniken.

Howard begon een bord vol te laden, maar stopte meteen na een scherpe blik van David. 'Mmmmm!' zei de oudere heks abrupt, met zijn bord in zijn hand. 'Is het goed als ik de tuin in ga om me voor te stellen?' Bij wijze van uitleg liet hij de tak heen en weer wiebelen tussen zijn hand en het plastic bordje. 'Ik heb al heel lang geen zonnewendevuur meer meegemaakt.'

Ik glimlachte. 'Ga je gang. Loop de woonkamer maar door, dan zie je de deur vanzelf.'

David en Howard wierpen elkaar nog een veelbetekenende blik toe en toen liep de heks weg. Ik hoorde hoe hij even later de deur opende en door andere stemmen werd begroet. David ademde langzaam uit. Er hing iets in de lucht.

'Rachel,' zei hij. 'Ik heb hier een document voor je om te tekenen.'

Mijn glimlach bevroor op mijn gezicht. 'Wat heb ik gedaan?' riep ik meteen. 'Is het omdat ik Lee's auto heb beschadigd?'

'Nee,' zei hij en ik verstijfde toen hij zijn blik naar de grond richtte. *O god, dit voorspelde niet veel goeds.*

'Wat is het dan?' Ik legde de lepel in de gootsteen en draaide me naar hem om, met mijn handen mijn ellebogen vastgrijpend.

David ritste zijn jas open, haalde er een in drieën gevouwen document uit en overhandigde dat aan mij. Toen pakte hij zijn fles weer en begon hem verder open te maken. 'Als je niet wilt hoef je niet te tekenen,' zei hij, mij van onder zijn cowboyhoed aankijkend. 'Dan ben ik niet beledigd. Heus. Je mag nee zeggen. Geeft niks.'

Ik kreeg het eerst koud en toen warm toen ik de in eenvoudige bewoordingen opgestelde verklaring las en keek verwonderd naar hem op. 'Jij vraagt me om lid te worden van jouw horde?' stamelde ik.

'Die heb ik niet,' haastte hij zich uit te leggen. 'Jij zou het enige lid zijn. Ik ben een geregistreerde eenling, maar mijn maatschappij ontslaat iemand met voldoende dienstjaren niet als ze het alfamannetje of -vrouwtje zijn van een horde.'

Ik wist niets te zeggen en hij haastte zich om de stilte op te vullen.

'Ik, eh, vind het vervelend om je op deze manier te chanteren,' zei hij. 'We zijn natuurlijk niet getrouwd of zoiets, maar het geeft je wel het recht om je via mij te verzekeren. En als een van ons in het ziekenhuis komt te liggen, hebben we toegang tot de medische gegevens van de ander en kunnen we meebeslissen in het geval dat de ander buiten bewustzijn is. Ik heb niemand om zulke beslissingen voor mij te nemen en als ik dan toch moet kiezen heb ik liever jou dan de rechter of mijn broers en zussen.' Hij trok één schouder op. 'En je mag ook naar de jaarlijkse picknick komen.'

Mijn blik ging van het document naar zijn bestoppelde gezicht en vervolgens weer terug naar het document. 'En je vroegere partner dan?'

Hij keek over het randje van het papier. 'Ik heb een vrouw nodig om een horde te vormen.'

'O.' Ik staarde naar het formulier. 'Waarom ik?' vroeg ik, vereerd door zijn verzoek, maar ook verbaasd. 'Er zijn vast massa's Weervrouwen die de kans met beide handen zouden aangrijpen.'

'Die zijn er inderdaad. En dat is het 'm juist.' Hij leunde tegen het kookeiland. 'Ik wil helemaal geen horde. Te veel verantwoordelijkheid. Te veel belemmeringen. Hordes groeien. En zelfs als ik dit zou doen met een andere Weer met de afspraak dat het een overeenkomst op papier was en verder niets, zou ze bepaalde dingen van me verwachten, net als haar familie.' Hij keek naar het plafond en zijn ogen verraadden zijn leeftijd. 'En wanneer ik niet voor die dingen zou kunnen zorgen, zouden ze haar als een hoer gaan behandelen, in plaats van als een alfavrouwtje. Met jou zou ik dat probleem niet hebben.' Hij keek me aan. 'Toch?'

Ik knipperde enigszins verschrikt met mijn ogen. 'Eh, nee.' Er verscheen een glimlachje op mijn gezicht. *Alfavrouwtje? Dat klonk eigenlijk best lekker*. 'Heb je een pen?' vroeg ik.

David ademde hoorbaar uit en ik zag de opluchting in zijn ogen. 'We hebben drie getuigen nodig.'

Ik kon niet meer ophouden met grijnzen. Wacht tot ik dit aan Ivy kon vertellen. Ze zou een rolberoerte krijgen.

We draaiden ons allebei om naar het raam toen we vlammen op zagen laaien en stemmen hoorden roepen. Ivy gooide nog een paar dennentakken op het vuur en de vlammen schoten omhoog. Ze werd steeds enthousiaster voor mijn familietraditie van een zonnewendevuur.

'Ik kan zomaar drie mensen bedenken,' zei ik, het formulier in mijn achterzak stekend.

David knikte. 'We hoeven het niet meteen vanavond te doen. Maar het fiscale jaar begint straks weer en we moeten het wel snel registreren, zodat jij er je voordeel mee kan doen en je naam kan laten opnemen in de nieuwe lijst.'

Ik stond op mijn tenen om een kan voor de wijn te pakken, en David schoot me te hulp. 'Is er een lijst?' vroeg ik, terwijl ik me weer op mijn voeten liet zakken.

Hij keek me verbaasd aan 'Wil je soms anoniem blijven? Het kost wel wat extra, maar ja.'

Ik haalde mijn schouders op. 'Wat zal iedereen zeggen wanneer jij samen met mij op de picknick komt opdagen?'

David schonk de helft van de wijn in de kan en zette hem in de magnetron om te verwarmen. 'Niks. Ze denken toch allemaal al dat ik hondsdol ben.'

De glimlach bleef op mijn gezicht toen ik een beker gekruide cider voor hem uit de pan schepte. Zijn motieven mochten dan niet helemaal zuiver zijn – het ging hem natuurlijk om de extra zekerheid in zijn werk – maar we zouden er allebei voordeel van hebben. Ik voelde me dus een stuk opgewekter toen we naar de achterdeur liepen, hij met zijn verwarmde wijn en half lege fles in zijn handen en ik met mijn gekruide cider. Ik was lekker opgewarmd in de kerk en ging hem voor naar de woonkamer.

David hield zijn pas in toen hij de zacht verlichte kamer in zich opnam. Ivy en ik hadden alles versierd in paarse, rode, gouden en groene tinten. Haar leren sok had er een beetje eenzaam uitgezien aan de schoorsteenmantel, dus had ik een rood met groen gebreide sok met een belletje aan de teen gekocht. Ik was dol op elke feestdag waar cadeautjes aan te pas kwamen. Ivy had zelfs een klein wit sokje voor Jenks opgehangen, dat zij uit de poppenverzameling van haar zusje had meegenomen, maar de pot honing paste er natuurlijk bij lange na niet in.

In de hoek stond Ivy's kerstboom bijna buitenaards mooi te flonkeren. Ik had nog nooit een kerstboom gehad en voelde me vereerd dat ze me had laten helpen om hem te versieren met in dun papier gewikkelde versieringen. We hadden er een hele nacht over gedaan en intussen naar muziek geluisterd en de popcorn opgegeten waarvan we eigenlijk een slinger hadden willen rijgen.

Er lagen maar twee pakjes onder: één voor mij en één voor Ivy, allebei van Jenks. Hij was er niet, maar zijn cadeautjes voor ons hadden in onze slaapkamers gelegen.

Met een brok in mijn keel stak ik mijn hand uit naar de nieuwe deurknop. We hadden ze al opengemaakt – we waren geen van beiden goed in wachten. Ivy had met ingehouden adem en opeengeklemde kaken naar de Betty-Bijt-Me-Danpop zitten kijken. Mij verging het al niet veel beter en ik moest bijna huilen toen ik de doos openmaakte en de twee mobieltjes naast elkaar zag liggen. Het ene was voor mij en het andere, veel kleiner, voor Jenks. Volgens de bon in de doos had hij ze vorige maand geactiveerd en hij had zichzelf met een sneltoets alvast op het mijne ingeprogrammeerd.

Met een strak gezicht hield ik de deur open voor David. Ik moest hem terug zien te halen. Al moest ik een piloot inhuren om mijn excuses voor me in de lucht te schrijven, ik moest hem terughalen.

'David,' zei ik, toen hij langs mij heen liep. 'Als ik jou iets geef, wil jij het dan aan Jenks geven?'

Hij keek me vanaf de eerste trede aan. 'Misschien,' zei hij argwanend.

Ik lachte. 'Het zijn alleen maar wat zaadjes. Ik kon in mijn bloementaalboek niets vinden waarmee ik "Het spijt me, ik ben een stommeling" kon zeggen, dus heb ik maar voor vergeet-mij-nietjes gekozen.'

'Oké,' zei hij, iets zekerder van zijn zaak. 'Dat wil ik wel doen.'

'Bedankt.' Het was een fluistering, maar ik weet zeker dat hij me boven de welkomstkreten uit hoorde.

Ik pakte de verwarmde wijn van David aan en zette de kan bij het vuur. Howard stond op zijn gemak met Ceri en Keasley te praten en wierp onzekere blikken naar Takata die in de schaduwen van de grote eik stond. 'Kom erbij,' zei ik tegen David toen Kisten zijn aandacht probeerde te trekken. Ivy's zusje stond tegen hem aan te babbelen en hij zag er moe uit. 'Ik wil je voorstellen aan Takata.'

De middernachtelijke lucht was fris en bijna pijnlijk droog en ik glimlachte naar Ivy toen ik zag hoe zij Ceri de kunst probeerde bij te brengen van het maken van een *s'more*. De verbijsterde kobold kon maar niet begrijpen hoe een laagje chocolade met geroosterde marshmallows tussen gesuikerde crackers in vredesnaam lekker kon zijn. Haar woorden, niet de mijne. Ik wist zeker dat ze er anders over zou denken zodra ze er eentje op had.

Ik voelde Kisten vanaf de andere kant van de lager wordende vlammen naar me kijken en onderdrukte een huivering. Het flakkerende licht speelde over zijn gezicht, dat veel smaller was geworden na zijn periode in het ziekenhuis, hetgeen hem overigens niet slecht stond. Onder zijn vampierattenties waren mijn gedachten aan Nick een beetje naar de achtergrond verdwenen. Kist was hier, en Nick niet. De werkelijkheid was dat Nick hier al maanden niet meer was. Hij had niet gebeld of een zonnewendekaart gestuurd en had met opzet geen adres achtergelaten waarop ik hem kon bereiken. Het was tijd om verder te gaan met mijn leven.

Takata schoof een beetje op aan de picknicktafel, voor het geval wij ook wilden zitten. Het concert dat eerder vanavond had plaatsgevonden, was vlekkeloos verlopen en aangezien Lee niet in de buurt was geweest, hadden Ivy en ik vanaf het podium toe staan kijken. Takata had 'Rode Linten' opgedragen aan ons bedrijf en de helft van de menigte had bij wijze van eerbetoon met aanstekers staan zwaaien, nog steeds in de overtuiging dat ik dood was.

Het was maar een grapje geweest toen ik hem had uitgenodigd voor mijn vreugdevuur, maar ik was blij dat hij was gekomen. Hij leek ervan te genieten dat niemand hem met open mond stond aan te staren en hield zich tevreden op de achtergrond. Ik herkende die afwezige blik op zijn gezicht van wanneer Ivy met een opdracht bezig was en vroeg me af of op zijn volgende album een nummer voor zou komen over vonken tussen de berijpte, donkere takken van een grote eik.

'Takata,' zei ik toen we bij hem waren en hij keek op. 'Ik wil je graag voorstellen aan David Hue. Hij is de verzekeringsman die mij heeft geholpen bij Saladan binnen te komen.'

'David.' Takata trok zijn handschoen uit alvorens David een hand te geven. 'Leuk je te ontmoeten. Zo te zien heb je Rachels laatste opdracht zonder kleerscheuren doorstaan.'

David glimlachte vriendelijk, zonder zijn tanden te laten zien. 'Zo goed als,' zei hij, terwijl hij zijn hand losliet en een stapje naar achteren deed. 'Hoewel ik even heb getwijfeld toen er opeens vuurwapens werden getrokken.' Hij deed alsof hij huiverde en draaide zich om om zich te verwarmen aan de vlammen. 'Het was mij allemaal een beetje te veel,' zei hij zacht.

Ik was blij dat hij niet onnozel stond te stotteren, of gillend op en neer begon te springen, zoals Erica had gedaan totdat Kisten haar in haar kraag had gegrepen en mee had gesleept.

'David!' riep Kisten en ik keek naar hem om. 'Kan ik je even spreken over mijn boot? Hoeveel denk je dat het me gaat kosten om haar via jou te verzekeren?'

David maakte een gekweld geluidje. 'De prijs van een verzekering,' zei hij zachtjes.

Ik trok mijn wenkbrauwen op. 'Ik denk dat hij alleen iemand tussen hem en Erica wil. Dat kind houdt geen seconde haar mond.'

David kwam langzaam in beweging. 'Je laat me toch niet te lang alleen, hè?'

Ik grinnikte. 'Is dat een van mijn verantwoordelijkheden als een lid van jouw horde?' vroeg ik en ik zag Takata verbaasd opkijken.

'Om je de waarheid te zeggen, ja, dat klopt.' Zijn hand opstekend naar Kisten, wandelde hij in zijn richting en schoof in het voorbijgaan met de neus van zijn laars een stuk hout terug in de vlammen. Howard stond vanaf de overkant van het vuur met glinsterende groene ogen naar hem te lachen.

Ik zag Takata verbaasd naar mij kijken. 'Lid van zijn horde?' vroeg hij.

Ik knikte en ging naast Takata op de picknicktafel zitten. 'Voor verzekeringsdoeleinden.' Toen zette ik mijn cider neer, zette mijn ellebogen op mijn knieën en slaakte een diepe zucht. Ik hield van de zonnewende, en niet alleen vanwege het lekkere eten en de feestjes. Van middernacht tot zonsopgang doofde Cincinnati al haar lichten en het was waarschijnlijk de enige keer per jaar dat je de avondhemel kon zien zoals hij bedoeld was. Om problemen te voorkomen werd iedereen die tijdens de verduistering betrapt werd op diefstal extra hard aangepakt.

'Hoe gaat het met je?' vroeg Takata en ik keek verrast op. Ik was bijna vergeten dat hij er ook was. 'Ik hoorde dat je in het ziekenhuis hebt gelegen.'

Ik glimlachte schaapachtig en wist dat ik er moe uitzag na meer dan twee uur keihard meeschreeuwen bij Takata's concert. 'Ik voel me prima, hoor. Ze wilden me eigenlijk nog niet ontslaan, maar Kisten lag in een kamer een eindje verderop in de gang en nadat ze ons hadden betrapt op het, eh, experimenteren met de knopjes op het bed, besloten ze dat we allebei voldoende hersteld waren om naar huis te gaan.' *Chagrijnige oude nachtzuster. Ze had zo'n stennis gemaakt dat je zou den-*

ken dat we ons schuldig lagen te maken aan de een of andere kinky – nou ja, het was in elk geval een chagrijnige oude nachtzuster.

Takata keek hoe ik bloosde en mijn gebreide muts wat verder over mijn oren trok. 'Er staat een limousine voor,' zei ik om van onderwerp te veranderen. 'Zal ik gaan zeggen dat ze wel kunnen gaan?'

Hij keek omhoog naar de donkere takken. 'Laat ze maar wachten. Ze hebben daar eten.'

Ik knikte en ontspande me. 'Heb je trek in een glas warme wijn?'

Er verscheen een verschrikte blik in zijn ogen. 'Nee. Nee, bedankt.'

'Nog wat gekruide cider dan?' bood ik aan. 'Hier, ik heb er nog niet van gedronken.'

'Schenk hier maar een beetje in,' zei hij, me zijn lege beker voorhoudend, en ik schonk de helft van mijn drankje erin. Ik vond het wel een bijzonder gevoel om zo naast Takata te zitten met de helft van mijn cider in zijn beker, maar ik verstijfde toen ik plotseling een vage trilling door me heen voelde trekken. Ik wist niet wat het was, en ik keek Takata aan.

'Voelde jij dat ook?' vroeg hij en ik knikte, een beetje ongerust.

'Wat was dat?'

Er verscheen een brede glimlach op Takata's gezicht. 'De cirkel op Fountain Square. Vrolijke Zonnewende.' Hij hief zijn beker en ik tikte er automatisch met de mijne tegenaan.

'Vrolijke Zonnewende,' antwoordde ik, hoewel ik het toch vreemd vond dat ik het had gevoeld. Maar misschien was ik er gevoeliger voor nu ik de cirkel een keer zelf had gesloten.

Met een intens gelukkig gevoel nipte ik van mijn cider en zag intussen over de rand van mijn beker hoe David smekende blikken in mijn richting wierp. Erica's mond stond niet stil en Kisten hield hem bij zijn schouder vast en probeerde tegelijkertijd een gesprek met hem te voeren. 'Excuseer me even,' zei ik, terwijl ik me van de tafel liet glijden. 'Ik moet even David gaan redden.'

Takata grinnikte en ik wandelde op mijn gemak langs het vuur. Hoewel hij gewoon tegen David bleef praten, keek Kisten me aan en ik voelde een warm plekje in mijn buik.

'Erica,' zei ik, toen ik bij hem was. 'Takata wil een liedje voor je spelen.'

Takata schoot overeind en keek me verschrikt aan toen de jonge vrouw een gilletje slaakte. Zowel David als Kisten slaakte een zucht van verlichting toen zij langs het vuur naar hem toe liep. 'Godzijdank,' fluisterde Kisten en ik ging op haar plekje zitten. 'Dat meisje kan gewoon haar mond niet houden.'

Ik schoof gnuivend naar hem toe en gaf een suggestief duwtje tegen zijn dij. Hij sloeg een arm om me heen, precies wat ik wilde, en trok me tegen zich aan. Kisten ademde zachtjes uit en ik huiverde. Ik wist dat hij het voelde wanneer mijn litteken tintelde. 'Hou op,' fluisterde ik gegeneerd en hij verstevigde zijn greep.

'Ik kan er niets aan doen,' zei hij. 'Wanneer gaat iedereen weer weg?'

'Zonsopgang,' zei ik, mijn drankje neerzettend. 'Hoe langer het duurt, hoe meer je naar me zult verlangen.'

'Het is niet mijn hart dat je mist,' zei hij, en ik voelde een tweede huivering.

'Zo,' zei Kisten hardop toen David een beetje opgelaten begon te kijken. 'Rachel heeft me verteld dat je haar hebt gevraagd je afwezige partner te zijn zodat jij twee salarissen kunt opstrijken en zij in aanmerking komt voor een gunstige verzekeringspremie.'

'Eh, ja...' stamelde David, omlaag kijkend, zodat zijn hoed zijn ogen verborg. 'Nu je het daar toch over hebt...'

Ik schrok op toen Kistens koude hand onder mijn jas gleed en de huid van mijn middel aanraakte. 'Dat bevalt me wel,' mompelde hij, zonder te zeggen hoe zijn vingers nu in kleine cirkeltjes wreven om me warm te maken. 'Inventief. Daar houd ik wel van.'

David keek weer op. 'Als jullie me even willen excuseren,' mompelde hij, zijn bril rechtzettend. 'Ik heb nog geen hallo gezegd tegen Ceri en Keasley.'

Ik grinnikte en Kisten trok me dichter naar zich toe. 'Doe dat, meneer Peabody,' zei Kisten.

De kleine Weer bleef staan, wierp hem een waarschuwende blik toe en liep toen door, onderweg stoppend om een glas van zijn eigen wijn in te schenken.

Mijn glimlach ebde weg. Ik rook de geur van leer, vermengd met de overheersende lucht van brandende as en ik nestelde me dichter tegen Kisten aan. 'Hé,' zei ik zacht, in de vlammen starend. 'David wil mijn handtekening onder een document. Hij wil me lid maken van zijn horde.'

Zijn adem stokte. 'Je bent mal,' zei hij, me wegduwend om me aan te kunnen kijken. Zijn blauwe ogen werden groot en op zijn gezicht verscheen een blik van verbazing en verwondering.

Terwijl ik naar mijn koude vingers keek, liet ik ze in zijn hand glijden. 'Ik wilde jou graag als getuige vragen.'

'O.' Hij keek naar het vuur en verplaatste zijn arm om een beetje naar achteren te leunen.

Ik grijnsde begrijpend en begon te lachen. 'Nee, stomme idioot,' zei ik, een zetje tegen zijn arm gevend. 'Het is een hordelidmaatschap, geen verbintenis tussen twee verschillende soorten. Ik trouw in Ommekeersnaam niet met hem. Het is een wettelijke overeenkomst zodat ik me via hem kan verzekeren en zijn maatschappij hem niet kan ontslaan. Hij zou wel een Weervrouw kunnen vragen, maar hij wil geen horde en dat zou hij krijgen als hij er eentje vroeg.'

Kisten zuchtte en ik voelde zijn greep weer verstevigen. 'Mooi zo,' zei hij, mij dicht tegen zich aan trekkend. 'Want toevallig ben jij mijn alfavrouwtje, schatje, en van niemand anders.'

Ik schonk hem een veelbetekenende blik, wat niet meeviel, gezien het feit dat ik nu bijna op zijn schoot zat. 'Schatje?' zei ik droogjes. 'Weet je wel wat ik met de laatste kerel heb gedaan die me zo noemde?'

Kisten trok me dichterbij. 'Later misschien, liefje,' fluisterde hij, mij een verrukkelijke tinteling bezorgend. 'We willen je vrienden hier natuurlijk niet shockeren,' voegde hij eraan toe en ik volgde zijn blik naar de plek waar Howard en Keasley stonden te lachen terwijl Ceri een poging deed haar *s'more* te eten zonder te knoeien.

'Wil je mijn getuige zijn?' vroeg ik.

'Natuurlijk. Ik vind het een goede zaak om banden te verstevigen.' Hij liet zijn arm zakken en ik volgde zijn blik naar waar Ivy met een boze blik naar ons zat te kijken. 'Maar misschien denkt Ivy daar wel anders over.'

Opeens een beetje ongerust maakte ik me van hem los. Ivy stond op en liep met snelle, grote stappen de trap op en de kerk binnen. De achterdeur sloeg zo hard achter haar dicht dat de krans op de grond viel.

Erica, die niets had gemerkt, rende naar een plekje dichter bij het vuur. Iedereen stond druk te praten en Keasley en Ceri kwamen ook aangelopen toen Takata uiteindelijk de gitaar pakte die hij wel had meegenomen, maar die hij tot nu toe links had laten liggen. Hij ging zitten en begon met zijn lange vingers, langzaam van de kou, akkoorden aan te slaan. Het was echt gezellig. Het enige wat ontbrak waren Jenks' eigenwijze opmerkingen en hier en daar een wolkje elfenstof.

Ik zuchtte en Kistens lippen streelden mijn oor. 'Hij komt wel terug,' fluisterde hij.

Verbaasd dat hij wist wat ik dacht, zei ik: 'Weet je het zeker?'

Ik voelde hem knikken. 'Zodra het lente wordt en hij weer naar buiten kan, komt hij terug. Hij geeft te veel om je om niet te willen luisteren. Eerst moet zijn trots een beetje herstellen. Ik weet alles over grote ego's, Rachel. Je zult voor hem door het stof moeten.'

'Dat lukt me wel,' zei ik met een klein stemmetje.

'Hij vindt dat het zijn eigen schuld is,' vervolgde Kisten.

'Ik breng hem wel op andere gedachten.'

Hij blies zachtjes in mijn oor. 'Zo ken ik je weer.'

Ik glimlachte om de gevoelens die hij in me losmaakte. Mijn blik gleed naar de schaduw van Ivy in de keuken en toen weer naar het spontane miniconcert. Dat was één. Nog twee te gaan. En dat werden hoogstwaarschijnlijk de moeilijkste. Ik kon moeilijk Ceri of Keasley vragen. Op het formulier was een speciaal plekje gereserveerd waar getuigen hun sofinummer konden invullen. Ceri had geen sofinummer en ik wist dat Keasley het zijne niet op zou willen schrijven. Ik had zo'n idee dat hij zich dood hield voor de overheid.

'Wil je me even excuseren?' mompelde ik toen Ivy's schaduw achter het glas even verborgen ging achter de damp van het hete water dat zij in de gootsteen liet lopen. Kisten liet me los. Voordat ik me omdraaide ontmoetten mijn ogen even die van Takata en ik zag er een ongekende emotie in.

Alvorens naar binnen te gaan, bleef ik even staan om de cederkrans terug op de deur te hangen. De warmte van de kerk kwam me tegemoet en ik zette mijn muts af en gooide hem naar de haard. Toen ik de keuken binnenkwam zag ik Ivy met gebogen hoofd en haar armen om zich heen geslagen tegen het aanrecht staan.

'Hoi,' zei ik, aarzelend op de drempel.

'Laat mij dat contract eens zien,' zei ze, opkijkend en haar hand ophoudend.

Mijn lippen gingen vaneen. 'Hoe weet jij...' stamelde ik.

Even gleed er een somber lachje over haar gezicht. 'Geluid draagt goed over vlammen.'

Gegeneerd haalde ik het uit mijn zak. Het voelde zowel koud van de buitenlucht als warm van mijn lichaam. Ze pakte het met gefronste wenkbrauwen aan. Mij de rug toekerend, vouwde ze het open. Ik schuifelde een beetje heen en weer. 'Eh, ik heb drie getuigen nodig,' zei ik. 'Ik wilde jou vragen om een van die getuigen te zijn.'

'Waarom?'

Ze draaide zich niet om en haar schouders waren gespannen. 'David heeft geen horde,' zei ik. 'Het is lastiger om hem te ontslaan als hij die wel heeft. Dan mag hij zijn werk alleen blijven doen en kan ik me via hem verzekeren. Dan kost het me maar tweehonderd piek per maand, Ivy. Dat is alles wat hij wil, anders had hij wel een Weervrouw gevraagd.'

'Dat weet ik. Mijn vraag is eigenlijk waarom je juist míjn handtekening wil.' Met het papier in haar hand draaide ze zich om en de lege blik op haar gezicht bezorgde me een ongemakkelijk gevoel. 'Waarom is het zo belangrijk voor je dat ík je getuige ben?'

Ik deed mijn mond open, en weer dicht. Ik dacht aan wat Newt had gezegd. Thuis was niet sterk genoeg om me terug te halen, maar Ivy wel. 'Omdat je mijn partner bent,' zei ik, terwijl ik een kleur kreeg. 'Omdat alles wat ik doe ook op jou betrekking heeft.'

Ivy pakte zwijgend een pen uit haar pennenbakje en klikte hem open. Ik voelde me opeens heel opgelaten, beseffend dat Davids papiertje hem iets gaf wat hij heel graag wilde: een tastbare verbintenis met mij.

'Toen jij in het ziekenhuis lag heb ik wat onderzoek naar hem verricht,' zei ze. 'Hij doet dit niet om een al bestaand probleem op te lossen.'

Ik fronste. Daar had ik nog niet aan gedacht. 'Hij zei dat er verder niets aan vastzat.' Ik aarzelde. 'Ivy, ik woon met jou samen,' zei ik, in een poging haar te overtuigen dat onze vriendschap geen papier of handtekening nodig had om echt te zijn. Allebei onze namen stonden boven de deur. Allebei.

Ze zweeg en haar gezicht vertoonde geen enkele emotie. 'Vertrouw je hem?'

Ik knikte. Ik moest hierin op mijn gevoel af gaan.

Toen verscheen er een flauw glimlachje op haar gezicht. 'Ik ook.' Een schaal koekjes opzijschuivend, schreef ze haar naam in een zorgvuldige maar nauwelijks leesbare handtekening op de eerste regel.

'Bedankt,' zei ik, toen ze het document teruggaf. Ik keek langs haar heen toen de achterdeur openging. Ivy keek op en ik herkende de zachte blik in haar ogen toen Kistens vertrouwde voetstappen op de mat bij de deur de sneeuw van zijn laarzen stampten. Hij kwam de keuken binnen, op de voet gevolgd door David.

'Gaan we dat document nog tekenen, of niet?' vroeg Kisten en ik hoorde aan zijn stem dat hij er helemaal klaar voor was om met Ivy in de clinch te gaan, mocht zij tegenstribbelen.

Ivy klikte haar pen zo snel open en dicht dat het een aaneengesloten geluid werd. 'Ik heb het al gedaan. Jij bent aan de beurt.'

Hij rechtte zijn schouders, nam de pen met een grijnzende blik van haar aan en zette zijn mannelijke handtekening onder de hare. Daarna noteerde hij zijn sofinummer en gaf de pen aan David.

David kwam tussen hen in staan. Hij leek heel klein, vergeleken bij hun lange gratie. Ik zag zijn opluchting toen hij zijn volledige naam opschreef. Mijn hart begon sneller te kloppen toen ik de pen van hem aannam en het papier naar me toe trok.

'Zo,' zei Kisten, toen ik mijn handtekening had gezet. 'En wie ga je nu als derde getuige vragen?'

'Jenks,' zeiden Ivy en ik allebei tegelijk en ik keek op. Onze ogen ontmoetten elkaar en ik klikte de pen dicht.

'Wil jij het hem namens mij vragen?' vroeg ik aan David.

De Weer pakte het papier op, vouwde het zorgvuldig op en stopte het weg in een binnenzak. 'Wil je niemand anders vragen? Het kan zijn dat hij het niet doet.'

Ik keek Ivy aan, richtte me op en stopte een losse krul achter mijn oor. 'Hij maakt deel uit van deze firma,' zei ik. 'Als hij de winter mokkend in de kelder van een Weer door wil brengen, moet hij dat weten, maar zodra het weer wat beter wordt kan hij er maar beter voor zorgen zijn kleine elfenkontje hier weer te vertonen, anders kon ik wel eens ongelooflijk pissig worden.' Ik haalde diep adem en voegde eraan toe: 'En misschien zal dit hem ervan overtuigen dat hij bijzonder wordt gewaardeerd als lid van het team en dat het me spijt.'

Kisten schuifelde een stapje naar achteren.

'Ik zal het hem vragen,' zei David.

Toen vloog de achterdeur open en kwam Erica met rode wangen en schitterende ogen naar binnen gerold. 'Hé, kom nou! Hij gaat spelen! Godsamme, hij is helemaal opgewarmd en klaar om te spelen en jullie zitten hier een beetje te eten? Schiet op!'

Ivy's blik gleed van de sneeuw die ze naar binnen had gelopen naar mij. David sprong overeind en duwde de wispelturige gothic vamp voor zich uit. Kisten volgde en ik hoorde hoe ze elkaar vriendschappelijk toeriepen. Takata's muziek steeg op en mijn ogen werden groot toen Ceri's ijle stem een kerstlied inzette dat nog ouder was dan zij. Ze zong het zelfs in het Latijn. Ik keek Ivy fronsend aan.

Ivy ritste haar jas dicht en pakte haar wanten van het aanrecht. 'Ben je het er echt helemaal mee eens?' vroeg ik.

Zij knikte. 'Jenks vragen om dat document te tekenen zou wel eens de enige manier kunnen zijn om het tot zijn domme kop te laten doordringen dat we hem echt nodig hebben.'

Ik trok een gezicht en liep voor haar uit, terwijl ik een manier probeerde te verzinnen om Jenks duidelijk te maken hoe verkeerd het van mij was geweest om hem niet te vertrouwen. Ik was uit Algaliarepts val ontsnapt en was er in geslaagd me niet alleen van een van mijn demonentekens te bevrijden, maar ook mijn familiaarband met Nick te verbreken – hoewel dat er nu niet veel meer toe deed. Ik was een avondje uit geweest met de machtigste vrijgezel van de stad en had samen met hem ontbeten. Ik had een duizend jaar oude kobold gered, geleerd hoe ik mijn eigen familiaar moest zijn en ontdekt dat ik een aardig potje kon dobbelen. Om nog maar niet te spreken van het feit dat ik erachter was gekomen dat je seks met een vampier kon hebben zonder gebeten te worden. Waarom had ik dan nog steeds het gevoel dat mijn gesprek met Jenks zwaarder zou worden dan dat allemaal bij elkaar?

'We krijgen hem wel weer terug,' mompelde Ivy achter mij. 'We kríjgen hem terug.'

Terwijl ik de besneeuwde treden af kloste en de met muziek en sterren vervulde nacht in liep, nam ik me heilig voor dat het zou lukken.

Woord van dank

Ik wil de mensen die mij het dierbaarst zijn graag bedanken voor hun begrip in de periode dat ik me door dit alles heen worstelde. Maar bovenal wil ik mijn agent, Richard Curtis, bedanken, die de mogelijkheden al zag voordat ik wist dat ze bestonden, en mijn uitgeefster, Diana Gill, die deze mogelijkheden in goede banen leidde en ze tot leven bracht.